W9-CBD-062

THOMAS MANN

AUSGEWÄHLTE ESSAYS IN DREI BÄNDEN

FISCHER TASCHENBUCH VERLAG

THOMAS MANN

ESSAYS

BAND 2

Politische Reden und Schriften

Ausgewählt, eingeleitet und erläutert
von Hermann Kurzke

FISCHER TASCHENBUCH VERLAG

Originalausgabe
Fischer Taschenbuch Verlag
Dezember 1977
Umschlagentwurf: Jan Buchholz/Reni Hinsch
Fischer Taschenbuch Verlag GmbH, Frankfurt am Main

Gesamtherstellung: Hanseatische Druckanstalt GmbH, Hamburg
Printed in Germany
980-ISBN-3-596-21907-8

Inhalt

Einleitung

I

Man kann sich heute nur noch schwer einen Begriff davon machen, mit welcher selbstverständlichen Geringschätzung die ästhetizistische Künstlerwelt um die Jahrhundertwende auf die Sphäre der Politik herabblickte. Politik war das Unpoetische und Unästhetische par excellence, Bereich grober Handgreiflichkeit, empfindungsloser Banalität und brutaler »Wirklichkeit«. Ihr gegenüber stand die Kunst als Reich des Geschmacks, der feinen Nuance, der hochsensibilisierten Nerven und des reinen Traumreichs der zu nichts verpflichtenden Spielfreiheit der Möglichkeiten. Obgleich der junge Thomas Mann mit *Buddenbrooks* einen bedeutenden Gesellschaftsroman schrieb, schrieb er ihn als Ästhet und Psychologe, nicht als Politiker und Soziologe. Es ist die ästhetische Wirkungsintensität, nicht die soziologische Funktion eines Details, was die Realitätsselektion des Romans steuert. Auch die Gesellschaftskritik in *Buddenbrooks* erfolgt darum nicht von einem politischen, sondern von einem ästhetisch-metaphysischen Standpunkt aus. Sie gilt der traumfeindlichen Brutalität des Lebens schlechthin.[1] Keine politische Reform könnte dieser Klage Abhilfe schaffen,

> weder die Schule noch das Leben überhaupt lassen sich so einrichten, daß die höchste sittliche und ästhetische Reizbarkeit, daß die Sensitivität und der Geist sich darin zu Hause fühlen.[2]

Ausgangspunkt dieser Kritik ist das Unmögliche und Unwirkliche. Sie will am liebsten die Fesseln der Wirklichkeit überhaupt abschütteln, will alle konkrete Festlegbarkeit, alle Verpflichtung, alle inhaltliche Gefülltheit vermeiden zugunsten eines wirklichkeitsreinen Traumreichs, von dem aus die konkrete Kausalität und Materialität des Lebens, seine traumfeindliche Trivialität und Banalität schon als solche mit einem ironischen, sich selbst heraushaltenden, sich nicht engagierenden Vorbehalt bedacht werden. Statt jedoch ein weltflüchtiges Traumreich in der Dichtung zu erfinden und positiv darzustellen, kann der Künstler Thomas Mann sein Ideal nur am Negativ gestalten. Nur in der unbarmher-

[1] Vgl. *Zu einem Kapitel aus ›Buddenbrooks‹*, XI, 554 f.
[2] Siehe S. 47.

zigen Ausleuchtung von Schmutz, Komik und Elend aller Wirklichkeit, nur als Kritik also wird die Utopie der Wirklichkeitsreinheit erfahrbar.

Ein solcher Ästhetizismus kann darum eine durchaus fruchtbare Methode zur Erfassung der Realität sein. Während ein politisch engagierter Roman Gefahr läuft, fertige Deutungsschablonen mit einem Figuren- und Handlungspanorama auszufüllen, garantiert der ästhetizistische Blick eine gewisse Unvoreingenommenheit und Unparteilichkeit, weil der ästhetische Reiz von der politischen Funktion des Gegenstands, an dem er sich entzündet, unabhängig ist. So kann es kommen, daß ein ästhetizistischer Roman mehr gesellschaftliche Wahrheit offenlegt als eine von vornherein politische Perspektive. Auf der anderen Seite ist es allerdings unverkennbar, daß politische Strukturen, denen keine ästhetischen Qualitäten abgewonnen werden können, dieser Blickrichtung entgehen.

In einem Brief vom 27. 2. 1904 schreibt der junge Thomas Mann an den Bruder Heinrich:

Viel merkwürdiger, seltsam interessant, für mich immer noch ein bischen unwahrscheinlich ist die Entwicklung Deiner Weltanschauung zum Liberalismus hin (...). Seltsam, wie gesagt, und interessant! Du mußt Dich wohl ganz ungeahnt jung und stark damit fühlen?[3]

Die Urteile »merkwürdig«, »seltsam«, »interessant« sind ästhetische Urteile; sie prüfen den Effekt des Liberalismus auf den Geschmack, nicht seine Angemessenheit im Hinblick auf eine zeitgeschichtliche Lage. Seines Bruders Politisierung ist für Thomas Mann vorerst nur eine originelle Masche, und er wird 1914 völlig konsterniert sein, daß es Heinrich Ernst ist mit der Demokratie.

Die Fortsetzung der Briefstelle verfällt jedoch unvermittelt in eine politische Argumentation, in der der anscheinend so wertfreie Ästhetizismus als sein politisches Implikat einen skeptischen Konservatismus enthüllt:

Aber für politische Freiheit habe ich gar kein Interesse. Die gewaltige russische Literatur ist doch unter einem ungeheuren Druck entstanden? Wäre vielleicht ohne diesen Druck gar nicht entstanden? Was mindestens bewiese, daß der Kampf für die »Freiheit« besser ist, als die Freiheit selbst.[4]

Ein wenig zugespitzt rechtfertigen diese Sätze einen schlechten politischen Zustand dadurch, daß er Anlaß zu einigen poetischen

[3] H. Wysling (Hrsg.): *Thomas Mann – Heinrich Mann: Briefwechsel 1900–1949*, Frankfurt [2]1975, S. 25.
[4] ebd.

Meisterwerken wurde[5], und halten die erreichte Freiheit für wenig verlockend, wenn sie diesen Anlaß nicht mehr bietet. Eine Veränderung der Wirklichkeit erscheint grundsätzlich nicht wünschenswert.

Dieser politische Konservatismus blieb latent, solange die Verhältnisse selbst konservativ waren, und vertrug sich inzwischen sogar mit einer guten Portion psychologischer Gehässigkeit gegenüber der wilhelminischen Gesellschaft. Er wurde manifest mit der Bedrohung dieser Gesellschaft durch den Ersten Weltkrieg. Thomas Manns überraschend spontane und eindeutige Parteinahme für den Krieg vor allem gegen Frankreich löst bei vielen Freunden Bestürzung aus. Sie ist jedoch kein Ausrutscher, sondern nur das Zutagetreten und Reflexivwerden einer bis dahin trotz ästhetizistischer Kritik im Politisch-Soziologischen unbewußten Identifikation mit dem wilhelminischen Staat, der die »machtgeschützte Innerlichkeit«[6] als Vorbedingung des Mannschen Schaffens bis dahin garantiert hatte. Produkt dieses Reflexivwerdens sind die *Betrachtungen eines Unpolitischen* (1918), in denen Thomas Mann den Krieg gegen Frankreich als einen notwendigen Kampf des deutschen gegen den französischen Geist legitimiert. Dennoch leuchtet aus allem vordergründigen Eifern dieses Buchs gegen Zivilisationsliteraten, Pazifisten, Expressionisten, Demokraten und Jakobiner doch auch eine glanzvolle Formulierung konservativer Humanität hervor. Ihr Wesen ist die Ablehnung der Politik zugunsten der Kultur. Die Verwahrung gegen die Politisierung des gesamten Lebens dient einer aus der romantischen Sozialphilosophie gespeisten Idee von Freiheit und Verantwortlichkeit, der die Gesellschaft nicht zentralverwaltete Masse atomisierter Individuen, sondern vielgestaltiger Organismus von Persönlichkeiten ist, in der jeder jeweils verschiedene Freiheiten und Pflichten hat. Manns Fehler war, daß er seine konservative Utopie für die wilhelminische Wirklichkeit hielt. Als das Buch die einsame Studierstube verließ, machte seine Resonanz dem Dichter erst klar, wessen Geschäfte er besorgte. Erst in den Jahren von 1918–1922 begann Thomas Mann, statt geistesgeschichtlicher Schemen die politische Wirklichkeit zu sehen. Während das Buch für ihn selbst eine kathartische Funktion hatte, wurde es den revolutions- und republikfeindlichen

[5] In den *Betrachtungen eines Unpolitischen* wird Mann das Argument noch zuspitzen, wenn er sagt, »daß die russischen ›Zustände‹ von ehemals sich *rechtfertigten* durch zwei, drei Werke genialer Satire, zu denen sie Anlaß gaben, und die schwächer hätten ausfallen müssen, wären die ›Zustände‹ weniger stark gewesen« (XII, 563, vgl. auch XII, 548).

[6] IX, 419.

Kreisen des gebildeten Bürgertums zum Manifest.[7] Je mehr sich die Rechte um den »Unpolitischen« bemühte, desto empfindlicher wurde er für die zweifelhafte Gesellschaft, in die er geraten war.[8] Als er sah, daß die Politikfreiheit in Wirklichkeit bei keiner Partei gesichert war, zog er die demokratische Politisierung der schon früh als faschistoid erkannten[9] konservativen vor. Seine Rede *Von deutscher Republik* (1922) begründet daher die neuentdeckte Liebe zur Demokratie nicht aus der jakobinischen, sondern aus der romantisch-konservativen Tradition, deren Werte er in der Republik weniger bedroht sieht als bei ihren Feinden.
Ein Zwiespalt bestimmt künftig seine Stellung. Der Monarchie im Herzen treu, fordert doch seine Vernunft das Bekenntnis zur Republik. Wie Hans Castorp im *Zauberberg* (1924) will er dem Tode Treue halten im *Herzen*, er soll aber nicht bestimmen sein *Denken* und *Regieren.*[10] Die Gefühlswelt soll also dem Tode (der Monarchie, dem Unpolitischen, der Romantik, der Musik, dem Zeitverlust, dem träumerischen Rausch) treu bleiben, und nur das Denken und Regieren gehört der Republik. Eine bleibende Schwäche des Politikers Thomas Mann entsteht aus dieser Konstellation. Einer Politik, die gefühlsmäßig verneint, was sie verstandesmäßig bejaht (und umgekehrt), die also auf ein bloß ethisches Sollen ohne Unterstützung des emotionalen Seins gegründet ist, haftet unausweichlich eine gewisse Blässe und Abstraktheit an. Hier liegt die Wurzel für das manchmal hohle Pathos seiner politischen Reden. Von dem allzu kruden Tagesgeschehen zur Politik gezwungen, ein Aufklärer wider Willen, überspringt er seine ästhetischen Bedenken, ohne sie wirklich zu widerlegen. Den Vorbehalt des Unpolitischen, die Treue zum Tode, läßt er sich nie ganz nehmen.
Aus dem Zwiespalt von »Herzensmonarchist« und »Vernunftrepublikaner« (Meinecke) versucht Thomas Mann in jenen Jahren eine Synthese zu bilden, die ihn schließlich zum »Pakt der konservativen Kulturidee mit dem revolutionären Gesellschaftsgedanken«[11] führt. Der Gedanke des »dritten Wegs« zwischen rechts

[7] Über die Rezeption der *Betrachtungen* siehe Hübinger, *Thomas Mann*, München/Wien 1974, S. 63–65.
[8] 1950 schreibt Thomas Mann, die Lösung von den *Betrachtungen* sei ihm leicht geworden »durch die stumpfe Ablehnung des Buches von seiten der Deutsch-Konservativen« und »durch gewisse persönliche Berührungen mit diesen Kreisen in ihrer politischen und geistigen Realität, die mir den Schrecken ins Gebein jagten (...), kurz, durch das Heraufkommen des Faschismus« (XI, 313).
[9] Schon 1921 analysiert Mann den deutschen Faschismus als »romantische Barbarei« (IX, 169).
[10] III, 686.
[11] Siehe S. 102.

und links wird sein künftiges politisches Denken bestimmen. Seine in der Regel wenig präzise Formulierung erlaubt stark changierende Bedeutungen. In seiner Frühfassung (*Goethe und Tolstoi*, 1921) steht er dem revolutionären Konservatismus nahe[12], der seine Gesellschaftsidee aus der Erfahrung des Kriegsenthusiasmus von 1914 bildete[13] und diese Mixtur aus emotionaler Gemeinschaft und militärischer Organisation als »völkischen«, »konservativen«, »preußischen«, »deutschen« oder »nationalen« Sozialismus anpries.[14] Der faschistische Mißbrauch dieser Syntheseideen hindert Thomas Mann an ihrer weiteren Ausformulierung, ohne daß er sich deshalb von diesen Denkbahnen völlig löste.[15] Der Synthesegedanke bleibt, der Begriff des Sozialismus wird jedoch mehr und mehr vom nationalen in einen sozialdemokratischen Sinn verschoben. Während die konservative Revolution es schwer hatte, sich vom Nationalsozialismus wirksam zu distanzieren und zwischen links und rechts keine Massenbasis finden konnte, hat Thomas Mann seiner Synthese schließlich den realistischen Inhalt gegeben, das Bürgertum an die Seite der Sozialdemokratie zu führen (*Deutsche Ansprache*, 1930). Erzwungen wurde diese ganz ungewöhnliche Eindeutigkeit durch das bedrohliche Anwachsen der NSDAP, so daß mehr die Eindeutigkeit des Gegners[16] als wirkliche Klarheit über die eigenen politischen Ziele seine Parteinahme bestimmt.

In der Beurteilung dieses Gegners ist Mann von Anfang an erstaunlich sicher. Schon 1921 bestimmt er den Faschismus als »romantische Barbarei«.[17] In diesem Urteil steckt eine Kulturdialektik, die Thomas Mann aus den Problemen seines eigenen dichterischen Schaffens entwickelt hat. Die Künstlersehnsucht Tonio Krögers, aus der Überreflexivität in das Glück der Naivität

[12] Thomas Mann führte den Begriff »konservative Revolution«, der dann den radikalkonservativen Bewegungen der Weimarer Republik den Namen gab, in Deutschland ein (siehe S. 364).

[13] Wie auch Thomas Mann in *Von deutscher Republik*. Siehe S. 60.

[14] Bei Thomas Mann taucht in einem Brief an Julius Bab vom 5. 9. 1920, also in den Jahren seines konservativ-revolutionären Engagements, der Begriff »deutscher Kommunismus« auf: »Ich bin natürlich kein Bolschewik (wenn auch sonst gut russisch seit je). Aber eine Art von deutschem Kommunismus war im Mittelalter verwirklicht, und ich glaube, daß die Dinge sich bei uns etwa in dieser Richtung entwickeln werden.« (Briefe I. S. 183). Im weiteren Argumentationsgang dieser Briefstelle bekundet Mann seinen Glauben an einen jedem Volk eigentümlichen nationalen Sozialismus.

[15] Noch 1937 trauert er dem Gedanken der konservativen Revolution nach. Siehe S. 187f.

[16] »Hitler hatte den großen Vorzug, eine Vereinfachung der Gefühle zu bewirken, das keinen Augenblick zweifelnde Nein, den klaren und tödlichen Haß. Die Jahre des Kampfes gegen ihn waren moralisch gute Zeit.« (XI, 254).

[17] *Goethe und Tolstoi*, IX, 169.

zurückzufinden, die Suche nach dem »Wunder der wiedergeborenen Unbefangenheit« in *Fiorenza*, Aschenbachs Absage an den »unanständigen Psychologismus der Zeit« und schließlich das Plädoyer der *Betrachtungen* gegen die zersetzende Wirkung des Politischen: aus all dem spricht ein Leiden an Erkenntnis und eine rückwärtsgewandte Sehnsucht nach einem einfacheren Zustand. Der Dichter gibt jedoch dieser Nostalgie nicht nach, sondern erkennt jeweils den Reflexionsstand seiner Zeit als unausweichlich an. Er hält die Spannung von »Geist« und »Leben« aus und fällt nicht in Irrationalismus zurück. Dies aber geschieht im Nationalsozialismus. »Romantisch« nennt Thomas Mann die Sehnsucht nach Irrationalität. »Barbarei« ist sie, wo sie den Stand des Geistes hintergeht und als rationale Widervernunft, als bewußter Archaismus, als künstlicher Mythos auftritt. Der Nationalsozialismus ist in diesem Sinne eine »Naturrevolution gegen das Geistige«.[18] In seinem geistigen Kern ist er »ein irrationalistischer, den Lebensbegriff in den Mittelpunkt des Denkens stellender Rückschlag, der die allein lebenspendenden Kräfte des Unbewußten, Dynamischen, Dunkelschöpferischen auf den Schild hob, den Geist (...) als lebensmörderisch verpönte (...)«.[19] Da Thomas Mann diesen rückschlägigen Ideen selbst immer eine gewisse Sympathie entgegengebracht hatte, macht er zwischen Irrationalismus und Faschismus noch einen gewichtigen Unterschied, den der Begriff der Perversion oder Verhunzung kennzeichnet: »Und wirklich, unserer Zeit gelang es, so vieles zu verhunzen: Das Nationale, den Sozialismus – den Mythos, die Lebensphilosophie, das Irrationale, den Glauben, die Jugend, die Revolution und was nicht noch alles.«[20] Der Faschismus hat das Legitime des unpolitischen Irrationalismus der romantischen Geistestradition in Deutschland durch die undialektische Handgreiflichkeit pervertiert, mit der er irrationale Werte wie Schicksal, Volksgemeinschaft, Mythos u. a. mit Hilfe von ihrerseits notwendig rationalen und diktatorischen Akten zu restituieren trachtete. Der Versuch, naturhafte Verhältnisse, z. B. eine Volksgemeinschaft, in einem aufgeklärten Zeitalter wiederherzustellen, mißrät zum totalitären Zwang, der sich mit den Werten traditionaler Irrationalität nur ideologisch maskiert. Die nationalsozialistische Volksgemeinschaft trägt darum »das Gepräge mythischer Surrogate für das wirklich Soziale«.[21]

[18] Siehe S. 139.
[19] Siehe S. 115.
[20] Siehe S. 227.
[21] Siehe S. 251.

Thomas Manns klarer Antifaschismus zwang ihn 1933 in die Emigration. Im Gegensatz jedoch zu vielen jüdischen und marxistischen Autoren wurden seine Bücher vorerst nicht verboten, so daß er sich in einer zwiespältigen Stellung befand. Um die Publikation seines Werks in Deutschland nicht zu gefährden, versprach er den nationalsozialistischen Behörden, sich jeder öffentlichen Kritik des Dritten Reiches zu enthalten.[22] Diese Zurückhaltung wurde zu einem schweren Hindernis für die Solidarität der literarischen Emigration. Auch als Mann 1936 sein Schweigen brach, vermied er es, über ein rein geistiges Bekenntnis zur Emigration hinaus auch politisch Anschluß an die Organisationen der Emigranten zu suchen. Statt dessen suchte er wieder *zwischen* links und rechts seinen einzelgängerischen Weg. Geleitet vom Gedanken der »konservativen Revolution« gründete er die Zeitschrift »Maß und Wert« (1937–1940), die unter Vermeidung einer direkten antifaschistischen Polemik ein Hort konservativer Humanität sein wollte, in Verwahrung gegen die Totalität des Politischen bei der Rechten wie bei der Linken. Sein Gesellschaftsgedanke konkretisiert sich in diesen von der Arbeit am Josephsroman geprägten Jahren als »christlicher Sozialismus«[23] in dem Sinne, daß bürgerliche Freiheit und sozialistische Gleichheit allein im Christentum versöhnbar sind, weil die ins Soziale gewendete christliche Liebe auf die Gleichheit der Freien dringt.

Obgleich Thomas Mann in den Reden seiner Jahre in Amerika dazu neigte, des demokratischen Präsidenten Roosevelt sozialpolitisches Reformprogramm »New Deal« für christlichen Sozialismus zu halten, war in den USA die Resonanz seiner politischen Ideen nicht allzu groß. Während man bei der Rechten die sozialistischen Töne, z. B. die Warnung vor dem Antikommunismus, entweder geflissentlich überhörte (bei den eher nationalliberalen Schichten) oder ihn ihretwegen umstandslos zum Kommunisten stempelte (bei den Konservativen), witterte die Linke überall faule Kompromisse. Solange der Krieg gegen Hitler eine gemeinsame Front erzwang, konnte Thomas Mann sich der Täuschung hingeben, die moralische Macht des von ihm vertretenen sozialen Humanismus sei auch eine politische Macht. Nach dem Kriege zeigte sich schnell, daß die Allianz von USA und UdSSR *nur* durch den gemeinsamen Gegner, nicht durch gleiche Ziele und Interessen gedeckt war. Die Position des dritten Wegs, die durch die Koalition der zwei Großmächte ein solides Fundament in der Praxis zu

[22] Siehe S. 151.
[23] Siehe S. 234.

haben schien, hing schon wenige Monate nach Kriegsende durch das Auseinanderrücken von West und Ost in der Luft.
Manns Engagement in Amerika gipfelte in der Rede *The War and the Future*, von der in diesem Band eine Fassung unter dem Titel *Schicksal und Aufgabe* (1944) abgedruckt ist. Hier sieht er sich am weitesten nach links getrieben. Er bestimmt den Faschismus ganz im marxistischen Sinne als Krisenform des Kapitalismus zur Abwendung einer sozialen Revolution. Zu zerstören sei »das weltbedrohende Bündnis von Junkertum, Generalität und Schwerindustrie«.[24] Zugleich bleibt aber auch das kulturhistorisch-nationalpsychologische Denkmodell wirksam (Faschismus als pervertierte deutsche Romantik). Beides widerspricht sich: im ersten Falle ist das deutsche Volk unschuldig, von einer korrupten Oberschicht geknechtet, im zweiten Falle liegt der Nationalsozialismus in einer legitimen Gravitationslinie deutscher Geschichte, sind die Deutschen mit Hitler weitgehend einverstanden und mitschuldig. In die Konsequenz des Mannschen Denkens ist die zweite These besser integriert, während man in der ersten nur eine vorübergehende Adaptation eines isolierten marxistischen Arguments sehen muß. In Manns Generalabrechnung *Deutschland und die Deutschen* (1945) hat denn auch die national- und kulturhistorische Faschismustheorie wieder die Alleinherrschaft. Ihr notwendiges Implikat, die These von der Kollektivschuld der Mehrheit des deutschen Volkes, wird Manns weiteres Verhältnis zu Deutschland bestimmen.
Auf der Suche nach Schuldigen begegnen sich in der Praxis nach 1945 zunächst beide Theorien, sofern die Westalliierten im Banne der Kollektivschuldthese mit der Bestrafung der politischen, militärischen und ökonomischen Führungsschichten den Anfang machen. Bevor jedoch der Entnazifizierungsprozeß durchgreifend wirksam werden konnte, führte die Notwendigkeit, die Westzonen zum Bollwerk gegen den Kommunismus auszubauen, bald zu einer stillschweigenden Rehabilitation vieler ehemals nazistischer Führungskräfte. Während nach Kriegsende in Deutschland breite Kreise sowohl der Sozialdemokratie als auch der neuentstehenden CDU und CSU unter dem Leitgedanken des christlichen Sozialismus den »dritten Weg« zwischen Kapitalismus und Kommunismus suchten (was auch die Erhaltung der Einheit Deutschlands durch Neutralisierung implizieren sollte), entzogen die realen politischen Machtverhältnisse solchen Programmen bald die Basis. Der christliche Sozialismus rekrutierte

[24] Siehe S. 253.

sich personell aus der »inneren Emigration«, also aus einer sowohl zahlenmäßig als auch politisch schwachen Schicht. Die Ungeheuerlichkeiten des Hitler-Regimes hatten ihr nach 1945 moralisch eine große Resonanz eingebracht, die über ihre politische Ohnmacht eine Weile hinwegzutäuschen vermochte. Bald zeigte sich, daß unter dem Zwang zum kapitalistischen Aufbau im Westen, zum kommunistischen im Osten der christliche Sozialismus zu einem kleinen Häuflein resignierter Idealisten zusammenschmolz.

Thomas Mann sieht mit dem Tod Roosevelts 1945 und dem beginnenden Kalten Krieg die Grundlage seines Wirkens in den Vereinigten Staaten schwinden. In die Ostzone zu gehen liegt ihm, trotz gelegentlicher Sympathiekundgebungen, fern. Sein Werk fand dort zwar mit offizieller Förderung schnelle Verbreitung, aber man hatte es dort leicht mit der Kollektivschuldthese, da die geforderte Metanoia ja mit dem Aufbau einer sozialistischen Gesellschaftsordnung vollzogen schien. In den Westzonen hatte Thomas Mann einen sehr schlechten öffentlichen Start durch seine unglückselige Debatte mit einigen Vertretern der »inneren Emigration«. Unglückselig muß sie deshalb genannt werden, weil beiderseitige oberflächliche Mißverständnisse es fertigbrachten, die aus größerem historischem Abstand erkennbaren Gemeinsamkeiten zuzuschütten. Der innere Emigrant Serenus Zeitblom im *Doktor Faustus*, der Deutschland vom Teufel geholt sah, wurde von vielen Deutschen als gültige Gestaltung der seelischen Situation eines Humanisten im Reich empfunden. Wer Trauerarbeit[25] fordert, muß noch kein deutschfeindlicher Vansittartist sein. Frank Thieß, der sich zum Sprecher der Deutschen aufwarf, war dies in Wahrheit nicht. Hätte an seiner Stelle zum Beispiel der von Thomas Mann später hochgeschätzte Reinhold Schneider[26] gesprochen, der als ein innerer Emigrant Schuldanerkenntnis, Buße und Umkehr radikaler noch als Thomas Mann forderte, hätte es keinen »Abschied von Thomas Mann« geben müssen. Die Debatte mit Thieß, die sich so in den Vordergrund drängt, sollte nicht vergessen machen, daß Manns Resonanzboden in den Westzonen aus jenen Schichten des Bildungsbürgertums bestand, die im Protest gegen den Faschismus einen christlich-sozialen Humanismus zu bewahren suchten, und damit mit dem der inneren Emigration zu einem guten Teil deckungsgleich war.

25 Zum Begriff siehe Mitscherlich, *Die Unfähigkeit zu trauern.* München 1967.
26 Vgl. Manns Brief an Schneider vom 18. 12. 1953, abgedruckt in: F. A. Schmitt/B. Scherer, *Reinhold Schneider. Leben und Werk in Dokumenten.* Karlsruhe ²1973, S. 187f.

Nachdem die große Hoffnung von 1945, es möge der Ungeheuerlichkeit der Katastrophe die Tiefe der Besinnung entsprechen, so schnell und kalt an den Realitäten gescheitert war, werden Manns politische Äußerungen spärlicher. Er besucht zwar im Goethe-Jahr 1949 ostentativ Frankfurt *und* Weimar, er wendet sich zwar gegen den Gesinnungsterror der McCarthy-Ära und gegen die Wiederaufrüstung Deutschlands, aber das alles geschieht bereits im Bewußtsein der Ohnmacht. Die politische Resignation des letzten Lebensjahrzehnts läßt sogar wieder Züge der ästhetizistischen Politikferne des Frühwerks zutage treten: »Unleugbar hat ja das politische Moralisieren eines Künstlers etwas Komisches...«.[27] Was vor 1914 Snob-Appeal eines politisch Unerfahrenen war, hat jetzt allerdings die Erfahrung eines langen Lebens für sich.

II

Die Idee, die nicht Sachwalter eines Interesses sei, habe sich noch immer blamiert, so ließe sich dieser politische Werdegang zynisch resümieren. Hätte Thomas Mann sich an eine bestimmte Interessengruppe anschließen sollen? Bedeutet der in der Theorie ehrenwerte Gedanke des »dritten Wegs« in der Praxis nicht, sich jeglicher konkreten Politik zu enthalten? Als Künstler in der idealistischen Tradition betrachtete Thomas Mann sich als Anwalt der Menschheit, nicht des Bürgertums oder des Proletariats. Jene beiden Klassen freiweg als unterdrückende und unterdrückte zu unterscheiden, so daß der Anwalt der Menschheit selbstverständlich auf seiten des Proletariats seinen Platz habe, lehnte er ab. Wenn im späten 18. Jahrhundert der Bürger sich als Mensch schlechthin verstand, im 19. dieser Anspruch von vielen dem Proletarier übertragen wurde, so scheinen im 20. Jahrhundert beide, mittlerweile vielfältig differenzierten Klassen auf ihr je eigenes, nur noch parteiisches Interesse fixiert, und der Anspruch, für die Menschheit zu reden, ist überall zur lumpigen Propaganda verkommen. Wer will da dem Künstler aus seiner Einsamkeit noch einen Vorwurf machen!
Eine gewisse Politisierung hat Thomas Mann ja dennoch und immerhin erreicht. Ihr Grad hing vom jeweiligen Zusammenwirken mehrerer Faktoren ab. Seine Herkunft hätte ihn zum Konservativen bestimmt, der desolate Zustand des Konservatismus am

[27] Siehe S. 335.

Ende der wilhelminischen Epoche ließ ihn dort jedoch keine Heimat finden und trieb ihn 1922 schließlich nach längerem Sträuben auf die Seite der Republik. Für einen Mann, der bis dahin »von der Tradition des Naturrechts, von den Lehren der Aufklärung und vom Marxismus, d. h. von den wichtigsten Emanzipationshorizonten des 18. und 19. Jahrhunderts lebensgeschichtlich so gut wie abgeschnitten war«,[28] war das eine durchaus beachtliche Entscheidung. Trotz der unausgeräumten ästhetischen und emotionalen Bedenken des »Unpolitischen« erreicht seine Arbeit in der Schlußphase der Weimarer Demokratie von 1928–1932 die größte politische Konkretion. Er gehört damals zu den führenden Mitgliedern der Sektion Dichtkunst der Preußischen Akademie der Künste. Er arbeitet nicht mehr für unverbindliche Ideen, sondern für die konkrete SPD und gegen die NSDAP. Sein *Aufruf zum Sozialismus* von 1933 war für eine vom sozialdemokratischen Kultusminister Adolf Grimme einberufene Veranstaltung des Sozialistischen Kulturbunds vorgesehen, wo Thomas Mann gemeinsam mit Sozialdemokraten und Gewerkschaftsführern aufgetreten wäre. (Die Veranstaltung kam durch Hitlers Ernennung zum Reichskanzler am 30. 1. 1933 nicht mehr zustande.)
Diese Konkretion hängt damit zusammen, daß Thomas Mann hier Repräsentant sein konnte. Seine Arbeit hat als soliden regierungsoffiziellen Hintergrund die (gescheiterten) Bemühungen der Weimarer Republik um die Sympathien des Bürgertums. »Ich bin weit eher zum Repräsentanten geboren als zum Märtyrer«[29]: dieser Satz Thomas Manns bedeutet auch, daß er immer ein Verhältnis zur Macht hatte. Wenn schon Politik, dann mußte es sich um Organisationen mit wirklichem Gewicht handeln. Es ist bezeichnend für ihn, daß er eine Teilnahme an den vielen ohnmächtigen Gründungen der Emigranten in aller Regel ablehnte. Vom Zwang der Umstände in die Opposition getrieben, will er doch auch diese Opposition möglichst als Repräsentant einer Macht betreiben. Seine Verbindungen zu Roosevelt und zu literaturpolitischen Entscheidungsträgern in den USA sind daher besser als die zu den Emigrantenorganisationen. Typisch ist sein Verhalten, als Paul Tillich mit Bertolt Brecht und anderen das »Free Germany Committee« gründete und um seine Mitarbeit warb. Er erkundigte sich zunächst, ob das Vorhaben die Billigung der amerikanischen Regierung habe. Da diese fehlte, zog er sich zurück.

28 So H.-G. Zmarzlik in seinem Aufsatz *Ein deutscher Bürger in schwieriger Zeit*, in: H.-G. Z., *Wieviel Zukunft hat unsere Vergangenheit?* München 1970, S. 12.
29 Siehe S. 179.

Das übliche Entwicklungsschema einer allmählichen Wandlung Thomas Manns vom Unpolitischen zum Demokraten und schließlich zum Sozialisten ist daher zu revidieren. Nicht so sehr eine kontinuierlich zunehmende Politisierung ist anzusetzen als vielmehr ein lebenslanges Spannungsverhältnis zwischen ästhetizistischem Konservatismus als Liebe und Politik als Pflicht, innerhalb dessen der Dichter je nach der Intensität des Drucks der Zeitgeschichte und je nach den Chancen eines Auftretens als Repräsentant gegen die Prädispositionen seiner Herkunft verschieden weit in die Politisierung getrieben wird.

Von dieser These ausgehend stellt sich sein politisches Schicksal folgendermaßen dar. In unbedrohter Zeit ist er Ästhet, sein Konservatismus bleibt unreflektiert.[30] Der Angriff auf die Gesellschaftsordnung im Ersten Weltkrieg führt zur Reflexion und Revision seiner intellektuellen Grundlagen. Die Zerstörung der alten Gesellschaft entzieht ihm die Basis seiner bis dahin unproblematischen Repräsentanz. Anstatt sich nach 1918 in den ohnmächtigen Gruppen der antidemokratischen Intelligenz zu verschleißen, sucht er in der Republik eine neue tragfähige Grundlage seines Wirkens. Der Kampf gegen den Faschismus treibt ihn am weitesten nach links, aber nur, solange er ihn als Repräsentant führen kann. Als Oppositioneller und einsamer Emigrant von 1933–1939 ist er wieder deutlich konservativer. Seine *Deutsche Ansprache* von 1930 ist weit radikaler als das Vorwort zu »Maß und Wert« im Jahre 1937. Kulturpessimistische und religiöse Züge treten in diesen Jahren stärker in den Vordergrund. Der Umzug in die USA unter Roosevelt gibt Manns antifaschistischem Kampf wieder jenen Rückhalt, der ihm eine zunehmende Politisierung und erneute Annäherungen an sozialistische Positionen gestattet. Im Zeichen der Allianz von USA und UdSSR wird er von 1940–1945 der Anwalt der humanen Versöhnung von Kapitalismus und Sozialismus. Der Kalte Krieg seit 1945 entzieht ihm diese Basis wieder, so daß im letzten Lebensjahrzehnt ein religiös geprägter konservativer Skeptizismus mit ästhetischen Vorbehalten gegen die Politik den Kreis schließt.

Diese starke Abhängigkeit von den Zeitereignissen bringt es auch mit sich, daß Manns politische Schriften sich kaum zu einem geschlossenen System harmonisieren lassen, sondern reich an Widersprüchen sind. Immer wieder zeigt er sich vorübergehend von Argumenten aus den verschiedensten Zusammenhängen fas-

[30] Von »erhaltenden Gegentendenzen«, die er, ohne sich »politisch selbst zu verstehen«, in sich gehabt habe, spricht Thomas Mann in den *Betrachtungen*. (Siehe S. 56).

ziniert. Dies fällt besonders bei seinen Bemühungen um eine Faschismustheorie auf. Es lassen sich mindestens vier disparate Theoriekomplexe unterscheiden. Der erste und am tiefsten in Manns Werk verankerte beruht auf dem kulturhistorisch-nationalpsychologischen Denkmodell. Er bestimmt, wie es oben schon näher erläutert wurde, Faschismus als romantische Barbarei. Als zweite Ebene treten relativ häufig Elemente der marxistischen Theorie auf, ohne daß Thomas Mann die eklatanten Widersprüche beider Ansätze zu vermitteln vermöchte: Ist der Faschismus nun ein Produkt des deutschen Wesens oder der kapitalistischen Gesellschaft? Mann läßt die unvereinbaren Positionen einfach nebeneinander stehen. Ein drittes, selteneres Argument stammt aus der Totalitarismustheorie, die im totalen Herrschaftscharakter das entscheidende Merkmal des Faschismus sieht. Dieses Argument widerspricht sowohl dem ersten wie dem zweiten. Wenn der Nationalsozialismus »eine Revolution der leeren Gewalt (...), des geistigen Nichts«[31], ein »absoluter, von Moral und Vernunft völlig freier und ihnen fremder Dynamismus« ist[32], wie Thomas Mann in Anlehnung an H. Rauschning formuliert, dann kann er nicht die innige Beziehung zur deutschen Nationalkultur haben, wie in der ersten Theorie behauptet. Wenn, wie es vereinzelt heißt, Nationalsozialismus nichts anderes als Bolschewismus ist[33] und seine Wirtschaftsform als »der unzweifelhafte Untergang der privatkapitalistischen Wirtschaft« apostrophiert wird[34], so kann er nicht zugleich »die alte Machtkombination von Junkertum, Armee und Industrie gerettet«[35] haben. Eine temporäre Affinität besteht schließlich zu einem vierten Theoriekomplex, der Massenpsychologie Ortega y Gassets, die Thomas Mann in *Achtung, Europa!* auf die Nationalsozialisten anwendet. Sie verdankt sich offenbar einer nur kurzfristigen Blendung durch Ortegas pessimistische Schilderungen, ohne daß Mann den implizierten elitären Kulturindividualismus wirklich mit übernehmen würde.

Ein gewisser Dilettantismus des politischen Theoretikers Thomas Mann liegt also auf der Hand, mit seinen eigenen Worten im *Bajazzo* könnte man spitz formulieren, er dachte und empfand so lange im Stil eines Buches, bis ein anderes seinen Einfluß auf ihn

[31] Siehe S. 240.
[32] Siehe S. 216.
[33] Was Thomas Mann andernorts wieder entschieden ablehnt, z. B. XIII, 777, wo er die marxistische Argumentation *gegen* die Totalitarismusthese übernimmt.
[34] Siehe S. 209f.
[35] Siehe S. 254.

ausübte. Auch im Theoretischen war seine ästhetische Empfänglichkeit groß, ein Buch brauchte nur Geist zu haben, dann war es, auch bei abweichender politischer Meinung, seines Beifalls sicher.[36]
Um die Einheit des Werks aufzufinden, sieht man sich immer wieder auf das Ästhetische zurückverwiesen. Manns politische Schriften haben niemals die gleiche Anerkennung wie sein poetisches Werk gefunden. Das Politische verlangt Entscheidung, während im Ästhetischen gerade die Entscheidungs*freiheit* grundlegende Prämisse ist.[37] Ihre Verwirklichung geschieht mit Hilfe einer ästhetizistischen Ironie, die das dichterische Werk vom politischen Urteil freihalten soll:

Die Natur hingegen macht es wie Shakespeare und Goethe, in deren Werken jede Person, und wäre sie der Teufel selbst, während sie dasteht und redet, *recht behält;* weil sie so *objektiv aufgefaßt ist,* daß wir in ihr Interesse gezogen und zur Teilnahme an ihr gezwungen werden.[38]

Da solche ästhetischen Prinzipien im Politischen nicht eingehalten werden können, sind Manns politische Schriften manchmal nicht frei von Irritationen, Forciertheiten, Banalitäten und hohlem Pathos.[39] Da seine Ästhetik (im Gegensatz zu der Bertolt Brechts) den politischen Wandlungsprozeß nicht mitvollzieht, bleiben die politischen Schriften für Manns ästhetisches Urteil stets unbefriedigend.[40] Er trennt zeitlebens Politik und Kunst: das künstlerische Werk bleibt frei von Politik, das politische in gewissem Sinne frei von Kunst. Es ist ihm nicht gelungen, das Wahre seines ästhetischen Urteils in politische Urteile auszumünzen. So ruft die ästhetische Notwendigkeit der Ironie eigentlich nach einer Politik, die ihr Anliegen ernst nimmt. Ihre Zweifel an den

36 »Wo ist der pedantische Barbar, der das Geistgeformte und Geistgeprägte zu ehren sich weigerte, weil es ihm meinungsweise entgegen ist?« (XI, 374).
37 »Ich kann überhaupt nirgends Partei nehmen – ich würde es als einen Raub an meiner Freiheit empfinden«, so spricht der Ästhet (*Briefe I*, Frankfurt 1962, S. 115).
38 So argumentiert Thomas Mann mit Schopenhauer in den *Betrachtungen eines Unpolitischen*, XII, 226.
39 Das gilt besonders für die großen Grundsatzreden, während die Tagespolemiken oft ästhetisch akzeptabler sind.
40 Klaus Bohnen hat deshalb die Frage nach Manns politischer Haltung paradox, aber mit guten Argumenten umformuliert: »was Politik bei Thomas Mann heißt, ist nicht so sehr in seinen engagierten Postulaten aufzusuchen als vielmehr in der ästhetischen Präsentation« (*Argumentationsverfahren und politische Kritik bei Thomas Mann*, in: K. Wiecker [Hrsg.], *Gedenkschrift für Thomas Mann*, Kopenhagen 1975, S. 186f). – In anderem Zusammenhang hat H. Mörchen bezweifelt, ob der politische Essay als literarische Gattung überhaupt ein geeignetes Medium der Bewußtseinsbildung in der modernen Massengesellschaft sei (*Schriftsteller in der Massengesellschaft*, Stuttgart 1973, S. 3 u. ö.).

großtönenden politischen Reden sind ja nicht völlig unberechtigt. Die vorwiegend negativen Erfahrungen der bürgerlichen Gesellschaft im 19. Jahrhundert, die ihre Ziele Freiheit, Gleichheit, Toleranz etc. nur für bestimmte Oberschichten realisierte, gehen in die Sprechweise des Bürgers ein als ästhetischer Mißkredit für Worte und Haltungen, die einstmals fortschrittliche Positionen bezeichneten. Die Kritik an Settembrinis Pathos im *Zauberberg* ist nicht einfach reaktionär, sondern trifft eine Position, die es seit hundert Jahren über bloße Worte nicht hinausgebracht hat. Gegen den bloß verbalen »Geist ist Tat« = Radikalismus des frühen Heinrich Mann hat Thomas Manns ästhetische Kritik zweifellos ein gewisses Recht. Wo die bürgerlichen Ideale ihre Glaubwürdigkeit verloren haben, andere aber nicht zur Verfügung stehen, dort ist die ironisch-ästhetizistische Relativierung aller Positionen trotz und wegen ihrer Beibehaltung die logische Folge. Dies ist aber nicht nur Entscheidungsflucht, sondern auch gerechtfertigter Skeptizismus. Wo es nur die Wahl zwischen Parteiungen gibt, deren keine dem Anspruch einer hochsensibilisierten Humanität entspricht, wahrt Ironie die Reserve gegenüber dem Unbefriedigenden an der Entscheidung. Ironie ist so der Gegenpart des im 20. Jahrhundert weit verbreiteten Dezisionismus, dessen Entscheidungseifer die mangelnde Sicherheit ja nur überspringt, nicht aber wiederherstellt. Ironie und Dezisionismus sind komplementäre bürgerliche Haltungen angesichts eines alternativelosen Zweifels an der bürgerlichen Tradition. Eine Parteinahme zum Beispiel für die Arbeiterklasse hätte im Falle Thomas Manns nur eine dezisionistische sein können. Seine Bedeutung liegt stattdessen darin, daß er die Selbstwidersprüche des Bürgertums bis hin zu ihren feinsten psychologischen Konsequenzen gestaltet hat und dann, auf äußerster Spitze, nach einer allseitigen Kritik und Aufdeckung aller inneren Schwächen, die Frage nach der Verwirklichung der bürgerlichen Ideale stellt. Eine solche geschichtliche Standortbestimmung bürgerlicher Humanität war nur als Selbstkritik möglich; diese aber mußte als Ironie auftreten, solange Mann im Bezugsrahmen der Bürgerlichkeit operierte. Man macht es sich deshalb zu leicht, wenn man die Ironie umstandslos als reaktionär abtut. Ob sie sich gegen progressive oder gegen konservative Positionen wendet, sie tut es jeweils zum Zwecke der Differenzierung und Sensibilisierung, nicht der zynischen Vernichtung.

Die Entscheidungslosigkeit im Ästhetischen stammt also nicht einfach aus Ziellosigkeit, sondern aus dem utopischen Charakter des Ziels, zu dessen Erreichung der Dichter keine Mittel und Wege sieht und das daher nur in seiner Dichtung, nur traumhaft und visionär, nur gegenbildlich zur realen Lebenspraxis aufscheinen darf, in den großen Träumen des *Zauberberg*, des *Joseph* und des *Doktor Faustus* von der »Menschheit auf du und du«. Wohl glaubte Mann zeitweise, das Ziel etwas greifbarer zu sehen, sah manchmal Ansätze zum »dritten Weg« in der konservativen Revolution, in der Sozialdemokratie und in Roosevelts »New Deal«. Jedes Mal aber drängte der Geschichtsverlauf seine Ideen wieder in die Utopie zurück. Wo die geschichtliche Realisierbarkeit fehlt, wahrt die Ironie wenigstens im Ästhetischen die Erinnerung an eine universale Humanität.

GEDANKEN IM KRIEGE

Im Gebrauch der Schlagworte »Kultur« und »Zivilisation« herrscht, namentlich in der Tagespresse – und zwar der des In- und Auslandes –, große Ungenauigkeit und Willkür. Oft scheint man sie einfach als gleichbedeutend zu verwechseln, oft sieht es auch aus, als ob man das erstere für eine Steigerung des anderen halte, oder auch umgekehrt, – es bleibt ungewiß, welcher Zustand nun eigentlich für den höhern und edleren gilt. Für meine Person habe ich mir die Begriffe folgendermaßen zurechtgelegt.

Zivilisation und Kultur sind nicht nur nicht ein und dasselbe, sondern sie sind Gegensätze, sie bilden eine der vielfältigen Erscheinungsformen des ewigen Weltgegensatzes und Widerspieles von Geist und Natur. Niemand wird leugnen, daß etwa Mexiko zur Zeit seiner Entdeckung Kultur besaß, aber niemand wird behaupten, daß es damals zivilisiert war. Kultur ist offenbar nicht das Gegenteil von Barbarei; sie ist vielmehr oft genug nur eine stilvolle Wildheit, und zivilisiert waren von allen Völkern des Altertums vielleicht nur die Chinesen. Kultur ist Geschlossenheit, Stil, Form, Haltung, Geschmack, ist irgendeine gewisse geistige Organisation der Welt, und sei das alles auch noch so abenteuerlich, skurril, wild, blutig und furchtbar. Kultur kann Orakel, Magie, Päderastie, Vitzliputzli, Menschenopfer, orgiastische Kultformen, Inquisition, Autodafés, Veitstanz, Hexenprozesse, Blüte des Giftmordes und die buntesten Greuel umfassen. Zivilisation aber ist Vernunft, Aufklärung, Sänftigung, Sittigung, Skeptisierung, Auflösung, – Geist. Ja, der Geist ist zivil, ist bürgerlich: er ist der geschworene Feind der Triebe, der Leidenschaften, er ist antidämonisch, antiheroisch, und es ist nur ein scheinbarer Widersinn, wenn man sagt, daß er auch antigenial ist.

Das Genie, namentlich in der Gestalt des künstlerischen Talentes, mag wohl Geist und die Ambition des Geistes besitzen, es mag glauben, durch Geist und Würde zu gewinnen, und sich seiner zu Schmuck und Wirkung bedienen, – das ändert nichts daran, daß es nach Wesen und Herkunft ganz und gar auf die andere Seite gehört, – Ausströmung ist einer tieferen, dunkleren und heißeren Welt, deren Verklärung und stilistische Bändigung wir Kultur nennen. Die Verwechslung des Geistigen, des Intellektualistischen, Sinnigen, ja Witzigen mit dem Genialen ist zwar modern; wir alle neigen ihr zu. Doch bleibt sie ein Irrtum. Wie sehr das

Verhältnis zwischen Geist und Kunst das der Irrelevanz ist, hat Turgenjew einmal heiter und einfach ausgedrückt, indem er irgendeinen Redakteur einem schreibenden Dilettanten auf dessen Zusendung antworten läßt: »Sie haben viel Geist, aber Sie haben kein Talent. Und die Literatur kann nur Talent brauchen.«
Kunst, wie alle Kultur, ist die Sublimierung des Dämonischen. Ihre Zucht ist strenger als Gesittung, ihr Wissen tiefer als Aufklärung, ihre Ungebundenheit und Unverantwortlichkeit freier als Skepsis, ihre Erkenntnis nicht Wissenschaft, sondern Sinnlichkeit und Mystik. Denn die Sinnlichkeit ist mystischen Wesens, wie alles Natürliche.
Goethe, für dessen Naturforschung Helmholtz die Bezeichnung »naturwissenschaftliche Ahnungen« wählte, spürte des Nachts in seinem Schlafzimmer zu Weimar auf irgendeine, natürlich-mystische Art das Erdbeben von Messina. »Hört, Goethe schwärmt!« sagten die Damen des Hofes, als er sein dämonisches Wissen verlautbarte und es für Beobachtung und Schlußfolgerung auszugeben versuchte. Aber nach Tagen kam die Kunde der Katastrophe. Dieser dämonische Deutsche und kultivierteste Sohn der Natur, der je lebte, mußte sich nicht nur aus Ordnungssinn kalt verhalten gegen die Französische Revolution, sondern namentlich, weil sie so ganz ein Werk des zivilisierenden Geistes war.
Und die Kunst also? Ist sie eine Angelegenheit der Zivilisation oder der Kultur? Wir zögern nicht mit der Antwort. Die Kunst ist fern davon, an Fortschritt und Aufklärung, an der Behaglichkeit des Gesellschaftsvertrages, kurz, an der Zivilisierung der Menschheit innerlich interessiert zu sein. Ihre Humanität ist durchaus unpolitischen Wesens, ihr Wachstum unabhängig von Staats- und Gesellschaftsformen. Fanatismus und Aberglauben haben nicht ihr Gedeihen beeinträchtigt, wenn sie es nicht begünstigten, und ganz sicher steht sie mit den Leidenschaften und der Natur auf vertrauterem Fuße als mit der Vernunft und dem Geiste. Wenn sie sich revolutionär gebärdet, so tut sie es auf elementare Art, nicht im Sinne des Fortschritts. Sie ist eine erhaltende und formgebende, keine auflösende Macht. Man hat sie geehrt, indem man sie der Religion und der Geschlechtsliebe für verwandt erklärte. Man darf sie noch einer anderen Elementar- und Grundmacht des Lebens an die Seite stellen, die eben wieder unsern Erdteil und unser aller Herzen erschüttert: ich meine den Krieg.
Sind es nicht völlig gleichnishafte Beziehungen, welche Kunst und Krieg miteinander verbinden? Mir wenigstens schien von jeher, daß es der schlechteste Künstler nicht sei, der sich im Bilde des Soldaten wiedererkenne. Jenes siegende kriegerische Prinzip von

heute: Organisation – es ist ja das erste Prinzip, das Wesen der Kunst. Das Ineinanderwirken von Begeisterung und Ordnung; Systematik; das strategische Grundlagen Schaffen, weiter Bauen und vorwärts Dringen mit »rückwärtigen Verbindungen«; Solidität, Exaktheit, Umsicht; Tapferkeit, Standhaftigkeit im Ertragen von Strapazen und Niederlagen, im Kampf mit dem zähen Widerstand der Materie; Verachtung dessen, was im bürgerlichen Leben »Sicherheit« heißt (»Sicherheit« ist Lieblingsbegriff und lauteste Forderung des Bürgers), die Gewöhnung an ein gefährdetes, gespanntes, achtsames Leben; Schonungslosigkeit gegen sich selbst, moralischer Radikalismus, Hingebung bis aufs Äußerste, Blutzeugenschaft, voller Einsatz aller Grundkräfte des Leibes und der Seele, ohne welchen es lächerlich scheint, irgend etwas zu unternehmen; als ein Ausdruck der Zucht und Ehre endlich Sinn für das Schmucke, das Glänzende: Dies alles ist in der Tat zugleich militärisch und künstlerisch. Mit großem Recht hat man die Kunst einen Krieg genannt, einen aufreibenden Kampf: schöner noch steht ihr das deutsche Wort, das Wort »Dienst« zu Gesicht, und zwar ist der Dienst des Künstlers dem des Soldaten viel näher verwandt als dem des Priesters. Die literarisch gern kultivierte Antithese von Künstler und Bürger ist als romantisches Erbe gekennzeichnet worden, – nicht ganz verständnisvoll, wie mir scheint. Denn nicht dies ist der Gegensatz, den wir meinen: Bürger und Zigeuner, sondern der vielmehr: Zivilist und Soldat.
Wie die Herzen der Dichter sogleich in Flammen standen, als jetzt Krieg wurde! Und sie hatten den Frieden zu lieben geglaubt, sie hatten ihn wirklich geliebt, ein jeder nach seiner Menschlichkeit, der eine auf Bauernart, der andere aus Sanftmut und deutscher Bildung. Nun sangen sie wie im Wettstreit den Krieg, frohlokkend, mit tief aufquellendem Jauchzen – als hätte ihnen und dem Volke, dessen Stimme sie sind, in aller Welt nichts Besseres, Schöneres, Glücklicheres widerfahren können, als daß eine verzweifelte Übermacht von Feindschaft sich endlich gegen dies Volk erhob und auch dem Höchsten, Berühmtesten unter ihnen kam Dank und Gruß an den Krieg nicht wahrer von Herzen als jenem Braven, der in einem Tageblatt seinen Kraftgesang mit dem Ausruf begann: »Ich fühle mich wie neu geboren!«
Es wäre leichtfertig und ist völlig unerlaubt, dies Verhalten der Dichter auch nur in den untersten, bescheidensten Fällen als Neugier, Abenteurertum und bloße Lust an der Emotion zu deuten. Auch waren sie niemals Patrioten im Hurra-Sinne und »Imperialisten«, schon deshalb nicht, weil sie selten Politiker sind – nach außen selten und kaum nach innen, so daß auch die Wunder

und Paradoxien, welche der Krieg sogleich im Lande zeitigte: das bürgerliche Zusammenarbeiten von Sozialdemokratie und Militärbehörde etwa, jene phantastische Neuheit der inneren Lage, die einen radikalen Literaten zu dem Ausruf begeisterte: »Unter der Militärdiktatur ist Deutschland frei geworden!« – daß auch dies alles den Dichtern wohl keine Lieder gemacht haben würde. Aber wenn nicht Politiker, so sind sie doch stets etwas anderes: sie sind Moralisten. Denn Politik ist eine Sache der Vernunft, der Demokratie und der Zivilisation; Moral aber eine solche der Kultur und der Seele.

Erinnern wir uns des Anfangs – jener nie zu vergessenden ersten Tage, als das Große, das nicht mehr für möglich Gehaltene hereinbrach! Wir hatten an den Krieg nicht geglaubt, unsere politische Einsicht hatte nicht ausgereicht, die Notwendigkeit der europäischen Katastrophe zu erkennen. Als sittliche Wesen aber – ja, als solche hatten wir die Heimsuchung kommen sehen, mehr noch: auf irgendeine Weise ersehnt; hatten im tiefsten Herzen gefühlt, daß es so mit der Welt, mit unserer Welt nicht mehr weitergehe.

Wir kannten sie ja, diese Welt des Friedens und der cancanierenden Gesittung – besser, quälend viel besser, als die Männer, deren furchtbare, weit über ihre persönliche Größe hinausgehende Sendung es war, den Brand zu entfesseln: Mit unseren Nerven, unserer Seele hatten wir tiefer an dieser Welt zu leiden vermocht als sie. Gräßliche Welt, die nun nicht mehr ist – oder doch nicht mehr sein wird, wenn das große Wetter vorüberzog! Wimmelte sie nicht von dem Ungeziefer des Geistes wie von Maden? Gor und stank sie nicht von den Zersetzungsstoffen der Zivilisation? Wäre sie nur anarchisch, nur ohne Kompaß und Glauben, nur wölfisch-merkantil gewesen, es hätte hingehen mögen. Aber ein geiler Mißbrauch eben jener Widerstände und Entseuchungsmittel, die sie aus sich hervorzubringen suchte, machte ihre Abscheulichkeit vollkommen. Eine sittliche Reaktion, ein moralisches Wieder-fest-Werden hatte eingesetzt oder bereitete sich vor; ein neuer Wille, das Verworfene zu verwerfen, dem Abgrund die Sympathie zu kündigen, ein Wille zur Geradheit, Lauterheit und Haltung wollte Gestalt werden: Grund genug für alles kluge Lumpenpack, eben dies für das Neueste zu erklären und sich beizeiten darüber her zu machen. Äußerster Grad von Ratlosigkeit: Die Moral ward zur Spielart der Korruption, Anständigkeit grassierte als Velleität, als drittes Wort und Unmöglichkeit, Elende spreizten sich ethisch, und während der Schlechte aus Geist das Gute vertrat, so daß ein Greuel daraus wurde, setzten

Gute aus Unsicherheit und Verwirrung sich für das Schlechte ein. Ist es zu viel gesagt, daß es kein Kriterium des Echten, nicht Mut noch Möglichkeit zur Verdammung mehr gab, daß buchstäblich niemand mehr aus noch ein wußte? Würde? Aber sie war Hochstapelei und Snobismus. Infamie? Aber sie hatte Talent; sie gab überdies zu verstehen, daß sie ein Opfer, eine schmutzige und blutige Form der Generosität selber sei, und sie fächelte sich vor Eitelkeit unter dem Beifall derer, die nur eine Sorge kennen: den Anschluß nicht zu versäumen. Wie hätte der Künstler, der Soldat im Künstler nicht Gott loben sollen für den Zusammenbruch einer Friedenswelt, die er so satt, so überaus satt hatte!

Krieg! Es war Reinigung, Befreiung, was wir empfanden, und eine ungeheure Hoffnung. Hiervon sagten die Dichter, nur hiervon. Was ist ihnen Imperium, was Handelsherrschaft, was überhaupt der Sieg? Unsere Siege, die Siege Deutschlands – mögen sie uns auch die Tränen in die Augen treiben und uns nachts vor Glück nicht schlafen lassen, so sind doch nicht sie bisher besungen worden, man achte darauf, es gab noch kein Siegeslied. Was die Dichter begeisterte, war der Krieg an sich selbst, als Heimsuchung, als sittliche Not. Es war der nie erhörte, der gewaltige und schwärmerische Zusammenschluß der Nation in der Bereitschaft zu tiefster Prüfung – einer Bereitschaft, einem Radikalismus der Entschlossenheit, wie die Geschichte der Völker sie vielleicht bisher nicht kannte. Aller innere Haß, den der Komfort des Friedens hatte giftig werden lassen – wo war er nun? Eine Utopie des Unglücks stieg auf... »Da wir umringt sind, da unserem Gewerbefleiß die Zufuhr an Rohstoffen abgeschnitten und das Volk ohne Arbeit und Brot sein wird, so werden wir ungeheure Vermögenssteuern ausschreiben, Abgaben der Reichen bis zu zwei Dritteln, nein, bis zu neun Zehnteln ihres Besitzes, eine deutsche Kommune, freiwillig und voll Ordnung, wird sein, damit Deutschland bestehe.« Das war das Mindeste. Und als dann die ersten Entscheidungen fielen, als die Flaggen stiegen, die Böller dröhnten und den Siegeszug unseres Volksheeres bis vor die Tore von Paris verkündeten – war nicht fast etwas wie Enttäuschung, wie Ernüchterung zu spüren, als gehe es zu gut, zu leicht, als bringe die Nervlosigkeit unserer Feinde uns um unsere schönsten Träume?

Unbesorgt! Wir stehen am Anfang, wir werden um keine Prüfung betrogen sein. Friedrich, nach allen Heldentaten, war im Begriffe unterzugehen, als ein gutes Glück, der russische Thronwechsel, ihn rettete. Und Deutschland ist heute Friedrich der Große. Es ist sein Kampf, den wir zu Ende führen, den wir noch einmal zu führen haben. Die Koalition hat sich ein wenig verändert, aber es ist sein Europa, das im Haß verbündete Europa, das uns nicht dulden, das ihn, den König, noch immer nicht dulden will, und dem noch einmal in zäher Ausführlichkeit, in einer Ausführlichkeit von sieben Jahren vielleicht, bewiesen werden muß, daß es nicht angängig ist, ihn zu beseitigen. Es ist auch seine Seele, die in uns aufgewacht ist, diese nicht zu besiegende Mischung von Aktivität und durchhaltender Geduld, dieser moralische Radikalismus, der ihn den anderen so widerwärtig zugleich und entsetzlich, wie ein fremdes und bösartiges Tier, erscheinen ließ. Sie wußten nichts von seiner Unbedingtheit – wie sollten sie, da es für sie nicht um Tod und Leben ging –: das war sein sittlicher Vorteil. Auch ist nicht glaubhaft, daß ihnen heute die Tiefe deutscher Entschlossenheit zugänglich sein sollte –, die einen sind zu weit verbürgerlicht, die andern zu roh und dumpf, um ihrer fähig zu sein. Aber heute ist Friedrich so stark geworden, daß auch die anderen, auch sie, um ihr Leben kämpfen – und sie sind Drei gegen Einen. Unbesorgt! Wir werden geprüft werden, Deutschlands Sieg wird ein Paradoxon sein, ja ein Wunder, ein Sieg der Seele über die Mehrzahl – ganz ohne gleichen. Der Glaube an ihn ist wider alle Vernunft, – daß Deutschland fest und gelassen ist in diesem Glauben, das ist des Wunders Anfang, unvergeßbar schon er für alle Geschichte. Den Sieg aber seelisch vorwegnehmen hieße, uns um die sittlichen Früchte des Kampfes, ja um den Sieg selber zu bringen. Für jeden Verstand, nur für unser letztes Wissen nicht, ist unsere Lage verzweifelter als selbst die des Königs. Wir sind in Not, in tiefster Not. Und wir grüßen sie, denn sie ist es, die uns so hoch erhebt.

Friedrich von Preußen hatte einen Freund, den er gleichermaßen bewunderte und verachtete und der seinerseits den König bewunderte und haßte: Es war François Marie Arouet-de Voltaire, der Schriftsteller, – Großbürger und Sohn des Geistes, Vater der Aufklärung und aller antiheroischen Zivilisation. Was er über den Krieg schrieb, in seinen ›Questions encyclopédiques‹, hat den König zweifellos außerordentlich amüsiert und dialektisch ergötzt. Und dann rückte er in Sachsen ein. Abwechselnd nannte er Voltaire Phöbus Apoll und einen kostspieligen Hofnarren.

Seit ich die beiden kenne, stehen sie vor mir als die Verkörperung des Gegensatzes, von dem diese Zeilen handeln. Voltaire und der König: Das ist Vernunft und Dämon, Geist und Genie, trockene Helligkeit und umwölktes Schicksal, bürgerliche Sittigung und heroische Pflicht; Voltaire und der König: das ist der große Zivilist und der große Soldat seit jeher und für alle Zeiten.

Aber da wir den Gegensatz in nationalen Sinnbildern vor Augen haben, in den Figuren des zentralen, immer noch herrschenden Franzosen und des deutschen Königs, dessen Seele jetzt mehr als je in uns allen lebt, so gewinnt er selbst, dieser Gegensatz, nationalen Sinn und aufschließende Bedeutung für die Psychologie der Völker.

Wir sind im Kriege, und was es für uns Deutsche »in diesem Kriege gilt«, das wußten wir gleich: es gilt rund und schlicht unser Recht, zu sein und zu wirken. Nicht ebenso zwanglos ergab sich für unsere westlichen Feinde eine polemische Formel, geeignet, ihrer Sache vor dem Urteil der Unbeteiligten und der Geschichte ein würdiges Ansehen zu geben. Und welche ist es denn nun, auf die sie sich geeinigt haben und die tagtäglich als Streitruf und Schmähung zu uns herüberschallt? Dieser Krieg, heißt es, sei ein Kampf der *Zivilisation* gegen – wogegen denn also? Nicht geradezu – »gegen die Barbarei«. Das ginge nicht recht. Es geht im Tumult so einmal mit hin, doch nicht auf die Dauer. Gewöhnlich zieht man es vor, zu schließen: »– gegen den *Militarismus.*«

Nun ist diese Antithese: »Zivilisation gegen Militarismus« natürlich nicht die Ursache des Krieges. Auch ist sie nicht einmal redlich und richtig, denn daß Zivilisation in ihrer politischen Erscheinung, ich meine, daß Demokratie und Militarismus einander nicht ausschließen, beweist ja Frankreich mit seinem Volksheer, oder es möchte dies doch beweisen. Auch dürfte man fragen, was denn die Armeen Österreichs und Italiens, was Englands Riesenflotte selbst eigentlich sei, wenn nicht »Militarismus«. Worauf die beleidigte Zivilisation höchstens antworten könnte, Deutschlands besonderer und exemplarischer Militarismus bestehe darin, daß es die beste Armee und, wie es jetzt scheint, auch die beste Flotte habe, – eine Erwiderung, an der denn auch etwas Zutreffendes wäre, nur daß darin Ursache und Wirkung oder, wenn man will, das Symptom mit der Krankheit verwechselt würde. Die Parole »Zivilisation gegen Militarismus« – denn eine Parole ist es, wie man Wahlparolen hat, Abbreviaturen der Wirklichkeit, oberflächlich, populär und rückenstärkend – enthält allerdings eine tiefere Wahrheit; drückt eine internationale Fremdheit und Unheimlichkeit der deutschen Seele aus, die, wenn sie freilich nicht die Ursache des Krieges ist, doch vielleicht diesen Krieg überhaupt erst möglich gemacht hat. Versuchen wir anzudeuten, welche Bewandtnis es damit hat.

Nüchtern betrachtet, bleibt ja die Behauptung, Deutschland sei ein unzivilisiertes Land oder es sei doch weniger zivilisiert als Frankreich und England, eine gewagte und undankbare Position.

Der englische Ministerpräsident hat zwar neulich geäußert: zugegeben, daß man der deutschen Kultur von früher her manches verdanke, so habe doch Deutschland in letzter Zeit hauptsächlich in der Herstellung von Mordwerkzeugen exzelliert. Allein Herr Asquith weiß ja selbst, daß das nur Geschwätz ist. Er tut agitationshalber, als ob die Vorzüglichkeit von Deutschlands kriegstechnischen Mitteln nicht einfach ein Merkmal unseres Niveaus überhaupt wäre; als ob nicht unsere Krankenhäuser, Volksschulen, wissenschaftlichen Institute, Luxusdampfer und Eisenbahnen ebensogut wären wie unsere Kanonen und Torpedos; als ob unsere Kriegstechnik auf Kosten unserer sonstigen praktischen Kräfte hypertrophierte und nicht vielmehr Ausdruck einer Gesamthöhe wäre... Was ist, was heißt noch »Zivilisation«, ist es mehr als eine leere Worthülse, wenn man sich erinnert, daß Deutschland mit seiner jungen und starken Organisation, seiner Arbeiterversicherung, der Fortgeschrittenheit aller seiner sozialen Einrichtungen ja in Wahrheit ein viel modernerer Staat ist als etwa die unsauber plutokratische Bourgeois-Republik, deren Kapitale noch heute als das »Mekka der Zivilisation« verehrt zu werden beansprucht, – daß unser soziales Kaisertum eine zukünftigere Staatsform darstellt als irgendein Advokaten-Parlamentarismus, der, wenn er in Feierstimmung gerät, noch immer das Stroh von 1789 drischt? Ist nicht die bürgerliche Revolution im Sinne des gallischen Radikalismus eine Sackgasse, an deren Ende es nichts als Anarchie und Zersetzung gibt und die vermieden zu haben ein Volk, das Wege ins Freie und Licht sucht, sich glücklich preisen muß?

Eines ist wahr: Die Deutschen sind bei weitem nicht so verliebt in das Wort »Zivilisation«, wie die westlichen Nachbarnationen; sie pflegen weder französisch-renommistisch damit herumzufuchteln, noch sich seiner auf englisch-bigotte Art zu bedienen. Sie haben *»Kultur«* als Wort und Begriff immer vorgezogen – warum doch? Weil dieses Wort rein menschlichen Inhaltes ist, während wir beim anderen einen politischen Einschlag und Anklang spüren, der uns ernüchtert, der es uns zwar als wichtig und ehrenwert, aber nun einmal nicht als ersten Ranges erscheinen läßt; weil dieses innerlichste Volk, dies Volk der Metaphysik, der Pädagogik und der Musik ein nicht politisch, sondern *moralisch* orientiertes Volk ist. So hat es sich im politischen Fortschritt zur Demokratie, zur parlamentarischen Regierungsform oder gar zum Republikanismus zögernder und uninteressierter gezeigt als andere, – woraus man schließen zu müssen, zu dürfen geglaubt hat, und zwar nicht nur *extra muros*, daß diese Deutschen ein exemplarisch unrevolutionäres Volk, das eigentlich unrevolutionäre unter allen seien... Warum nicht gar! Als ob nicht Luther und Kant die Französische Revolution zum mindesten aufwögen. Als ob nicht die Emanzipation des Individuums vor Gott und die Kritik der reinen Vernunft ein weit radikalerer Umsturz gewesen wäre, als die Proklamierung der »Menschenrechte«. – Mit unserem Moralismus aber hängt unser Soldatentum seelisch zusammen, ja, während andere Kulturen bis ins Feinste, bis in die Kunst hinein die Tendenz zeigen, völlig die Gestalt der zivilen Gesittung anzunehmen, ist der deutsche Militarismus in Wahrheit Form und Erscheinung der deutschen Moralität.

Die deutsche Seele ist zu tief, als daß Zivilisation ihr ein Hochbegriff oder etwa der höchste gar sein könnte. Die Korruption und Unordnung der Verbürgerlichung ist ihr ein lächerlicher Greuel. Unter Pariser »Affären« (deren letzte die Caillaux-Sache mit obligater Gerichtsfarce war) würde sie entsetzlich leiden, – viel mehr, als Frankreichs Gemüt offenbar darunter leidet. Und dieselbe tiefe und instinktive Abneigung ist es, die sie dem pazifistischen Ideal der Zivilisation entgegenbringt: ist nicht der Friede das Element der zivilen Korruption, die ihr amüsant und verächtlich scheint? Sie ist kriegerisch aus Moralität, – nicht aus Eitelkeit und Gloiresucht oder Imperialismus. Noch der letzte der großen deutschen Moralisten, Nietzsche (der sich irrtümlich den Immoralisten nannte), machte aus seinen kriegerischen, ja militärischen Neigungen kein Hehl. Zur moralischen Apologie des Krieges haben deutsche Geister das meiste und wichtigste beigetragen, und nur ein deutscher Dichter – freilich nur einer wiederum unter allen – konnte sprechen:

> »Denn der Mensch verkümmert im Frieden,
> Müßige Ruh ist das Grab des Muts.
> Das Gesetz ist der Freund der Schwachen,
> Alles will es nur eben machen,
> Möchte gern die Welt verflachen,
> Aber der Krieg läßt die Kraft erscheinen,
> Alles erhebt er zum Ungemeinen,
> Selber dem Feigen erzeugt er den Mut.«

Und also sucht Deutschland den Krieg? Also »hat es den Krieg gewollt?« – Das hat es nicht. Händlertum hat ihn angestiftet, skrupellos, lästerlich, denn es weiß nichts vom Kriege, es fühlt und versteht ihn nicht, wie sollte es Ehrfurcht kennen vor seinen heiligen Schrecken? Daß ein Volk kriegerisch sein könne und dabei geduldig aufs äußerste, bis zum Rande der Demütigung, bis zur Gefährdung der Existenz selbst, – das deutsche Volk, einzig hierin unter allen, beweist es. Der Soldat aus Moralität ist kein Kampfhahn mit rasch schwellendem Kamm, kein hitzig hochfahrender Draufgänger. Ob aber ein Volk wahrhaft kriegerisch ist, zeigt sich daran, ob es sich, wenn der Krieg Schicksal wird, verschönt oder verzerrt. Deutschlands ganze Tugend und Schönheit – wir sahen es jetzt – entfaltet sich erst im Kriege. Der Friede steht ihm nicht immer gut zu Gesicht – man konnte im Frieden zuweilen vergessen, wie schön es ist. Fürchtet wer, daß der feierliche Kampf, den es um sein großes Lebensrecht führt, es in seiner Gesittung, seiner Kultur zurückwerfen könnte? Es wird freier und besser daraus hervorgehen, als es war. Aber sehen wir nicht auch, daß der Krieg die andern, die mit Auszeichnungen zivilisierten Völker gemein und elend macht? Wo ist nun Englands Anstand? Es lügt, daß wir uns statt seiner schämen. Und Frankreich? Geht seine Generosität und Menschlichkeit nicht unter in einem Rausch von Tollwut und schimpflicher Hysterie? Während dem soldatischen Sinn der Krieg als ein Innerhalb von Gesittung und Ehrenhaftigkeit, als wissenschaftliche Operation fast erscheint, – welche Nichtswürdigkeit, welche Zügellosigkeit findet das zivile Frankreich nicht gedeckt durch sein alles hinwerfendes »C'est la guerre«? Die letzten Mittel schienen ihm gut für den Anfang: Franktireurtücke und Schändung Verwundeter. Ich berufe mich nicht auf vage Gerüchte und Vorwürfe. Ich halte mich an das, was feststeht: an die erwiesene Verwendung unzulässiger Geschosse, an die Liste gefallener, gemordeter deutscher Ärzte, an die amtlichen Mitteilungen des Generalstabsarztes der deutschen Armee, an Erlasse des französischen Oberkommandos selbst, worin zügellose Plünderungen im eigenen Lande festgestellt und mit Strafe bedroht werden. Dieser raschen Verwilderung der Truppen entspricht eine Verwilderung des Wortes und des öffentlichen Geistes, die vielleicht noch schimpflicher ist. Die Zensur duldete nicht, daß ein Blatt, welches auf den Namen der Menschheit – oder der Menschlichkeit – getauft ist, einen gemeinen Exzeß des ›Matin‹ gegen die deutschen Gefangenen mißbilligte, – sei es drum! Aber wir lasen Äußerungen repräsentativer Geister Frankreichs, führender Politiker, berühmter Schriftsteller, Äußerungen über Deutschland, so irr, so qualgeboren, daß man nicht ohne Erschütterung gewahr wurde: Das Hirn dieses Volkes erträgt den Krieg nicht mehr. Was ist aus Frankreich geworden in sechzig Kriegstagen! Ein Volk, dessen Antlitz der Krieg von heute auf morgen dermaßen ins Abstoßende verzerrt, –

hat es noch ein Recht auf den Krieg? Die Franzosen waren einst ein kriegerisches Volk, – in einem anderen Sinne als das deutsche, auf eine brillante, galante, gloriose, bravouröse und etwas spiegelfechterische Art, – getragen von jugendstarken Ideen, geführt vom persönlichen Dämon konnten sie vorübergehend die Welt unterwerfen. Heute ist ihr Militarismus Velleität und Eitelkeit, kaum etwas mehr. Denn daß sie jetzt, da es an der Aisne ums Letzte geht, mit finsterer Zähigkeit sich verteidigen, ist kein Beweis, daß in diesem Volk noch militärischer Instinkt lebendig ist, – angesichts so vieler Zeichen des Gegenteils. Ist man bürgerlich-republikanisch, so ist es ein Widersinn, auf militärischem Prestige zu bestehen, wie unterm Empire. Das Volk der Logik, – die Logik eben hätte es bei seinem physischen und seelischen Zustande längst überreden müssen, militärisch abzudanken und ganz seinem zivilen Ideal zu leben. Wer hätte nicht dieses geachtet? Wer hätte es darin gestört? Nur Eitelkeit hinderte es an solchem Verzicht, nur die ihm unerträgliche, ihm unverschmerzbare Tatsache, daß es von Deutschland militärisch aus dem Felde geschlagen war, nur die *idée fixe* der Revanche. Um sie zu verwirklichen, verbündete sich das Volk der Revolution mit dem verworfensten Polizeistaat, – und auf Rußland blickt es nun, da es den Krieg hat, auf die Kosaken hofft es wie auf Himmelshilfe, denn es weiß ja, weiß es längst und genau, daß es aus eigener Kraft Deutschland nicht schlagen kann. Aber was ist denn das für eine Revanche, die nicht aus eigener Kraft genommen wird? Kann eine solche Revanche der Eitelkeit Genüge tun? Als die französische Presse Tag für Tag von den fremden Hilfstruppen schwärmte, die man aus aller Welt erwartete, machte Clemenceau darauf aufmerksam, daß, wenn es sich darum handle, Frankreich zu verteidigen, dies eine Ehre sei, die in erster Linie den Franzosen zukomme. Diese Auffassung schien wenig verbreitet. Frankreich wird stolz und befriedigt sein, wenn es, besiegt und okkupiert, nur eben aushält und den Frieden verweigert, bis, vielleicht, nicht sehr wahrscheinlich mehr heute, die Russen über Deutschland kommen. Ist das Revanche? Ist das soldatische Ehre? Nein, das ist nichts dergleichen.

Es ist auch wenig soldatisch, es ist sogar wenig männlich, ein halbes Jahrhundert lang Revanche zu heischen, mit furchtsamer Sehnsucht endlich in den Krieg zu tappen und dann das heilige Toben der Elemente beständig mit dem dünnen Schrei zu überschrillen, der »Zivilisation« lautet. Man macht Reims zur Festung, man stellt seine Kanonen in den Schatten des Doms, man postiert Späher auf die Türme, und wenn der Feind danach schießt, so kreischt man mit Fistelstimme: »Die Zivilisation!« Aber erstens, Messieurs, hat die Kathedrale von Reims mit der Zivilisation durchaus gar nichts zu tun. Sie ist ja ein Denkmal christlicher Kultur, eine Blüte des Fanatismus und des Aberglaubens und müßte der Zivilisation des jakobinischen Frankreichs, wenn nicht ein Dorn im Auge, so doch mindestens höchst gleichgültig sein. Das ist sie ihr auch; und der katholische Offizier, der die Beschießung befehlen mußte, hatte sicher in seinem Blute mehr Ehrfurcht für das Heiligtum als die Citoyens, denen es im Interesse der Politik nicht zerstört genug sein konnte. Zweitens aber erinnert euer Benehmen auffallend an die gewiß nicht dumme, aber nicht sehr ehrenhafte Taktik der Suffragetten, welche Bomben warfen und, wenn man sie einsteckte, zeterten: »Man martert Frauen!« Wie war es eigentlich, wollte man uns erdrosseln oder nicht? Und wollte das süße Frankreich nicht brennend gern dazu helfen? Es hat eine Art, den Gegner ins Unrecht zu setzen, – weiblich in dem Grade, daß einem die Arme sinken. Aus jedem seiner Blicke, jeder Proklamation und jedem Rundschreiben seiner Regierung klagt es: »Welche entehrende Roheit, die Hand gegen Frankreich zu erheben!« Aber wollte nicht eben dieses Frankreich seine von prächtig erstarktem Offensivgeist getragene Armee über die Vogesen werfen, um uns den Garaus zu machen? Diese Nation nimmt Damenrechte in Anspruch, es ist kein Zweifel. Zart und liebreizend wie es ist, darf das unbedingt entzückendste der Völker alles wagen. Rührt man es aber an, so gibt es Tränen aus schönen Augen, und ganz Europa erbebt in zornigem Rittergefühl. Was ist zu tun? Man will nicht erlauben, daß wir leben; aber wenn wir mit einigem Nachdruck auf der Tatsache unseres Daseins bestehen, so legen wir einen beklagenswerten Mangel an Galanterie an den Tag.

Ein Wunder nur, daß man sich wundert; denn seitens unserer westlichen Feinde ist der Krieg ja eben als eine Art von Zwangszivilisierung Deutschlands gedacht. In der Tat: man will uns erziehen. Die Äußerung Bernard Shaws: Der Krieg werde dazu dienen, den Deutschen »Potsdam« abzugewöhnen, wurde zeitig bekannt. Man hat auch die Betrachtungen des englischen, aber in französischer Atmosphäre lebenden Publizisten Robert Dell gelesen, der sich noch deutlicher ausdrückt. England und Frankreich, sagt er, kämpfen für die Sache der Demokratie gegen Gewaltherrschaft und Militarismus. Wörtlich: »Das Beste, was man jetzt für Deutschland erhoffen kann, ist eine Niederlage, die zu einer Revolution gegen die Hohenzollernsche Tyrannei führt.« Ein demokratisiertes Deutschland sei sodann gegen Rußland bündnisfähig. »Es kommt vielleicht für uns der Augenblick, wo wir Deutschland gegen Rußland verteidigen müssen.« – Nach Tannenberg scheint es, als ob Deutschland sich eine Ehre daraus mache, Europa ohne den Beistand der Herren French und Dell gegen Rußland zu schützen. Aber so klärt sich denn alles, liebe Freunde, und jede Bitterkeit weicht! Es ist an dem: Man will uns glücklich machen. Man will uns den Segen der Entmilitarisierung und Demokratisierung bringen, man will uns, da wir widerstreben, gewaltsam zu Menschen machen. – Wieweit dies Heuchelei, wieweit freche Dummheit ist, wer will es sagen. Der englische Abgeordnete Ponsonby wendet nachdenklich ein, man unterstütze jedoch auf diese Weise die russische Autokratie, kräftige den russischen Militarismus und störe also die Entwicklung des russischen Volkes. Ja, das ist wahr. Und auf britischer Seite handelt es sich wohl vorwiegend um Heuchelei. Auf der französischen aber um einen Dünkel, unleidlicher selbst als Albions beschränkter und unbeirrbarer Arbitratorenwahn. Frankreich ist so eitel, so heillos vernarrt in sich selbst, daß es trotz Anarchie, Marasmus, Überholtheit noch heute glaubt, Vorkämpfer, Träger, Verbreiter menschheitsbeglückender Ideen zu sein. Seine Art von Vernunft zwingt es, zu glauben, ein Volk stehe auf einer höheren, edleren, freieren Stufe, wenn es, statt durch einen Monarchen im Soldatenrock, durch einen ehrgeizigen Rechtsanwalt repräsentiert und parlamentarisch regiert wird. Ein spanisches Blatt, dem das Gerede von deutscher Barbarei zu dumm wurde, hat neulich die Zahl der deutschen Schulen, Hochschulen, Universitäten neben die vergleichenden Ziffern für Frankreich und England gestellt. Es fügte eine Aufstellung der für Kunst und Wissenschaft aufgewendeten Summen, dann das prozentuale Verhältnis der Analphabeten und Schwerverbrecher für die drei Staaten hinzu, und es fand, daß in jedem Fall die Waagschale sich zugunsten Deutschlands neige. Was folgt daraus? Daraus mag immerhin folgen, daß dieses unerklärliche Deutschland sich unter allen Ländern der modernsten und solidesten Gesittung erfreut; aber der Geist, der Geistmangel, die Prinzipien, woraus diese Überlegenheit hervorgeht, sie bleiben barbarisch. Nach der ersten verlorenen Schlacht jedoch, so meint Robert Dell, in dessen Haupt englische Humanitätsgleisnerei und französische Damennaivität eine schwierige Mischung eingegangen sind, nach der zweiten spätestens wird Deutschland Revolution ansagen, »die Hohenzollern« absetzen, den Rationalismus annehmen und ein verständig-verständliches Volk werden, ohne Rätsel und Unheimlichkeiten fortan für eine gesittete Mitwelt. Dies ist seine Meinung. Er glaubt allen Ernstes, daß Deutschland durch eine Niederlage zu revolutionieren, zu demokratisieren ist – er sieht nicht, daß die politische Ausprägung unserer bürgerlichen Freiheit, schon angebahnt, schon bestens unterwegs, nur im Frieden, jetzt nur nach dem Siege, dem gewissen, im Sinn der Konsequenz der Geschichte liegenden Siege Deutschlands sich nach deutschen – nicht nach gallisch-radikalen – Geistesgesetzen vollenden kann; daß eine deutsche Niederlage das einzige Mittel wäre, uns *und* Europa in der Gesittung zurückzuwerfen; daß nach einer solchen Niederlage Europa vor dem deutschen »Militarismus« nicht Ruhe noch Rast haben würde, bis Deutschland wieder da stände, wo es vor diesem Kriege stand; daß umgekehrt nur Deutschlands Sieg den Frieden Europas verbürgt. Man sieht das nicht. Man sieht in deutscher Art ein Barbarentum, dessen Kraft gewaltsam und ohne Ansehen der Mittel gebrochen werden muß. Man glaubt, ein Recht zu haben, auf Deutschland Kirgisen, Japaner, Gurkas und Hottentotten loszulassen, – eine Beleidigung, beispiellos, ungeheuerlich, und einzig nur möglich geworden kraft jener im stärksten Sinne des Wortes *unerlaubten* Unwissenheit über Deutschland, die aus jedem Worte der Bergson, Maeterlinck, Rolland und Richepin, der Deschanel, Pichon und Churchill, am wüstesten aber aus der Tatsache der ganzen vermessenen Zettelung selber spricht. Solche Unwissenheit über das heute wichtigste Volk Europas ist nicht statthaft, sie ist strafbar und muß sich rächen. Warum vor allem ist Deutschlands Sieg unbezweifelbar? Weil die Geschichte nicht dazu da ist, Unwissenheit und Irrtum mit dem Siege zu krönen.

Daß deutsches Wesen quälend problematisch ist, wer wollte es leugnen! Es ist nicht einfach, ein Deutscher zu sein, – nicht so bequem, wie es ist, als Engländer, bei weitem eine so distinkte und heitere Sache nicht, wie es ist, auf französisch zu leben. Das Volk hat es schwer mit sich selbst, es findet sich fragwürdig, es leidet zuweilen an sich bis zum Ekel; aber noch immer, unter Individuen wie Völkern, waren diejenigen die wertvollsten, die es am schwersten hatten, und wer da wünscht, daß deutsche Art zugunsten von *humanité* und *raison* oder gar von *cant* von der Erde verschwinde, der frevelt.

Es ist wahr: der deutschen Seele eignet etwas Tiefstes und Irrationales, was sie dem Gefühl und Urteil anderer, flacherer Völker störend, beunruhigend, fremd, ja widerwärtig und wild erscheinen läßt. Es ist ihr »Militarismus«, ihr sittlicher Konservatismus, ihre soldatische Moralität, – ein Element des Dämonischen und Heroischen, das sich sträubt, den zivilen Geist als letztes und menschenwürdigstes Ideal anzuerkennen. Dies Volk ist groß auch auf dem Feld der Gesittung – nur lächerliche Ignoranz leugnet es. Jedoch der Gesittung *verfallen* will es nicht, und es ist gegen seinen Geschmack, von der Zivilisation ein scheinheiliges oder eitles Aufheben zu machen. Es ist wahrlich das unbekannteste Volk Europas, sei es nun, weil es so schwer zu kennen ist, oder weil Bequemlichkeit und Dünkel die bürgerlichen Nachbarn hinderten, sich um die Erkenntnis Deutschlands zu bemühen. Aber Erkenntnis muß sein, Leben und Geschichte bestehen darauf, sie werden es als untunlich erweisen, die sendungsvolle und unentbehrliche Eigenart dieses Volks aus wüster Unkunde gewaltsam zu verneinen. Ihr wollet uns einzingeln, abschnüren, austilgen, aber Deutschland, ihr seht es schon, wird sein tiefes, verhaßtes Ich wie ein Löwe verteidigen, und das Ergebnis eures Anschlages wird sein, daß ihr euch staunend genötigt sehn werdet, uns zu studieren.

[1914]

WELTFRIEDEN?

Weltfriede... Wir Menschen sollten uns nicht allzuviel Moral einbilden. Wenn wir zum Weltfrieden, zu einem Weltfrieden gelangen – auf dem Wege der Moral werden wir nicht zu ihm gelangt sein. Scheidemann sagte neulich, die Demokratie werde auf Grund der allgemeinen Erschöpfung reißende Fortschritte machen. Das ist nicht sehr ehrenvoll für die Demokratie – und für die Menschheit auch nicht. Denn die Moral aus Erschöpfung ist keine so recht moralische Moral.
Außerdem aber – ich weiß genau, was sich gehört, aber außerdem könnte bezweifelt werden, daß die Begriffsverbindung »demokratischer Weltfriede« eine besonders unlösbare Verbindung sei. Daß Volksherrschaft Herrschaft der Vernunft oder gar des Geistes, daß sie sicheren Frieden bedeute, ist nicht erhärtet – so weit ich sehe, nicht. Die Völker wollen den Frieden, und zwar unbedingt, wenn der Krieg sehr lange gedauert hat und sehr schwer war. Bevor dies der Fall, steht es um ihre Tugend so-so. Die Rousseau-Lehre vom »guten Volk«, der revolutionäre Optimismus überhaupt, das heißt: der Glaube an die Politik, an den Ameisenbau, den Sozialismus und die république démocratique, sociale et universelle – ich weiß genau, was sich heute gehört, aber meiner Natur und Erziehung nach kann ich dieser Lehre nicht anhängen und diesen Glauben nicht teilen. Russischer und deutscher Geist, Dostojewski und Schiller stimmen darin überein, daß die Frage des Menschen überhaupt nicht politisch, sondern nur seelisch-moralisch zu lösen ist: durch Religion, durch die christliche Selbstvervollkommnung *des einzelnen* – so will es der eine; durch die Kunst, durch »ästhetische Erziehung« und Befreiung *des Einzelnen* – so will es der andere. In Richard Dehmels neuem merkwürdigen, dreistrophigen Drama sagt jemand, der sich auf Gewissensangelegenheiten versteht: »Selbst das größte Gefühl wird klein, wenn es sich aufputzt mit großen Begriffen; ein bißchen Güte von Mensch zu Mensch ist besser als alle Liebe zur Menschlichkeit.« So ist es, glaube das nur! Die rhetorisch-politische Menschheitsliebe ist eine recht periphere Art der Liebe und pflegt am schmelzendsten verlautbart zu werden, wo es im Zentrum hapert. Werde besser du selbst, weniger hart, weniger rechthaberisch-dünkelhaft, weniger angreiferisch-selbstgerecht, bevor du den Philanthropen spielst... Es mag einer großen Suk-

zeß haben, der sehr schön zu sagen versteht: »Ich liebe Gott!« Wenn er aber unterdessen »seinen Bruder hasset«, dann ist, nach dem Johannes-Evangelium, seine Gottesliebe nichts als schöne Literatur und ein Opferrauch, welcher nicht steigt.
Weltfriede... Keinen Tag, auch in tiefster nationaler Erbitterung nicht, bin ich des Gedankens unfähig gewesen, daß der Haß und die Feindschaft unter den Völkern Europas zuletzt eine Täuschung, ein Irrtum ist – daß die einander zerfleischenden Parteien im Grunde gar keine Parteien sind, sondern gemeinsam, nach Gottes Willen, in brüderlicher Qual an der Erneuerung der Welt und der Seele arbeiten. Ja, es ist erlaubt, von einem begütigten und versöhnten Europa zu träumen – wenn Güte und höhere Eintracht auch nur der Erschöpfung werden zu danken sein und jener Sensitivität und Verfeinerung, die durch großes Leiden erzeugt wird. Denn die Verfeinerung durch Leiden ist höher und menschlicher als die durch Glück und Wohlleben; ich glaube daran, und auch an jenes zukünftige Europa glaube ich in guten Stunden, welches einer religiösen Menschlichkeit und duldsamen Geistigkeit zugetan, seines heutigen verbissenen Weltanschauungszankes sich nur mit Scham und Spott wird erinnern können. Undoktrinär, unrechthaberisch und ohne Glauben an Worte und Antithesen, frei, heiter und sanft möge es sein, dieses Europa, und für »Aristokratie« oder »Demokratie« nur noch ein Achselzucken haben. Es war ein dramatisches Tagesprodukt, über das Goethe bemerkte, die Idee des Ganzen drehe sich nur um Aristokratie und Demokratie, und dieses habe kein allgemein menschliches Interesse... So sprach ein antipolitischer Künstler; und wird es nicht antipolitisch und künstlerisch sein, das nachkriegerische Europa? Wird es nicht, denen zum Trotz, die nach Alleinherrschaft der Politik, nach »politischer Atmosphäre« schreien, Menschlichkeit und Bildung zu Leitsternen nehmen?
Einem Aristokratismus freilich möge es huldigen: seinem eigenen. Es möge *auf sich halten* lernen in Dingen der Kultur und des Geschmacks, wie es das vordem nicht verstand, möge dem geilen Ästhetizismus und Exotismus, dem selbstverräterischen Hang für Barbarei entsagen, dem es zügellos frönte, Verrücktheiten in seiner Kleidermode, närrische Infantilismen in seiner Kunst verpönen und gegen Anthropophagenplastik und südamerikanische Hafenkneipentänze eine Gebärde vornehmer Ablehnung sich zu eigen machen. Dergleichen tut nicht gut. Solange Europa auf diese Weise zum Unfug neigt, so lange wird es immer auch wieder in Krieg fallen können, das ist sicher. Wird es nicht vorderhand übrigens *arm* sein, unser Europa, werden die Entbehrungen, die es

sich bereitete, es nicht gelehrt haben, das Simple und Natürliche köstlich zu finden und eine Mahlzeit aus Eiern, Schinken und Milch dankbarer zu genießen als irgendwelche Vomitoriumsvöllerei von ehedem? Ja, denken wir es uns von Widerwillen erfüllt gegen seine negerhafte Genußsucht und zivilisierte Knallprotzerei von früher, denken wir es uns einfach und anmutig von Sitten und einer Kunst hingegeben, die reiner Ausdruck seines Zustandes wäre: zart, schmucklos, gütig, geistig, von höchster humaner Noblesse, formvoll, maßvoll und kraftvoll durch Intensität ihrer Menschlichkeit...

Ich fürchte, der »europäische Intellektuelle« wird mir das Recht bestreiten auf solche Träume. Es ist wahr, ich fand mich nationaler, als ich gewußt hatte, daß ich sei; aber ein Nationalist, ein »Heimatskünstler« war ich ja niemals. Ich fand es unmöglich, mich den Krieg »nichts angehen« zu lassen, – etwa, weil Krieg nichts mit Kultur zu tun habe, was eine sehr gewagte Behauptung ist. Erschüttert, aufgewühlt, gellend herausgefordert, warf ich mich in den Tumult und verteidigte disputierend das Meine. Aber wohler, Gott weiß es, wird mir sein, wenn meine Seele wieder, von Politik gereinigt, Leben und Menschlichkeit wird anschauen dürfen, besser als jetzt wird mein Wesen sich bewähren können, wenn die Völker hinter gefriedeten Grenzen in Würden und Ehren beieinander wohnen und ihre feinsten Güter tauschen: der schöne Engländer, der polierte Franzose, der menschliche Russe und der wissende Deutsche.

[1917]

IRONIE UND RADIKALISMUS

Das ist ein Gegensatz und ein Entweder-Oder. Der geistige Mensch hat die Wahl (*soweit* er die Wahl hat), entweder Ironiker oder Radikalist zu sein; ein Drittes ist anständigerweise nicht möglich. Als was er sich bewährt, das ist eine Frage der letzten Argumentation. Es entscheidet sich dadurch, welches Argument ihm als das letzte, ausschlaggebende und absolute gilt: das Leben oder der Geist (der Geist als Wahrheit oder als Gerechtigkeit oder als Reinheit). Für den Radikalisten ist das Leben kein Argument. Fiat justitia oder veritas oder libertas, fiat spiritus – pereat mundus et vita! So spricht aller Radikalismus. »Ist denn Wahrheit ein Argument, – wenn es das Leben gilt?« Diese Frage ist die Formel der Ironie.

Radikalismus ist Nihilismus. Der Ironiker ist konservativ. Ein Konservativismus ist jedoch nur dann ironisch, wenn er nicht die Stimme des Lebens bedeutet, welches sich selber will, sondern die Stimme des Geistes, welcher nicht sich will, sondern das Leben. Hier ist Eros im Spiel. Man hat ihn bestimmt als »die Bejahung eines Menschen, abgesehen von seinem *Wert*«. Nun, das ist keine sehr geistige, keine sehr moralische Bejahung, und auch die Bejahung des Lebens durch den Geist ist das nicht. Sie ist ironisch. Immer war Eros ein Ironiker. Und Ironie ist Erotik.

Das Verhältnis von Leben und Geist ist ein äußerst delikates, schwieriges, erregendes, schmerzliches, mit Ironie und Erotik geladenes Verhältnis, das nicht abzutun ist mit dem Satze, den ich einmal bei einem Aktivisten las: es gelte, durch den Geist die Welt so zu gestalten, »daß sie Geist nicht mehr nötig habe«. Die Wendung kannte ich. Es war schon die Rede in zeitgenössischer Literatur von denen, die »den Geist nicht nötig haben«, – und zwar mit jener verschlagenen Sehnsucht, die vielleicht das eigentlich philosophische und dichterische Verhältnis des Geistes zum Leben bildet, vielleicht der Geist selber ist. Das Leben, so gestaltet, daß es Geist (und auch wohl Kunst?) »nicht mehr nötig hat«! Ist das auch eine Utopie? Aber dann ist es eine nihilistische Utopie, eine aus dem Haß und der tyrannischen Verneinung, aus Reinheitsfanatismus geborene. Es ist die sterile Utopie des absoluten Geistes, des ›Geistes für den Geist‹, der steifer und kälter ist als irgendein l'art pour l'art, und der sich nicht wundern darf, wenn das Leben zu ihm kein Vertrauen faßt. Sehnsucht nämlich geht zwischen Geist und Leben hin und wider. Auch das Leben verlangt nach dem Geiste. Zwei Welten, deren Beziehung erotisch ist, ohne daß die Geschlechtspolarität deutlich wäre, ohne daß die eine das männliche, die andere das weibliche Prinzip darstellte: das sind Leben und Geist. Darum gibt es zwischen ihnen keine Vereinigung, sondern nur die kurze, berauschende Illusion der Vereinigung und Verständigung, eine ewige Spannung ohne Lösung... *Es ist das Problem der Schönheit*, daß der Geist das Leben, das Leben aber den Geist als ›Schönheit‹ empfindet... Der Geist, welcher liebt, ist nicht fanatisch, er ist geistreich, er ist politisch, er wirbt, und sein Werben ist erotische Ironie. Man hat dafür einen politischen Terminus; er lautet ›Konservativismus‹. Was ist Konservativismus? Die erotische Ironie des Geistes.

Es ist Zeit, von der Kunst zu sprechen. Man findet heute, sie müsse zielstrebig sein, müsse auf Weltvervollkommnung ausgehen, müsse moralische Folgen haben. Nun, die Art des Künstlers, Leben und Welt zu *vervollkommnen*, war wenigstens ursprünglich eine ganz andere als die politisch-meliorisierende: es war die der Verklärung und Verherrlichung. Die ursprüngliche, natürliche, ›naive‹ Kunst war ein Preisen und Feiern des Lebens, der Schönheit, des Helden, der großen Tat; sie bot dem Leben einen Spiegel, in dem es sein Ebenbild in beglückend verschönter und gereinigter Wahrheit erblickte: durch diesen Anblick faßte es neue Lust zu sich selbst. Die Kunst war ein Stimulans, eine Verlockung zum Leben, und sie wird es zu gutem Teile immer sein. Was sie problematisch gemacht, was ihren Charakter so sehr kompliziert hat, war ihre Verbindung mit dem *Geist*, dem reinen Geiste, dem kritischen, verneinenden und vernichtenden Prinzip, – eine Verbindung von zauberischer Paradoxie, insofern sie die innigste, sinnlich begabteste bildnerische Lebensbejahung mit dem letzten Endes nihilistischen Pathos radikaler Kritik verband. Die Kunst, die Dichtung hörte auf, naiv zu sein, sie wurde, um den älteren Ausdruck zu gebrauchen, ›sentimentalisch‹ oder, wie man heute sagt, ›intellektuell‹; Kunst, Dichtung war und ist nun nicht mehr Leben schlechthin, sondern auch *Kritik* des Lebens, und zwar eine Kritik, um so viel furchtbarer und erschütternder als die des reinen Geistes, wie ihre Mittel reicher, seelischer, vielfältiger – und ergötzlicher sind.

Die Kunst also wurde moralisch, – und es fehlte nicht an Sticheleien von seiten einer skeptischen Psychologie, welche wissen wollte, sie sei es aus Ehrgeiz, zur Erhöhung und Vertiefung ihrer

Wirkungen geworden; denn auf Wirkung vornehmlich sei sie aus; man dürfe ihren Moralismus nicht allzu moralisch nehmen; sie gewinne an Würde durch ihn oder glaube doch, es zu tun; das Talent sei von Natur etwas Niedriges, ja Äffisches, aber es ambitioniere Feierlichkeit, und um sie zu gewinnen, sei ihm der Geist eben recht. Allein welche Psychologie wollte der Kunst beikommen, diesem Rätselwesen mit den tief verschlagenen Augen, das Ernst ist im Spiel und mit allem Ernste ein Formenspiel treibt, das durch Täuschung, glänzende Nachahmung, inniges Gaukelspiel die Menschenbrust mit unnennbarem Schluchzen und unnennbarem Gelächter auf einmal erschüttert! Die Kunst hat ja durch ihre Verbindung mit der Moral, das ist mit dem radikal-kritizistischen Geist, ihre Natur als Lebensanreiz keineswegs eingebüßt: sie könnte nicht umhin, auch wenn sie anders wollte – und sie glaubt oder scheint zuweilen anders zu wollen –, dem Leben, indem sie es zur sinnlich-übersinnlichen Selbstanschauung, zu einem intensivsten Selbstbewußtsein und Selbstgefühle bringt, neue Lust an und zu sich selbst befeuernd einzuflößen, könnte nicht anders, selbst in Fällen, wo ihr Kritizismus radikal lebensfeindlich, nihilistisch zu sein scheint.
Wir kennen solche Fälle, Tolstois ›Kreutzersonate‹ ist ein solcher, und die Kunst ›verrät‹ sich selber dabei in einem doppelten Sinn, verrät ihr Wesen, indem sie, um sich gegen das Leben zu wenden, sich gegen sich selber wenden muß. Talent-Prophetentum predigt gegen die Kunst und predigt Keuschheit. Man wendet ihm ein: Auf diese Weise versiegt aber das Leben. Der Künstler-Prophet antwortet: Möge es! – Das spricht der Geist. »Ist denn das Leben ein Argument?« Da haben wir seine Frage, und die bringt freilich das Verstummen. Aber wie äußerst sonderbar, welch kindlicher Widerspruch, eine solche Lehre und Frage den Menschen in Form einer künstlerischen Erzählung, das heißt auf dem Wege des Ergötzens darzubieten!
Und doch ist es eben dies, was die Kunst so liebenswert und übenswert macht, es ist dieser wundervolle Widerspruch, daß sie zugleich Erquickung und Strafgericht, Lob und Preis des Lebens durch seine lustvolle Nachbildung und kritisch-moralische Vernichtung des Lebens ist oder doch sein kann, daß sie in demselben Maße lustweckend wie *gewissenweckend* wirkt. Ihre Sendung beruht darin, daß sie, um es diplomatisch zu sagen, gleich gute Beziehungen zum Leben und zum reinen Geist unterhält, daß sie zugleich konservativ und radikal ist; sie beruht in ihrer Mittel- und Mittlerstellung zwischen Geist und Leben. Hier ist die Quelle der Ironie ... Hier ist aber auch, wenn irgendwo, die Verwandtschaft,

die Ähnlichkeit der Kunst mit der Politik: denn auch diese nimmt, auf ihre Art, eine Mittlerstellung zwischen dem reinen Geist und dem Leben ein, und sie verdient ihren Namen nicht, wenn sie nichts als konservierend *oder* radikal-destruktiv ist! Dieser Situationsähnlichkeit wegen den Künstler aber zum Politiker machen zu wollen wäre Mißverständnis; denn seine Aufgabe, das *Gewissen* des Lebens zu wecken und wachzuhalten, ist schlechterdings keine politische Aufgabe, sondern eher noch eine religiöse. Ein großer Neurologe hat eines Tages das Gewissen als »soziale Angst« bestimmt. Das ist, mit allem Respekt, eine unangenehm ›moderne‹ Bestimmung, – ein typisches Beispiel dafür, wie man heute alle Sittlichkeit und Religiosität im Sozialen aufgehen läßt. Ich möchte wissen, was etwa Luthers einsame Nöte und Gewissenskämpfe im Kloster, bevor er unvorhergesehenerweise Reformator und also sozial wurde, mit der Gesellschaftsidee zu tun gehabt haben sollten ... Wenn aber jemand es für eine Aufgabe der Kunst erklärte, *Gottesangst* zu wecken, indem sie das Leben vor das Richterantlitz des reinen Geistes stelle, so wollte ich nicht widersprechen.

Man wird nicht sagen wollen, daß ein Welterlebnis im Sinne des radikalen Geistes der Kunst sehr zukömmlich wäre. Das persönliche Lebensergebnis wäre eine beständige Wut auf alle Erscheinungen, die das menschliche Staats- und Gesellschaftsleben dem Auge darbietet, zum Beispiel auf einer Reise. ›Der Geist‹ sieht Kirchen – Fabriken – Proletarier – Militär – Schutzleute – Prostituierte – die Macht der Technik und Industrie – Bankgebäude – Armut – Reichtum, tausend aus dem Menschlichen herausgewachsene Lebensformen. Alles das ist dumm, roh, gemein und wider den Geist; das heißt: das keusche Nichts. ›Der Geistige‹ kommt aus dem Ärger, dem stillen Grimm und inneren Widerspruch, dem Haß und Protest überhaupt nicht heraus. Was diese Lebensstimmung, diese Art zu sehen, diese fortwährende Auflehnung im Namen des anständigen Nichts mit Künstlertum zu tun haben soll, danach müßt ihr diejenigen fragen, die den Künstler mit dem Intellektuellen verwechseln; ich weiß es nicht. Ein Künstlertum, das auf immer dieser politisch-kritischen Anschauung sich überließe, das den kindlichen, den unbefangenen und gläubigen Blick auf die Erscheinungen der Welt auf immer verlernt hätte und niemals mehr fähig wäre, ein Ding als etwas zu sehen, was in seinem gottgewollten Stande sich wohl fühlt, heiter aus sich herausschaut und ebenso wiederangeschaut zu werden beanspruchen darf: ich glaube nicht, daß ein solches Künstlertum

zur Erfüllung seiner besonderen Aufgabe noch besonders geschickt wäre.
Da aber Kunst nicht radikal sein kann, so wäre sie also ironisch? Sicher ist, daß ihre Mittel- und Mittlerstellung zwischen Geist und Leben ihr das Ironische zu einem sehr heimatlichen Elemente macht, und wenn ich nicht sage, daß Kunst immer ironisch sein müsse, so nenne ich Ironie doch, im Gegensatz zum Radikalismus, ein künstlerisches Element; denn der Geist wird in ihr konservativ und erotisch, während er in jenem nihilistisch und selbstsüchtig bleibt.
Ironie aber ist immer Ironie nach beiden Seiten hin; sie richtet sich gegen das Leben sowohl wie gegen den Geist, und dies nimmt ihr die große Gebärde, dies gibt ihr Melancholie und Bescheidenheit. Melancholisch und bescheiden ist auch die Kunst, sofern sie ironisch ist, – oder sagen wir richtiger: der Künstler ist so. Denn das Gebiet des Sittlichen ist das des Persönlichen. Der Künstler also, sofern er Ironiker ist, ist melancholisch und bescheiden; die ›Leidenschaft‹, die große Geste, das große Wort versagen sich ihm, ja, geistig kann er nicht einmal zur Würde gelangen. Die Problematik seiner Mittelstellung, seine Mischlingsnatur aus Geist und Sinnlichkeit, die »zwei Seelen in seiner Brust« verhindern das. Ein Künstlerleben ist kein würdiges Leben, der Weg der Schönheit kein Würdenweg. Schönheit nämlich ist zwar geistig, aber auch sinnlich (»göttlich und sichtbar zugleich«, sagt Plato), und so ist sie der Weg des Künstlers zum Geiste. Ob aber jemand Weisheit und wahre Manneswürde gewinnen könne, für den der Weg zum Geistigen durch die Sinne führt, machte ich fraglich in einer Erzählung, worin ich einen »würdig gewordenen« Künstler begreifen ließ, daß seinesgleichen notwendig liederlich und Abenteurer des Gefühles bleibe; daß die Meisterhaltung seines Stiles Lüge und Narrentum, sein Ehrenstand eine Posse, das Vertrauen der Menge zu ihm höchst lächerlich gewesen und Volks- und Jugenderziehung durch die Kunst ein gewagtes, zu verbietendes Unternehmen sei.
Indem ich es ihn melancholisch-ironisch begreifen ließ, blieb ich mir selber treu, – was der Punkt ist, auf den es mir ankommt. Blutjung, schickte ich der Zeitschrift, die danach verlangt hatte, einen autobiographischen Abriß, worin es hieß: »Diejenigen, die meine Schriften durchblättert haben, werden sich erinnern, daß ich der Lebensform des Künstlers, des Dichters stets mit dem äußersten Mißtrauen gegenüberstand. In der Tat wird mein Erstaunen über die Ehren, welche die Gesellschaft dieser Spezies erweist, niemals enden. Ich weiß, was ein Dichter ist, denn

bestätigtermaßen bin ich selber einer. Ein Dichter ist, kurz gesagt, ein auf allen Gebieten ernsthafter Tätigkeit unbedingt unbrauchbarer, einzig auf Allotria bedachter, dem Staate nicht nur nicht nützlicher, sondern sogar aufsässig gesinnter Kumpan, der nicht einmal sonderliche Verstandesgaben zu besitzen braucht, sondern so langsamen und unscharfen Geistes sein mag, wie ich es immer gewesen bin, – übrigens ein innerlich kindischer, zur Ausschweifung geneigter und in jedem Betrachte anrüchiger Scharlatan, der von der Gesellschaft nichts anderes sollte zu gewärtigen haben – und im Grunde auch nichts anderes gewärtigt – als stille Verachtung. Tatsache aber ist, daß die Gesellschaft diesem Menschenschlage die Möglichkeit gewährt, es in ihrer Mitte zu höchsten Ehren zu bringen.« – Das war die Ironie eines jugendlichen Künstlertums, und ich weiß wohl, daß Ironie, obgleich sie doch etwas leidlich ›Intellektuelles‹, wenn auch nicht eben im Tugendsinne, ist, inzwischen gar sehr zum vieux jeu geworden, zu einem Merkmal der Bürgerlichkeit und des mesquinen Quietismus. Der Aktivist ist angekommen, – pulcher et fortissimus. Und dennoch frage ich mich, in stiller Zurückgebliebenheit, ob ironische Bescheidenheit nicht immer das eigentliche *anständige* Verhältnis des Künstlers – nein, nicht zur Kunst, aber zum Künstlertum bleiben wird.

Merkwürdig ist, daß der Wille eines Künstlertums, Leben und Menschenwesen unter dem Gesichtspunkt des reinen Geistes zu *richten*, einen geringeren Mangel an Ironie, Melancholie und Bescheidenheit bedeutet als der Wille, es nach seinem Sinn politisch zu *verbessern*. Daß aber diese letztere Absicht überhaupt bestehe, wird sich in der Regel als ein Fehlschluß des Betrachters erweisen. Warum nicht noch einmal ein Beispiel aus meiner eigenen Praxis anführen? Es ist am bequemsten zur Hand. Die Kritik der neudeutschen Mittelschule gegen das Ende von ›Buddenbrooks‹, – geht sie anders denn auf eine höchst vage und mittelbare Weise auf Schulreform aus? Sie ist gewiß eine Anklage, aber eine recht unverbindlich verklausulierte Anklage: verklausuliert und bedingt durch die Natur dessen, der jene Einrichtung erlebt, durch dessen Erlebnis sie erscheint, mit dessen Augen sie gesehen ist. Es versagt dort etwas, – aber was versagt, ist ja nicht sowohl die neudeutsche Mittelschule, die freilich übel wegkommt, als noch vielmehr der kleine Verfallsprinz und Musikexzedent Hanno Buddenbrook, und er versagt am Leben überhaupt, dessen Symbol und vorläufiger Abriß die Schule ist. Die Kunst – ist sie nicht immer eine Kritik des Lebens, ausgeübt durch einen kleinen Hanno? Die anderen, das ist offenbar, fühlen sich im

Leben, wie es ist, ja recht wohl und in ihrem Element, – wie Hanno's Kameraden in der Schule. Er, durch dessen Erlebnis die Schule erscheint, und zwar als skurril, quälend, stumpfsinnig, abscheulich erscheint, ist im Grunde weit entfernt, sein Erlebnis- und Empfindungsurteil für allgemein gültig und maßgebend zu halten; denn er kennt sich als reizbaren Ausnahmefall. Dies ist sein Stolz und seine Bescheidenheit, und es ist, wie mir scheint, der Stolz und die Bescheidenheit des Künstlers vor dem Leben. Kritik des Lebens durch die Kunst zu melioristischen Propagandazwekken zu benutzen ist im Grunde illoyal; weder die Schule noch das Leben überhaupt lassen sich so einrichten, daß die höchste sittliche und ästhetische Reizbarkeit, daß die Sensitivität und der Geist sich darin zu Hause fühlen. Wenn trotzdem eine solche Kritik meliorisierende Wirkungen im Wirklichen, politische Wirkungen also, zeitigt, weil zwar der reizbare Ausnahmefall nicht politisch maßgebend sein kann, trotzdem aber das Gewissen der Menschheit darstellt und in einem höheren, zarteren, ästhetisch-moralischen Sinn, auch gegen und gerade gegen seinen Willen, *ihr leidender Führer* ist, – weshalb denn auch tatsächlich künstlerische Lebenskritik verbessernde, veredelnde, sittigende, beglükkende Wirkungen nach sich gezogen hat – : nun, so ist das etwas anderes, eine Sache für sich, und darf keineswegs dazu verführen, die Kunst, weil sie politische Folgen haben kann, als ein politisches Instrument bestimmen, den Künstler zum Politiker machen zu wollen. Ein Künstlertum, welches seine besondere und ironische Art von Führerschaft derart mißverstände, daß es sie unmittelbar politisch zu verstehen und danach sich zu gebärden anfinge, würde der Selbstgerechtigkeit und sittlichen Geborgenheit, einer unleidlichen Tugendpose verfallen, – Ereignis würde der Eintritt eines Achtbarkeitsphilisteriums und Volksmagistertums, dem unzweifelhaft der künstlerische Ruin auf dem Fuße folgen – und nicht erst folgen müßte.

Ironie als Bescheidenheit, als rückwärts gewandte Skepsis ist eine Form der Moral, ist persönliche Ethik, ist ›innere Politik‹. Aber alle Politik im bürgerlichen Sinne sowohl wie in dem des Geisttäters, des Aktivisten, ist äußere Politik. Man überschlage alles, was einen Künstler zum Unpolitiker, zum unmöglichen Politiker machen kann. Da ist die Erwägung, daß für die Kunst keine bestimmte Staatsform Lebensbedingung und sine qua non ist, sondern daß sie unter den verschiedensten Bedingungen auf Erden geblüht hat. Da ist ein gerade ihm angeborener Abscheu vor der Stümperei, der Widerwille, dilettantisch in offenbar schwierige und komplizierte Angelegenheiten hineinzupfuschen. Da ist die Tatsache, daß des Künstlers Arbeit, die höchste, feinste, verantwortungsvollste und verzehrendste Arbeit, die es gibt, ihm kaum den Übermut lassen wird, den politischen Schreihals zu spielen. Alle diese Hemmungen kommen an Stärke derjenigen nicht gleich, die ich Bescheidenheit, die Bescheidenheit der rückwärts gewandten Skepsis nannte. Ein Künstler, der so gewissensruhig, so bar aller Ironie, mit seiner Menschlichkeit so einverstanden, von seiner Arbeit so männlich befriedigt, im ganzen so bürgerlich standfest wäre, daß er die Gangart fände, in welcher der Biedermann, seiner Sache gewiß, zur Urne schreitet, um sein Wahlrecht, womöglich das neue preußische, auszuüben, – ein solcher Künstler ist schwer vorstellbar. Aber woher nehme ich das Wort, um ein Maß von Verständnislosigkeit, Staunen, Abscheu, *Verachtung* zu bezeichnen, wie ich es angesichts des lateinischen Dichter-Politikers und Kriegsrufers vom Typ des Gabriele d'Annunzio empfinde? Ist so ein Rhetor-Demagog denn niemals allein? Immer auf dem ›Balkon‹? Kennt er keine Einsamkeit, keine Selbstbezweiflung, keine Sorge und Qual um seine Seele und um sein Werk, keine Ironie gegen den Ruhm, keine Scham vor der ›Verehrung‹? Und man nahm den eitlen, rauschsüchtigen Künstlernarren *ernst* dortzulande, wenigstens vorübergehend! Niemand stand auf und sprach: »Kennt er die Zeit, so kenn' ich seine Launen, – fort mit dem Schellen-Hanswurst!« War das vielleicht nur möglich in einem kindlich gebliebenen Lande, einem Lande, in dem aller politisch-demokratische Kritizismus nicht hindert, daß es an Kritik und Skepsis in jedem größeren Stile dort fehlt, einem Lande also, dem keine Vernunft-, keine Moralkritik, am wenigsten aber eine Kritik des Künstlertums Erlebnis wurde? D'Annunzio, den Affen Wagners, den ehrgeizigen Wort-Orgiasten, dessen Talent »an alle Glocken schlägt« und dem Lateinertum und Nationalismus ein Wirkungs- und Begeisterungsmittel ist wie irgendein anderes, den unverantwortlichen Abenteurer, der seinen Rausch und seine große Stunde, seinen ›historischen Augenblick‹, seine Hochzeit mit dem Volke wollte und weiter nichts, – man nahm ihn ernst, man nahm den Künstler als Politiker ernst in einer Schicksalsstunde des Landes! – Der Künstler als Kriegspanegyriker... »Und du?« – Und ich! Wo ist der deutsche Künstler, der zum Kriege geschürt, nach dem Kriege geschrien –, dessen Gewissen und Gesittung ihn auch nur für möglich gehalten hätte noch im äußersten Augenblick und selbst jenseits des äußersten Augenblicks? Und ich! Mir scheint, es ist ein anderes, wenn der Krieg Schicksal geworden, mit seinem bißchen Wort und Geist bei seinem Volke zu stehen und sein Recht auf ›Patriotismus‹

noch zu bezweifeln – und ein anderes, sein Talent, seine Seele, seine Rauschfähigkeit, seinen Ruhm zu mißbrauchen, um Millionen Menschen in eine Bluthölle zu hetzen und dann »aus dem Himmel des Vaterlandes« (o Schmach der Schönrednerei!) seine Brokatprosa auf sie hinabzuwerfen. Da habt ihr es denn, euer Aktivistentum! Da habt ihr ihn, den politisierten Ästheten, den poetischen Volksverführer, Volksschänder, den Wollüstling des rhetorischen Enthusiasmus, den belles-lettres-Politiker, den Katzelmacher des Geistes, den miles gloriosus demokratischer ›Menschlichkeit‹! Und *das* sollte heraufkommen bei uns? Das sollte Herr werden bei uns? Nie wird es das. Und ich wenigstens bin dankbar, einem Lande anzugehören, das niemals ›dem Geiste‹ die Macht zu so elendem Unfug einräumen wird.

Ich stellte eine Situationsähnlichkeit fest für Politik und Kunst. Ich meinte, sie beide nähmen eine Mittel- und Mittlerstellung ein zwischen Leben und Geist, und leitete eine Neigung zur Ironie daraus ab, die man mir für die Kunst allenfalls zugestehen wird. Aber ›ironische Politik‹? Die Wortkoppelung wirkt allzu befremdend und namentlich allzu unernst, als daß man sie irgend wird gelten lassen, noch gar wird zugeben wollen, daß Politik überhaupt und immer ironischen Wesens sei. Überzeugen wir uns wenigstens, daß sie niemals das Gegenteil, daß sie nie radikal sein kann, daß dies ihrer Natur widerspricht, daß es die Logik des hölzernen Eisens hätte, von ›radikalistischer Politik‹ zu sprechen! Politik ist notwendig der Wille zur Vermittlung und zum positiven Ergebnis, ist Klugheit, Geschmeidigkeit, Höflichkeit, Diplomatie und braucht bei alldem der Kraft keineswegs zu entbehren, um immer das Gegenteil ihres Gegenteils zu bleiben: der vernichtenden Unbedingtheit, des Radikalismus.
Als Knabe hörte ich, Fürst Bismarck habe gesagt, die russischen Nihilisten hätten viel mehr Verwandtschaft mit unseren Liberalen als mit der Sozialdemokratie. Das wunderte mich; denn auf der parlamentarisch-politischen Linie hatte man sich doch wohl die Sozialisten zwischen den mehr rechts haltenden Liberalen und den die äußerste Linke bildenden Nihilisten zu denken, und es wurde mir schwer, zu denken, daß jene Bombenwerfer den Parteigängern eines bürgerlich-freisinnigen Fortschritts geistig näherstehen sollten als der umstürzlerischen Sozialdemokratie. Später erfuhr ich, daß das Bombenwerfen gar kein notwendiges Zubehör des russischen Nihilismus sei, daß es vielmehr wirklich einfach der westeuropäische Liberalismus, die politische Aufklärung sei, die in Rußland – und zwar durch die Literatur – den

Namen des Nihilismus erhalten hatte: Bismarck und Dostojewski stimmten darin überein, daß die westeuropäische Aufklärung, die Vernunft- und Fortschrittspolitik des Liberalismus nihilistischen Wesens sei, und es war wohl so, daß die Terroristen des Ostens eben nur *taten*, was die Nihilisten des Westens meinten und lehrten.

Der ›Geist‹, welcher *tut*, der handelnde ›Geist‹ enthüllt und bewährt den ganzen Radikalismus seines Wesens, denn die Tat des reinen Geistes kann anständiger- und reinlicherweise immer nur die radikalste sein. Der Geistige, der die Überzeugung gewinnt, handeln zu müssen, steht sofort vor dem politischen *Mord* – oder, wenn nicht dies, so steht es doch um die Moralität seines Handelns immer so, daß der politische Mord die Konsequenz seiner Handlungsweise wäre. Die Losung ›Der Geistige handle!‹, soweit sie eben im Sinne des reinen Geistes gemeint ist, ist eine recht fragwürdige Losung, da doch alle Erfahrung lehrt, daß der Geistige, den seine Leidenschaft ins Wirkliche reißt, in ein falsches Element gerät, worin er sich schlecht, dilettantisch und unselig ausnimmt, menschlich Schaden leidet und sofort in das düstere Märtyrertum des moralischen Selbstopfers sich hüllen muß, um vor sich und der Welt überhaupt noch zu bestehen.

»Der Handelnde«, sagt Goethe, »ist immer gewissenlos. Es hat niemand Gewissen als der Betrachtende.« Aber auch das Umgekehrte ist wahr: der Betrachtende hat im Verhältnis zum Wirklichen Gewissen weit weniger nötig, oder doch eine andere Art von Gewissen nötig als der Handelnde; er kann sich den schönen Luxus des Radikalismus leisten. Der zum Handeln im Wirklichen Berufene kann es nicht. Er wird sich der Unbedingtheit rasch, als knabenhafter Unreife, entschlagen, denn er weiß, daß seine Sache die *politische* Vermittlung zwischen Gedanke und Wirklichkeit ist und daß er also zum Zugeständnis fähig sein muß, – eine Fähigkeit, an der es dem ›Betrachtenden‹ völlig gebricht, und zwar darum gebricht, weil die unnatürliche Anstrengung, die es ihn kostet, seine angeborene Scheu und Schüchternheit vor dem Wirklichen zu überwinden, ihm nicht auch noch die Kraft zum Zugeständnis, zur Mäßigung und zur Klugheit läßt. Das Tätertum des zur Betrachtung Geborenen wird immer ein unnatürliches, gräßliches, verzerrtes und selbstzerstörerisches Tätertum, die action directe, die Tat des Geistes immer nur eine Mißgeburt von Tat sein.

Ein Glück nur, daß dieser Ruf: ›Der Geistige handle!‹ eine sehr literarische Parole bleibt, eine Modelehre und Sensation der Zeitschriften. Der Künstler-Aktivist denkt gar nicht ans Tun – und zwar, bezeichnenderweise, desto weniger, je größer das Talent ist, dessen er sich erfreut. Lehrt mich die Zärtlichkeit des großen Talentes für sich selber kennen, seine persönliche Kostbarkeit, die lächelnde Eitelkeit, womit es die Bewunderung entgegennimmt, die man der vibrierenden Hochherzigkeit, dem harten Glanz seiner Perioden zollt! Das sollte zur selbstzerstörerischen Tat, zum persönlichen Opfer fähig sein? Nie, sein ganzes Leben lang, ist man der geringsten Probe davon fähig gewesen! Ruhm will man, Geld, Liebe, Applaus, Applaus. Den Hals in Pelz geschmiegt steht man, umstarrt von den Linsen der Kinematographen, und singt vom ›Geist‹. In seiner Person wenigstens verwirklicht man die Demokratie, indem man mit der Tugend Geschäfte macht, – Minister zu erschießen oder auch nur Streikreden zu halten, überläßt man minder erlesenem Menschengut, Leuten, die nichts zu verlieren haben, armen, talentlosen Fanatikern, verzweifelten Judenjungen. Mit einem Worte, sein Verhältnis zur Tat (und zum Tuenden) ist durchaus weltmännisch-aristokratisch. Wenn es aber so ist; wenn die ernstlich kompromittierende Tat Sache der Minderbegnadeten, der Untergeordneten bleibt: wie steht es dann um Rang und Würde der Tat selbst, der Tat überhaupt? – Die Lustspielszene ist zu schreiben, wie der junge Idealist zum Meister des revolutionären Tonfalls kommt und ihm vorhält, es sei an der Zeit, der Augenblick sei da, wo es hervorzutreten, zu handeln gelte. Der Meister wird versagen. Die erwartungsvoll brennenden Augen des jungen Gläubigen werden statt eines Fanatikers einen Weltmann, einen – Künstler erblicken. Vielleicht, daß der Weltmann sich angesichts dieses schwarzen, brennenden, fordernden Augenpaars ein bißchen verfärbt; doch dann wird er lächelnd sprechen: »O nein, junger Mann, Sie verlangen Falsches von mir. Ich meine einigen Grund zu haben, auf meine persönliche Sicherheit Wert zu legen... Meine Gesundheit, welche der jungen Generation immerhin teuer zu sein scheint, wäre, wie ich befürchten muß, einer längeren Untersuchungshaft nicht gewachsen. Ich habe den ›Robespierre‹ geschrieben, bei dessen Premiere Sie und Ihre Freunde so jubelten, obgleich ich nicht versäumt hatte, meinen Helden in den Verdacht eines luetischen Gehirnleidens zu bringen... Obgleich? Gerade deshalb! Sie würden weniger gejubelt haben, hätte ich Ihnen diesen Verdacht nicht freigestellt. Aber eine Konstitution, aus welcher Werke von so melancholischer Tiefe hervorgehen, kostbare Manifeste der vertu sans y croire, – eine solche Konstitution ist nicht dafür geschaffen, sich politisch bloßzustellen. Malen Sie sich aus, daß die Macht Hand an mich legte... Nein, nein, lieber Freund, leben Sie wohl! Sie unterbrachen mich in einer bewegten Seite über die Freiheit und das Glück, die ich beenden möchte, bevor ich ins Bad reise. Gehen Sie, gehen Sie, und tun Sie Ihre Pflicht! Votre devoir, jeunes hommes de vingt ans, sera le bonheur!«

Ironie... Es ist möglich, daß ich sie sehe, wo andere Leute sie nicht sehen; aber mir ist eben, als könnte man diesen Begriff nicht weit genug fassen, ihn niemals zu ethisch und zu politisch nehmen. Wenn Kant, nach einem furchtbaren und nur zu erfolgreichen erkenntniskritischen Feldzuge, unter dem Namen von »Postulaten der *praktischen* Vernunft« alles wieder einführt und neuerdings möglich macht, was er soeben kritisch zermalmt, weil nämlich, wie Heine sagt, »der alte Lampe einen Gott haben muß«, – so sehe ich politische Ironie darin. Wenn Nietzsche und Ibsen, der eine philosophisch, der andere durch die Komödie, den Wert der Wahrheit für das *Leben* in Frage stellen, so sehe ich darin dasselbe ironische Ethos. Wenn das christliche Mittelalter, mit seinem Dogma der Erbsünde, das heißt der Lehre von einer wesentlichen und für die Masse unüberwindlichen Sündhaftigkeit der Welt, das Ideal beständig ein Auge zudrücken ließ, in einem beständigen Zugeständnis des Ideals an das Allzumenschliche lebte, die höhere geistige Kultur von der Natur*grundlage* wohl unterschied und diese zu sehr großem Teil der Sünde überwies, um sie prinzipiell ins Unrecht zu setzen und sie praktisch zu berücksichtigen, – so ist das abermals in meinen Augen nichts anderes als ironische Politik. Wenn Adam Müller, dieser bei allem Fortschritt übel beleumundete Denker, der aber über die politische Frage die weisesten und geistreichsten Dinge von der Welt gesagt hat, – wenn er Politik nicht etwa mit *Recht* verwechselt, sondern das Recht, unzweifelhaft und positiv, als das natürlich und geschichtlich Gegebene, das Legitime, kurz, als die sichtbare Macht bestimmt, die Politik oder Staatsklugheit aber, dem Recht gegenüber, als dasjenige Prinzip, welches uns lehrt, das positiv-historische und unzweifelhafte Recht »mit gewissen Schonungen zu gebrauchen«, es mit dem Gewissen, der Klugheit, der Gegenwart und Zukunft, dem Nutzen zu versöhnen, als das Prinzip des Vermittelns, Vertragens, Überredens und Kontrahierens also, das wissenschaftlich von der Jurisprudenz durchaus zu scheiden sei, praktisch aber immer Hand in Hand mit ihr gehen müsse, – nun, so haben wir da wiederum eben Politik: und zwar Politik in jenem ironischen und konservativen Sinn, welcher der Sinn und Geist der Politik eigentlich ist. Als schönster, großartig-resignierter Ausdruck konservativer Ironie aber erscheint mir ein politischer

Brief des alten Friedrich von Gentz an seine junge Freundin, worin es heißt:
»Die Weltgeschichte ist ein ewiger Übergang vom Alten zum Neuen. Im steten Kreislauf der Dinge zerstört alles sich selbst, und die Frucht, die zur Reife gediehen ist, löset sich von der Pflanze ab, die sie hervorgebracht hat. Soll aber dieser Kreislauf nicht zum schnellen Untergange alles Bestehenden, mithin auch alles Rechten und Guten führen, so muß es notwendig neben der großen, *zuletzt immer überwiegenden* Anzahl derer, welche für das Neue arbeiten, auch eine kleinere geben, die mit Maß und Ziel das Alte zu behaupten und den Strom der Zeit, wenn sie ihn auch nicht aufhalten kann noch will, in einem geregelten Bette zu erhalten sucht... Ich war mir stets bewußt, daß ungeachtet aller Majestät und Stärke meiner Kommittenten und ungeachtet aller der einzelnen Siege, die sie erfochten, der Zeitgeist zuletzt mächtiger bleiben würde als wir, daß die Presse, so sehr ich sie in ihren Ausschweifungen verachtete, ihr furchtbares Übergewicht über alle unsere Weisheit nicht verlieren würde, und daß die Kunst so wenig als die Gewalt dem Weltenrade in die Speichen zu fallen vermag. *Dies war aber kein Grund*, die mir einmal zugefallene Aufgabe nicht mit Treue und Beharrlichkeit zu verfolgen; nur ein schlechter Soldat verläßt seine Fahne, wenn das Glück ihr abhold zu werden scheint; und Stolz genug besitze ich auch, um mir selbst in den finsteren Momenten zu sagen: victrix causa Diis placuit, sed victa Catoni.«
›Geist‹, das ist der Geist der Zeit, der Geist des Neuen, der Geist der Demokratie, für den die »zuletzt immer überwiegende« Mehrzahl arbeitet. Aber ein Dokument, wie das da, lehrt, daß die Geistreichsten diejenigen sind, deren Aufgabe es ist, dem ›Geiste‹ zu steuern, – vielleicht weil sie Geist »am nötigsten haben«.

Ironie und Konservativismus sind nahe verwandte Stimmungen. Man könnte sagen, daß Ironie der Geist des Konservativismus sei, – sofern dieser nämlich Geist hat, was selbstverständlich sowenig die Regel ist wie im Falle des Fortschritts und des Radikalismus. Er kann eine einfache und starke Gefühlstendenz sein, ohne Witz und Melancholie, robust wie die frisch-fromm-fröhliche Fortschrittlichkeit; dann ist ihm wohl, und er schlägt drein, um der Zersetzung zu wehren. Witzig und melancholisch wird er erst dann, wenn zur nationalen Gefühlsbetontheit internationale Intellektbetontheit tritt; wenn ein Einschlag von Demokratie, von Literatur sein Wesen kompliziert. Ironie ist eine Form des Intellektualismus, und ironischer Konservativismus ist intellektuali-

stischer Konservativismus. In ihm widersprechen einander im gewissen Grade Sein und Wirken, und es ist möglich, daß er die Demokratie, den Fortschritt fördert durch die Art, in der er ihn bekämpft.
Daß Konservativismus notwendig auf Roheit und böswilliger Dummheit beruhen müsse, ist ein Glaube, den der Fortschritt desto inniger hegt, je geistlos-frisch-fromm-fröhlicher er selber ist. Es lohnt kaum, ihn zu bestreiten. Der Bürger Jacob Burckhardt war weder dumm noch schlecht, aber seine politisch-erhaltende Gesinnung, sein aristokratischer Widerwille gegen das Eindringen eines geräuschvollen Freisinns in das Rathaus und die Kirche des alten Basel, sein unerschütterliches Halten zur Opposition einer stillen und stolzen konservativen Minderheit ist bekannt. Dazu seine Volksfreundlichkeit, – welche die Eigenschaft so vieler konservativer Politiker des Altertums und der Neuzeit war. Goethe und Nietzsche waren Konservative, – aller deutsche Geist war konservativ von je und wird es bleiben, sofern er nämlich selber bleibt und nicht demokratisiert, das heißt abgeschafft wird.
Strachow, in seiner mehrfach erwähnten Einleitung zu Dostojewski's politischen Schriften, sagt über den Beitritt des Dichters zur Slawophilen-Partei folgendes: »Der Slawophilismus ist doch nicht eine vom Leben losgelöste Theorie; er ist eine vollkommen natürliche Erscheinung, sowohl von seiner positiven Seite – als Konservatismus – wie von seiner negativen Seite – als Reaktion, das heißt als Wunsch, das geistige und moralische Joch des Westens abzuwerfen. So ist es denn erklärlich, daß sich in Fjodor Michailowitsch *eine ganze Reihe von Ansichten und viele Sympathien entwickelt hatten, die vollkommen slawophil waren,* und daß er mit ihnen hervortrat, ohne zunächst seine Übereinstimmung mit der schon längst existierenden Partei zu bemerken, um dann später unmittelbar und offen sich zu ihr zu bekennen.« Der positive Grund aber, weshalb Dostojewski als Politiker längere Zeit anstand, sich zur konservativ-slawophilen Partei zu bekennen, war sein Schriftstellertum, seine Liebe zur Literatur. »Denn er liebte die Literatur«, sagt Strachow, »und diese Liebe war der wichtigste Grund, weshalb er nicht sogleich zu den Slawophilen überging. *Er empfand doch lebhaft die Feindseligkeit,* mit der sich dieselben von jeher, ihren Prinzipien gemäß, zur zeitgenössischen Literatur verhielten.«
Unzweifelhaft besteht ein gewisser Gegensatz zwischen Konservativismus und Schriftstellertum, und Literatur. So gut wie die Verbindung ›radikalistische Politik‹ enthält auch ›konservatives

Schriftstellertum‹ in gewissem Sinne einen Widerspruch im Beiwort. Denn Literatur ist Analyse, Geist, Skepsis, Psychologie, ist Demokratie, ist ›Westen‹, und wo sie sich mit konservativ-nationaler Gesinnung verbindet, da tritt jener Zwiespalt von Sein und Wirken ein, von dem ich sprach. Konservativ? Natürlich bin ich es nicht; denn wollte ich es meinungsweise sein, so wäre ich es immer noch nicht meiner Natur nach, die schließlich das ist, was wirkt. In Fällen wie meinem begegnen sich destruktive und erhaltende Tendenzen, und soweit von Wirkung die Rede sein kann, ist es eben diese doppelte Wirkung, die statthat.
Über meine ›kulturpolitische‹ Stellung weiß ich heute so ziemlich Bescheid: Sogar war es die Statistik, die mir Winke darüber erteilte. Sie lehrt, daß im Jahre 1876 (ein Jahr nach dem meiner eigenen Geburt) der ›Höchststand der Lebendgeburten‹ auf 1000 Personen in Deutschland erreicht wurde. Er betrug 40,9. Es folgte bis zur Jahrhundertwende ein *langsamer* Geburtenrückgang, der indessen durch die Abnahme der Todesfälle reichlich wettgemacht wurde. Plötzlich, genau seit 1900, vollzieht sich im Laufe von dreizehn Jahren ein Absturz der Geburtenzahl von 35 auf 27, – ein Absturz, wie ihn, so versichert die Statistik, *kein Kulturvolk in so kurzer Zeit erlebt hat.* Dabei konnte durchaus nicht von eigentlicher Rassenverschlechterung die Rede sein. Geschlechtskrankheiten und Alkoholismus traten zurück, die Hygiene schritt fort. Die Ursachen sind rein moralisch, oder, um es indifferentwissenschaftlicher zu sagen, kulturpolitisch; sie liegen in der ›Zivilisierung‹, der im westlichen Sinne fortschrittlichen Entwicklung Deutschlands. In diesen Jahren, um es kurz zu sagen und auch auf die Spitze zu stellen, hat sich die deutsche Prosa verbessert; gleichzeitig drang die Anpreisung und Kenntnis der empfängnisverhütenden Mittel bis ins letzte Dorf.
Im Jahre 1876, als die Nation auf dem Gipfel ihrer Fruchtbarkeit stand, lebten in Deutschland Bismarck, Moltke, Helmholtz, Nietzsche, Wagner, Fontane. Das waren keine Zivilisationsliteraten, aber Geist markierten sie immerhin. Was haben wir heute? Das Niveau. Die Demokratie. Wir haben sie ja schon! Die ›Veredelung‹, ›Vermenschlichung‹, Literarisierung, Demokratisierung Deutschlands ist ja seit annähernd zwanzig Jahren im rapidesten Gang! Was schreit und hetzt man denn noch? Wäre nicht eher etwas Konservativismus zeitgemäß?
Ich weiß ganz gut, was es zu bedeuten hat, daß gerade im Jahre 1900, als ich für meine Person es auf fünfundzwanzig Jahre gebracht hatte, der plötzliche, bei keinem Kulturvolk erhörte Fruchtbarkeitsrückgang beginnt. Zu diesem Zeitpunkt, genau in

dem Jahre, in dem ›Buddenbrooks‹, diese Geschichte der Veredelung, Sublimierung und Entartung eines deutschen Bürgerstammes, dies zweifellos sehr deutsche Buch, welches aber ebenso unzweifelhaft auch ein Merkmal nationalen Gesundheitsabstieges ist, erschien, um es in fünfzehn Jahren auf siebzig Auflagen zu bringen: zu diesem Zeitpunkt, mit mir und meinesgleichen, beginnt der moralisch-politisch-biologische Prozeß, hinter dem der Zivilisationsliterat mit der Hetzpeitsche steht. Wie sehr ich teil an ihm habe, wie sehr auch mein Wirken Ausdruck und Förderung dieses Prozesses bedeutet, weiß ich genau. Nur daß ich von jeher, im Gegensatz zum radikalen Literaten, auch erhaltende Gegentendenzen in mir hegte und, ohne mich politisch selbst zu verstehen, frühzeitig zum Ausdruck brachte. Das machte der Begriff des Lebens, den ich von Nietzsche hatte, und mein Verhältnis zu diesem Begriff, das ironisch sein mochte, aber nicht ironischer war als mein Verhältnis zum ›Geist‹. Dieser Begriff des Lebens bekommt nationale Aktualität ums Jahr 1900, als der Fruchtbarkeitssturz einsetzt. Er ist ein *konservativer* Begriff, und kaum ist der Verfallsroman fertig, als konservativer Gegenwille in Form von Ironie sich anmeldet, als diese Wörter ›Leben‹ und ›konservieren‹ in meiner Produktion eine Rolle zu spielen beginnen. Ich schrieb: »Das Reich der Kunst nimmt zu, und das der Gesundheit und Unschuld nimmt ab auf Erden. Man sollte, was noch davon übrig ist, aufs sorgfältigste *konservieren*, und man sollte nicht Leute, die viel lieber in Pferdebüchern mit Momentaufnahmen lesen, zur Poesie verführen wollen!... Es ist widersinnig, das *Leben* zu lieben und dennoch mit allen Künsten bestrebt zu sein, es auf seine Seite zu ziehen, es für die Finessen und Melancholien, den ganzen kranken Adel der Literatur zu gewinnen« (›Tonio Kröger‹). Man sieht, ich wandte jene Begriffe und Wörter auf rein moralisch-geistige Dinge an, aber unbewußt war ganz ohne Zweifel dabei politischer Wille in mir lebendig, und noch einmal zeigt sich, daß man nicht den politischen Aktivisten und Manifestanten zu machen braucht, daß man ein ›Ästhet‹ sein und dennoch mit dem Politischen tiefe Fühlung besitzen kann.

Ich schließe diese Aufzeichnungen an dem Tage, an dem der Beginn der Waffenstillstandsverhandlungen zwischen Deutschland und Rußland gemeldet wird. Wenn nicht alles täuscht, soll der lange, fast seit Beginn des Krieges gehegte Wunsch meines Herzens sich erfüllen: Friede mit Rußland! Friede zuerst mit ihm! Und der Krieg, wenn er weitergeht, wird weitergehen gegen den Westen allein, gegen die ›trois pays libres‹, gegen die ›Zivilisation‹, die ›Literatur‹, die Politik, den rhetorischen Bourgeois. – Der Krieg geht weiter; denn das ist kein Krieg. Das ist eine historische Periode, die währen mag wie von 1789 bis 1815 oder auch wie von 1618 bis 48, »und eh nicht«, heißt es in dem Gedicht vom ›Bruderzwist in Habsburg‹:

Und eh nicht, die nun Männer, faßt das Grab,
Und, die nun Kinder, Männer sind geworden,
Legt sich die Gärung nicht, die jetzt im Blut.

Der Krieg geht weiter; und auch dies Buch, darin er sich im Kleinen abbildete, im Persönlichen wiederholte, könnte weitergehen mit ihm – und währt' er dreißig Jahr. Wohl mir, daß ich darf, was den furchtbar sich straffenden Völkern noch lange verwehrt sein wird, – daß ich enden darf. Einige dieser Blätter sind schön; es sind die, wo Liebe sprechen durfte. Dorthin, wo Hader und bittere Scheidung herrscht, werde ich nie wieder blicken. Aber wahr ist, daß ungerechte Ehrenkränkung dort abgewehrt wurde, die wiederum nur ein Abbild der großen war, die ein Volk von einer ganzen wortkundigen Welt erfuhr.
Welches ist diese Welt? Es ist die der Politik, der Demokratie; und daß ich mich gegen sie stellen, daß ich in diesem Kriege zu Deutschland – und nicht, wie der Zivilisationsliterat, zum Feinde – stehen mußte, diese Notwendigkeit geht für jeden Sehenden aus allem, was ich in fünfzehn Friedensjahren schrieb und fügte, klar hervor. Der Anschein aber, daß ich mit meinem Glauben, die Frage des Menschen sei nie und nimmer politisch, sondern nur seelisch-moralisch zu lösen, heute unter geistigen Deutschen allein stehe, kann eben nicht mehr als ein Anschein sein, er muß auf Täuschung beruhen. Die Legitimität solcher Anschauungs- und Gefühlsweise ist durch zu viele Äußerungen edler Geister erhärtet, die deutsch blieben, indem sie *überaus* deutsch waren. Wieland war national im höchsten und geistigsten Sinn, als er es den ewigen Refrain aller seiner politischen Träume nannte, daß, solle es jemals besser um die Menschheit stehen, die Reform nicht bei Regierungsformen und Konstitutionen, sondern bei *den einzelnen Menschen* anfangen müsse. Er war es ebenfalls, als er ausbrach in die Frage: »Welcher Deutsche, in dessen Brust nur ein Funke von Nationalgefühl glimmt, kann den Gedanken ertragen, daß ein auswärtiges Volk sich anmaße, uns einen alle unsere häuslichen und bürgerlichen Verhältnisse zerstörenden politischen *Wahnglauben* mit den Waffen in der Hand *aufzudringen*, und zu eben der Zeit, da sie nichts als Menschenrechte, Freiheit, Gleichheit,

Weltbürgerschaft und allgemeine Verbrüderung im Munde führen, uns die abscheuliche Wahl vorlegen, ob wir entweder zu Verrätern an den Gesetzen unseres Vaterlandes, an unsern rechtmäßigen Regenten und an uns selbst und unsern Kindern werden oder uns wie die verworfensten Sklaven behandeln lassen wollen?« Und er wußte, daß er nicht allein sei und keinen Verrat am Geiste begehe, als er die Reihe seiner Aufsätze über die Französische Revolution mit den Worten beschloß: »Ich werde nur mit dem Dasein aufhören, meinen seit mehr als fünfunddreißig Jahren öffentlich dargelegten Grundsätzen und Gesinnungen getreu, als Schriftsteller zu Beförderung alles dessen mitzuwirken, was ich für das allgemeine Beste der Menschheit halte; und eben darum werde ich, solange es nötig sein wird, allen unächten, verworrenen und schwindlichten Begriffen von Freiheit und Gleichheit, allen auf Anarchie, Aufruhr, gewaltsamen Umsturz der bürgerlichen Ordnung und Realisierung der neuen politischen Religion der Westfränkischen Demagogen *abzweckenden*, oder auch (vielleicht wider die Absicht wohlmeinender sogenannter Demokraten) dazu *führenden* Maximen, Räsonnements, Deklamationen und Assoziationen, aus allen Kräften entgegen arbeiten; nicht zweifelnd, daß ich hierin jeden *ächten deutschen Patrioten, Volksfreund und Weltbürger auf meiner Seite habe und behalten werde.«*

[1918]

VON DEUTSCHER REPUBLIK

Vorwort

Die folgenden Seiten, geschrieben in guten Sommertagen dieses Jahres 1922 für das Gerhart Hauptmann-Heft der ›Neuen Rundschau‹ und vor der Drucklegung mündlich mitgeteilt an einem Oktoberabend im Berliner Beethovensaal, haben bei ihrem ersten Lautwerden und Erscheinen viel Lärm auf der Gasse gemacht: weniger durch ihren sachlichen Inhalt, der durch Neuheit kaum verblüffen konnte, als durch die Tatsache, daß gerade dieser Verfasser es war, von dem sie ausgingen. Ich mußte froh sein, wenn die Kritik es sich versagte, mein Eingeweide nach Utilitätsgründen zu durchwühlen, die mich zu meiner ›Überläuferei‹, meinem ›Umfall‹, dem ›Bruch‹ mit meiner geistig-politischen Vergangenheit notwendig bestimmt haben mußten, wenn sie es unterließ, mich geradezu als amtlich vorgeschoben und benutzt hinzustellen: *Daß* eine Sinnesänderung, ein Gesinnungswechsel überraschender, verwirrender und selbst frivoler Art vorliege, schien fast allgemeine Meinung.

Sie irrt, diese allgemeine Meinung, – die Versicherung, die privatim zu wiederholen ich mich nicht verdrießen ließ, bitte ich hier noch einmal abgeben zu dürfen. Ich weiß von keiner Sinnesänderung. Ich habe vielleicht meine Gedanken geändert, – nicht meinen Sinn. Aber Gedanken, möge das auch sophistisch klingen, sind immer nur Mittel zum Zweck, Werkzeug im Dienst eines Sinnes, und gar dem Künstler wird es viel leichter, als unbewegliche Meinungswächter wissen können, sich anders denken, anders sprechen zu lassen als vordem, wenn es gilt, einen bleibenden Sinn in veränderter Zeit zu behaupten. Ich habe schon einmal aufmerksam gemacht, daß man das Wort Goethe's, nur der Betrachtende sei gewissenhaft, nicht der Handelnde, im Falle des Künstlers beinahe umkehren muß: Denn die Kunst ist Sphäre des reinen Geistes und besitzt für ihn die Würde der Betrachtung, während er den Gedanken nur als dialektisches Mittel kennt, ihn um seiner selbst willen, als ›Wahrheit‹, nicht sehr achtet und das Betrachten im Sinne einer *Aktion* zu üben geneigt ist. Wenn der Verfasser also auf diesen Blättern teilweise andere Gedanken verficht als in dem Buche des ›Unpolitischen‹, so liegt darin eben nur ein Widerspruch von Gedanken untereinander, nicht ein solcher des Verfassers gegen sich selbst. Dieser ist derselbe geblieben, einig in seinem Wesen und Sinn, und zwar so sehr, daß er denen sowohl, die ihn ob seines ›Wandels‹ loben, wie denen, die ihn dafür des Verrats am Deutschtum zeihen, antworten darf: Dieser republikanische Zuspruch setzt die Linie der ›Betrachtungen‹ genau und ohne Bruch ins Heutige fort, und seine Gesinnung ist unverwechselt, unverleugnet die jenes Buches: diejenige deutscher Menschlichkeit. Um ihretwillen hat der Verfasser mit vollkommener Geduld sich einen Reaktionär schelten lassen; er will's überleben, daß man ihn heute als Jakobiner verruft um ihretwillen. Seine zweimalige Oppositionsstellung in der Zeit aber sollte zum mindesten auf einige Unabhängigkeit seines Gewissens schließen lassen und ihn gegen den Vorwurf schützen, er gebe charakterweich dem Einflusse irgendwelcher Kreise und Umgebungen nach oder hänge das Mäntelchen behend nach dem Winde.

Ich glaubte, ein wenig helfen zu können mit dieser kleinen Aktion, die zur Aktion eben dadurch werden mochte, daß ich es war, der sie unternahm; glaubte, etwas wie ein Beispiel geben zu können dadurch, daß ich, der notorische und eingetragene ›Bürger‹, mich mit Entschluß auf die Seite der Republik stellte; und diese Einbildung war es auch, die mich vermochte, einmal den Mann der Versammlung zu spielen und das Geschriebene im Saale persönlich zu vertreten. Daß dies ein Fehler war, ist ausgemacht. Denn so wurde die Sache vorzeitig der Presse überantwortet, die sie nach ihrer Art behandelte, einer schlimmen, ungenauen Art in manchem Falle, zusammengesetzt – Gott allein weiß, zu welchem Teile aus Ungeschick und zu welchem aus bösem Willen. Da wurde gemeldet, ich hätte gesagt, die Republik sei kein Ergebnis des Niederbruchs, sondern ein solches der Erhebung und der Ehre und damit punktum. Was ich gesagt habe, wird hier noch einmal vorgelegt. Ich habe die ›Republik‹ nicht von 1918, von 1914 habe ich sie datiert: *damals*, in der Stunde todbereiten Aufbruchs, habe sie in den Herzen der Jugend sich hergestellt! Damit war etwas zur Bestimmung dessen geschehen, was ich unter Republik verstehe, – wie ich ja denn überhaupt die Republik nicht habe hochleben lassen, bevor ich sie definiert hatte, – nicht als etwas, was *sei*, sondern als etwas, was zu *schaffen* sei. Der Versuch aber, und sollte er auch mit unzulänglichen Mitteln unternommen sein, zu dieser notwendigen Schöpfung geistig beizutragen und einem unseligen Staatswesen, das keine Bürger hat, etwas wie Idee, Seele, Lebensgeist einzuflößen, – verdient, wie mir auch nach hundert Nackenschlägen noch scheinen will, keinen Schimpf.

VON DEUTSCHER REPUBLIK

Gerhart Hauptmann
zum sechzigsten Geburtstag

Sie waren unter meinen Zuhörern, Gerhart Hauptmann, darf ich Sie erinnern? als ich an einem Tage der Goethe-Woche zu Frankfurt in der Universität über Bekenntnis und Erziehung, über Humanität also, sprechen durfte; in erster Reihe saßen Sie vor mir, und hinter Ihnen war das Festauditorium bis zur Empore hinauf voll akademischer Jugend. Das war schön; und so sei es heute wieder. Noch einmal, kraft meiner Einbildung, will ich Sie vor mir haben, wie damals, daß ich Sie anspreche zu Ihrem Geburtstag, werter Mann; und wenn ich den Kopf ein wenig höher hebe, soll deutsche Jugend da sein und ihre Ohren spitzen, denn auch zu ihr will ich, über Ihre Person hinweg, heute wieder reden, auch *mit ihr*, wie die Wendung lautet, wenn der Sinn jenes Hühnchens darin liegen soll, das zu pflücken ist, *habe ich zu reden:* über Sie, den wir feiern, und über anderes und weiteres, alles in allem aber wiederum über Dinge der Humanität, – Dinge also, für welche deutsche Jugend nie und nimmer sich unempfänglich erweisen kann, sie wäre denn eben nicht deutsche Jugend mehr. Dennoch ist leicht möglich, daß sie scharrt. Aber das macht nichts, ich werde zu Ende reden und Herz und Geist daransetzen, sie zu gewinnen. Denn gewonnen muß sie werden, soviel ist sicher, und ist auch zu gewinnen, da sie nicht schlecht ist, sondern nur stolz und vertrotzt in ihren scharrenden Teilen.

Um noch einmal anzuheben, so ist nicht verwunderlich, daß ich mich jener Frankfurter Umstände gern erinnere und sie im Geist wieder herstelle: unzweifelhaft, wie ich nachträglich gewahr wurde (denn die Gegenwart findet uns immer undankbar), bedeuteten sie einen Höhepunkt meines Schriftstellerlebens. Rechts vorn, wie gesagt, saßen Sie, Gerhart Hauptmann, und linkerseits der Vater Ebert. Vor König und vor Reich also, wie Lohengrin singt, enthüllte mein Geheimnis ich in Treuen; – wobei mit dem »Reiche«, versteht sich, der Vater Ebert gemeint ist, mit dem König aber Sie. Denn ein König sind Sie heute, wer wollte es leugnen, ein Volkskönig wahrhaft, wie Sie da vor mir sitzen, – der König der Republik. Das wäre ein Widerspruch? So rufe ich Novalis an, einen Royalisten besonderer Art, der gesagt hat, man werde bald allgemein überzeugt sein, daß kein König ohne Republik und keine Republik ohne König bestehen könne, – ein demokratisches Wort auf jeden Fall und zu der Ergänzung auffordernd, daß immer noch viel eher eine Republik ohne König bestehen könne als das Umgekehrte (Scharren im Hintergrunde) und man sich keineswegs wundern dürfe, wenn Sie, in Ihrer Eigenschaft als König, durchdrungener Republikaner wären, da Ihr Königtum durch unsere Republikanisierung so außerordentlich verstärkt und verdeutlicht worden, – nach einem kurzen Schwanken Ihrer Stellung während des Prozesses der Umwälzung selbst.

Wir leben rasch, die Beleuchtung, worin der einzelne steht, wechselt mit Lidschlagschnelle, heute tot, heißt es, und morgen, bis auf weiteres, wieder rot; es ist unterhaltend, wenn auch freilich nicht mehr, das Auge ans Kaleidoskop der öffentlichen Umstände und Geltungen zu halten, selbst insofern unsere eigenen Tagesschicksale im Spiele sind. Der intellektualistische Radikalismus, der in literarischer Sphäre die Revolution begleitete, war Ihrem Wesen nicht hold. ›Der Geist‹ war wider Sie. Das ist schon vorbei. Die scharfen Knabenstimmen, die Sie ›ungeistig‹ nannten, sind verstummt, die Welle trägt Sie, die sozialen sowohl wie die demokratischen Tendenzen der Zeit kommen Ihrer Größe zustatten. Der Sozialismus dieser Zeit ehrt in Ihnen den mitleidigen Dichter der ›Weber‹ und des ›Hannele‹, den Dichter der Armen; und nachdem man der Demokratie alles nachgesagt hat, was ihr nachgesagt werden kann, ist festzustellen, daß sie des Landes geistige Spitzen, nach Wegfall der dynastisch-feudalen, der Nation sichtbarer macht: das unmittelbare Ansehen des Schriftstellers steigt im republikanischen Staat, seine unmittelbare Verantwortlichkeit gleichermaßen, – ganz einerlei, ob er persönlich dies je zu den Wünschbarkeiten zählte oder nicht.

Wodurch Sie aber namentlich siegten, Gerhart Hauptmann, war Ihr Deutschtum, das heißt Ihre echte Popularität – um nochmals Novalis zu zitieren, der das Ideal der Deutschheit eben hierdurch, als »echte Popularität«, bestimmt –, eine Volkstümlichkeit des humansten Gepräges, wie man nicht säumen darf hinzuzufügen, um rohe und hausbackene Vorstellungen abzuwehren. Ich rede euch an, akademische Jugend, namentlich soweit ihr mit scharrender Unruhe meine Worte zu begleiten euch schon mehrmals bemüßigt fandet. Die letzte stark internationalistische Befruchtung unserer Literatur ereignete sich in den achtziger und neunziger Jahren des vorigen Jahrhunderts, als Ibsen, Zola und die großen Russen bei uns ihren Einzug hielten; sie fiel zusammen mit dem Durchbruch des Naturalismus, der Lufterneuerung durch das jüngste Deutschland. Und welches ist die Dichterpersönlichkeit, die diese künstlerisch kosmopolitische Bewegung zeitigte? Welche bleibende Gestalt ließ sie zurück? Nun, sie bildete das deutscheste Angesicht, das Gerhart Hauptmanns, sie führte diesen Meister empor, der kraft echter Popularität heute zu fürstlich repräsentativer Stellung aufgerückt ist und in dem In- und Ausland das geistige Haupt des nachkaiserlichen Reiches ehrt. Es lohnt, darüber nachzudenken. Es lohnt, das zu tun auch im Falle Stefan George's, aus dessen Frühzeit die Propheten Baudelaire und den französischen Parnaß nicht wegstilisieren sollten, dessen Leben, Gestalt und Wirkung aber heute eine hoch und rein nationale Angelegenheit ist. Wo irgend Größe waltet, da setzt das Physiognomisch-Nationale sich aller kosmopolitischen Hingabe ungeachtet unfehlbar durch, und unter uns Deutschen wenigstens scheint Grundgesetz, daß, wer sich verliert, sich bewahren wird, wer sich aber zu bewahren trachtet, sich verlieren, das heißt der Barbarei oder biederer Unbeträchtlichkeit anheimfallen wird. (Verbreitete Unruhe)

Human, sage ich, und nicht roh oder hausbacken ist dieses Mannes dichterische Deutschheit ihrer literarischen Geschichte nach. Human, setze ich hinzu, weder völkisch simpel noch völkisch ungeschlacht und randalierend, sondern liberal im menschlichsten Sinn, kulturmilde, würdig-friedfertig stellen sein Deutschtum, seine hohe Echtheit, seine Popularität sich überhaupt und durchaus unserer Verehrung dar. Wie hätte er freilich in Kriegsnot und -drang sich ihrer nicht schmerzvoll innig bewußt werden sollen! Er prahlte nicht mit Philanthropie. Er benahm sich nicht literatenhaft, ging nicht nach Zürich, um von dort aus sein Land und Volk pazifistisch zu begeifern. Mit Herz und Mund stand er zu Deutschland, tat es noch eben jetzt wieder, als es galt, Grenzgebiete des Reichs, deren Abtrennung die zweifelhafte Weisheit der Sieger verfügt, in Trauer zu grüßen, – und aus dem Saal auf die Straße drängte die Menge dem hohen, väterlichen Manne nach, unwillig, ihn zu lassen, unersättlich in Liebesbekundungen. Wäre es aber so, könnte er von einem Volk, in dessen Wesenstiefe, organisch-unbewußt und sein Gewissen doch unverleugbar bestimmend, große Kulturüberlieferungen lebendig sind, – könnte er, sage ich, von diesem seinem Volke solchermaßen als Vater und Fürsprech empfunden werden, wenn seine Popularität von völkisch enger, plump aggressiver und humanitätsloser Art wäre? So kann wirkliche und echte deutsche Popularität niemals sein. Was Europa auch sagen möge: humanitas als Idee, Gefühl und sittlich-

geistiges Regulativ, das stille Bewußtsein, daß Staat nur »eine besondere Verbindung mehrerer Menschen in dem großen Staate ist, den die Menschheit für sich selbst schon ausmacht«, um wieder ein bereites Wort des Dichters einzusetzen, der, wie es scheint, bei dem, was ich heute zu sagen habe, mein Eideshelfer sein soll, ist unserm Volke niemals abhanden gekommen, und kein anderes hat die Werte des Nationellen und des Universellen in Gewissenstiefen und Geisteshöhn bedachtvoller gegeneinander abgewogen.
Am geistreichsten geschah das in jener wundervollen Sphäre, der Friedrich von Hardenberg angehörte und deren Kunstsinn für das Völkisch-Pittoreske so stark war, daß er sich ins Human-Umfassende steigerte, daß Nationalismus und Universalismus hier glücklich beieinander wohnten. »Alles Nationale«, sagt Novalis, »alles Temporelle, Lokale, Individuelle läßt sich universalisieren und so kanonisieren und allgemein machen. Christus ist ein so veredelter Landsmann.« Und er fährt fort: »Dieses individuelle Kolorit des Universellen *ist sein romantisches Element.* So ist jeder national und selbst der persönliche Gott ein romantisiertes Universum. Die Persönlichkeit ist das romantische Element des Ich.« – Hier herrscht Gerechtigkeit. Hier ist anerkannt, daß das Kanonisch-Universelle nicht windige Rationalisierung, sondern »Veredelung« bedeutet; zugleich aber ist das Individuelle und Nationale als das romantische Persönlichkeitselement des Universellen und damit als *Lebenspoesie* gekennzeichnet. Was ist das Höhere? Wer will es sagen. Möge die höhere und geistigere Sphäre die »kanonische« sein, so ist die der Persönlichkeit vielleicht die innigere, vielleicht selbst die wirklichere. Sie ist zugleich seit Jahrhunderten die kriegerische. Ja, die Sphäre des Bluts ist auch auf schreckliche Art die blutige Sphäre, – es gehört das, scheint es, zum »Kolorit«. Krieg ist Romantik. Niemand hat je das mystisch-poetische Element geleugnet, das ihm innewohnt. Zu leugnen, daß er heute spottschlechte Romantik, ekelhaft verhunzte Poesie ist, wäre Verstocktheit. Und um das Nationale nicht völlig in Verruf kommen, es nicht gänzlich zum Fluche werden zu lassen, wird nötig sein, daß es, statt als Inbegriff alles Kriegsgeistes und Geräufes, vielmehr, seiner künstlerischen und fast schwärmerischen Natur durchaus entsprechend, immer unbedingter als Gegenstand eines *Friedenskultus* verstanden werde. (Man scharrt) Jungmannschaft, – nicht diese Töne! Ich bin kein Pazifist, weder von der geifernden noch von der öligen Observanz. Der Pazifismus als Weltanschauung, als seelisches Vegetariertum und bürgerlich-rationale Glücksphilanthropie ist nicht meine Sache. Aber er war auch eines Goethe Sache nicht, oder wäre es nicht gewesen,

und dennoch war er ein Mann des Friedens. Ich bin kein Goethe; aber ein wenig, irgendwie, von weither, bin ich, mit Adalbert Stifter zu reden, »von seiner Familie«, und auch mein Teil ist der Friede, denn er ist das Reich der Kultur, der Kunst und des Gedankens, während im Kriege die Roheit triumphiert... nicht sie allein, seid still, ich weiß es, aber wie der Mensch ist, wie es heute um unsere Welt steht, fast nur noch sie. Die Welt, die Völker sind alt und klug heute, die episch-heroische Lebensstufe liegt für jedes von ihnen weit dahinten, der Versuch, auf sie zurückzutreten, bedeutet wüste Auflehnung gegen das Gesetz der Zeit, eine seelische Unwahrheit, der Krieg ist Lüge, selbst seine Ergebnisse sind Lügen, er ist, wieviel Ehre der einzelne in ihn hineinzutragen willens sein möge, selbst heute aller Ehre bloß, und darum stellt er dem Auge, das nicht sich selbst betrügt, als Triumph aller brutalen und gemeinen, der Kultur und dem Gedanken erzfeindlich gesinnten Volkselemente, als eine Blutorgie von Egoismus, Verderbnis und Schlechtigkeit fast restlos sich dar.
Gesteht euch die Wahrheit, es ist so. Ich sage es nicht aus politischer Bosheit, nicht, um diejenigen unter euch, die im Kriege waren, die ihr Blut vergossen und das Blut von Kameraden hinströmen sahen, in Erinnerungen zu kränken, die ihnen heilig sein müssen, heilig bleiben sollen. Ich bin kein Vernunft-Thersites, kein hämischer Parteimensch, der sich in Machtwollust an der Schmach, der seelischen Heimatlosigkeit des Gegners weidet, dessen Ideale zuschanden wurden. Ich weiß, was das Blut ist, was der Tod, was Kameradschaft ist. Gebt zu, daß nie ein Laut jenes armseligen Gänsefüßchen-Hohnes auf die ›Große Zeit‹ von meinen Lippen gegangen ist! Dieser Hohn kommt nicht aus geschändetem Gefühl, – es gab kein Gefühl zu schänden dort, wo er laut zu werden pflegt. Aber der männlichste selbst unter heutigen Geistern, er, dessen Dichtung ganz ein herber Kultus des Männlichen ist und der uns noch gestern das in Ehrliebe bebende Lied von ›Der Toten Zurückkunft‹, den Hymnus an »Die Hehren, die Helden« sang, – auch er hat in der Wirklichkeit des Krieges von heute »nur viele Untergänge ohne Würde« gesehen.

Des Schöpfers Hand entwischt, rast eigenmächtig
Unform von Blei und Blech, Gestäng und Rohr.
Der selbst lacht Grimm, wenn falsche Heldenreden
Von vormals klingen, der als Brei und Klumpen
Den Bruder sinken sah, der in der schandbar
Zerwühlten Erde hauste wie Geziefer...
Der alte Gott der Schlachten ist nicht mehr.

Er ist nicht mehr. Der Gott ist zur abscheulichen Götzenfratze entartet, und etwas wie obskurantistische Donquijoterie ist es geworden, ihm Opfer zu bringen. Anstand und Menschenwürde gebieten, diesen roten Lumpenkönig vom Weltenthron zu stoßen und Europa zur Republik zu erklären, – sofern die Idee der Republik mit derjenigen nationaler Friedenskultur verbunden ist. Die Republik... wie gefällt euch das Wort in meinem Munde? Übel, – bestimmten Geräuschen nach zu urteilen, die man leider als Scharren zu deuten genötigt ist. Und doch ist mir jenes Wort, anders als den meisten von euch, von jung auf vertraut und geläufig. Meine Heimat war ein republikanischer Bundesstaat des Reiches, wie diejenigen, aus denen es heute durchaus besteht. Dennoch war ich niemals ein Republikaner vom Verrina-Stamm, kein Mann der lehrhaften Tugendstarre, kein Revolutionär dieses Sinnes, ihr wißt es. »Diejenigen«, sagte und sage ich mit Novalis, »die in unsern Tagen gegen Fürsten als solche deklamieren und nirgends Heil statuieren als in der neuen französischen Manier, auch die Republik nur unter der repräsentativen Form erkennen und apodiktisch behaupten, daß nur da Republik sei, wo es Primär- und Wahlversammlungen, Direktorium und Räte, Munizipalitäten und Freiheitsbäume gäbe, die sind armselige Philister, leer an Geist und arm am Herzen, Buchstäbler, die ihre Seichtigkeit und innerliche Blöße hinter den bunten Fahnen der triumphierenden Mode, unter der imposanten Maske des Kosmopolitismus zu verstecken suchen, *und die Gegner, wie die Obskuranten, verdienen,* damit der Frosch- und Mäusekrieg vollkommen versinnlicht werde.« – So spricht ein Romantiker. Denn das Niveau deutscher Romantik, möge es gewiß ein anderes sein als das der politischen Aufklärung, ist eben darum auch so hoch über allem Obskurantentum, daß, da echte Opposition nur auf gleicher Ebene möglich ist, schon dessen Gegnerschaft von hieraus als letzte Schande empfunden wird. Obskurantismus, mit seinem politischen Namen Reaktion geheißen, ist *Roheit,* – sentimentale Roheit, insofern sie, sich selbst betrügend, ihre brutale und unvernünftige Physiognomie »unter der imposanten Maske« des Gemütes, der Germanentreue etwa, zu verstecken sucht; und sentimentale Roheit verdient so wenig den edlen und geisteszarten Namen der Romantik, daß der eingefleischteste Romantiker für den vorübergehenden Notfall zum politischen Aufklärer werden könnte, um behilflich zu sein, so unverschämte Ansprüche ihr kräftigst zu verwehren. Wenn sentimentaler Obskurantismus sich zum Terror organisiert und das Land durch ekelhafte und hirnverbrannte Mordtaten schändet, dann ist der Eintritt solchen

Notfalles nicht länger zu leugnen, und die Stille, die sich, wie ich feststelle, bei dieser Anspielung im Saale verbreitet, ich weiß, junge Leute, was ich –, der fürchten muß, aus geistigem Freiheitsbedürfnis dem Obskurantentum Waffen geliefert zu haben –, was, sage ich, gerade ich dieser jetzt herrschenden Stille schuldig bin. Mein Vorsatz ist, ich sage es offen heraus, euch, sofern das nötig ist, für die Republik zu gewinnen und für das, was Demokratie genannt wird und was ich Humanität nenne, aus Abneigung gegen die humbughaften Nebengeräusche, die jenem anderen Worte anhaften (eine Abneigung, die ich mit euch teile) – dafür zu werben bei euch im Angesicht dieses Mannes und Dichters hier vor mir, dessen echte Popularität auf der würdigsten Vereinigung volkhafter und menschheitlicher Elemente beruht. Denn ich möchte, daß das deutsche Antlitz, jetzt leidvoll verzerrt und entstellt, dem seinen wieder gliche, – diesem Künstlerhaupt, das so viele Züge aufweist des Bildes hoher Biederkeit, das sich für uns mit dem deutschen Namen verbindet.
Wie eigentümlich und menschlich regelwidrig liegen bei uns zulande heute die Dinge! »Republik«, schrieb Novalis, »ist das Fluidum deferens der Jugend. Wo junge Leute sind, da ist Republik.« Und ist es nicht wahr, daß Freiheitsdurst, Liebe zur Veränderung, hochherziger Revolutionsdrang immer ein natürliches Vorrecht der Jugend gewesen ist, hier wie anderwärts? Unserem Studententum, unserer Burschenschaft fehlt es ja keineswegs an demokratischer Überlieferung. Es gab Zeiten, wo das Nationale und das Monarchisch-Dynastische, weit entfernt, in der Idee zusammenzufallen vielmehr in unversöhnlicher Opposition zueinander standen; wo Patriotismus und Republik nicht nur keinen Gegensatz bildeten, sondern als ein und dieselbe Sache erschienen und wo alle Leidenschaft edlerer Jugend zu ihr, der Sache des Vaterlandes und der Freiheit, stand. Heute scheint die Jugend, scheinen wenigstens lebenswichtige Teile unserer Jugend gegen die Republik zu ewigem Haß verschworen, ohne Erinnerung daran, was einst sein konnte, – denn schon eine solche Erinnerung müßte auf die Unbedingtheit dieses Hasses leise einschränkend wirken. »Völlig andere Umstände«, werdet ihr mir antworten, »waren das damals; wir jungen Menschen aber sind uns im Wandel der Zeiten treu geblieben, und brüderlich erkennen wir uns wieder in den Märtyrern von damals, den hochherzigen Opfern der Demagogenverfolgungen. Die Geschichte wiederholt sich nicht, und unser Haß ist Leben.« – Das ist er wahrscheinlich nicht, muß ich erwidern, und nur zu wahr ist, daß die Geschichte sich nicht wiederholt, daß es höchst lebenswidrig sein kann, in historischen

Analogien zu denken und zu fühlen. Mir graut zuweilen vor den Irrtumsgefahren solches Spiels! Denn ein Spiel von Knaben ist es möglicherweise, heute die geheime militärische Wiederherstellung Preußens nach Jena und Tilsit zu kopieren, – und wie, wenn in unseren Tagen die Republik, indem sie notgedrungen euere monarchistischen Geheimorganisationen aushebt, die Wahrheit und das Leben für sich hätte, wie ihr sie einst für euch hattet gegen die Spitzel und Häscher der Reaktion?
»Was ist eigentlich Alt? was Jung?« fragt Novalis. »Jung«, antwortet er, »wo die Zukunft vorwaltet; Alt, wo die Vergangenheit die Übermacht hat.« – Leben wir denn in der verkehrten Welt? Jugend ist heute die hitzige Parteigängerin der Vergangenheit, und auf mechanische Restauration des Alten ist all ihr Sinnen gerichtet. Demagogenverfolgungen? Ja, um solche möchte es sich handeln bei der hinlänglich unbeholfenen Selbstverteidigung eines Neuen, das selbstverständlich das wahre und echte Neue noch nicht sein kann, sondern nur die notdürftig allgemeinste Vorbedingung und Grundlage dazu: denn was wäre Demagogentum, wenn nicht der platte Trick, das gegenwärtige äußere und innere Elend des Landes zur Verherrlichung des Abgewirtschafteten auszunutzen, ohne übrigens im mindesten Mittel und Wege zu wissen, wie denn die vormalige Pracht wieder herzustellen sei, noch auch nur für den verlassenen Thron, um den man sich schützend schart, einen Prätendenten aufweisen zu können?

Es ist löblich, ist ein Zeichen von Geist, äußere Tatsachen zu bekämpfen, sofern sie mit den inneren nicht übereinstimmen und also zwar Wirklichkeit, aber nicht Wahrheit sind. Es ist dagegen absurd und nichts weiter, Tatsachen zu leugnen und sich im Wirklichen nicht ausprägen lassen zu wollen, die es für jedermann innerlich sind, auch für die Leugner und Opponenten. Studentenschaft! Bürgertum, eingesprenkelt in die Reihen der akademischen Jugend! Die Republik, die Demokratie sind heute solche inneren Tatsachen, sind es für uns alle, jeden einzelnen, und sie leugnen heißt lügen. Mächte, geweiht von Historie, ausgestattet mit so zwingender Autorität ererbten Ruhmeszaubers, daß es menschlich war, sie bestehn und gewähren zu lassen, auch als ihre Entartung ins banal Theatralische längst jede Pietät in Verlegenheit setzte, thronten über uns bis vor kurzem, und sie waren der Staat, in ihrer Hand lag er, er war ihre Sache – die sie offenbar nicht mehr gut machten, während wir, abgewandt, die unsrige, die Sache der Nation und der Kultur, möglichst gut zu machen suchten. Ja, eine Scheidung des nationalen und des staatlichen

Lebens hatte sich hergestellt, wie sie in dieser Schärfe und Vollständigkeit niemals statthaft sein kann und sich an beiden Teilen rächen muß. Wir widmeten uns dem Gewerbefleiß, der Kunst, dem absoluten Gedanken – ich will nicht sagen: mit Gemütsruhe, denn unsere politische Enthaltsamkeit war zu fatalistischen Wesens, als daß sie eigentlich Vertrauen zu nennen gewesen wäre; aber die Miene gab sie uns doch, als wüßten wir die staatlichen Dinge in den besten Händen, – während wir schon gar nichts davon hätten wissen müssen, um nicht zu wissen, daß sie in sehr zweifelhaften lagen. Das war menschlich, wie alles gekommen war, ich wiederhole es. Aber es ist vorbei. Jene Mächte sind nicht mehr. Das Schicksal hat sie – wir wollen nicht triumphierend rufen: »hinweggefegt«, wir wollen sachlich aussprechen: es hat sie beseitigt, sie sind nicht mehr über uns, werden es, nach allem, was geschehen, auch nie wieder sein, und der Staat, ob wir wollten oder nicht, – er ist uns zugefallen. In unsere Hände ist er gelegt, in die jedes einzelnen; er ist unsere Sache geworden, die wir gut zu machen haben, und das eben ist die Republik, – etwas anderes ist sie nicht.

Die Republik ist ein Schicksal, und zwar eines, zu dem ›amor fati‹ das einzig richtige Verhalten ist. Das ist kein zu feierliches Wort für die Sache, denn es handelt sich um keine Kleinigkeit von Schicksal: die sogenannte Freiheit ist kein Spaß und Vergnügen, nicht das ist es, was ich behaupte. Ihr anderer Name lautet Verantwortlichkeit, – und damit wird deutlicher, daß sie vielmehr eine schwere Belastung ist: und zwar namentlich für das geistige Talent. Man hat Grund zu bezweifeln, daß alle, die nach ihr riefen oder selbst schrien, bevor sie unser Schicksal wurde, sich hinlänglich geprüft hatten, ob sie ihr denn gewachsen seien; denn das ist bestimmt nicht durchweg der Fall, und was Republik und sogenannte Freiheit an innerer Tragik mit sich bringen, wird sich erst zeigen. Ein russischer Schriftsteller, Sohn eines Landes also, wo lange vor allen äußeren Umwälzungen Republik tiefer herrschte als irgendwo, sprach uns neulich vom Schicksal des geistigen Talentes in seiner Heimat, das spannungsvoll und gefährlich sei auf eine Weise, von der wir im Westen uns schwer eine Vorstellung machten. »Das Bedürfnis«, sagte er, »angespannt ins Leben zu blicken, und der Verzicht auf ein Schaffen des Lebens« (er meinte wohl: auf reine Gestaltung) »hat dahin geführt, daß man weniger eigentliche ›Literatur‹ in der russischen Literatur findet, als dies in den Sprachen unserer westlichen Nachbarn der Fall ist... Im Westen gibt es eine Art literarischer Kultur, ein – wenn man so sagen darf – in sich selber beruhendes Literaturreich... Bei uns

kann der Schriftsteller sich nicht auf formale, ästhetische oder psychologische Aufgaben beschränken. Diese Aufgaben vermitteln ihm nicht jene Spannung, die er für sein Schaffen braucht. Er will höher hinaus. Er ist bemüht, den ganzen Lebenskreis zu fassen und ihn auf seine Weise zu beleuchten. Leo Tolstoi ist nicht nur Künstler; er ist auch Historiker, Publizist, Ästhet, Philosoph; alle diese Seiten seines Talents sind Pfade, die ewiglich zum Tempel der Wahrheit führen und doch nimmermehr zu ihm hinführen... In den russischen Dichtern lebt die Erkenntnis, daß Literatur keineswegs Spiegelbild des Lebens zu sein habe – wie man wohl zu sagen pflegt –, sondern ein heroisches Tun, ein geheiligtes Leben, ein Überwinden menschlicher Schwachheit, ein Verzicht auf alles Konventionelle und ein Kampf dagegen. Unter der Last dieser Aufgaben werden die Starken stark und schmieden so ihr Gewissen und ihr Talent; die Schwachen aber brechen zusammen. Eine Reihe bedeutender russischer Schriftsteller sind unterwegs zusammengebrochen und haben ihrer Literatur weniger gegeben, als sie hätten geben können, – erdrückt von der Last übergroßer Aufgaben, die ihre Tragkraft überstiegen...«
– Habe ich durch diese fragmentarische Anführung besser zu verstehen gegeben, welches Schicksal für das geistige Talent die Republik als innere Tatsache bedeutet und warum ich meine, daß manches Talent bei uns recht leichtsinnigerweise nach ihr gerufen hat?

Jedoch haben wir sie nun. Die ›Mächte‹ sind fort, der Staat ist unser aller Angelegenheit geworden, wir sind der Staat, und dieser Zustand ist wichtigen Teilen der Jugend und des Bürgertums in tiefster Seele verhaßt, sie wollen nichts von ihm wissen, sie leugnen ihn nach Möglichkeit, und zwar hauptsächlich, weil er sich nicht auf dem Wege des Sieges, des freien Willens, der nationalen Erhebung, sondern auf dem der Niederlage und des Kollapses hergestellt hat und mit Ohnmacht, Fremdherrschaft, Schande unlöslich verbunden scheint. »Wir sind nicht die Republik«, sagen mir diese abgewandten Patrioten. »Die Republik ist Fremdherrschaft – sofern (warum sollten nicht auch wir den Novalis zitieren?) Schwäche nichts anderes ist als überhandnehmende, verwaltende, charakterisierende fremde Kraft.« – Wahr, wahr. Aber erstens ist ja auch wahr, was der Dichter sagt, daß »ein Mensch alles dadurch adeln, seiner würdig machen kann, daß er es will« – (sehr wahr ist das, sehr schön und außerdem beinahe schlau, ein Ausdruck von Lebensdexterität); und zweitens ist nicht wahr, es ist, um das streitbar zu wiederholen, keineswegs und durchaus nicht wahr, daß die Republik als innere Tatsache (ich rede jetzt nicht von staatsrechtlichen Fixierungen) ein Geschöpf der Niederlage und der Schande ist. Sie ist eines der Erhebung und der Ehre. Sie ist, junge Leute, das Geschöpf eben der Stunde, die ihr nicht verleugnet und mit schlechtem Hohne geschändet wissen wollt, der Stunde begeistert todbereiten Aufbruchs – damals stellte sie in euerer Brust sich her. »Heiliges Heimatland«, begann Gerhart Hauptmann ein Gedicht jener Stunde, »wie erbleichtest du mit einem Mal!« Was aber damals eigentlich erbleichte, was zurücktrat und zusehends vernebelte, das waren die Mächte, die bis dahin der Staat gewesen waren, und in euch erstand er, in eurer flammenden Gemeinschaft beruhte sein Leben, ihr wart die Republik, und wenn sie heute in Schande liegt (was ich nicht leugne), so wäre es Feigheit, sie im Stiche zu lassen und, statt Hand anzulegen, statt ihr zu helfen und sie wieder »eurer würdig zu machen«, – ihr widerspenstig die erdenklichsten Schwierigkeiten zu bereiten, wie Greise, die das Leben nicht mehr verstehen und der guten alten Zeit eine weinerliche Treue wahren! Nochmals gefragt: Hat es Vernunft und Ehre, innere Wahrheiten zu leugnen? Die Republik ist eine solche noch in ihrem gehässigsten Opponenten, in wütenden Tätlichkeiten noch, die ihr Ende bezwecken, offenbart sie sich, und die unseligen Burschen, die eben jetzt das zarte, kluge Haupt ihres urbansten Dieners zertrümmerten, bedachten wohl nicht, daß Minister zu erschießen eine hervorragend republikanische Handlungsweise ist.

Jugend und Bürgertum, euer Widerstand gegen die Republik, die Demokratie ist Wortscheu, – ja, ihr bockt und scheut vor diesen Worten wie unruhige Pferde, abergläubische Nervosität raubt euch die Vernunft, sobald sie nur ausgesprochen werden. Aber es sind Worte, Relativitäten, zeitbestimmte Formen, notwendige Werkzeuge, und zu glauben, es müsse landfremder Humbug sein, was sie bedeuten, ist nichts als Kinderei. Die Republik – als ob das nicht immer noch Deutschland wäre! Die Demokratie – als ob das nicht heimlichere Heimat sein könnte als irgendein strahlendes, rasselndes, fuchtelndes Empire! Hörtet ihr kürzlich die ›Meistersinger?‹ Nun, Nietzsche äußert zwar sprühenderweise, sie seien »gegen die Zivilisation« gerichtet, sie setzten »das Deutsche gegen das Französische«. Unterdessen aber sind sie Demokratie, durch und durch, demokratisch in dem Grade und auf so beispielhafte Art, wie etwa Shakespeare's ›Coriolan‹ aristokratisch ist – sie sind, sage ich, deutsche Demokratie und beweisen mit biederstem Pomp, auf romantisch innigste Art, daß diese Wortverbindung, weit entfernt, naturwidrig zu sein oder die Logik des hölzernen Eisens zu verraten, vielmehr so organisch richtig gefügt ist wie außer ihr vielleicht nur noch die andere: ›Deutsches Volk‹.

Faßt endlich Vertrauen, – ein allgemeines Vertrauen, das für den Anfang nur im Fahrenlassen des Vorurteils zu bestehen braucht, als sei Deutsche Republik ein Popanz und Widersinn, als müsse sie das sein, was Novalis als »verwaltende und charakterisierende fremde Kraft« bestimmt, nämlich Schwäche! Scheidung des nationalen und des staatlichen Lebens, sagte ich vorhin, sei krankhaft. Aber was sich nicht scheiden darf, das darf doch unterschieden werden, und daß das Nationale weit mächtiger und lebensbestimmender bleibt als der staatsrechtliche Buchstabe, als jede positive Form, – das ist eine Gewißheit, die uns zur Beruhigung diene. ›Deutsche Republik‹, – die Wortverbindung ist sehr stark im Beiwort; und sollte jenes Pergament von Weimar nicht völlig das sein, was man eine ideale und vollkommene Verfassung nennt, das heißt die restlos-wirkliche Bestimmung des Staatskörpers, der Staatsseele, des Staatsgeistes, – wo wäre denn auch eine Konstitution das jemals gewesen! Man sollte Geschriebenes nicht allzu wichtig nehmen. Das wirkliche nationale Leben ragt, immer und überall, nach allen Seiten weit darüber hinaus.

Ich bitte nochmals: erwehrt euch der Kopfscheu! Es ist in aller Welt kein Grund, die Republik als eine Angelegenheit scharfer Judenjungen zu empfinden. Überlaßt sie ihnen nicht! Nehmt ihnen, wie die beliebte politische Redensart lautet, ›den Wind aus den Segeln‹ – den republikanischen Wind! Die Wendung ist abgeschmackt, aber sie ist die Formel für ein Verhalten, das, allseitig angewandt, zu den schönsten Ergebnissen führen muß. Denn um was geht der Streit der Parteien? Nun, um das Wohl des Staates. Nicht kommt es darauf an, daß eine Partei gute Fahrt habe, sondern daß der Staat sie habe; und wenn jede Partei klüglich den Wind benutzt, mit dem die andere segelt, so werden sie alle gut segeln, das heißt, die Republik wird gut segeln, – was zu erreichen war. Darum ist anzuraten, daß auch die ›Republikaner‹ bedacht seien, den ›Monarchisten‹ den Wind aus den Segeln zu nehmen: den nationalen nämlich, und sie nicht allein damit segeln lassen, – nicht ihnen allein das Wort lassen sollten sie, wenn es um Ehre und Schande geht, um Liebe und auch um Zorn; das Lied aus dem Munde nehmen sollten sie ihnen, wie eben herzlich und schlau der Vater Ebert getan in seinem Erlaß zum Verfassungstage, worin er den Völkischen das ›Deutschland über alles‹ aus dem Munde nahm und erklärte, es sei gar nicht ihr Lied, es sei mindestens ebensosehr das seine und nunmehr stimme er es an aus gewölbter Brust. Das ist ein neuer Sängerstreit, der um dies Lied, und ein vortrefflicher Streit! Denn selbstverständlich werden auch die Nationalisten nicht aufhören wollen, es zu singen, und wenn denn also alle unisono »Deutschland, Deutschland über alles« singen, so wird das ganz einfach die Republik und ihre Wohlfahrt mit vollen Segeln sein.

Diese Männer an der Spitze des Staates – sind es denn Ungleichartige, feindwillige Fremde, mit denen es keine Verständigung über das Erste und Letzte gäbe und die euch von der Republik ausschließen wollten? Ach, sie wären froh genug, wenn ihr kämet, ihnen zu helfen, und es sind deutsche Menschen, webend in der Sphäre unserer Sprache, geborgen, wie ihr, in deutschen Überlieferungen und Denkgesetzen. Einige von ihnen kenne ich; der Vater Ebert zum Beispiel ist mir bekannt. Ein grundangenehmer Mann, bescheiden-würdig, nicht ohne Schalkheit, gelassen und menschlich fest. In seinem schwarzen Röcklein sah ich ihn ein paarmal, das begabte und unwahrscheinlich hoch verschlagene Glückskind, ein Bürger unter Bürgern, bei Festlichkeiten ruhig-freundlich sein hohes Amt darstellend; und da ich auch dem verwichenen Großherrn, einem dekorativen Talent ohne Zweifel, bei solchem Geschäft das ein oder andere Mal hatte zusehen können, so gewann ich die Einsicht, für die ich Teilnehmer werben möchte, daß Demokratie etwas Deutscheres sein kann als imperiale Gala-Oper. Kinder, Mitbürger, es ist besser jetzt, – die Hand aufs Herz, uns ist im Grunde wohler, bei allem Elend, aller äußeren Unwürde, als zu den Glanzzeiten, da jenes Talent Deutschland repräsentierte. Das war amüsant, aber es war eine Verlegenheit – wir bissen uns lächelnd auf die Lippen, wenn wir hinblickten, wir sahen uns nach den Mienen der anderen um in Europa, wir suchten darin zu lesen, daß sie uns nicht für das Lustspiel verantwortlich machten, was sie aber doch taten; wir wollten hoffen, daß sie zwischen Deutschland und seiner Repräsentation unterschieden, wozu sie von weitem schwer imstande waren –, und wandten uns den kulturellen Dingen wieder zu, melancholisch durchdrungen von der Gottgewolltheit des Hergebrachten, des beziehungslosen Auseinanderfallens von politischem und nationalem Leben. Einheitskultur! Dämmert uns heute nicht, in allem Jammer, die Möglichkeit der Harmonie? Ist nicht Republik nur ein Name für das volkstümliche Glück der Einheit von Staat und Kultur?

Was ihr mir jetzt versetzen werdet, weiß ich genau. Ihr werdet sagen: »Nein doch! Das eben nicht! Der deutsche Geist – was hat er zu schaffen mit Demokratie, Republik, Sozialismus, Marxismus gar? Dieser Wirtschaftsmaterialismus mit seinem schnöden

Gerede vom ›ideologischen Überbau‹, Gerümpel aus dem neunzehnten Jahrhundert, wurde nachgerade zum Kinderspott. Sein Unglück, wenn er zur Verwirklichung in der Stunde gedeiht, die seiner geistigen Erledigung folgt! Und steht es mit den anderen Herrlichkeiten, für die du deutsche Jugend befremdlicherweise zur Begeisterung entzünden möchtest, nicht ebenso? Siehst du die Sterne über uns? Kennst und ehrst du unsere Götter? Weißt von den Kündern deutscher Zukunft? Goethe und Nietzsche waren wohl Liberale? Hölderlin und George sind am Ende gar demokratische Geister, deiner schnurrigen Meinung nach?« – Nein, das nicht. Freilich, freilich, da seid ihr im Rechte. Liebe Freunde, wie betreten ich bin. Ich habe nicht an Goethe und Nietzsche, Hölderlin und George gedacht. Oder habe ich etwa im stillen dennoch ihrer gedacht, und frage ich mich nur, ob es absurder ist, der Republik das Wort zu reden in ihrem Namen, als die Restauration zu predigen um ihretwillen? Ja, ich will mir zu helfen suchen in meiner großen Betretenheit, indem ich dies frage. Ich will weiter gehen und die Frage aufwerfen, ob wir nicht alle (ich auch! ich auch!) die Widerstände unterschätzt haben, welche die alten staatlichen Mächte der Verwirklichung deutscher Schönheit entgegensetzten; ob nicht die neue Menschlichkeit, deren Propheten jene Geister sind und die euch im sehnsüchtig stolzen Sinne liegt, wenn ihr über Demokratie die Achseln zuckt, auf ihrem Boden, auf dem Boden der Republik glücklichere Möglichkeiten der Verlebendigung finden mag als auf dem Grunde des alten Staates...

Jetzt werdet ihr böse! Ja, wenn nicht die Gegenwart hochgestellter Personen eure Lebhaftigkeit einschränkte, würdet ihr mir zurufen: »Wie? Und dein Buch? Deine antipolitisch-antidemokratischen Betrachtungen von Anno achtzehn?! Renegat und Überläufer! Der du dir selber aufs Maul schlägst, Umfallsüchtiger, steige ab vom Podium und wage nicht, gewinnende Kraft in Anspruch zu nehmen für das Wort des charakterlosesten Selbstverleugners!«

Liebe Freunde, ich bleibe noch. Ich habe noch einiges mitzuteilen, was mir gut und wichtig scheint; und den Verrat, den Umfall angehend, so überlegt das, es hat so ganz damit nicht seine Richtigkeit. Ich widerrufe nichts. Ich nehme nichts Wesentliches zurück. Ich gab meine Wahrheit und gebe sie heute. Ich könnte das Et nos mutamur in illis sprechen und vorbringen, ich sei kein Nabelbeschauer und Säulenheiliger, könne nicht mein ganzes Leben lang ein und dieselbe Wahrheit anstarren, denn solche Hypnose gehe in Tod über, den Würdentod historischer Petrifizierung, und dazu sei es für mich allenfalls zu früh, – neuer Wahrheit sei ich als neuen Lebensreizes bedürftig. Aber nicht so soll meine Verteidigung gehen. Ich werde euch vielmehr antworten, daß ich in der Tat ein Konservativer bin, daß meine natürliche Aufgabe in dieser Welt allerdings nicht revolutionärer, sondern erhaltender Art ist, – in dem Sinne, den Novalis in einem Aphorismus mit zartester Kraft bezeichnet. »So nötig es vielleicht ist«, schreibt er, »daß in gewissen Perioden alles in Fluß gebracht werde, um neue notwendige Mischungen hervorzubringen und eine neue, reinere Kristallisation zu veranlassen, so unentbehrlich ist es jedoch ebenfalls, die Krisis zu mildern und die totale Zerfließung zu behindern, damit ein Stock übrig bleibe, ein Kern, an dem die neue Masse anschieße und in neuen schönen Formen sich um ihn her bilde. Das Feste ziehe sich also immer fester zusammen, damit der überflüssige Wärmestoff vermindert werde, und man spare kein Mittel, um das Zerweichen der Knochen, das Zerlaufen der typischen Faser zu verhindern.« – Nun denn, eine solche Selbstzusammenziehung des Festen, eine solche Vorkehrung gegen das Zerlaufen der typischen Faser war dieses Buch, und auf solche Art suchte es zu erhalten. Es war konservativ – nicht im Dienste des Vergangenen und der Reaktion, sondern in dem der Zukunft; seine Sorge galt der Bewahrung jenes Stockes und Kernes, an den das Neue anschießen und um den es in schönen Formen sich bilden könne. Denn sowenig der Fieberzustand der Revolution, lebensnotwendig wie er immer sei, als Zweck seiner selbst und als verewigenswert zu betrachten ist, sowenig wäre diese Auffassung gerechtfertigt in Hinsicht auf jenen scheinbar zukunftsfeindlichen Kontraktionszustand, und alles ist daran gelegen, daß er zur rechten Zeit sich löse und das Feste mit dem Beweglichen um des Lebens, der neuen Form willen gerechten Frieden schließe.

Hört, wie vorzüglich Novalis von den beiden Lebensmächten spricht, die heute wieder in Deutschland, und nicht nur hier, unversöhnlich gegeneinanderstehen! »Beide Teile«, sagt er, »haben große notwendige Ansprüche und müssen sie machen, getrieben vom Geiste der Welt und der Menschheit. Beide sind unvertilgbare Mächte der Menschenbrust: hier die Andacht zum Altertum, die Anhänglichkeit an die geschichtliche Verfassung, die Liebe zu den Denkmalen der Altväter und der alten glorreichen Staatsfamilie und Freude des Gehorsams; dort das entzückende Gefühl der Freiheit, die unbedingte Erwartung mächtiger Wirkungskreise, die Lust am Neuen und Jungen, die zwanglose Berührung mit allen Staatsgenossen, der Stolz auf menschliche

Allgemeingültigkeit, die Freude am persönlichen Recht und am Eigentum des Ganzen und das kraftvolle Bürgergefühl. Keine hoffe die andere zu vernichten, alle Eroberungen wollen hier nichts sagen, denn die innerste Hauptstadt jedes Reichs liegt nicht hinter Erdwällen und läßt sich nicht erstürmen.« – Ist es nicht so? Ich mache aufmerksam, daß in diesen wissenden Worten Gerechtigkeit herrscht in dem Grade, daß die werbenden Kräfte der Revolution ein wenig ausführlicher geschildert werden als die der Treue. Aber Novalis glaubt nicht an eine »Vereinigung auf dem Standpunkt des gemeinen Bewußtseins«. Weltliche Mächte, meint der katholisierende Romantiker, können sich nicht selbst ins Gleichgewicht setzen; ein drittes Element, das weltlich und überirdisch zugleich ist, könne allein diese Aufgabe lösen, – der hierarchische Gedanke, die Idee der Kirche. Allein was sollen uns solche Träume? Wissen wir nicht von einem anderen »Dritten«, das ebenfalls »weltlich und überirdisch«, das heißt sozial und innerlich, menschlich und aristokratisch zugleich ist und zwischen Romantizismus und Aufklärung, zwischen Mystik und Ratio eine schöne und würdige – man darf es sagen: eine deutsche Mitte hält? Und war es, zornige Freunde, nicht dies Element, das ich mit jenem Buchwerk, in wirklicher Lebensnot nach rechts und links, ja unter schwerstem Druck, mehr noch nach links als nach rechts, verteidigte: Das Element der Humanität?

Irgendwie, auf die bescheidenste Art, bin ich legitimiert, diesen Begriff zu handhaben; denn die Sache war früher mein als der Name, und ich darf sagen, daß Humanität mir kein erlesener und gedachter, sondern ein erlebter Gedanke ist. Möge das anmaßend geredet sein, so darf doch erinnert werden, daß man große Dinge in kleinem Maßstabe erleben und so ihr Wesentliches gewinnen kann. Ich habe Kunde gegeben von dem Geheimnis meines Herzens, habe dargetan, wie das rührende und große Erlebnis der Erziehung aus autobiographisch-selbstbildnerischem Bekennertum ungeahnterweise erwachse; wie mit der pädagogischen Idee die Sphäre des Sozialen erreicht sei und der Mensch, vom Sozialen angerührt, der unzweifelhaft höchsten Stufe des Menschlichen, des Staates nämlich, ansichtig werde... Die unzweifelhaft höchste Stufe des Menschlichen – der Staat! Als Anfänger des Lebens hätte ich mir nicht träumen lassen, daß ich jemals so sprechen würde. Wer aber so spricht, der ist Republikaner, er möge auch außerdem und nebenbei noch wie Novalis den politisch-entheistischen Glauben bekennen.
Soll ich erzählen, wie es weiterging? Es kam der Tag (ein wichtiger

Tag für mich, persönlich gesprochen), da ich in einem Offenen Brief über Whitman, der durch Reisigers noble Übersetzung mächtigen Eindruck auf mich gemacht, die Einerleiheit von Humanität und Demokratie proklamierte; da ich feststellte, das erste sei nur ein klassizistisch altmodischer Name für das zweite, und nicht Anstand nahm, den göttlichen Namen von Weimar in einem Atem zu nennen mit dem des Donnerers von Manhattan, mit dem Namen dessen, der gesungen hatte:

> Für dich dies von mir, o Demokratie,
> dir zu dienen, ma femme,
> Für dich, für dich schmettre ich diese Lieder.

Was folgte, war eine auf neuer Lebensstufe wiederholte, im Zusammenhang mit künstlerischer Arbeit gepflogene Lektüre der Schriften Friedrichs von Hardenberg, – dieses wollüstigen Denkers und hochintellektuellen Träumers, dessen Gedanken über Staat und Menschengemeinschaft mir so merkwürdige Beziehungen aufzuweisen schienen zu dem hymnischen Amerikanertum, das soeben auf mich gewirkt, daß meine heutige Ansprache eigentlich als ein Vortrag über dies wunderliche Paar, über Novalis und Whitman, entworfen war und wohl gar auch noch dazu werden mag: denn die Demokratie, die Republik in Beziehung setzen zur deutschen Romantik – hieße das nicht, sie auch stutzigen und trutzigen Volksgenossen plausibel machen?
»Es ist nicht nur nicht genug«, sagt Walt Whitman in den ›Demokratischen Ausblicken‹, »daß das neue Blut, der neue innere Bau der Demokratie lediglich durch politische Mittel, oberflächliches Wahlrecht, Gesetzgebung und so weiter belebt und zusammengehalten wird, sondern es ist mir völlig klar, daß seine Kraft unzureichend, sein Wachstum fraglich und sein wesentlicher Zauber unentfaltet bleiben muß, wenn dieses Neue nicht tiefer geht, nicht mindestens ebenso fest und klar in den Menschenherzen und ihrem Fühlen und Glauben Wurzel faßt wie der Feudalismus oder die Kirchlichkeit zu ihrer Zeit und wenn es nicht seine eigenen ewigen Quellen eröffnet, die je und je aus dem Mittelpunkt fluten.« Man kann, denke ich, dem Neuen in Deutschland behilflich sein, seinen »wesentlichen Zauber« zu entfalten, indem man es anzuschließen sucht an eine Sphäre und Epoche, deren geistiges Niveau das höchste bei uns je erreichte war, in welcher Volkstümlichkeit und hohe Kunst, nationale und universalistische Elemente eine wundervolle Verbindung eingingen und die unserem

Herzen in gewissem Maße immer Heimat bleiben wird, – an die Sphäre der deutschen Romantik.
Daß Novalis, ungeachtet seiner frommen Schwärmerei für das preußische Königspaar, in seinem Staatsempfinden von der Französischen Revolution aufs stärkste beeinflußt war, wurde schon angedeutet. »Der Staat wird zu wenig bei uns verkündigt!« ruft er aus. »Es sollte Staatsverkündiger, Prediger des Patriotismus geben. Jetzt sind die meisten Staatsgenossen auf einem sehr gemeinen, dem feindlichen sehr nahe kommenden Fuße mit ihm.« Und er ergänzt den Satz an anderer Stelle: »Ein großer Fehler unserer Staaten ist es, daß man den Staat zu wenig sieht. Überall sollte der Staat sichtbar, jeder Mensch als Bürger charakterisiert sein. Ließen sich nicht Abzeichen und Uniformen durchaus einführen? Wer so etwas für geringfügig hält, kennt eine wesentliche Eigentümlichkeit unserer Natur nicht.« – Soviel soziale Dienstlichkeit überrascht bei einem Sohne der Mystik. Die Bestimmung des Republikanertums als eines bürgerlichen Militarismus wird nahegelegt durch solche Sätze; und man wird Hardenbergs Staatsdenken als eine Art romantischen Jakobinertums ansprechen dürfen. »Nur wer nicht im Staate lebt in dem Sinne, wie man in seiner Geliebten lebt«, sagt er ausschweifend und zum erstenmal klingt hier jene soziale Erotik an, die in Whitmans Demokratismus eine so wichtige Rolle spielt, »wird sich über Abgaben beschweren, denn sie sind der höchste Vorteil. Wieviel mehr möchte ein Mensch außer dem Staate anwenden, um sich Sicherheit, Recht, gute Wege und so weiter zu verschaffen! Die Abgaben kann man als Besoldung des Staats, das ist eines sehr mächtigen, sehr gerechten, sehr klugen und sehr amüsanten Menschen, betrachten. Das Bedürfnis des Staats ist das dringendste Bedürfnis für den Menschen; um Mensch zu werden und zu bleiben bedarf es eines Staats... Ein Mensch ohne Staat ist ein Wilder. Alle Kultur entspringt aus den Verhältnissen mit dem Staate; je gebildeter, desto mehr Glied eines gebildeten Staats.« – Eine Welt gegenwärtigster deutscher Hoffnung spricht aus diesem letzten, vor hundert Jahren geschriebenen Wort. Der Mensch, gebildet als Glied eines gebildeten Staates: nun, das ist politische Humanität. Es ist die Einheit des geistig-nationalen und des staatlichen Lebens, die wir so lange nicht kannten und hoffentlich wieder kennen werden. Mit einem Wort, es ist die Republik, – und was verschlägt es dagegen, daß Novalis sich nebenbei als mystischer Legitimist erweist? Die Geburt, erklärt er, sei auch eine Wahl; der müsse sich nicht »lebendig in sich fühlen«, der daran zweifle. Wenn er aber hinzufügt, ein geborener König sei darum besser als ein gemach-

ter, weil der beste Mensch eine solche Erhebung nicht ohne Alteration ertragen könne, während dem, der so geboren sei, nicht schwindele, eine solche Lage ihn nicht überreize, – so haben wir das Gegenbeispiel eines beständigen Schwindels, einer immerwährenden Überreiztheit durch solche Lage, trotz der Geburt in sie hinein, jahrzehntelang vor Augen gehabt; und zwar gerade weil die ›Lage‹ mit einer gewissen nervösen Lebhaftigkeit der Phantasie, einem gewissen poetischen Gefühl der Gottesunmittelbarkeit verstanden wurde. Eben dann also, wenn es sich nicht um den derbsten Durchschnitt handelt, scheint die monarchische Daseinsform in unserer Zivilisation eine unmögliche Überspannung des Menschlichen zu bedeuten, – womit sie als inhuman in einem noch nicht genügend empfundenen individuellen Mitleidssinn gekennzeichnet wäre.
Was Novalis betrifft, so ist er jeden Augenblick bedacht, im Anblick seiner Königsidee den demokratisch-republikanischen Gesichtspunkt festzuhalten, zum Beispiel indem er bemerkt, »aus Ökonomie« gebe es nur einen König; müßten wir nicht haushälterisch zu Werke gehen, so wären »wir alle Könige«. In dieser Vorstellung einer Demokratie von Königen (und das waren noble Republiken stets) liegt die Idee der Verbindung von Freiheit und Gleichheit beschlossen, deren logische Bezweiflung nachgerade zur Mesquinerie geworden und die allen Beweisen ihrer Undenkbarkeit zum Trotz nicht aufhören wird, der Menschheit als reinster Gesellschaftsgedanke vorzuschweben. Novalis nennt sie den »höchsten Charakter der Republik oder der echten Harmonie«. Das ist stark – für einen Royalisten. Whitman für sein Teil äußert sich folgendermaßen: »Die Idee des vollkommenen Individualismus ist es in der Tat, die der Idee der Gemeinschaft am tiefsten Charakter und Farbe gibt.« (»Das individuelle Kolorit des Universellen ist sein romantisches Element.« N.) »Denn wir begünstigen eine starke Vergemeinschaftung und einen starken Zusammenschluß hauptsächlich oder ausschließlich deshalb, um die Unabhängigkeit des Einzelmenschen zu stärken, gleichwie wir auf der Einheit der Union unter allen Umständen bestehen, um den Rechten der Einzelstaaten die vollste Lebensfähigkeit und Freiheit zu sichern, deren jedes genauso wichtig ist wie das Recht der Nation, der Union.« – Es könnte von deutscher Union die Rede sein... oder von zukünftiger europäischer. Denn man darf vorhersehen und -sagen, daß freundschaftliche Verhandlungen, wie sie soeben zwischen Bayern und dem Reiche gepflogen wurden, eines Tages zwischen den einzelnen Nationalstaaten und einer europäischen Oberhoheit spielen werden. Deutsch aber,

oder allgemein germanisch, ist jedenfalls der Instinkt eines staatsbildenden Individualismus, die Idee der Gemeinschaft der Anerkennung der Menschheit in jedem ihrer Einzelglieder, die Idee der Humanität, die wir innerlich menschlich und staatlich, aristokratisch und sozial zugleich nannten und die von der politischen Mystik des Slawentums gleich weit entfernt ist wie vom anarchischen Radikal-Individualismus eines gewissen Westens: die Vereinigung von Freiheit und Gleichheit, die »echte Harmonie«, mit einem Worte: die Republik.

»Willst du das göttliche, große, allgemeine Gesetz in dir haben? So tauche in ihm unter!« Dies spricht Walt Whitman, nachdem er zuvor gesagt: »Für hochstrebende Seelen ist auch die ästhetische Seite der Sache, die in jedem Falle wichtig ist, von Bedeutung: im allgemeinen besteht der Ehrgeiz, sich aus der Masse herauszuheben, um eine privilegierte Sonderstellung zu gewinnen. Der wahre Meister des Lebens aber sieht Größe und Gedeihlichkeit darin, nur ein Teil der Masse zu sein; *nichts tut so gut als gemeinsamer Grund und Boden...*« Sehr gut, das ist noch einmal die Einheit des geistigen und staatlichen Lebens, das Nationale als Friedenskultur. Das Wort »ästhetisch« aber, zu Anfang der Äußerung, macht uns aufmerksam, daß hier der »Herrenmensch« des in einigen Punkten etwas fatalen Nietzsche in Rede steht, in Frage gestellt werden soll, – jenes Nietzsche, über den Novalis anachronistischerweise folgendes bemerkt: »Das Ideal der Sittlichkeit hat keinen gefährlicheren Nebenbuhler als das Ideal der höchsten Stärke; des kräftigsten Lebens, das man auch das Ideal der ästhetischen Größe (im Grunde sehr richtig, der Meinung nach aber sehr falsch) benannt hat. Es ist das Maximum des Barbaren und hat leider in diesen Zeiten der verwildernden Kultur gerade unter den größten Schwächlingen sehr viele Anhänger erhalten. Der Mensch wird durch dieses Ideal zum Tier-Geiste, eine Vermischung, deren brutaler Witz eben eine brutale Anziehungskraft für Schwächlinge hat.« – Das ist schlagend. Es zeigt vor allem, daß Demokratie soviel psychologische Reizbarkeit besitzen kann wie ihr witziges Gegenteil; und nur um dies zu zeigen, fast nur um zu beweisen, daß Demokratie, daß Republik Niveau haben, sogar das Niveau der deutschen Romantik haben kann, bin ich auf dieses Podium getreten.

Nietzsche's Lyrik des blonden Bestialismus ist im voraus überholt und abgetan durch die beiläufige Äußerung eines seiner deutschen Meister. Es steht nicht anders mit seiner Kritik des Christentums, das er in stärkster literarischer Überreiztheit »den einen unsterblichen Schandfleck der Menschheit« genannt hat. Novalis verhält sich positiver zu diesem Phänomen, – nicht etwa aus hierarchischer Sympathie, sondern unzweideutig im Sinne der Demokratie und eines revolutionären Maximal-Sozialismus. »Absolute Abstraktion«, sagt er, »Vernichtung des Jetzigen, Apotheose der Zukunft, dieser eigentlichen bessern Welt: dies ist der Kern der Geschichte des Christentums ... Die christliche Religion ist auch dadurch vorzüglich merkwürdig, daß sie so entschieden den bloßen guten Willen im Menschen und seine eigentliche Natur ohne alle Ausbildung in Anspruch nimmt und darauf Wert legt. Sie steht in Opposition mit Wissenschaft und Kunst und eigentlichem Genuß. Vom gemeinen Manne geht sie aus. Sie beseelt die große Majorität der Beschränkten auf Erden. Sie ist das Licht, das in der Dunkelheit zu glänzen anfängt.« (Tolstoi!) »Sie ist der Keim alles Demokratismus, die höchste Tatsache der Popularität.«

Erkenntnis, wie es scheint, braucht nicht unbedingt hamletischen Ekel am Erkannten und seine Vernichtung im Erkenntnisekel zu bedeuten, wie bei Nietzsche; sie kann bejahend sein. Und Novalis ist mit solchen Gedanken dem Amerikaner sehr nahe, der gesagt hat, im Herzen der Demokratie ruhe letzten Endes das religiöse Element, und der sich als Sänger wie als Schriftsteller verliebt zeigt in das Wort »en masse«, – gleich dem Novalis, der daraus nicht mehr und nicht weniger als eine mystische Formel macht. Er träumt von menschlicher Unsterblichkeit »en masse«, dem höheren, zusammengesetzten Menschen, dem Genius. Pluralität, sagt er, sei Genius. Jede Person, die aus Personen bestehe, sei eine Person in der zweiten Potenz oder ein Genius; und so habe es eigentlich keine Griechen, sondern nur einen griechischen Genius gegeben. Er stellt Betrachtungen an über das Leben und Denken »en masse« und findet, wenn Symphilosophie, gemeinschaftliches Denken, möglich sei, so sei ein gemeinschaftlicher Wille, *die Realisierung großer, neuer Ideen* möglich. »Gemeinschaft, Pluralism ist unser innerstes Wesen, und vielleicht hat jeder Mensch einen eigentümlichen Anteil an dem, was ich denke und tue, und so ich an den Gedanken anderer Menschen.« »Wie die Philosophie durch System und Staat die Kräfte des Individuums mit den Kräften der Menschheit und des Weltalls verstärkt, das Ganze zum Organ des Individuums und das Individuum zum Organ des Ganzen macht – so die Poesie, in Ansehung des Lebens. Das Individuum lebt im Ganzen und das Ganze im Individuum. Durch Poesie entsteht die höchste Sympathie und Koaktivität, die innigste Gemeinschaft des Endlichen und Unendlichen.« – Salut au monde! Wußtet ihr, daß es demokratische Schwärmerei, daß es

eine Rauschphilosophie des Sozialismus gäbe? Aber der Staat als Poesie, Philosophie und Begeisterung – am Ende ist er sogar lebenstüchtiger als der, den wir kannten und den Novalis mit den Worten schildert: »Kein Staat ist mehr *als Fabrik* verwaltet worden als Preußen seit Friedrich Wilhelms des Ersten Tode. So nötig vielleicht eine solche maschinistische Administration zur physischen Gesundheit, Stärkung und Gewandtheit des Staates sein mag, so geht doch der Staat, wenn er bloß auf diese Art behandelt wird, im Wesentlichsten darüber zugrunde. Das Prinzip des alten berühmten Systems ist, jeden durch Eigennutz an den Staat zu binden. Die klugen Politiker hatten das Ideal eines Staates vor sich, wo das Interesse des Staats eigennützig wie das der Untertanen, so künstlich jedoch mit demselben verknüpft wäre, daß beide einander wechselseitig beförderten. An diese politische Quadratur des Zirkels ist sehr viel Mühe gewandt worden: aber der rohe Eigennutz scheint durchaus unermeßlich, antisystematisch zu sein. Er hat sich durchaus nicht beschränken lassen, was doch die Natur jeder Staatseinrichtung notwendig erfordert. Indes ist durch diese förmliche Aufnahme des gemeinen Egoismus als Prinzip ein ungeheurer Schade geschehen, *und der Keim der Revolution unserer Tage liegt nirgends als hier.«* – Das ist nicht Schwärmerei, es ist die nüchterne und wirkliche, uns nur zu geläufige Wahrheit. Und ebensowenig ist es Poesie und Mystik, sondern hat den gesündesten, kräftigsten und männlichsten Sinn, wenn Novalis uns zuruft: »Dies ist freilich besser in Republiken, wo der Staat die Hauptangelegenheit jeder Person ist und jeder sein Dasein und seine Bedürfnisse, seine Tätigkeiten und seine Einsichten mit denen einer weitverbreiteten Gesellschaft verbunden, sein Leben an ein gewaltiges Leben geknüpft fühlt, so mit großen Gegenständen seine Phantasie und seinen Verstand ausweitet und übt und beinah unwillkürlich sein enges Selbst über das ungeheure Ganze vergessen muß.«
Sollte man glauben, die Stimme eines Romantikers zu hören? Dieser demokratische Pluralism enträt jeder metaphysischen Schwüle, er ist von fast amerikanischer Frische, von vollkommen pädagogischer Tauglichkeit, – jeder rechtschaffene Knabe wird sich empfänglich dafür erweisen. Überhaupt aber bestehen in Hinsicht auf das Wesen der Romantik populäre und mondscheinhafte Vorurteile, die zu widerlegen man jede Gelegenheit ergreifen muß. Dichtung und Kunst etwa, romantische Dichtung wenigstens, *deutsche* Kunst – nicht wahr, sie sind doch Traum, Einfalt, Gefühl oder noch besser ›Gemüt‹; sie haben mit ›Intellekt‹ den Teufel etwas zu schaffen, welcher vielmehr, ganz ähnlich wie

die Republik, als eine Angelegenheit scharfer Judenjungen durchaus zu erachten und patriotisch zu mißbilligen ist. Und wie, wenn man sich überzeugen müßte, daß die deutsche Romantik eine ausgemacht intellektualistische Kunst- und Geistesschule war? »Der Sitz der eigentlichen Kunst«, sagt Novalis, und es hat etwas mit Demokratie zu tun, was er da sagt, »*ist im Verstande.* Dieser konstruiert nach einem eigentümlichen Begriffe. Phantasie, Witz und Urteilskraft werden nur von ihm requiriert. So ist Wilhelm Meister ganz ein Kunstprodukt – ein Werk des Verstandes.« Völkische Professoren werden Anstand nehmen, den Satz zu zitieren. Das Gemüt überwiegt bei ihnen den Verstand zu sehr, als daß sie einzusehen bereit wären, daß Romantik fast genau Modernität bedeutet: Modernität in dem Sinne Schillers, wenn er die sentimentalische Dichtung als modern im Vergleich mit der naiven kennzeichnet, oder im Sinne Mereschkowski's, wenn er erklärt, mit Gogol habe in der russischen Literatur, nach dem unbewußten Schöpfertum Puschkins, das eingesetzt, was man die schöpferische Bewußtheit, schöpferische *Kritik* nennen müsse.
Ein anderes Beispiel für die Haltlosigkeit gewisser himmelblauer Vorurteile! Wie verhält sich die Romantik zum modernen Handelsgeist, zum Geiste des internationalen Verkehrs? Doch am Ende nicht smart? Doch am Ende nicht wie ein demokratischer Whitman, der den komplizierten Geschäftsgenius unserer Tage »nicht den geringsten unter den Geniussen« nennt?! – Novalis respondiert: »Der Handelsgeist ist der Geist der Welt. Er ist der großartige Geist schlechthin. Er setzt alles in Bewegung und verbindet alles. Er weckt Länder und Städte, Nationen und Kunstwerke. Er ist der Geist der Kultur, der Vervollkommnung des Menschengeschlechts.«
Meine Herren, unleugbar, das ist Demokratie. Es ist ja sogar der Fortschritt, – aller Nebengeräusche ungeachtet, von denen das Wort für ein deutsch-romantisches Ohr begleitet sein sollte! Vervollkommnung des Menschengeschlechts: Novalis denkt den Gedanken im Sinn jenes christlichen Radikalismus, welcher »absolute Abstraktion, Vernichtung des Jetzigen, Apotheose der Zukunft« bedeutet. Christlicherweise reißt er Gott und Natur auseinander um dieses Gedankens willen, wird in dem Grade zum Dualisten, daß er verkündet, Gott habe gar nichts mit der Natur zu schaffen, er sei das *Ziel* der Natur, dasjenige, mit dem sie einst harmonieren solle. Die Natur solle moralisch werden. »Die Natur kann nicht stillstehend, sie kann nur *fortgehend* zur Moralität erklärt werden. Einst soll keine Natur mehr sein. In eine Geister-

welt soll sie allmählich übergehen.« – Welch ein Fortschrittsutopismus! Welch kühnster Gegensatz zu jener Natur- und Geschichtslehre voll falscher Unerbittlichkeit, mit der ein starker Kopf uns neulich erschütterte und nach welcher ›Menschheit‹ wieder einmal nur ein leeres Wort und ein Ungedanke, die Geschichte aber nichts als der restlos-außermenschlich vorbestimmte, nach ehernen Gesetzen sich vollziehende Lebensablauf biologischer Einheiten sein sollte, die man Kulturen nenne. »Sollten die unabänderlichen Gesetze der Natur nicht Täuschung, nicht höchst unnatürlich sein?« fragt Novalis. »Alles geht nach Gesetzen, und nichts geht nach Gesetzen. Ein Gesetz ist ein einfaches, leicht zu übersehendes Verhältnis. Aus Bequemlichkeit suchen wir nach Gesetzen...« Aus wissenschaftlicher Bequemlichkeit und herrisch-apodiktischer Lieblosigkeit, jawohl! Auch wohl aus jener Selbstgefälligkeit, welche lüstern nach Verrat, für die Natur gegen den Geist und den Menschen überheblich Partei nimmt, diesem im Namen jener süffisante Unerbittlichkeiten sagt und sich wunder wie ehern und vornehm dabei dünkt. Aber das Problem der Vornehmheit, allerdings beschlossen in dem Gegensatz von Natur und Geist, ist damit nicht einmal gesichtet, geschweige, daß es damit gelöst wäre, und jene Überläuferei zur Natur kann unvornehmsten Snobism bedeuten. Wir wollen unsere Meinung über Spenglers Werk hier einschalten; es ist der Ort dazu. Sein ›Untergang‹ ist das Erzeugnis enormer Potenz und Willenskraft, wissenschaftsvoll und gesichtereich, ein intellektualer Roman von hoher Unterhaltungskraft und nicht allein durch seine musikalische Kompositionsart an Schopenhauers ›Welt als Wille und Vorstellung‹ erinnernd. Damit ist das Buch sehr hoch gestellt. Gleichwohl haben wir unsere demokratische Meinung darüber, finden seine Haltung falsch, anmaßend und ›bequem‹ bis zur äußersten Inhumanität. Es läge anders, wenn diese Haltung Ironie bärge, wie wir anfänglich glaubten; wenn seine Prophezeiung polemisches Mittel der Abwehr bedeutete. Wirklich kann man eine Sache wie die ›Zivilisation‹, nach Spengler der biologisch-unvermeidliche Endzustand jeder Kultur und nun auch der ›abendländischen‹, ja prophezeien – nicht damit sie kommt, sondern damit sie *nicht* kommt, vorbeugenderweise also, im Sinne geistiger Beschwörung; und so, dachte ich, verhalte es sich hier. Als ich aber erfuhr, daß dieser Mann seine Verkalkungs-Prophetie stockernst und positiv genommen haben wolle und die Jugend in ihrem Sinn unterweise, das heißt sie anhalte, an Dinge der Kultur, der Kunst, der Dichtung und Bildung nur ja nicht ihr Herz und ihre Leidenschaft zu verschwenden, sondern sich an das zu halten, was einzig Zukunft sei und was man wollen müsse, um überhaupt noch irgend etwas wollen zu können, nämlich an den Mechanismus, die Technik, die Wirtschaft oder allenfalls noch die Politik; als ich gewahr wurde, daß er tatsächlich dem Willen und der Sehnsucht des Menschen die kalte ›naturgesetzliche‹ Teufelsfaust entgegenballt, – da wandte ich mich ab von so viel Feindlichkeit und habe sein Buch mir aus den Augen getan, um das Schädliche, Tödliche nicht bewundern zu müssen.

Das Gesetz! Walt Whitman, wahrhaftig, wußte besser als der starke Kopf, was es mit dem Gesetze auf sich hat. »Das Gesetz«, sagt er, »das über allen anderen steht, das Gesetz der Gesetze ist das der Aufeinanderfolge, welches besagt, daß das höhere Gesetz zu seiner Zeit das niedrigere allmählich ersetzt und überwindet.« Und er fügt hinzu: »Das höchste aber und die Krönung der Demokratie ist, daß sie allein alle Nationen, alle Menschen noch so verschiedener und entfernter Länder zu *einer* Bruderschaft, einer Familie vereinen kann und immer zu vereinen bestrebt ist. Sie ist der alte, immer wieder neue Traum der Erde, der Traum ihrer ältesten und jüngsten Völker und liebsten Philosophen und Dichter...« Alt und immer neu: auch der Geschichtsmorpholog weiß und spricht von diesem Traum, nur daß er ohne Liebe und mit falscher Unerbittlichkeit davon spricht. Für seine Wissenschaftlichkeit ist der Menschheitstraum nur etwas Dagewesenes und nach mechanisch-außermenschlichem Gesetz immer Wiederkehrendes, ein geistiges Phänomen, fatal und banal in seiner Regelmäßigkeit, ein Traum, auf den die Völker, die ihn eben träumen, sich ja nichts einbilden sollen, denn alle haben ihn geträumt. Welch eine banale Härte es aber ist, die Idee der Menschheit zu leugnen, das entgeht seinem Gelehrtendünkel; und völlig entgeht ihm, daß ein einziges Liebeswerk wie Mahlers ›Lied von der Erde‹, das altchinesische Lyrik mit der entwickeltsten Tonkunst des Abendlandes zu organischer menschlicher Einheit verschmilzt, seine ganze Theorie von der radikalen Fremdheit, die zwischen den Kulturen herrsche, über den Haufen wirft. Was ist denn ›die Menschheit‹? Ist sie die Summe aller jetzt lebenden Menschen oder die all derer, die je gelebt haben und leben werden, – schwer abzugrenzen gegen das Tierische immer und allerorten? Nein, sie ist etwas Inneres und Essentielles; sie ist mit des Novalis Worten »der höhere Sinn unseres Planeten, der Stern, der dieses Glied mit der oberen Welt verknüpft, das Auge, das er gen Himmel hebt«. Das mag denn wohl schimpfliche Poesie sein in den Augen der morphologischen Wissenschaft; aber unter ihrem Basiliskenblick

wollen wir uns nicht scheuen, es uns als das unsrige zu eigen zu machen.
Die Politik nun, die in der abgeschmackten Unerbittlichkeit der hier beanstandeten Lehre latent ist, – man kann sie sich ausmalen. Sie ist nicht diejenige des deutschen Romantikers, dessen Ideen vielmehr auch hier mit denen des Menschenliebhabers von jenseits des Ozeans verwunderlich übereinstimmen. Der Krieg, – nicht gerade, daß er ihn pazifisch verneint. Allein: »Wie«, ruft er, »wenn... eine nähere und mannigfaltigere Konnexion und Berührung der europäischen Staaten zunächst der historische Zweck des Krieges wäre, wenn eine neue Regung des bisher schlummernden Europa ins Spiel käme, wenn Europa wieder erwachen wollte, wenn ein *Staat der Staaten*, eine politische Wissenschaftslehre uns bevorstände!« – Der Staat der Staaten: ist er romantisch-hierarchisch gemeint? Aber Novalis erläutert weltlich: »*Das Völkerrecht* ist der Anfang zur universellen Gesetzgebung, zum universellen Staate.« Und beizeiten spricht er aus, was heute die Spatzen von den Dächern pfeifen: »Die Staaten müssen endlich gewahr werden, daß die Erreichung aller ihrer Zwecke bloß durch Gesamtmaßregeln möglich ist.«
Es hilft nichts: das alles ist politische Aufklärung, es ist unzweideutige Demokratie, – im Munde eines Ritters der blauen Blume, der obendrein ein geborener Junker war und von dem man, statt solcher Modernitäten, sich eher einiges mittelalterlichen Fehdesinnes und gewappneter Ehrliebe sollte versehen dürfen. Wie aber in Wahrheit spricht er vom Rittertum? Kommilitonen! er spricht unumwunden wegwerfend davon. »Das Point d'honneur des alten Rittergeistes«, spricht er, »hat zuerst jene lächerliche Förmlichkeit zwischen Menschen eingeführt. Etikette ist der Tod aller *freien Humanität*, eine Mischung asiatischer Sklavenkleinlichkeit und Despotenhochmuts mit christlicher Demut.« – Er ist stark in der Psychologie: auch das hat etwas mit Republik zu tun. Noch mehr aber hat damit zu tun das Wort von der »freien Humanität«, welches wirklich nur ein anderes Wort, ein unpolitisches, für jene ist, – und zwar ein Wort der Liebe, ja der Verliebtheit. Ich gebrauche dies zweite kleinere, aber deutlichere Wort, um damit auf das zu kommen, was Novalis und Whitman am tiefsten verbindet und unverkennbar die Wurzel ihrer Humanität und ihres Sozialismus bildet. Es ist die Liebe – nicht in irgendeinem verblasenen, anämischen, asketisch mitleidigen Verstande, sondern im Sinn des obszönen Wurzel-Symbols, das Whitman zum Titel setzt jener wild-frommen Folge von Gesängen, in deren einem die Zeilen schimmern:

Kommt, ich will euch hinabführen unter dies gelassene Äußere, ich will euch sagen, was ihr von mir berichten sollt;
Verkündet meinen Namen und hängt mein Bild auf als das des zärtlichsten Liebenden.

Er singt ein andermal:

Es ist etwas im Nahesein von Männern und von Frauen und in ihrem Anblick und in ihrer Berührung und in ihrem Geruch, das der Seele wohlgefällt,
Alle Dinge gefallen der Seele, aber diese gefallen der Seele wohl.

Und so spricht Novalis: »Tanz, Essen, Sprechen, gemeinschaftlich Empfinden und Arbeiten, zusammensein, sich hören, sehen, fühlen und so weiter, alles sind Bedingungen und Anlässe und selbst schon Funktionen der Wirksamkeit des höheren, zusammengesetzten Menschen, des Genius. *Amor ist es, der uns zusammendrückt.* In allen obgedachten Funktionen liegt Wollust zum Grunde. Die eigentlich wollüstige Funktion (Sympathie) ist die am meisten mystische, die beinah absolute oder auf Totalität (Mischung) der Vereinigung dringende, die chymische.« – Ich nannte ihn einen wollüstigen Denker, – da hat man ein Beispiel seiner Art, ein Beispiel zugleich des Radikalismus seiner Gesellschaftspsychologie. Die Sympathie aber, die mystisch-chymische Funktion, von der er spricht, ist die Sympathie mit dem Organischen, die sich bei Whitman als ein erotisch-allumarmender Demokratismus wiederfindet; sie ist jene sensitive Liebesberührungen sehr früh ansetzende Sinnlichkeit, die Novalis zu der Notiz bestimmt, Anschauen sei bereits ein elastischer Genuß; das Bedürfnis eines Gegenstandes sei schon Resultat einer Berührung in Distanz –, und der man bei Whitman auf Schritt und Tritt begegnet: sie ist, man möchte sagen, etwas wie Biologie als Verliebtheit, die Sucht des Novalis, das Organisch-Animalische schon zu behaupten und zu empfinden, wo es gemeinhin noch nicht entdeckt zu werden pflegt: in der Luft, deren Stickstoff- und Oxygen-Verbindung »durchaus animalisch«, nicht bloß chemisch sei, und in der Flamme, die tierischer Natur, das Gefräßige χατ' ἐξοχὴν sei und als deren Exkremente die unorganischen Naturen, dann auch Pflanzen, Tiere, Menschen betrachtet werden müßten. Der Mensch: das komplizierteste, gebildetste Exkrement einer höchsten und künstlichsten Flamme. Und Novalis, dieser großäugige Träumer, grübelt über dem Phänomen der Geschlechtslust, der Sehnsucht nach fleischlicher Berührung, des

Wohlgefallens an nackenden Menschenleibern, dem seine Sanftmut eine anthropophagische Wurzel zuschreibt. »Sollt' es ein versteckter Appetit nach Menschenfleisch sein?« – Dicht neben diesem Worte erotischer Mystik und Skepsis aber steht ein anderes, worin Wollust sich zu frommer Begeisterung, zu religiöser Humanität erhebt: »Es gibt nur einen Tempel in der Welt, und das ist der menschliche Körper. Nichts ist heiliger als diese hohe Gestalt. Das Bücken vor Menschen ist eine Huldigung dieser Offenbarung im Fleisch. Man berührt den Himmel, wenn man einen Menschenleib betastet.«

»Die seltsame Sympathie, die man spürt, wenn man das nackte Fleisch des Körpers mit der Hand fühlt.« Dies ist ein Vers aus dem ungeheueren, von heiliger Liebestollheit erfüllten Poem Walt Whitmans, das überschrieben ist: ›Ich singe den Leib, den elektrischen‹, und dessen neunter Teil ein anatomischer Hymnus, eine fromm orgiastische Feier des menschlichen Körpers nach seinem organischen Aufbau in der überschwenglich naiv aufzählenden Art dieses wilden Künstlers ist.

»Auf eine sonderbare Weise, welche niemand erraten würde«, erzählt der Chirurgus Wilhelm Meister, »war ich schon in Kenntnis der menschlichen Gestalt weit vorgeschritten, und zwar während meiner theatralischen Laufbahn; alles genau besehen, spielt denn doch der körperliche Mensch da die Hauptrolle, ein schöner Mann, eine schöne Frau! ... Der losere Zustand, in dem eine solche Gesellschaft lebt, macht ihre Genossen mehr mit der eigentlichen Schönheit der unverhüllten Glieder bekannt als irgendein anderes Verhältnis; selbst verschiedene Kostüme nötigen, zur Evidenz zu bringen, was sonst herkömmlich verhüllt wird ... Auf diese Weise war ich vorbereitet genug, dem anatomischen Vortrag, der die äußern Teile näher kennen lehrte, eine folgerechte Aufmerksamkeit zu schenken; so wie mir denn auch die inneren Teile nicht fremd waren, indem ein gewisses Vorgefühl davon mir immer gegenwärtig geblieben war.« – Kluge, treuherzige Auskunft! Die locker-sinnliche, erotische Sphäre des Theaters betrachtet Goethe's Abenteurer im Menschlichen als glückliche Vorstufe zum Studium jener humanistischen Disziplin, die wir die medizinische nennen und die, wie all ihre Schwesterdisziplinen, Abwandlung und Spielart ist einer und derselben hohen und brennend interessanten Angelegenheit, zu welcher man niemals verschiedenartig und vielseitig genug sich verhalten kann, denn es ist der Mensch. Und da Wilhelm zu weiteren Abenteuern und angelegentlichen Forschungen, zur Pädagogik, Soziologie, Politik fortgeführt wird: ist nicht auch zu diesen der

»losere Zustand«, der ihm die Schönheit des Menschenleibes zur Evidenz brachte, die glückliche Vorstufe gewesen? »Oh, ich sage«, ruft Whitman am Ende seines anatomischen Liebesliedes, »dies sind nicht die Teile und Gedichte des Leibes allein, sondern der Seele, – Oh, nun sage ich, *sie sind* die Seele!« Das ist Hellas, – wiedergeboren aus dem Geiste amerikanischer Demokratie. Goethe ist darin und das Beste, Zukünftigste, Erzieherischste, was in Nietzsche war, und die Tempelandacht des Novalis. »Zweifelt jemand ... daß der Leib vollauf soviel gilt wie die Seele? Und wäre der Leib nicht die Seele, was ist die Seele?« Das ist das Dritte Reich der religiösen Humanität, und Eros steht ihm vor – als König? nein, das wäre Mittelalter und »Rittergeist«; doch würde es Walt Whitman gefallen, wenn wir dem jungen Gotte die Präsidentschaft dieses neuen Reiches übertrügen.

Ich will es wagen, in diesem Zusammenhange, der ein politischer Zusammenhang bleibt, mit aller gebotenen Behutsamkeit und Ehrerbietung von dem besonderen Gefühlsbezirk zu reden, der bei meinen letzten Worten sichtbar geworden ist: ich meine jene Zone der Erotik, in der das allgültig geglaubte Gesetz der Geschlechtspolarität sich als ausgeschaltet, als hinfällig erweist und in der wir Gleiches mit Gleichem, reifere Männlichkeit mit aufschauender Jugend, in der sie einen Traum ihrer selbst vergöttern mag, oder junge Männlichkeit mit ihrem Ebenbilde zu leidenschaftlicher Gemeinschaft verbunden sehen. Die Gesellschaft, die dies Wesen lange, ohne Wissen davon, aus ihrem Bewußtsein es verweisend oder es prüde perhorreszierend, in sich trug, beginnt allmählich den Bann von Verruf und Verleugnung, der auf der Erscheinung lag, zu lösen, sie mit größerer Ruhe ins Auge zu fassen und ihre Vieldeutigkeit menschlich zu erörtern. Sie kann Entnervung, Entartung, Krankheit bedeuten, und man mag zweifeln, ob in diesem Falle Disziplinierung oder humanitäre Schonung die rechte Art sein wird, ihr zu begegnen. Aber es ist unmöglich, grundsätzlich der Sphäre des Verfalles einen Gefühlskomplex zuzuweisen, der Heiligstes und kulturell Fruchtbarstes in sich schließen kann. Wer über die Natur und ihre Gesetze denkt wie Novalis, nämlich dafürhält, daß sie etwas zu Überwindendes seien, wird den Vorwurf der Un- und Widernatur von vornherein als trivial empfinden; und übrigens hat schon Goethe dies geläufige Argument mit der Bemerkung verworfen, das Phänomen sei durchaus in – nicht außer der Natur und Menschheit, denn es sei zu allen Zeiten und bei allen Völkern hervorgetreten und erkläre sich ästhetisch durch die Tatsache, daß, objektiv, das Männliche der reinere und schönere Ausdruck der Idee des Menschen sei. Sehr Ähnliches äußerte Schopenhauer... Was aber hier im Vorübergehen über den merkwürdigen Gegenstand vorgebracht werden soll, zielt aufs Politische: auch diese Seite nämlich fehlt ihm nicht. Heißt es nicht, daß der Krieg mit seinen Erlebnissen von Bluts- und Todeskameradschaft, der harten und ausschließlichen Männlichkeit seiner Lebensform und Atmosphäre das Reich dieses Eros mächtig verstärkt habe? Die politische Einstellung seiner Gläubigen pflegt nationalistisch und kriegerisch zu sein, und man sagt, daß Beziehungen solcher Art den geheimen Kitt monarchistischer Bünde bilden, ja, daß ein erotisch-politisches Pathos nach dem Muster gewisser antiker Freund-Liebschaften einzelnen terroristischen Akten dieser Tage zugrunde gelegen habe. Nun, Harmodios und Aristogeiton waren Demokraten; und von einer tieferen Gesetzmäßigkeit dessen, was heute Regel scheint, kann nicht die Rede sein. Das mächtigste moderne Gegenbeispiel ist der Dichter der Calamus-Gesänge, Walt Whitman, der,

> Entschlossen, keine andern Lieder heute zu singen als die
> von männlicher Freundschaft,
> Sie auszusenden in dieses leibhaftige Leben,
> Vorbild zu schaffen athletischer Liebe,

mit diesen Liedern, dieser leibhaftig-athletischen Liebe »den Kontinent unzertrennlich machen, göttlich magnetische Länder« schaffen wollte, »unentzweibare Städte, die die Arme einander um den Nacken schlingen, – durch die Liebe von Kameraden«. Eros als Staatsmann, als Staatsschöpfer sogar ist eine seit alters vertraute Vorstellung, die noch in unseren Tagen aufs neue geistreich propagiert worden; aber zu seiner Sache und Parteiangelegenheit durchaus die monarchische Restauration machen zu wollen, ist im Grunde ein Unfug. Die Republik vielmehr ist seine Sache, das heißt – die Einheit von Staat und Kultur, die wir so nennen, und wenn auch kein Pazifist im Pflanzenköstlersinn, ist er doch seiner Natur nach ein Gott des Friedens, welcher auch *zwischen* den Staaten »ohne Bauwerke, Regeln, Verwalter und ohne jeden Beweisgrund begründen will die Institution der innigen Liebe von Kameraden«.

Dies wollte ich nicht unbemerkt und bei meinem Überredungsversuch eine Empfindungssphäre nicht unberücksichtigt lassen, die ohne jeden Zweifel staats- und kulturwichtige Elemente birgt oder bergen kann. Gesundheit? Krankheit? Vorsicht mit diesen Begriffen! Es sind die schwierigsten in aller Philosophie und

Lebenskunde. Whitmans Knabenverehrung, zumal sie nur eine schöne Provinz des allumfassenden Reiches seiner phallisch heiligen, phallisch strotzenden Inbrunst bildete, war sicher etwas Gesunderes als die Sophienliebe des armen Novalis, der es klug fand, Entschlummerte zu lieben, um sich »für die Nacht« ein geselliges Lager zu bereiten, und in dessen Abendmahl-Erotik die reizbare Lüsternheit des Phthisikers unheimlich durchschlägt. Die Calamus-Gesänge und die ›Hymnen an die Nacht‹: das ist ja ein Unterschied wie zwischen Leben und Tod oder, wenn Goethe's Bestimmung dieser Begriffe die richtige ist, der Unterschied des Klassischen und des Romantischen. ›Sympathie mit dem Tode‹: gewiß faßt die Formel das wundersam schillernde Wesen der Romantik nicht ganz, aber ihr Tiefstes und Höchstes bestimmt sie, – der junge Flaubert weiß es, wenn er die »tiefe Liebe zum Nichts« anruft, »welche die Dichter unserer Zeit in ihrem Innersten tragen«, die Liebe zu den »leeren Augenhöhlen der gelben Schädel und den grünlichen Wänden der Grabstätten«; und jene Sympathie mit dem Organischen, von der wir sprachen, vermischt sich bei Novalis mit der anderen, ihr scheinbar entgegengesetzten auf solche Weise, daß niemals eine innigere Verbindung von Krankheit, Tod und Wollust erdichtet worden ist. Das Leben selbst als Krankheit, – der Gedanke ist ihm nicht fern, denn er findet das Merkmal aller Krankheit, den Selbstzerstörungsinstinkt, im organischen Stoff; Tod und Wollust aber sind ihm ein und dieselbe Funktion, nämlich die chymische, auf Totalität der Vereinigung dringende: aus dieser Idee stammen seine schlimmen Brautbett-Assoziationen.
Was hat mit solchen Ausschweifungen die reine und frisch duftende Urgesundheit des Sängers von Manhattan zu schaffen? Nichts, ohne Zweifel; und wenn ›Sympathie mit dem Tode‹ zwar nicht die ganze Romantik, aber nichts als Romantik ist, so mußte sie wildfremd oder abscheulich sein dem Künder athletischer Demokratie und liebend einander umschlungen haltender Freistaaten. – Es ist nicht so. Er kannte und hegte sie, diese Sympathie. Seine Liebe zum Meer verriete ihn, auch wenn er sich nicht selbst verriete durch das Geständnis, daß die Wellen des trägen Ozeans, an dessen Ewigkeit er ruht, ihm zulispeln: »Death, Death«, – denn Liebe zum Meer, das ist nichts anderes als Liebe zum Tode. Und es ist in den Calamus-Gesängen, gerade dort, nicht zufällig dort, daß die alte Romantikerformel ›Tod und Liebe‹, diese unsterbliche, nie zu banalisierende Zauberformel, unverhüllt zum beherrschenden Thema von Whitmans fesselloser Dithyrambik sich aufwirft:

So gib mir deinen Ton an, o Tod, daß ich danach stimme,
Gib mir dich selbst, denn ich sehe, daß du nun mir vor allen
gehörst,
und daß ihr untrennbar verschlungen seid, Tod und Liebe.

»Was in der Tat ist *endgültig schön,* außer Tod und Liebe?« Die Frage steht ebendort, und sie schließt die Aussage ein, daß auch die Liebe zur Schönheit, zur Vollkommenheit nichts anderes ist als Liebe zum Tode, – was seit Platens ›Tristan‹-Gedicht aller Ästhetizismus weiß. Gesundheit? Krankheit? Wenn ihr so wollt, ist alle Dichtung krank; denn all und jede ist in der Tiefe mit den Ideen der Liebe, der Schönheit und des Todes untrennbar, unheilbar verbunden, – selbst die in athletischer Rassenfrische prangende des Walt Whitman, die es uns eben für einen Augenblick gestattete, die Demokratie zum Ästhetizismus in Beziehung zu setzen. Ist Dichtung aber nicht Leben durch sich selbst? Wenn Dichter das Meer lieben um des Todes willen, – sagt man nicht, daß aus dem Meere das Leben stammt? Und ist Sympathie mit dem Tode nicht lasterhafte Romantik nur dann, wenn der Tod als selbständige geistige Macht dem Leben entgegengestellt wird, statt heiligend-geheiligt darin aufgenommen zu werden? Das Interesse für Tod und Krankheit, für das Pathologische, den Verfall ist nur eine Art von Ausdruck für das Interesse am Leben, am Menschen, wie die humanistische Falkultät der Medizin beweist; wer sich für das Organische, das Leben, interessiert, der interessiert sich namentlich für den Tod; und es könnte Gegenstand eines Bildungsromanes sein, zu zeigen, daß das Erlebnis des Todes zuletzt ein Erlebnis des Lebens ist, daß es zum *Menschen* führt.
Novalis hat ein tiefes biologisch-moralisches Wort gesprochen, beladen mit Wissen von Lust und Sittlichkeit, Freiheit und Form. Es lautet: »Der Trieb unsrer Elemente geht auf Desoxydation. Das Leben ist erzwungene Oxydation.« Hier ist der Tod als Faszination und Verführung, als Trieb unserer Elemente zur Freiheit, zur Unform und zum Chaos erfaßt, das Leben aber als Inbegriff der Pflicht. Und ist es nicht dies, was den hektischen Träumer von ewiger Brautnacht zu seinen Ideen von Staat und schöner Menschengemeinschaft geführt hat?
Keine Metamorphose des Geistes ist uns besser vertraut als die, an deren Anfang die Sympathie mit dem Tode, an deren Ende der Entschluß zum Lebensdienste steht. Die Geschichte der europäischen Décadence und des Ästhetizismus ist reich an Beispielen dieses Durchbruchs zum Positiven, zum Volk, zum Staat, – besonders in den lateinischen Ländern. Ihr kennt Herrn Maurice

Barrès, den ungestümen Liebhaber des Rheinlandes? Er hat ein Buch geschrieben mit dem Novalis-Titel ›Vom Blute, von der Wollust und dem Tode‹. Er schrieb ein anderes, das, nicht minder verräterisch, ›Der Tod von Venedig‹ heißt. Er gelangte zur Politik. Er wurde Abgeordneter, Präsident einer Patriotenliga, geistreichster Theoretiker des Nationalismus, Schöpfer des esprit nouveau, wurde der Schriftsteller des Krieges. Ich nannte ihn ein Beispiel, aber ich besinne mich, bevor ich ihn ein Vorbild nenne. Nein, uns kann er als solches nicht dienen! Sein ›Durchbruch‹ ist äußerst französischer Art, – das ist in der Ordnung. Doch keineswegs in der natürlichen Ordnung wäre es für uns, ihn darin nachzuahmen, und klänge es nicht nationalistisch, schon wieder, so wäre man versucht zu sagen, daß man Franzose sein müsse, um zu glauben, der Nationalismus, das sei das Leben.

Wir wollen das Sache der Franzosen sein lassen. Das Volk, das Witz genug hatte, den Nationalismus zu erfinden, wird auch genug haben, mit seiner Erfindung fertig zu werden. Was uns betrifft, wir werden guttun, uns um uns zu sorgen und um das, was unsere Sache – ja, sagen wir es mit dünkelloser Freude –, unsere nationale Sache ist. Ich nenne noch einmal ihren ein wenig altmodischen und heute doch wieder in Jugendglanz lockenden Namen: Humanität. Zwischen ästhetizistischer Vereinzelung und würdelosem Untergange des Individuums im Allgemeinen; zwischen Mystik und Ethik, Innerlichkeit und Staatlichkeit; zwischen todverbundener Verneinung des Ethischen, Bürgerlichen, des Wertes und einer nichts als wasserklar-ethischen Vernunftphilisterei ist sie in Wahrheit die deutsche Mitte, das Schön-Menschliche, wovon unsere Besten träumten. Und wir huldigen ihrer positiven Rechtsform, als deren Sinn und Ziel wir die Einheit des politischen und des nationalen Lebens begriffen haben, indem wir unsere noch ungelenken Zungen zu dem Rufe schmeidigen: »Es lebe die Republik!«

[1922]

KULTUR UND SOZIALISMUS

Es ist Torheit – und nicht sehr reine Torheit – wenn politische Philologen behaupten, ich hätte mein Buch ›Betrachtungen eines Unpolitischen‹ gefälscht und aus einer antidemokratischen Streitschrift heimlich einen demokratischen Traktat gemacht, – nur weil ich im Jahre zweiundzwanzig das schwerfällige Erzeugnis unvergeßlicher Leidensjahre um einige schwer haltbare Seiten erleichtert habe, deren Ausscheiden das Buch davor bewahrte, beim Übergang in die Gesamtausgabe meiner Schriften zweibändig zu werden. Viel zu sehr empfand und empfinde ich es als Dokument meines persönlichen Lebens sowohl wie der Zeit, als daß ich mich hätte überwinden können, im Sinne anderer Meinungen etwa, die Hand daran zu legen, und niemand kann sich beklagen, das Reizungsprodukt einer demokratisch-deutschfeindlichen Tugendpropaganda, die mir heute nicht weniger widerwärtig erscheint als damals, biete als Glied der Gesamtausgabe weniger Handhaben zum Mißbrauch als bei seinem ersten Erscheinen. Die qualvoll-witzige Dauergrübelei über Charakter und Schicksal des Deutschtums ist geblieben, was sie war: ein Arsenal erbitterter Beweismittel – wenn nicht gegen die Demokratie, so doch gegen das, was darin unter ›Demokratie‹ verstanden wird, und berechtigter, als der fälschlicherweise erhobene, könnte der Vorwurf scheinen, ich hätte nicht das Recht gehabt, in die Sammlung meiner Schriften ein Buch aufzunehmen, das einst vielen wohlgetan, dessen Gesinnungen ich aber durch spätere und nun unvermittelt danebenstehende Äußerungen auf die verwirrendste Weise verleugnet hätte.

Auch dieser Einwand ist hinfällig. Denn ich verleugne die ›Betrachtungen‹ nicht und habe sie mit keinem Worte verleugnet, das ich nach ihrer Beendigung schrieb. Man verleugnet sein Leben, seine Erlebnisse nicht, verleugnet nicht das, was man ›durchgemacht‹ hat, *weil* man es ›durch‹gemacht hat und – wenn nicht wesentlich, so doch willentlich – ein Stück darüber hinausgekommen ist. Gesammelte Schriften sind geistige Autobiographie, welche die Stufen und Stadien inneren Lebens, durch Form zur Dauer, zu relativer Immergültigkeit erhoben, aufweisen darf und muß; denn zwar Einheit ist Leben, aber nicht Unbeweglichkeit, und desto teurer bleibt uns in späteren Zuständen das Durchgemachte, je mehr Herzblut und Leidenschaft wir daran gewandt und ihm hingegeben, als es unseres Lebens innerste Gegenwart war. Die ›Betrachtungen‹ sind das Werk einer langen, tiefen und schmerzlichen Hingabe an ein Problem, das damals zum allerpersönlichsten und lebensgegenwärtigsten geworden war, das Problem des Deutschtums –, und ich sollte es verleugnen? Glaubt man auch nur, mir entginge, daß dieses Buch, ästhetisch, als Dichtung genommen, in seiner Melancholie weit mehr taugt und wiegt als jene väterliche Ermunterung zur Republik, mit der sein Verfasser ein paar Jahre danach eine störrige Jugend überraschte –, Äußerung einer Lebensfreundlichkeit, welche freilich so gut wie die vordem besungene »Sympathie mit dem Tode« einen legitimen Bestandteil seines Wesens ausmacht? War das Buch des Unpolitischen kein Kunstwerk, so war es doch das Werk eines Künstlers, und zwar eines, dem es um Erkenntnis und um nichts anderes zu tun war. Erkenntnis aber ist für einen Künstler auf keine andere Weise zu gewinnen als durch Hingabe, durch erlebende Leidenschaft, durch das liebende Aufgehen in seinem Gegenstande, und so hat die passionierte Kritik des Deutschtums, die des Buches Inhalt ausmacht, jenen bejahenden, kriegerisch-apologetischen Sinn gewonnen, der damals ›dem Geiste‹ so anstößig war und der ihn ein Werk des Verrates und gemeiner Mitläuferei darin erblikken ließ. Ach, gerade das war es nicht, das Riesenreskript der Schmerzen! Es lief nicht mit, es wollte noch nicht mit dem Neuen laufen. Es blickte zurück, es verteidigte eine große geistige Vergangenheit. Es wollte ein Denkmal sein – es ist eines geworden, wenn ich nicht irre. Es ist ein Rückzugsgefecht großen Stils – das letzte und späteste einer deutsch-romantischen Bürgerlichkeit – geliefert im vollen Bewußtsein seiner Aussichtslosigkeit und also nicht ohne Edelmut; geliefert sogar mit Einsicht in die seelische Ungesundheit und Untugend aller Sympathie mit dem Todgeweihten, aber freilich auch mit ästhetisch allzu ästhetischer Geringschätzung von Gesundheit und Tugend, welche eben gerade als der Inbegriff dessen empfunden und verhöhnt wurden, wovor man sich kämpfend zurückzog: der Politik, der Demokratie...

Der Geist sollte geistig genug sein, zuzugeben, daß es völlig gleichgültig ist, in welchem Vorzeichen, dem positiven oder dem negativen, eine Erkenntnis steht, falls sie Erkenntnis, falls sie wahr ist. Selbst der aktivistische Geist, gegen den in den ›Betrachtungen‹ mit viel wackerem Freiheitssinn vom Leder gezogen wurde, dürfte dies zugeben, wenn es sich um nationale Selbsterkenntnis handelt. Geschehe sie auch ›um ihrer selbst willen‹, geschehe sie gar im Sinne der Apologie –: es gibt keine Selbsterkenntnis, die ihr

Objekt, ihr Subjekt also, unangetastet ließe, die nicht Veränderungen zeitigte, nicht *Folgen* hätte, wie eben der aktivistische Geist sie verlangt. »Man unterschätzt«, habe ich einmal geschrieben, »die Selbsterkenntnis, indem man sie für müßig, für quietistisch-pietistisch hält. Niemand bleibt ganz, der er ist, indem er sich erkennt.« Das haben die ›Betrachtungen‹ gelehrt – zur Entrüstung derjenigen, denen es um ihr Vorzeichen, um ihre Meinung, nicht um ihre Erkenntnisse zu tun war. Ich gebe ihre Meinungen preis. Ihre Erkenntnis aber bleibt unverleugbar richtig, und das Problem, das *deutsche* Problem, mit dem ich mich vertretungsweise darin herumschlug, hat an brennender Gegenwärtigkeit seit damals nichts eingebüßt.

Welches war denn also die Grunderkenntnis des Buches, das Axiom, von dem es ausging? Es war die Einerleiheit von Politik und Demokratie, und die natürliche Undeutschheit dieses Komplexes, das heißt die natürliche Fremdheit des deutschen Geistes gegen die Welt der Politik oder Demokratie, der er den unpolitisch-aristokratischen Begriff der *Kultur* als das eigentlich Seine entgegensetzt. Es war das dunkel-untrügliche Gefühl, daß zuletzt diese Fremdheit und Widersetzlichkeit die Ursache des Krieges –, daß sie es gewesen, wodurch Deutschland der Einsamkeit verfallen sei und was die Welt gegen uns auf die Beine und in Harnisch gebracht habe ... Die deutsche Kultur! Es gab nichts Verhaßteres, Beschimpfteres in der Welt um 1914 als sie, und daß sie sich mit K schrieb, gereichte den Ententejournalisten noch zu besonderer Erbitterung. Die zügellose Polemik der Feindeswelt aber gegen dies große K durfte uns nicht erstaunen – begreiflich, daß sie uns schmerzte, uns zur Verteidigung des Unseren aufstachelte, sie aber verlachen und als absurd zurückweisen konnten und durften wir nicht; denn der Kulturbegriff stand ja wirklich im Mittelpunkt unserer eigenen Kriegsideologie, wie der politisch-demokratische Begriff der ›Zivilisaton‹ im Mittelpunkt der feindlichen stand; wir waren im Grunde über das, was einen Krieg wie diesen geistig möglich gemacht hatte, mit den Gegnern durchaus einer Meinung, einer richtigen Meinung ohne Zweifel. Aber außer dem, was den Krieg im Geiste ermöglicht hatte und uns erlaubte, ihn auch geistig zu führen, gab es ja noch den Krieg als nüchterne Realität, nach seinen höchst ungeistigen Ursprüngen, Interessen und Absichten, und daß seine ideologische Seite den deutschbürgerlichen Menschen so ganz über seine andere, wirkliche und brutale verblenden konnte, hing eben mit dem unpolitischen Idealismus, der kritischen Unschuld seines Kulturbegriffs zusammen, welchen mit den brisanten Erzeugnissen seiner Rüstungsindustrie

verteidigen zu müssen er als hehre Not und heilige Heimsuchung empfand.
Der Krieg ging verloren. Was aber das deutsche Gemüt am tiefsten zerrüttete und quälte, war nicht die physische Niederlage, der Ruin, der ungeheure Sturz in staatliches Elend von der Höhe äußerer Macht. Es war eine schrecklichere Beirrung: das Zuschandenwerden seines Glaubens, das ideelle Besiegtsein, der Zusammenbruch seiner Ideologie, die Katastrophe des Kraftzentrums dieser Ideologie, seiner Kulturidee, welche in diesem Krieg *mit* überwältigt worden war – von der ideellen Gegenwelt, der Welt der demokratischen Zivilisation. Viel zu ernsthaft hatte Deutschland den Krieg auch dialektisch, auch im Ideellen geführt, als daß es ihm nicht entsetzlich ernst hätte sein müssen mit der Auffassung, daß es auch ideell geschlagen sei; und wenn es verzweifelte Versuche machte, die Niederlage zu leugnen und sich selbst beteuerte, es sei ›im Felde unbesiegt‹, so geschah es, wenn ich recht empfinde, namentlich aus ideologischen Gründen: um zugleich die geistige, ideelle, sozusagen philosophische Niederlage leugnen zu können. Die Gegensätze, die heute Deutschland zerreißen, führen mancherlei Namen und kleiden sich in mancherlei Gestalt. Im Grunde und in der Tiefe sind sie nur einer: der Gegensatz von Trotz und Willensneigung zu versöhnlichem Zugeständnis; die mit bleicher Erbitterung umkämpfte Streitfrage, ob Deutschland auf seinem überlieferten Kulturbegriff beharren oder eine korrigierende, ihn ins Neue hinüberwandelnde Hand daran legen soll. Wir sind zu sehr ein geistiges Volk, als daß wir im Widerstreit von Staatsform und Glauben zu leben vermöchten. Indem es die republikanische Staatsform einführte, war Deutschland nicht ›demokratisiert‹. Jeder deutsche Konservatismus, jeder Wille, die deutsche überlieferte Kulturidee unangetastet zu lassen, muß in politischer Sphäre die republikanisch-demokratische Staatsform als land- und volksfremd, als unwahr und seelisch wirklichkeitswidrig verwerfen und befehden. Das liegt in der Natur und inneren Konsequenz der Dinge, und ebenfalls liegt darin, daß zur demokratischen Staatsform stehen, an ihre Möglichkeit und Zukunft in Deutschland glauben nur kann, wer die Wandlung der deutschen Kulturidee in weltversöhnlich-demokratischer Richtung für möglich und wünschenswert hält.
Hier ist nun auszusprechen, daß die wirklichen, höheren Schwierigkeiten, die sich der ›Demokratisierung‹ Deutschlands entgegenstellen, im Auslande kaum erkannt, und Versuche, dergleichen ins Werk zu setzen, nur unzureichend gewürdigt werden. Indem man sich über ihr Fehlschlagen wundert und sich dadurch

im politischen Mißtrauen bestärken läßt, übersieht man, daß fast alle seelischen Vorbedingungen zu ihrem Gelingen fehlen. Die Bildner und Erzieher deutscher Menschlichkeit,die Luther, Goethe, Schopenhauer, Nietzsche, George waren keine Demokraten – o nein. Wenn man sie draußen ehrt, so überlege man sich, was man tut. Sie waren es, welche die Kulturidee mit großem K schufen, die das Kraftzentrum der deutschen Kriegsideologie bildete. Man applaudiert in Paris den ›Meistersingern‹. Das heißt die Zusammenhänge verkennen. Nietzsche schrieb über dies Werk: »– Gegen die Zivilisation. Das Deutsche gegen das Französische.«

Das Wort ›Kultur‹ ist einer Herkunft mit jenem anderen, das sich von ihm nur durch einen Buchstaben der Endung unterscheidet, dem Worte ›Kultus‹. Beide bedeuten ›Pflege‹, dieses im Sinne der Verehrung und rituellen Betreuung der religiösen Heilsgüter, jenes in dem einer vom Religiösen gelösten und rein humanen ästhetisch-moralischen Verfeinerung, Veredelung, Steigerung des innerlich Individuellen, welcher man eine mittelbar weltfördernde Wirkung zuschreibt, ohne daß es unmittelbar auf eine solche abgesehen wäre. Eben hierdurch, nämlich durch die Unwillkürlichkeit und persönliche Unvorgesehenheit seiner über- und außerindividuellen Wirkungen, tritt ein Element des Wunderartigen und Mystischen in den Kulturbegriff ein, das seinen religionsnahen Charakter aufs neue deutlich macht. Denn im Verhältnis zum eigentlich Kultischen ist ›Kultur‹ zwar ein profaner Begriff; zusammengehalten aber mit dem der ›Zivilisation‹, der gesellschaftlichen Gesittung also, erweist er seinen religiösen, das heißt: seinen wesentlich ungesellschaftlichen, egoistisch-individualistischen Charakter. »Der religiöse Mensch«, sagt Nietzsche, »denkt nur an sich.« Das heißt: er denkt an seine ›Rettung‹, sein eigenes Seelenheil – und, ursprünglich wenigstens, an nichts weiter, huldigt jedoch unterderhand und prinzipiell dem Glauben und vertraut der Verheißung, das innere Werk seiner Selbstheiligung werde auf irgendeine mystische Weise ›dem Ganzen‹ zustatten kommen. Das ist durchaus auch der Fall des Kulturgläubigen. Gemeinsam aber siedelt auf Erden das Menschengeschlecht, und es gibt keine Vereinzelung und Gottesunmittelbarkeit, der nicht eine Form der Vereinigung, der Sozialität entspräche. Das religiöse Ich wird korporativ in der *Gemeinde*. Das kulturelle Ich begeht seine höchsten Feste in der Form und unter dem Namen der *Gemeinschaft* –, einem stark aristokratisch und kultisch betonten Namen, durch den es die Heiligkeit seiner Sozialitätsidee von dem profanen *Gesellschafts*begriff der demokratischen Gesittung distinguiert. Am lehrreichsten, so fand ich immer, für den Unterschied zwischen ›Gemeinschaft‹ und ›Gesellschaft‹, zwischen der kulturellen und der demokratischen Form der Sozialität, ist die überall heimische und doch so verschieden ausgeprägte Institution des Theaters. Als ich mit zwanzig Jahren ein Jahr im mediterranen Ausland verbracht hatte, war, was der nach Deutschland Heimgekehrte als das Heimatlichste, das Deutscheste empfand, die kulturelle Disziplin, von der die deutschen Theaterspiele beherrscht waren – im Gegensatz zu der gesellschaftlichen Lässigkeit, die draußen solchen Veranstaltungen ihr Gepräge gegeben hatte. Das deutsche Theater ist in der Tiefe verbunden mit dem Kulturgedanken und mit dem kultischer Gemeinschaft; aus dieser Sphäre bezieht es die metaphysische Würde, die gesellschaftliche Unbedingtheit, die geistige Feierlichkeit, welche seine Schöpfer und Dichter ihm aufgeprägt haben und von der das demokratische Gesellschaftstheater des Westens und Südens so wenig weiß. Dieses ist eine Tribüne, eine Zeitung, ein Diskussionssaal, ein Instrument zur Analyse und spielenden Erörterung öffentlicher Angelegenheiten, jenes, der Idee nach, ein Tempel. Und was sein Publikum angeht, so ist es, wiederum in der überempirischen Idee und der Willensmeinung seiner Meister zufolge, das *Volk*, während dasjenige des Zivilisationstheaters die soziale Gesellschaft und im höchsten und festlichsten Falle die *Nation* ist – wobei niemand den romantischen Klang aristokratischer Einfalt überhört, durch den das Wort ›Volk‹, die Aussage ›das deutsche Volk‹ von dem Namen der ›Nation‹ mit seinen demokratisch-revolutionären Erinnerungen und Nebentönen sich unterscheidet. Es ist eigentlich falsch, von einer Nation der Deutschen zu sprechen, und halbwegs lächerlich, daß, wer in Deutschland sich gegen die Demokratie wendet, deutschnational heißen will. Unsere ›Völkischen‹ sind da sprachlich besser beraten, wie man sonst zu ihrer bedrohlichen Sinnigkeit auch stehen möge. Denn der Begriff der Nation ist historisch mit dem der Demokratie verbunden, während das Wort ›Volk‹ dem eigentlich deutschen, das heißt kulturkonservativen, unpolitisch-antigesellschaftlichen Gedanken entspricht, und unsere politischen Romantiker, Konstantin Frantz und Bogumil Goltz, hielten mit Grund dafür, daß die Deutschen nie eine Nation gewesen seien.

Die Schwierigkeiten, welche einer wirklichen, inneren – und nicht nur staatsrechtlichen – ›Demokratisierung‹ Deutschlands entgegenstehen, sind hiermit, wenn nicht aufgezeigt, so doch angedeutet. Daß sie mit dem Volksbegriff, der Kulturidee in innigstem Zusammenhang stehen, ja, daß sie hier ihre Quelle haben, ergab sich von selbst. Wenn heute die tragikomische Erscheinung ins Auge springt, daß auch in dem kulturfrommen, un- und antipolitischen Land der Deutschen jedermann Politik treibt und zu treiben gezwungen ist, so liegt das daran, daß zwischen Kulturpolitik und eigentlicher Politik keine Grenze mehr haltbar ist; daß alle Kulturpolitik bereits Politik im gemütswidrigsten Sinne des Wortes und alle solche Politik eigentlich Kulturpolitik ist; daß alle Parteiergreifung in Deutschland nach dem – zur Parteiergreifung zwingenden – Kulturbegriff orientiert ist und sich danach bestimmt, ob man zu diesem Begriff sich konservativ oder auf irgendeine Weise liberal verhält. Wie sehr aber hier von ›Liberalismus‹ nur im Sinne eines geistigen Zweiparteiensystems und nicht in dem einer parlamentarischen Mitte und Bürgerlichkeit die Rede ist, mag aus dem Zusatz erhellen, daß es sich eigentlich um *Sozialismus* handelt.

Der deutsche Sozialismus, Erfindung eines in Westeuropa erzogenen jüdischen Gesellschaftstheoretikers, ist von deutscher Kulturfrömmigkeit immer als landfremd und volkswidrig, als Teufelei pur sang empfunden und verflucht worden: mit Fug, denn er bedeutet die Zersetzung der kulturellen und antigesellschaftlichen Volks- und Gemeinschaftsidee durch die der gesellschaftlichen Klasse. Wirklich ist dieser Zersetzungsprozeß so weit fortgeschritten, daß man den kulturellen Ideenkomplex von Volk und Gemeinschaft heute als bloße Romantik anzusprechen hat und das Leben mit allen seinen Gehalten an Gegenwart und Zukunft ohne allen Zweifel auf seiten des Sozialismus ist –, dergestalt, daß ein dem Leben zugewandter Sinn – und sei er es auch nur ethisch-willentlich, nicht seinem vielleicht romantisch-todverbundenen Wesen nach – gezwungen ist, es mit ihm und nicht mit der bürgerlichen Kulturpartei zu halten. Der Grund dafür ist, daß, obgleich das Geistige in Gestalt des individualistischen Idealismus ursprünglich mit dem Kulturgedanken verbunden war, während die gesellschaftliche Klassenidee ihre rein ökonomische Herkunft nie verleugnete, diese dennoch weit freundlichere Beziehungen zum Geist unterhält als die bürgerlich volksromantische Gegenseite, deren Konservativismus die Berührung mit dem lebendigen Geist, die Sympathie mit seinen Lebensforderungen, für jedes Auge sichtbar, fast völlig verloren und verlernt hat. Es war an anderer Stelle kürzlich die Rede von jenem krankhaften und gefahrdrohenden Spannungsverhältnis, welches in unserer Welt sich hergestellt hat zwischen dem Geist, dem von den Spitzen der Menschheit eigentlich bereits erreichten und innerlich verwirklichten Erkenntnisstande –, und der materiellen Wirklichkeit,

dem, was in ihr noch immer für möglich gehalten wird. Diese beschämende und gefährliche Diskrepanz nach Möglichkeit zu tilgen, legt aber die sozialistische Klasse, die Arbeiterschaft, einen unzweifelhaft besseren und lebendigeren Willen an den Tag als ihr kultureller Widerpart, handle es sich nun um die Gesetzgebung, die Rationalisierung des Staatslebens, die internationale Verfassung Europas oder um was immer. Die sozialistische Klasse ist, in geradem Gegensatz zum kulturellen Volkstum, geistfremd nach ihrer ökonomischen Theorie, aber sie ist geistfreundlich in der Praxis –, und das ist, wie heute alles liegt, das Entscheidende.
Die aktuelle Unzulänglichkeit der überlieferungsgemäßen deutschen Geistigkeit, ihr Nicht-mehr-fähig-Sein, dem suchend-zukunftswilligen Sinn, so innig verbunden er sich ihr fühlen möge, ins Rechte zu helfen, beruht auf der Tatsache, daß die gesellschaftlich-sozialistische Idee in ihr nicht vorkommt. Sie fehlt bei Nietzsche, sie fehlt folglich heute bei Stefan George, dessen lyrische Lehre durchaus dem kulturell-volksromantischen Gemeinschaftsgedanken gilt und gegen Gesellschaft, Klasse, Sozialismus all jene starre und steile Vornehmheit an den Tag legt, die seine Haltung ästhetisch auszeichnet. Dieser große Dichter verleugnet eben hierin nicht seine Herkunft vom ›Parnaß‹ und vom Ästhetizismus. Aber der Ästhetizismus, verbunden mit dem Kulturgedanken und, als reiner Individualismus, mit der Vereinigungsidee volksromantischer Gemeinschaft, ignoriert und leugnet das deutsche Problem, das eben in der Streitfrage beruht, nach der die Parteien sich ordnen: Ob nämlich das Soziale nach traditioneller und konservativer deutscher Geistigkeit kulturell, oder ob es politisch, das heißt gesellschaftlich-sozialistisch aufzufassen sei. Und die Politisierung der Volksidee, die Hinüberleitung des Gemeinschaftsbegriffes ins Gesellschaftlich-Sozialistische würde die wirkliche, innere und geistige ›Demokratisierung‹ Deutschlands bedeuten.
Wer also in Deutschland der ›Demokratie‹ das Wort redet, meint nicht eigentlich Pöbelei, Korruption und Parteienwirtschaft, wie es populärerweise verstanden wird, sondern er empfiehlt damit der Kulturidee weitgehende zeitgemäße Zugeständnisse an die sozialistische Gesellschaftsidee, welche nämlich längst viel zu siegreich ist, als daß es nicht um den deutschen Kulturgedanken überhaupt geschehen sein müßte, falls er sich konservativ gegen sie verstockte. Wer ihn um seiner großen Vergangenheit willen liebt, sagt ihm, was wahr und notwendig ist, indem er ihm den sicheren und schon vollendeten Sieg des sozialistischen Gegengedankens vor Augen rückt und Beweglichkeit, Anpassungswillig-

keit, Aufnahmefähigkeit von ihm fordert –, ohne sich damit eben als politischer Radikalist zu erweisen. Der politische Radikalismus, das ist die Hingabe an die kommunistische Heilslehre, involviert einen Glauben an die rettende Macht der Gesellschaftsidee, der proletarischen Klasse, welcher dieser am Ende so wenig gebührt wie der ›Kultur‹; einen Glauben nämlich an die Erlösungsfähigkeit des Menschen durch sich selbst, der nur im Zustande fanatischer Selbstbetäubung festzuhalten ist. Was not täte, was endgültig deutsch sein könnte, wäre ein Bund und Pakt der konservativen Kulturidee mit dem revolutionären Gesellschaftsgedanken, zwischen Griechenland und Moskau, um es pointiert zu sagen – schon einmal habe ich dies auf die Spitze zu stellen versucht. Ich sagte, gut werde es erst stehen um Deutschland, und dieses werde sich selbst gefunden haben, wenn Karl Marx den Friedrich Hölderlin gelesen haben werde –, eine Begegnung, die übrigens im Begriffe sei, sich zu vollziehen. Ich vergaß, hinzuzufügen, daß eine einseitige Kenntnisnahme unfruchtbar bleiben müßte.

[1928]

[GEGEN DIE ›BERLINER NACHTAUSGABE‹]

Sehr geehrter Herr Haas,
ich muß es Ihnen wohl danken, daß Sie mir die Scherl'sche ›Nachtausgabe‹ geschickt und mich auf die niederträchtige Denunziation mit Steckbriefbild, die man dort gegen mich erlassen hat, aufmerksam gemacht haben. Ich hätte das wüste Zeug sonst gar nicht zu sehen bekommen, einfach weil dergleichen außerhalb meiner Sphäre liegt, finde aber mit Ihnen, daß hier Brutalität und Frechheit zu weit gehen, als daß man sie Scherls nicht verweisen müßte.
Sie hätten das sicher besser gemacht, als ich es imstande sein werde, schon weil Sie über mein Deutschtum gegen die stupide Anmaßung dieses Volkshelden in Nachtausgabe, K. geheißen, freier hätten herausgehen können, als mir es der gute Geschmack erlaubt. Und doch! Warum sollte man, so flegelhaft, so empörend herausgefordert, nicht reden dürfen, nicht antworten, was wahr ist? Nie werden die Nacht-K. begreifen, daß in nationalen Dingen am Meinen, Reden und Rodomontieren eines Mannes gar nichts, am Sein, am Tun dagegen alles gelegen ist, daß es weniger gut ist, sich mit Gebrüll auf deutsch zu empfehlen, mit diesem edlen Wort die Blöße seiner Armseligkeit zu decken und, was über den Horizont dieser Armseligkeit geht, »portugiesisch« zu schimpfen, als in lebendiger Unwillkürlichkeit sein Deutschtum zu erweisen und dessen Feststellung den anderen zu überlassen. Nicht von ihnen, nicht aus ihren stumpfen Hirnen und Herzen sind Bücher wie ›Buddenbrooks‹ und ›Der Zauberberg‹ gekommen, Werke, die den deutschen Namen weit in die Welt getragen – ihn auf die unverwechselbar –, die exemplarisch-deutscheste Art in die Welt getragen haben. Sie aber, die ihren hohlen, unbewiesenen, nichtsnutzigen, bezahlten Partei- und Gassenpatriotismus in Form rüder Beschimpfung alles Reineren und Freieren in die reklamehelle Berliner Nacht megaphonieren, sie, die dem Lande niemals genützt, es immer nur bloßgestellt, ihm immer nur Schande bereitet, es in sein Verderben getrieben haben und das morgen wieder täten, wenn man es ihnen irgend erlaubte, – sie erdreisten sich, einem deutschen Schriftsteller, dessen Namen, zusammen mit ein paar anderen, zwei Erdteile zu denken sich gewöhnt haben, wenn sie Deutschland denken, die Echtheit abzusprechen und ihn, unter Vorweisung eines judasmäßig zu-

rechtgelogenen Konterfeis, als Lästerer seines Volkes zu verschreien. Ist das absurd und unverschämt genug, um Aufhebens davon zu machen, oder ist es nicht so besonders absurd und unverschämt?

Die Sudelei ist überschrieben: ›Thomas Manns Kotau vor Paris. Der Mann, der für Vaterlandsverräter eintritt und sein Volk lästert.‹ In fettstrotzenden Monumentallettern, zwei Spalten breit, steht das da, und im Text dann spricht – wenn der menschliche Begriff des Sprechens hier statthaben kann – spricht Nacht-K. von einer Unterhaltung, die kürzlich ein junger Franzose, Herr Durieux, Sohn des französischen Konsuls in München, mit mir geführt und in der Pariser Zeitung ›Comœdia‹ veröffentlicht hat. »Den Spuren edler Vorgänger folgend«, fängt Nacht-K. an, »ist Herr Thomas Mann zu einem kleinen Besuch in Paris gelandet.« Seit mehr als zwei Jahren war ich nicht in Paris. Das Gespräch hat, bequemer, in meinem Arbeitszimmer stattgefunden, und das geht auch aus dem Artikel, den Scherls zu lesen versucht haben, in vollkommener Deutlichkeit hervor, denn er beginnt, feuilletonistisch, mit der Schilderung meiner Häuslichkeit. Gleichviel. »Und – so will es der Brauch – er muß vor Frankreichs grinsenden Zuhörern seinen demokratisch-geistigen Befähigungsnachweis erbringen.« Franzosen grinsen bekanntlich, das liegt in ihrer tierischen Art. Das feine Lächeln des Geistes spielt nur um die Lippen der deutschen ›Nachtausgabe‹, – die sich nun anschickt, Bruchstücke meiner Äußerungen ihren Lesern in landesverräterischem Lichte vorzuführen. »Er sprach also die großen Worte –.« Nur die Ironie eines Trampeltiers kann meine Worte groß nennen. Es waren Worte der anspruchslosesten Vernunft, soweit sie die Notwendigkeit deutsch-französischer Verständigung und Freundschaft betrafen, eine Notwendigkeit, deren Anerkenntnis heute unter gebildeten Menschen kein intellektuelles Verdienst mehr bedeutet, deren beiläufige Erwähnung aber genügt, dem Nacht-Patrioten das Blut in die niedrige Stirn zu jagen. Was zu erörtern sich lohnte, war die Möglichkeit dieses für das Heil Europas Notwendigen, waren seine menschlichen, geistigen, völkerpsychologischen Glücksaussichten, und ich habe mich allzu günstig darüber geäußert, als daß K. mich nicht einen Commis voyageur der deutschen Demokratie und einen Entwurzelten hätte nennen sollen, dessen er sich schäme. Ich wies hin auf die Besuche Valéry's, Gide's und Jules Romains' in Berlin, auf den außerordentlichen persönlichen und politischen Erfolg, der meinem Bruder jüngst in Paris zuteil geworden. »Es geht vorwärts«, sagte ich. »Als ich vor zwei Jahren meinen Vortrag in der Dotation

Carnegie hielt, glaubten die Veranstalter das Publikum noch vorsichtig sieben zu müssen, um Zwischenfälle zu vermeiden. Jetzt, im Trocadéro, haben bei Nennung des deutschen Schriftstellernamens fünftausend wie ein Mann zu einer Kundgebung der Sympathie und der Freundwilligkeit sich erhoben, deren Bedeutung nur ganz Halsstarrige bei uns zu leugnen versuchen.« Wagt man, dem Verfasser der ›Betrachtungen eines Unpolitischen‹ die Genugtuung zu verwehren, die aus dieser schlichten Feststellung spricht? »Frankreich und Deutschland«, schrieb ich dort und damals, mitten im Kriege, »sie waren einmal *eins* im Mutterschoße der Zeiten, bevor ihre Lebenswege sich schieden und tödlicher Haß zwischen sie kam..., Ja, die Liebe zu dieser Dichtung (Claudels ›Verkündigung‹) ist vor allem Freude am Gewahrwerden uralter Brüderlichkeit, die mehr als Brüderlichkeit, die Einheit war.« Tödlicher Haß, intimster Haß. Aber könnte nicht eines Tages diese Intimität ihr Vorzeichen ändern und die Erinnerung wach werden an gemeinsamen Ursprung? Ist dieser Tag nicht vielleicht gekommen, und wäre er es immer noch nicht, – wäre Europa dann nicht verloren? Ich wurde eigenstem Erlebnis, eigenster Erfahrung gerecht, wenn ich meinem jungen Unterredner sagte, daß die gemeinsame Kontinentalität entscheidender verbindet als jene Rassenbande, die uns Deutsche etwa den Engländern uns näherfühlen lassen könnte. Es gibt Gespräche, die man als Deutscher mit einem Franzosen führen kann, – die man mit einem Engländer *nicht* führen kann, weil ihm die Voraussetzungen dazu fehlen. Unsere Probleme sind dieselben, – sie sind verschieden getönt, sie drücken sich in andern Vokabeln aus, aber es sind dieselben. Die Verständigungsmöglichkeiten zwischen uns liegen geistig günstiger, als die Politik uns lange zu glauben erlaubt hat.

So, dem Sinne nach, drückte ich mich aus. K. freilich, der aus nächtigen innenpolitischen Gründen mit den angelsächsischen Geldgebern Horthy's und Mussolini's mehr sympathisiert als mit Frankreich, nennt das nur »schleimige und abgenutzte Phrasen« – als ob seine Verhältnisse es ihm erlaubten, auch nur vor dem schlichtesten Gedanken den Heiklen zu spielen. Aber er fängt an, rot zu sehen und Felonie! zu brüllen in dem Augenblick, wo er mich den Franzosen mehr Talent, mehr *geistige Erlaubnis* zum Nationalismus zusprechen hört als uns Deutschen. Dabei ist es die Wahrheit, und nur letzte Stupidität kann eine Beleidigung des Deutschtums darin erblicken. »Ihr hattet einen Schriftsteller«, sagte ich etwa, »einen wirklichen, großen, Barrès, der sich den Schriftsteller des Krieges nennen oder so genannt werden konnte.

Sehen Sie, das gibt es nicht bei uns, es ist undenkbar. Der Nationalismus ist bei uns gesetz- und verhängnismäßig mit Talentlosigkeit geschlagen, er ist nicht geistfähig, er kann nicht schreiben, in irgendeinem höheren Sinne nicht faszinieren, er ist schlichter Barbarismus. Ein Fluch, ein metaphysisches Interdikt schwebt über ihm, er ist die Sünde wider den deutschen Geist, die nicht verziehen wird, der Schriftsteller, der ihm anheimfällt, kommt unaufhaltsam herunter. Was Goethe im tiefsten mit dem Christentum verband, war das Bewußtsein gemeinsamer *sittigender* Sendung innerhalb der völkisch-germanischen Welt. Er ist das Vorbild, das Maß, das Gesetz geblieben. Entsagung. Non datur. Wagners ethnische Üppigkeit ist sein posthumer Ruin. Bei euch liegen die Bedingungen, die Möglichkeiten da etwas anders. Der Weltgeist sieht euch nach, was er uns bei schwerster geistiger Strafe verwehrt. Nationalismus kann bei euch Rang, Ehre, Geist, Form, Schönheit besitzen, er kann verführen – oder konnte es noch bis vor kurzem. Der unsere mag praktisch bedrohlich sein; in höherem Sinne bildet er keine Gefahr.« – Das mochte dem jungen Franzosen nach geistigem Hochmut klingen, wohl gar nach heimlicher Leugnung deutscher Kriegsschuld. Auf den Gedanken, daß ich damit mein Volk lästerte, ist er nicht gekommen. Auf diesen ›Gedanken‹ zu kommen war der übermenschlichen Dummheit Nacht-K.s vorbehalten. Man sehe die Trampeltier-Anmut seiner Polemik! »Denn hinter diesem wesenlosen Scheine«, sagt er, »liegt…« Und er macht vier Anmutspunkte, blinzelnd, schalkhaft wie ein Schimpanse. Was liegt denn nun hinter der Wesenlosigkeit meines Scheines? Er sagt es an anderer Stelle. Er läßt die Anmut dahinfahren und sagt es heraus wie ein Mann: »Die nationale Jugend hat kein Verständnis für Literaten, die *zur Erhöhung ihrer Auflage* Kotau vor den Fronvögten des Rheinlandes machen.« »Zur Erhöhung ihrer Auflage« – das liegt dahinter. Wenn freilich die Gemeinheit sich nach der Höhe der Auflagen bemißt, so hat die ›Nachtausgabe‹, glaube ich, in der Gemeinheit einiges vor mir voraus. Meine Auflagen. Kaufen die Franzosen sie oder kauft sie jenes deutsche Volk, das sich mit mir und meinesgleichen um das Rechte und Würdige, das Menschliche zu bemühen willens ist? Die Idiotie wird gemeingefährlich, wenn sie zur Ehrabschneiderei in Riesenauflage übergeht. Man *soll* Aufhebens von ihr machen.

Es ärgert den Nachtmahr, daß meine Stimme manchmal sogar in jenem Bereiche hörbar wird, den er die »internationale Demokratie« nennt. »Entsteht«, sagte er, »im Lager internationaler Demokratie irgendwann oder irgendwo einmal dicke, schwere Luft, dann springt sicher der Verfasser der ›Unpolitischen Betrachtungen‹ auf die Welttribüne und nimmt sich eine Nase voll des übelriechenden Möffs mit auf den Weg. Jedem das Seine! Schillers gebratene (?) Äpfel, Wagners Sammet- und Seidenhabit haben sich als ebenso vortreffliche Stimulantien bewährt, wie Thomas Manns – Verwesungsduft.« – Es ist unzart, im Hause des Gehenkten vom Strick zu reden und in der ›Nachtausgabe‹ von »übelriechendem Möff«. Auch kann ich nichts dafür, wenn hie und da die geistige Gesellschaft Europas in irgendeiner Frage der Kultur, des Rechtes, der Moral auch nach meiner Meinung, meinem Namen verlangt. Ich dränge mich nicht auf die öffentliche Tribüne. Ich wollte, ungestörter ließe die Welt mich meinen persönlichen Aufgaben nachgehen. Aber Europa, ja die Welt ist klein und intim geworden. Die Einheit, nach welcher der Erdteil ringt, ist in den Gewissen, im Geiste vorausverwirklicht. Wer, dem irgendwelches Vertrauen zufiel, entzöge sich aller Mitverantwortung für das Ganze, wer dürfte einsam tun auf den Ruf jener höheren Sozietät, wenn es gilt, dem Unrecht, der Unkultur, der falschen Ordnung zu widersprechen. Nacht-K. seinerseits nennt das: »sich im Mißverstande gehudelter Bedeutung den tailormade-Anzug mit Kot beschmutzen«. Was aber den »Verwesungsduft« anlangt, so ist das – oh, mein Gott – eine literarische Anspielung auf gewisse moralische Sympathien, gewisse Leidensinteressen meiner Bücher, auf die Rolle, die der Krankheit, dem Tode darin zugewiesen ist. Ein französischer Kritiker, der bei der Analyse des ›Zauberbergs‹ sich prüfte, ob er die Atmosphäre dieses Romans ästhetisch zulässig finden solle, schrieb neulich: »Ist nicht übrigens das Krankhafte (›le morbide‹) ein wesentlicher Charakterzug der germanischen Dichtung? Wahrhaftig, es geschieht nicht im Geiste einfältiger Herabsetzung, wenn diese Frage gestellt wird. Aber wir sehen die höchsten Genien Deutschlands umringt von den Larven des Chaos.« Er nennt Kleist, er nennt sogar Goethe... Zu dumm, zu dumm, Nacht-K. ist bei weitem zu dumm, um einen Deut davon zu verstehen. Er glotzt, bückt sich, greift Kot, schmeißt und pfeift auf zwei Dreckfingern nach der Feme. Das ist alles, was er kann.

Er hat die Liste der »Vaterlandsverräter und Mörder« geführt, für die ich »eingetreten« bin. Es ist eine bunte Reihe: Hölz, Hatvany, Sacco und Vanzetti und ein Mann namens Schlesinger, der dem D-Zug Berlin–Köln ein Übles getan haben soll. Ich weiß nichts von diesem. Daß ich ihn gelobt haben sollte, ist eine Lüge Nacht-K.s oder eines seiner hirnlosen Mißverständnisse. Für Hölz habe ich mich verwandt, weil er in abenteuerlichen Zeiten zwar Abenteuerliches, aber nie etwas Ehrloses getan und das Verbrechen, für das er im Zuchthause sitzt, erwiesenermaßen nicht begangen hat. Weil er ein ganzer Kerl ist, der sich längst die Achtung seiner Strafmeister gewonnen hat, dem man bis in hohe Amtsstellen hinauf die Freiheit gönnt und aus dessen gedruckten Briefen an Weib und Kind eine Menschlichkeit spricht, welcher diejenige Nacht-K.s ganz einfach nicht gewachsen ist. Was die beiden Italiener betrifft, so ist ihr Ende auf dem scheußlichen Sitz, der in Amerika das Symbol tiefster Ratlosigkeit des Menschen in betreff seiner selbst darstellt, sieben Jahre nach einer Tat, die nicht begangen zu haben sie mit ihrem letzten Atem beteuerten, eines der grauenhaftesten Justizstückchen, die die Geschichte der Gesittung sah, – geschehen um der ›Autorität‹, der falschen Ordnung willen. Nacht-K. nimmt's auf sich. Ludwig Hatvany aber, dessen blutender Vaterlandsliebe wir das Buch vom ›Verwundeten Land‹ verdanken, ist das Opfer eines grausamen politischen Systems, dem sein Heimweh in die Falle ging und das ihn nun ohne Erbarmen abtun will. Vor Schadenfreude ruft Nacht-K. ihm »Pinkas!« nach.

Er nehme sich in acht. Er denke nicht, die Verachtung, die er gewohnt ist, bedeute einen Freibrief für jede Niedertracht. Er passe seine Sitten der Zeit und Welt an, in der zu leben und seinen bescheidenen Platz einzunehmen ihm bestimmt ist. In dieser Zeit und Welt ist die Literatur so schutz- und machtlos nicht, so unangesehen nicht mehr, daß jeder Lümmel ungestraft sein Mütchen an ihr kühlen und ihre Namen durch die Gosse schleifen dürfte. Er hüte sich. Selbst seine Brotgeber werden den tölpelhaften Mietling abschütteln, wenn sie sehen, daß er den Ochsen im Porzellanladen macht.

[1928]

DEUTSCHE ANSPRACHE

Ein Appell an die Vernunft

Meine geehrten Zuhörer, – ich weiß nicht, ob ich auf Ihr Verständnis rechnen darf für den vielleicht phantastisch anmutenden Schritt, den ich unternahm, indem ich bitten ließ, mich heute abend anzuhören. Dieser Schritt könnte als Anmaßung und Narretei aufgefaßt werden, er könnte – ich mag es kaum aussprechen – dahin verstanden werden, als gäbe es hier jemanden, der nach der Rolle des praeceptor patriae griffe und den neuen Fichte spielen möchte... Wir wollen solche lächerlichen Vermutungen ausscheiden. Aber, sehen Sie, ich soll in der Singakademie, als Gast des Verbandes Deutscher Erzähler, eine Vorlesung halten, etwas aus einem neuen Roman zum besten geben, der mich beschäftigt, und das kann vielleicht künstlerisch lustig werden, es kann die Leute interessieren und zerstreuen und mir Ermunterung eintragen, in meinem heiter-eigensinnigen poetischen Unternehmen fortzufahren, – gut. Und doch fragte ich mich, ob es sich lohne, ob es auch nur anständig und irgendwie vertretbar sei, unter den heutigen Umständen nach Berlin zu kommen, um ein Romankapitel vorzulesen und, etwas Lob und Kritik in der Tasche, die beide, wie alles steht, doch nur das Produkt einer recht geteilten Aufmerksamkeit sein können, wieder nach Hause zu fahren.

Ich bin kein Anhänger des unerbittlich sozialen Aktivismus, möchte nicht mit diesem in der Kunst, im Nutzlos-Schönen einen individualistischen Müßiggang erblicken, dessen Unzeitgemäßheit ihn fast der Kategorie des Verbrecherischen zuordnet. Auch wenn man wohl weiß, daß die Epoche, da Schiller das »reine Spiel« als den höchsten Zustand des Menschen feiern konnte, die Epoche des ästhetischen Idealismus, eben als Epoche vorüber ist, braucht man der aktivistischen Gleichung von Idealismus und Frivolität nicht zuzustimmen. Form, gebe sie sich noch so spielerisch, ist dem Geiste verwandt, dem Führer des Menschen auch zum gesellschaftlich Besseren; und Kunst die Sphäre, in der der Gegensatz von Idealismus und Sozialismus sich aufhebt.

Dennoch gibt es Stunden, Augenblicke des Gemeinschaftslebens, wo solche Rechtfertigung der Kunst praktisch versagt; wo der Künstler von innen her nicht weiterkann, weil unmittelbare Notgedanken des Lebens den Kunstgedanken zurückdrängen, krisenhafte Bedrängnis der Allgemeinheit auch ihn auf eine Weise erschüttert, daß die spielend leidenschaftliche Vertiefung ins Ewig-Menschliche, die man Kunst nennt, wirklich das zeitliche Gepräge des Luxuriösen und Müßigen gewinnt und zur seelischen Unmöglichkeit wird. So war es vor sechzehn Jahren, als der Krieg ausbrach, mit dem für alle Wissenden so viel mehr begann als ein Feldzug; so war es in den Friedensjahren danach und dann vor zwölfen, als Deutschland nach verbrecherischem Dauermißbrauch aller seiner Kräfte durch die, die sich seine Führer nannten, zusammenbrach und mit Müh und Not von Männern, die sich die Aufgabe nicht erträumt hatten und ihrer gerne überhoben gewesen wären, das Reich, die deutsche Einheit in der Form gerettet wurde, wie wir sie von unseren Vätern ererbt haben. So ist es heute wieder, nach Jahren, in denen Gutmütige an Erholung, an die langsame Rückkehr gemächlicherer und gesicherterer Zustände glauben möchten, während doch das durch den Krieg zerschlagene und mit Füßen getretene Wirtschaftssystem der Welt keineswegs geheilt war, noch seiner Heilung entgegensah, sondern in einer Unordnung zurückgeblieben war, die durch eine archaische und blinde Tributpolitik der den Frieden diktierenden Staaten verschärft wurde. Nun geht eine neue Welle wirtschaftlicher Krisis über uns hin und wühlt die politischen Leidenschaften auf; denn man braucht nicht materialistischer Marxist zu sein, um zu begreifen, daß das politische Fühlen und Denken der Massen weitgehend von ihrem wirtschaftlichen Befinden bestimmt wird, daß sie diese in politische Kritik umsetzen, wie wenn ein kranker Philosoph seine physiologischen Hemmungen ohne ideelle Korrektur in Lebenskritik umsetzte. Es heißt wohl zuviel verlangen, wenn man von einem wirtschaftlich kranken Volk ein gesundes politisches Denken fordert.

Die Reichsregierung hat einen Finanzreformplan aufgestellt, der Ersparnisse am Verwaltungsapparat vorsieht und im Auslande mutig und wirksam, ja vorbildlich genannt wird, geeignet, die Kreditwürdigkeit des Reiches zu heben. Das mag tröstlich sein. In Deutschland aber findet man, daß ein Staats-Finanzprogramm noch kein Wirtschaftsprogramm ist und daß diese ›Vorlage zur Sanierung der Reichsfinanzen und zur Gesundung der deutschen Wirtschaft‹ nur allenfalls zur Hälfte ihren Namen mit Recht trägt. Was haben Vorschläge zur notdürftigen Ordnung des Reichshaushaltes für kommende Budgetjahre denen zu geben, die mit Augen voller Grauen den nächsten Monaten, diesem Winter der Arbeitslosigkeit, der Aussperrung, des Hungers und des Unterganges entgegenstarren, einem Winter, der droht, die Verzweiflung von Millionen zu vollenden und alle politischen Folgerungen und Folgen der Verzweiflung eines Volkes zu zeitigen? Wie es steht, spürt jeder irgend Empfindliche. Steinschwer wie in den dunkelsten Jahren der Kriegs- und Nachkriegszeit liegt der Druck auf jeder Brust und verhindert das heitere Atmen. Die Kraft der Gemeinschaft und Schicksalsverbundenheit bewährt sich; es gibt kein Einzelglück, wenn das Elend die Stunde regiert. Wir alle sind hineingezogen in den Wirbel aus Not und leidvoller Erbitterung, aus dem es kein Entrinnen zu geben scheint. Wessen Teil in helleren Tagen die freie Pflege des Übernützlichen war, sieht sich verstört und gelähmt; denn wie soll er freimütig und menschlich vertrauensvoll wirken in einem zerrissenen und zerspaltenen Volk, dem der Haß, das kranke Erzeugnis der Not, jede Unbefangenheit des Blickes raubt? Kein Wunder vielleicht und keine unbegreifliche Regung, wenn es ihn unter solchen Umständen treibt, über Dinge, von denen man nicht mehr sagen kann, daß sie irgend jemandem ›fernliegen‹ – denn sie brennen uns allen auf den Nägeln –, zur Gemeinschaft, oder doch zu der Gemeinschaftsschicht, die ihn hervorgebracht hat, der er sich gesellschaftlich zugehörig und geistig verbunden fühlt, zu sprechen, als führe er ein Selbstgespräch. Ich bin ein Kind des deutschen Bürgertums, und nie habe ich die seelischen Überlieferungen verleugnet, die mit einer solchen Herkunft gegeben sind; von der Sympathie breiter deutscher bürgerlicher Gesittung war meine Arbeit getragen, von dem sittlichen Vertrauen jenes Deutschland also, das immer noch für die innere Haltung, das geistige Gesamtbild Deutschlands entscheidend ist; und es heißt nur Vertrauen gegen Vertrauen setzen, wenn ich mich mit meinem bedrängten Selbstgespräch an das deutsche Bürgertum wende, nicht als Klassenmensch – das bin ich nicht –, auch nicht als Parteigänger irgendeines politisch-wirtschaftlichen Interessenbundes – ich gehöre keinem an. Sondern auf jener *geistigen* Ebene möchte ich mich mit Ihnen finden, auf welcher selbst der Begriff deutscher Bürgerlichkeit eigentlich angesiedelt ist und die deutsch-bürgerlicher Denkungsart wenigstens bis gestern noch natürlich war. Wie wenig hätte ich mich der Exzentrizität meines Schrittes zu schämen, wenn diese Begegnung im geringsten, mit irgendeinem Wort beitragen könnte zu jener *Besinnung*, die mir noch immer als etwas Deutscheres erscheint als die schrille Parole, die heute zur Rettung und Wiedererhebung des Vaterlandes ausgegeben wird: als die Parole des Fanatismus.

Der Ausgang der Reichstagswahlen, meine geehrten Zuhörer, kann nicht rein wirtschaftlich erklärt werden. Wenn es nach dem

bisher Gesagten den Anschein hatte, als wäre das meine Meinung, so bedarf das Gesagte der Korrektur. Auch vor dem Auslande wäre es weder klug noch entspräche es den inneren Tatsachen, wenn man die Dinge so einseitig darstellte. Das deutsche Volk ist seiner natürlichen Anlage nach nicht radikalistisch, und wäre das Maß von Radikalisierung, das nun wenigstens für den Augenblick zutage getreten ist, nur eine Folge wirtschaftlicher Depression, so wäre damit allenfalls ein Anwachsen des Kommunismus, aber nicht der Massenzulauf zu einer Partei erklärt, die auf die militanteste und schreiend wirksamste Weise die nationale Idee mit der sozialen zu verbinden scheint. Es ist nicht richtig, das Politische als ein reines Produkt des Wirtschaftlichen hinzustellen; sondern um einen Seelenzustand zu deuten wie den, den unser Volk jetzt auf eine die Welt verblüffende Weise an den Tag gelegt hat, ist es notwendig, die politische Leidenschaft, zutreffender gesagt, das politische Leiden heranzuziehen, und wenn es nicht klug und nicht würdig wäre, auf das Ergebnis vom 14. September stolz zu sein und vor dem Auslande darauf zu trumpfen, so mag man es immerhin schweigend seine Wirkung nach außen tun lassen als eine Warnung, ein Sturmzeichen, eine Mahnung, daß einem Volke, welches zum Selbstgefühl soviel Anlaß hat wie irgendeines, nicht auf beliebige Zeit das zugemutet werden kann, was dem deutschen in der Tat zugemutet worden ist, – ohne aus seinem Seelenzustand eine Weltgefahr zu machen.
Auf den materiellen und geistigen Riesenkomplex von Ursachen einzugehen, aus denen die Kriegskatastrophe erwuchs, ist dies nicht der Augenblick. Geführt wurde Deutschland in diesen Krieg von einem Herrschaftssystem, das auf die historisch naivste Weise sein eignes Lebensinteresse mit dem des Volkes gleichsetzte und in dem Kampf um sein Fortbestehen es mit dem Volke, dem Lande zum Äußersten kommen ließ. Gegen dies Herrschaftssystem, das sich in der Welt verhaßt gemacht hatte, richtete sich angeblich und nach der Überzeugung der Völker in der Tat der kriegerische Tugendmut unserer Gegner, ein demokratischer Tugendmut, dessen Propagandamittel überwältigend waren und der, von aller materiellen Überlegenheit abgesehen, die deutsche Widerstandskraft im Laufe der Jahre erdrückte. Diese demokratische Moralität, die während des Krieges den Mund so voll genommen hatte und den Krieg als Mittel zu betrachten schien, eine neue, bessere Welt zu schaffen, hat bei Friedensschluß nur sehr bruchstückweise Wort gehalten und sich durch die Wirklichkeit, die psychischen Nachwirkungen der Kriegswut und durch den Machtrausch des Sieges in einem Grade verderben lassen, daß es

dem deutschen Volke aufs äußerste erschwert war, an den moralischen und historischen Sinn seines Unterliegens und an die höhere Berufung der anderen zum Siege zu glauben. Der Versailler Vertrag war ein Instrument, dessen Absichten dahin gingen, die Lebenskraft eines europäischen Hauptvolkes auf die Dauer der Geschichte niederzuhalten, und dieses Instrument als die Magna Charta Europas zu betrachten, auf der alle historische Zukunft sich aufbauen müsse, war ein Gedanke, der dem Leben und der Natur zuwiderlief und der schon heute in aller Welt kaum noch zum Schein Anhänger besitzt. Das Leben und die Vernunft selbst haben die Unantastbarkeit dieses Vertrages schon heute widerlegt, und wenn man französische Nationalisten klagen hört, er sei nach zwölf Jahren durchlöchert wie ein Sieb, so beweist das eben nur die Unmöglichkeit des Unmöglichen und spricht für die Mittel, die von deutscher Seite angewandt worden sind, um diese natürliche Unmöglichkeit zu erweisen. Daß er für die Weltvernunft bei weitem noch nicht durchlöchert genug ist, wird auch außerhalb Deutschlands von Einsichtigen unterderhand kaum bestritten; aber das deutsche Volk wird solcher Einsicht nicht gewahr, es hält sich notwendig an die Tatsachen, von denen es umgeben ist, und fühlt sich als Hauptopfer ihres Widersinns. Fast müßig schon, es auszusprechen, und doch notwendig, es immer wieder zu sagen: es ist kein haltbarer Zustand, daß inmitten von lauter bewaffneten und auf ihren Waffenglanz stolzen Völkern Deutschland allein waffenlos dasteht, so daß jeder, der Pole in Posen, der Tscheche auf dem Wenzelsplatz, ohne Scheu seinen Mut daran kühlen kann; daß die Erfüllung des Versprechens, die deutsche Abrüstung solle nur der Beginn der allgemeinen sein, immer wieder ad calendas graecas vertagt wird und jede Unmutsäußerung des deutschen Volkes gegen diesen Zustand als eine zu neuen Rüstungen auffordernde Bedrohung aufgefaßt wird. Diese Ungerechtigkeit ist die erste, die man nennen muß, wenn man dem deutschen Gemütszustand gerecht werden will; aber es ist nur zu leicht, fünf, sechs andere aufzuzählen, die sein Gemüt verdüstern, wie die absurden Grenzregelungen im Osten, das niemandem heilsame, auf das vae victis stumpfsinnig aufgebaute Reparationssystem, die völlige Verständnislosigkeit des jakobinischen Staatsgedankens für die deutsche Volksempfindlichkeit in der Minderheitenfrage, das Problem des Saargebietes, das keines sein dürfte, und so fort.

Das sind die außenpolitischen Reizungen und Leiden, von denen der deutsche Gemütszustand bestimmt ist. Es kommen tiefe, wenn auch unbestimmte und ratlose Zweifel innerpolitischer Art

hinzu, Zweifel also daran, ob die im westeuropäischen Stil parlamentarische Verfassung, die Deutschland nach dem Zusammenbruch des feudalen Systems als das gewissermaßen historisch Bereitliegende übernahm, seinem Wesen vollständig angemessen ist, ob sie seine politische Sittlichkeit nicht in gewissem Grade und Sinne entstellt und schädigt. Diese Sorgen einer volkspersönlichen, politischen Sittlichkeit sind um so quälender, als im Grunde niemand konkrete Vorschläge zum Richtigeren und Angemesseneren zu machen weiß und vorderhand kein Schluß übrigbleibt als der, daß, solange es dem Deutschtum nicht gelingt, aus seiner eigensten Natur in politicis etwas Neues und Originales zu erfinden, man genötigt sei, aus dem Historisch-Überlieferten das Persönlichste und damit Beste zu machen, zumal kein Kenner des Deutschtums zweifelt, daß die bisher unternommenen Versuche, den demokratischen Parlamentarismus zu überwinden, der ost- und der südeuropäische, die Diktatur einer Klasse also und die des demokratisch erzeugten cäsarischen Abenteurers, der Natur des deutschen Volkes noch viel blutsfremder sind als das, wogegen zu einem Teile seine Geste vom 14. September sich richtete.
Es gehört nicht viel psychologische Kunst dazu, meine geehrten Zuhörer, um diese außen- und innenpolitischen Leidensmotive als die Ursachen zu erkennen, die neben der wirtschaftlichen Mißlage die sensationelle Wahlkundgebung des deutschen Volkes bestimmt haben. Es hat sich eines grell plakatierten Wahlangebotes zum Ausdruck seiner Gefühle bedient, des sogenannten nationalsozialistischen. Aber der Nationalsozialismus hätte als Massen-Gefühls-Überzeugung nicht die Macht und den Umfang gewinnen können, die er jetzt erwiesen, wenn ihm nicht, der großen Mehrzahl seiner Träger unbewußt, aus geistigen Quellen ein Sukkurs käme, der, wie alles zeitgeboren Geistige, eine relative Wahrheit, Gesetzlichkeit und logische Notwendigkeit besitzt und davon an die populäre Wirklichkeit der Bewegung abgibt. Mit dem wirtschaftlichen Niedergang der Mittelklasse verband sich eine Empfindung, die ihm als intellektuelle Prophetie und Zeitkritik vorangegangen war: die Empfindung einer Zeitwende, welche das Ende der von der Französischen Revolution datierenden bürgerlichen Epoche und ihrer Ideenwelt ankündigte. Eine neue Seelenlage der Menschheit, die mit der bürgerlichen und ihren Prinzipien: Freiheit, Gerechtigkeit, Bildung, Optimismus, Fortschrittsglaube, nichts mehr zu schaffen haben sollte, wurde proklamiert und drückte sich künstlerisch im expressionistischen Seelenschrei, philosophisch als Abkehr vom Vernunftglauben,

von der zugleich mechanistischen und ideologischen Weltanschauung abgelaufener Jahrzehnte aus, als ein irrationalistischer, den Lebensbegriff in den Mittelpunkt des Denkens stellender Rückschlag, der die allein lebenspendenden Kräfte des Unbewußten, Dynamischen, Dunkelschöpferischen auf den Schild hob, den Geist, unter dem man schlechthin das Intellektuelle verstand, als lebensmörderisch verpönte und gegen ihn das Seelendunkel, das Mütterlich-Chthonische, die heilig gebärerische Unterwelt, als Lebenswahrheit feierte. Von dieser Naturreligiosität, die ihrem Wesen nach zum Orgiastischen, zur bacchischen Ausschweifung neigt, ist viel eingegangen in den Neo-Nationalismus unserer Tage, der eine neue Stufe gegen den bürgerlichen, durch stark kosmopolitische und humanitäre Einschläge doch ganz anders ausgewogenen Nationalismus des neunzehnten Jahrhunderts darstellt. Er unterscheidet sich von diesem eben durch seinen orgiastisch naturkultischen, radikal humanitätsfeindlichen, rauschhaft dynamistischen, unbedingt ausgelassenen Charakter. Wenn man aber bedenkt, was es, religionsgeschichtlich, die Menschheit gekostet hat, vom Naturkult, von einer barbarisch raffinierten Gnostik und sexualistischen Gottesausschweifung des Moloch-Baal-Astarte-Dienstes sich zu geistigerer Anbetung zu erheben, so staunt man wohl über den leichten Sinn, mit dem solche Überwindungen und Befreiungen heute verleugnet werden, – und wird zugleich des wellenhaften, fast modisch-ephemeren und, ins Große gerechnet, bedeutungslosen Charakters eines solchen philosophischen Rückschlages inne.
Vielleicht scheint es Ihnen kühn, meine geehrten Zuhörer, den radikalen Nationalismus von heute mit solchen Ideen einer romantisierenden Philosophie in Zusammenhang zu bringen, und doch ist ein solcher Zusammenhang da und will erkannt sein von dem, dem es um Verstehen und Einsicht in den Zusammenhang der Dinge zu tun ist. Es findet sich mehr zusammen, um die politische Bewegung, von der wir sprechen, die nationalsozialistische, vom Geistigen her zu stärken. Dazu gehört eine gewisse Philologen-Ideologie, Germanisten-Romantik und Nordgläubigkeit aus akademisch-professoraler Sphäre, die in einem Idiom von mystischem Biedersinn und verstiegener Abgeschmacktheit mit Vokabeln wie rassisch, völkisch, bündisch, heldisch auf die Deutschen von 1930 einredet und der Bewegung ein Ingrediens von verschwärmter Bildungsbarbarei hinzufügt, gefährlicher und weltentfremdender, die Gehirne noch ärger verschwemmend und verklebend als die Weltfremdheit und politische Romantik, die uns in den Krieg geführt haben.

Gespeist also von solchen geistigen und pseudogeistigen Zuströmen, vermischt sich die Bewegung, die man aktuell unter dem Namen des Nationalsozialismus zusammenfaßt und die eine so gewaltige Werbekraft bewiesen hat, vermischt sich, sage ich, diese Bewegung mit der Riesenwelle exzentrischer Barbarei und primitiv-massendemokratischer Jahrmarktsroheit, die über die Welt geht, als ein Produkt wilder, verwirrender und zugleich nervös stimulierender, berauschender Eindrücke, die auf die Menschheit einstürmen. Die abenteuerliche Entwicklung der Technik mit ihren Triumphen und Katastrophen, Lärm und Sensation des Sportrekordes, Überschätzung und wilde Überbezahlung des Massen anziehenden Stars, Box-Meetings mit Millionen-Honoraren vor Schaumengen in Riesenzahl: dies und dergleichen bestimmt das Bild der Zeit zusammen mit dem Niedergang, dem Abhandenkommen von sittigenden und strengen Begriffen wie Kultur, Geist, Kunst, Idee. Entlaufen scheint die Menschheit wie eine Bande losgelassener Schuljungen aus der humanistisch-idealistischen Schule des neunzehnten Jahrhunderts, gegen dessen Moralität, wenn denn überhaupt von Moral die Rede sein soll, unsere Zeit einen weiten und wilden Rückschlag darstellt. Alles scheint möglich, scheint erlaubt gegen den Menschenanstand, und geht auch die Lehre dahin, daß die Idee der Freiheit zum bourgeoisen Gerümpel geworden sei, als ob eine Idee, die mit allem europäischen Pathos so innig verbunden ist, aus der Europa sich geradezu konstituiert und der es so große Opfer gebracht hat, je wirklich verlorengehen können, so erscheint die lehrweise abgeschaffte Freiheit nun wieder in zeitgemäßer Gestalt als Verwilderung, Verhöhnung einer als ausgedient verschrienen humanitären Autorität, als Losbändigkeit der Instinkte, Emanzipation der Roheit, Diktatur der Gewalt. In Polen werden vor den Wahlen die Führer der Opposition verhaftet, und der Staatspräsident beschimpft das Parlament im Jargon eines Gassenjungen; in Finnland entführen und mißhandeln die Lappos Andersgesinnte; in Rußland denkt man den Hunger derjenigen, denen man die Lebensmittel entzog, um auf dem Weltmarkt Verwirrungsdumping damit zu treiben, mit dem Blute erschossener Gegenrevolutionäre zu stillen; die Geheimnisse faschistischer Kerker sind nicht ganz Geheimnis geblieben; von den Verbannungsinseln für Gegner des Systems weiß man auch, und noch besser kennt man die Mittel mechanischer Gewalt, mit denen Südtirol nationalisiert wird, Mittel, mit denen heute München und morgen Berlin italienisch gemacht werden könnte: Die Gewalt beweist sich selbst damit, sonst nichts, und das ist auch nicht nötig, denn alle

Rücksichten außer ihr sind gefallen, die Menschheit glaubt nicht mehr an solche Rücksichten und ist also ›frei‹ zu ausgelassener Gemeinheit.
Der exzentrischen Seelenlage einer der Idee entlaufenen Menschheit entspricht eine Politik im Groteskstil mit Heilsarmee-Allüren, Massenkrampf, Budengeläut, Halleluja und derwischmäßigem Wiederholen monotoner Schlagworte, bis alles Schaum vor dem Munde hat. Fanatismus wird Heilsprinzip, Begeisterung epileptische Ekstase, Politik wird zum Massenopiat des Dritten Reiches oder einer proletarischen Eschatologie, und die Vernunft verhüllt ihr Antlitz.
Ist das deutsch? Ist der Fanatismus, die gliederwerfende Unbesonnenheit, die orgiastische Verleugnung von Vernunft, Menschenwürde, geistiger Haltung in irgendeiner tieferen Seelenschicht des Deutschtums wirklich zu Hause? Dürfen die Verkünder des radikalen Nationalismus sich allzuviel einbilden auf den Stimmungszulauf, den sie gefunden, und ist der Nationalsozialismus parteimäßig gesehen nicht vielleicht ein Koloß auf tönernen Füßen, der an Dauerhaftigkeit nicht zu vergleichen ist mit der sozialdemokratischen Massenorganisation? Nur der Fanatismus, so heißt es, kann Deutschland wieder aufrichten. Goethe schildert im ›Epilog zur Glocke‹ das Verhalten eines großen Menschen zur widerstrebenden Umwelt und spricht

> Von jenem Mut, der, früher oder später,
> Den Widerstand der stumpfen Welt besiegt,
> Von jenem Glauben, der sich, stets erhöhter,
> Bald kühn hervordrängt, bald geduldig schmiegt,
> Damit das Gute wirke, wachse, fromme,
> Damit der Tag dem Edlen endlich komme.

Wäre nicht dieser Mut dem Deutschen, von dem die Menschheit ein Bild der Rechtlichkeit, Mäßigkeit, geistigen Biederkeit im Herzen trägt, angemessener als das Berserkertum der Verzweiflung, als der Fanatismus, der heute deutsch und allein deutsch heißen will? Staatsmänner von echter Deutschheit, die als solche in aller Welt erkannt und geliebt wurden, haben diesen bald sich vordrängenden, bald geschickt sich schmiegenden Mut, den Mut der Geduld bewährt und viel mehr damit erreicht, als zu erreichen wäre, wenn wir der Welt zu ihrem mitleidigen Befremden das Schauspiel ekstatischen Nervenzusammenbruchs böten.
Nun ist freilich der Augenblick schon gekommen, wo der militante Nationalismus sich weniger militant nach außen denn nach innen erweist. Schon sucht er seine außenpolitische Unschuld und

vernunftvolle Mäßigkeit der Welt zu beweisen, indem er erklärt, daß Deutschland keinen Krieg führen könne und daß unter seiner Herrschaft keine gewaltsame Veränderung nach außen versucht werden solle, versichert es, um sich weltmöglich zu machen. Sein Haß richtet sich nicht sowohl nach außen wie nach innen, ja, seine fanatische Liebe zu Deutschland erscheint vorwiegend als Haß, nicht auf die Fremden, sondern auf alle Deutschen, die nicht an seine Mittel glauben und die er auszutilgen verspricht, was selbst heute noch ein umständliches Geschäft wäre, als Haß auf alles, was den höheren Ruhm, das geistige Ansehen Deutschlands in der Welt ausmacht. Sein Hauptziel, so scheint es immer mehr, ist die innere Reinigung Deutschlands, die Zurückführung des Deutschen auf den Begriff, den der Radikal-Nationalismus davon hegt. Ist nun, frage ich, eine solche Zurückführung, gesetzt, daß sie wünschenswert sei, auch nur möglich? Ist das Wunschbild einer primitiven, blutreinen, herzens- und verstandesschlichten, hakkenzusammenschlagenden, blauäugig gehorsamen und strammen Biederkeit, diese vollkommene nationale Simplizität, auch nach zehntausend Ausweisungen und Reinigungsexekutionen zu verwirklichen in einem alten, reifen, vielerfahrenen und hochbedürftigen Kulturvolk, das geistige und seelische Abenteuer hinter sich hat wie das deutsche, das eine weltbürgerliche und hohe Klassik, die tiefste und raffinierteste Romantik, Goethe, Schopenhauer, Nietzsche, die erhabene Morbidität von Wagners Tristan-Musik erlebt hat und im Blute trägt? Der Nationalismus will das Fanatische mit dem Würdigen vereinigen; aber die Würde eines Volkes wie des unsrigen kann nicht die der Einfalt, kann nur die Würde des Wissens und des Geistes sein, und die weist den Veitstanz des Fanatismus von sich.
Wenn also die radikalistische Ekstase unmöglich die natürliche Haltung des deutschen Bürgertums sein kann, wie soll es sich politisch halten und stellen? Sein katholischer Teil ist auch politisch im Schoß der Kirche geborgen und, nicht ohne Neid darf man es aussprechen, wohl geborgen. Der universalistische und übernationale Geist der Kirche bewährt sich auch heute in strenger Ablehnung eines ethnischen Heidentums und ist durchaus auf der Seite der Mächte, die am Werke sind, Europa der Genesung von der krampfartigen Krankheit des Nationalismus zuzuleiten, und für den Deutschen, der sich ihren Sohn nennen darf, liegt von vornherein eine Synthese des Gegensatzes, der nie diese Schärfe hätte gewinnen dürfen, von Vaterland und Menschheit bereit. Für uns andere ist es schwerer, unseren politischen Weg zu finden, und, meine geehrten Zuhörer, ich glaube zu sehen, nein, ich sehe

vollkommen deutlich, welches Phantom und begriffliches Schreckgespenst es ist, das dem deutschen Bürgertum die politische Orientierung vor allem erschwert. Es ist ein Begriff, ein Wort, das heute, nüchtern und mit Ruhe gesehen, wirklich kaum mehr ist als ein Wort, mit dem aber, den deutschen Bürger damit zu schrecken, ein schlauer und schädlicher Mißbrauch getrieben wird. Ich meine das Wort *›marxistisch‹*. Nun gibt es in Wirklichkeit keinen schärferen und tieferen politisch-parteimäßigen Gegensatz als den zwischen der deutschen Sozialdemokratie und dem orthodoxen Marxismus moskowitisch-kommunistischer Prägung. Der sogenannte Marxismus der deutschen Sozialdemokratie besteht heute in der Betreuung einer dreifachen Aufgabe: sie bemüht sich erstens, die soziale und wirtschaftliche Lebenshaltung der arbeitenden Klasse zu schützen und zu bessern, sie will zweitens die doppelt bedrohte demokratische Staatsform erhalten, und sie will drittens die aus dem demokratischen Staatsgeist sich ergebende Außenpolitik der Verständigung und des Friedens verteidigen. In diesen Bestrebungen und Willensmeinungen erschöpft sich heute in praxi der Marxismus der deutschen Sozialdemokratie. In der Vertretung ihres wirtschaftlichen Klasseninteresses hat die Partei jene Zähigkeit bewiesen, die zu einem Teil zur Auflösung des vorigen Reichstages geführt und das Zusammenwirken von Bürgertum und Sozialismus unterbrochen hat, das durch die politische Persönlichkeit Stresemanns hergestellt war. Niemand kann bestreiten, daß ein öffentlicher Etat und im besonderen ein Sozialetat von der Üppigkeit des unsrigen eine ökonomische Abnormität darstellt in einem verarmten und verschuldeten Volk; er muß nach außen und innen anstößig wirken. Und die Hartnäckigkeit, mit der die sozialistischen Führer an den ›Errungenschaften der Revolution‹ glaubten festhalten zu müssen, ist durch den taktischen Zwang, unter dem sie handelten, zu erklären, aber kaum zu entschuldigen. Erstens aber bildet der Parteiegoismus nicht gerade die auszeichnende Seite der Sozialdemokratie, mit der sie im deutschen politischen Leben allein stünde; und zweitens liegt zutage, daß sie heute schon das wirtschaftliche Sonderinteresse hinter dem staatspolitischen Interesse der Erhaltung der Demokratie zurückstellt und vor allem darauf bedacht ist, den Gefahren zu begegnen, die sich aus der Lähmung der parlamentarischen Arbeiten und dem Überhandnehmen wirtschaftlichen Massenelends ergäben. Man darf es kennzeichnend für den Geist der deutschen Arbeiterschaft nennen, wenn jetzt bei den Schlichtungsverhandlungen der Berliner Metallindustrie die Arbeitnehmer die Forderung der Unternehmer, einem Lohnabbau von fünfzehn Prozent zuzustimmen, mit dem Vorschlag beantworten, die Arbeitszeit auf vierzig Stunden in der Woche zu verkürzen und nur diese zu bezahlen, dafür aber, mit Hilfe der so gemachten Ersparnisse, Arbeitslose einzustellen. Ich meine, daß angesichts des eisernen Eigennutzes, der sonst in wirtschaftlichen Dingen aller Welt selbstverständlich geworden ist, dieser Vorschlag von einer Opferbereitschaft und einem Gemeinsinn zeugt, die man bewundern darf. Übrigens ist ja mit ihm, mit dem Vorschlage der Arbeitsstreckung, auf eines der Notmittel hingewiesen, die allenfalls über die unheimlichen Gefahren der nächsten Monate hinweghelfen können.

Ich bekannte mich vor Ihnen, meine geehrten Zuhörer, zu meiner bürgerlichen Herkunft und den kulturellen Überlieferungen, die sie in sich schließt. Ich kenne die weltanschauliche Abneigung wohl, die deutsche Bürgerlichkeit gegen den Sozialismus, gegen das, was man ›marxistische Gedankengänge‹ nennt, von Instinkt wegen hegt. Die Vorherrschaft des Klassengedankens vor denen des Staates, des Volkes, der Kultur; der ökonomische Materialismus: ich weiß, das ist bürgerlicher Überlieferung nicht geistig genug. Es ist wahr: der bürgerliche Kulturgedanke entstammt geistiger Sphäre, während die gesellschaftliche Klassenidee ihre rein ökonomische Herkunft nicht verleugnen kann. Aber der Augenblick ist längst gekommen, zu erkennen, daß die gesellschaftliche Klassenidee weit freundlichere Beziehungen zum Geist unterhält als die bürgerlich-kulturelle Gegenseite, die nur zu oft zu erkennen gibt, daß sie die Berührung mit dem lebendigen Geist, die Sympathie mit seinen Lebensforderungen verloren und verlernt hat. Ich sprach einmal von dem krankhaften und gefahrdrohenden Spannungsverhältnis, das in der Welt sich hergestellt habe zwischen dem Geist, dem von den Spitzen der Menschheit eigentlich bereits erreichten und innerlich verwirklichten Erkenntnisstande – und der materiellen Wirklichkeit, dem, was in ihr noch immer für möglich gehalten wird. Diese beschämende und gefährliche Diskrepanz zu tilgen, legt aber die sozialistische Klasse, die Arbeiterschaft, einen unzweifelhaft besseren und lebendigeren Willen an den Tag als ihr kultureller Widerpart, handle es sich nun um die Gesetzgebung, die Rationalisierung des Staatslebens, die internationale Verfassung Europas oder um was immer. Die sozialistische Klasse ist, im geraden Gegensatz zum bürgerlich-kulturellen Volkstum, geistfremd nach ihrer ökonomischen Theorie, aber sie ist geistfreundlich in der Praxis, – und das ist, wie heute alles liegt, das Entscheidende.

Marxismus! Einer der jungen Reichswehroffiziere, die jetzt ihre leidenschaftlichen Verfehlungen mit Strafen büßen sollen, die ihrer zeitverstörten Ehrenhaftigkeit Rechnung tragen, hat vor Gericht erklärt, es sei die Jugend und die Arbeiterschaft gewesen, die am Rhein den Kampf gegen den Separatismus geführt und ihn zurückgeschlagen hätten. Die Arbeiterschaft, was ist das? Es ist die Sozialdemokratie. Jedes Kind weiß, daß, wenn damals das Rheinland abgefallen wäre, es nicht beim Rheinland sein Bewenden gehabt hätte. Wenn es die nationale Haltung der Sozialdemokratie war, durch die der Mißerfolg des Separatismus entschieden wurde – und das ist die historische Wahrheit –, so hat die Sozialdemokratie das Reich gerettet, – und nicht zum erstenmal geschah es damals, daß sie das tat. Sie hat, als es mit uns zum Letzten gekommen war, als die Zügel der Herrschaft und Selbstbeherrschung im blutigen Kote schleiften und niemand da war, sie zu ergreifen, sie hat diese herrenlosen Zügel aufgenommen, die tragische und namenlos undankbare Verantwortung für die Bereinigung des Krieges getragen und das Chaos, in dem ein geschichtlich geschlagenes und flüchtiges System das Land zurückgelassen hatte, in eine notdürftige Ordnung überführt. Sie hat ihm eine Verfassung gegeben, die sowenig das letzte Wort, die unantastbare Magna Charta für Deutschland zu sein braucht, wie der Versailler Vertrag es für Europa sein wird, unter der Deutschland aber immerhin bis heute hat leben und die ersten Schritte zu seiner Befreiung und Wiedererhebung hat tun können. Das Wort voll ruchloser Ungerechtigkeit, das umgeht, dies vollkommen gewissenlose Wort von den ›Novemberverbrechern‹ – der ist in Wahrheit des rechtlichen deutschen Namens nicht wert, der es ohne Empörung zu hören vermag oder gar über seine Lippen läßt. Ist es ein Verbrechen, die Macht zu ergreifen in einem Augenblick, da die Geschichte sie einem aufdrängt und niemand sonst da ist, sie aufzunehmen? Was will der Nationalsozialismus heute anderes, als die Macht ergreifen? Freilich, die Sozialdemokratie wußte damals, als es einen rechten Weg für Deutschland überhaupt nicht gab, wenigstens doch einen gangbaren Weg. Wohin aber der Nationalsozialismus uns führen würde, das wissen wir aus dem einfachen Grunde nicht, weil er es selber nicht weiß – weshalb denn auch an der Aufrichtigkeit seines Willens zur Macht die Zweifel sich täglich verstärken.

Der Staatsmann, meine geehrten Zuhörer, dessen Wirken die außerdeutsche Welt wieder einmal bestimmt hat, das Wort ›groß‹ mit dem deutschen Namen zu verbinden, Stresemann, hat sein Werk getan, gestützt auf die Sozialdemokratie. Auf seine eigene Partei konnte er sich nicht stützen. Sie ist ihm innerlich niemals gefolgt, und nur der Druck seiner Persönlichkeit hielt sie notdürftig bei seinem Willen. Die Geschichte dieses außerordentlichen Mannes gehört zu den merkwürdigsten, ergreifendsten, die das deutsche Leben zu bieten hat. Aus rechts-bürgerlicher Sphäre kommend, die geistigen und politischen Überlieferungen dieser Herkunft im Blut, als nationaler Wirtschaftsbürger, wenn auch als ein über den Durchschnitt gebildeter und intellektuell bedürftiger, dem Gedanken der Machtexpansion verbunden und noch im Kriege ein überzeugter Fürsprecher imperialer Eroberung, ist er vermöge einer zugleich vitalen und durch Krankheit verfeinerten Verstandeskraft, geführt und getrieben von einer bildsamen Lebenswilligkeit, die physisch den Tod in sich trug, geistig hinausgewachsen über alles, was Herkunft an ihm war, hineingewachsen rascher und rascher – ein Getriebener und Ergriffener, der nicht viel Zeit hatte – in eine Gedanken-, Überzeugungs- und Tatwelt europäischer Sozialität, von der sein früheres Mannesalter sich nichts hatte träumen lassen. Wir wissen heute genau, besonders aus den Tagebüchern Lord D'Abernons, daß die Politik, die nach Locarno und zur Rheinbefreiung führte, keine Einflüsterung oder Vorschrift der Fremden, sondern die persönliche Konzeption des Deutschen war und bei seinen ersten vortastenden Versuchen, sie in die Wege zu leiten, draußen nach ihrer Tragweite gar nicht verstanden wurde. Man zögerte, man witterte eine Falle, die Widerstände in London und Paris schienen monatelang unüberwindlich. Es wird immer denkwürdig bleiben, wie das Vertrauen, die menschliche Sympathie, die Bewunderung der Welt ihm zuwuchs – obgleich er nicht einmal sprachenkundig war, nicht einmal Französisch konnte –, eine Sympathie und Bewunderung, die bei seinem Tode (einem echt deutschen Mißgeschick, ohne das uns vieles erspart geblieben wäre) als eine Welttrauerkundgebung von kaum je erhörter Einmütigkeit, überzeugter und überzeugender Gefühlswärme sich offenbarten. Sie wirken noch heute nach; es wurde diesen Herbst in Genf keine Rede gehalten, die nicht mit einer Huldigung für das Andenken des dahingegangenen deutschen Ministers begonnen hätte, und das Ansehen, das er genoß, kommt noch den Erben seines Amtes zugute. Wenn in der großen Versammlung in Genf der vorsitzende Rumäne in seiner slawisch-französischen Aussprache den Namen des deutschen Außenministers nennt, Stille sich über den Saal breitet und der alte Briand, der alte Apponyi, der Engländer, der Pole, der Italiener ihre Kopfhörer nehmen, um sich kein Wort von dem entgehen zu lassen, was der Vertreter des Deutschen Reiches der Welt zu sagen hat, – dann sieht und fühlt man die Veränderungen und Fortschritte, die sich, trotz allem, zugetragen haben, seit unsere Diktatempfänger in Versailles wie Pestkranke hinter Planken und Schranken gehalten wurden und Clemenceau in giftigem Erstaunen den Klemmer abnahm, wenn ein Deutscher sich einfallen ließ, zu sprechen. »Stresemann«, schreibt Lord D'Abernon, »kann es für sich in Anspruch nehmen, daß er Deutschland aus der Lage eines besiegten und entwaffneten Feindes in die eines diplomatisch ebenbürtigen Volkes hob, ihm alle Rücksichten, die einer Großmacht zukommen, sicherte und ihm eine internationale Garantie zum Schutz seiner Grenzen verschaffte. Dies in wenigen Jahren, in denen er im Amt war, vollbracht zu haben, ohne Unterstützung einer Waffenmacht, ist eine Leistung, würdig der besten Namen, die in dem großen Buch des Ruhmes verzeichnet sind.«

Das Merkwürdigste bei all dem nun aber ist, daß die Sympathie und Bewunderung, diese Autorität und dieses Vertrauen ihm zufielen, obgleich seine Partner in aller Welt, besonders auch der Franzose, genau wußten, was ja auf der Hand lag, daß Stresemann seine Politik als deutscher Patriot verfolgte und daß ihr Ziel gerade das war, wovon man glauben sollte, daß es den Männern der ehemaligen Entente das widerwärtigste sein müßte: nämlich die ›Durchlöcherung‹ des Vertrages von Versailles und die Befreiung und Wiedererhebung Deutschlands. Sie hätten ihm eigentlich jeden Erfolg in dieser Richtung möglichst verwehren und, je erfolgreicher er dennoch war, ihn desto mehr fürchten und hassen müssen. Wenn es so ganz anders war, so lag das selbstverständlich daran, daß er seine Arbeit für Deutschland zugleich im Interesse Europas tat, daß er, wie Lord D'Abernon sagt, bei seinem Tode »Deutschland unendlich viel stärker und Europa verhältnismäßig viel friedlicher zurückließ, als es im Jahre 1923 war, zu der Zeit, als er das Steuer in seine Hände nahm«. Und doch bleibt hier ein unaufgelöster Rest von Widerspruch und Rätsel, der, wenn ich mich so ausdrücken darf, der unterbewußten Weltpsychologie anzugehören scheint. Der Vertrag von Versailles ist heilig, heißt es, er ist tabu, ist die Grundlage des Friedens. Das gilt nach außen und beherrscht das Bewußtsein der Urheber dieses Vertrages. Aber vielleicht gibt es da etwas, was sie nicht wissen: daß nämlich nicht nur Deutschland, sondern auch sie selbst, auch ganz Europa im Grunde aus dem Bann des Versailler Vertrages sich fort und hinaus und vorwärts sehnen und mit heimlicher Hoffnung und Erwartung auf Deutschland blicken, auf dieses Land, dem immer viele bewußte und unbewußte Hoffnungen und Erwartungen gegolten haben: ob es die Klugheit und Feinheit, das politische Ingenium besitzen werde, die Welt auf schonende Art aus dem

Banne von Versailles hinauszuführen? So paradox das klingt – die ungeheuere europäische Beliebtheit Stresemanns und die allgemeine Untröstlichkeit über seinen frühen Tod sprechen für eine solche psychologische Vermutung.
Am Ende der Politik Stresemanns stand und steht die friedliche Revision des Versailler Vertrages mit bewußter Zustimmung Frankreichs und ein deutsch-französisches Bündnis als Fundament des friedlichen Aufbaus Europas. Das deutsche Volk, das Frankreich nicht einmal im Kriege gehaßt hat, ist, welchen Anschein auch die Dinge im Augenblick gewonnen haben mögen, zu diesem Bündnis bereit. Ich sage das nicht, weil ich es wünsche, weil ich die französische Literatur bewundere oder aus solchen persönlichen Gründen, sondern einfach, weil mein deutsches Gefühl es mir sagt. Und Franzosen, die ihr Volk so gut kennen, wie ich das meine zu kennen glaube, versichern für die andere Seite dasselbe. Bei allen Diskussionen freilich über das Schicksal Europas, allen Versuchen, die Starrheit der internationalen Lage zu lösen, stellt Frankreich die These der Sicherheit in den Vordergrund, der unbestreitbar kostbaren Sicherheit Frankreichs. Nun, meine geehrten Zuhörer, ich bin mir wohl bewußt, daß die Wände dieses Saales Ohren haben und daß vielleicht auch Franzosen, aus allgemeiner Achtung vor deutschem Geistesleben, auf meine Worte hören. Und darum will ich es aussprechen: Die beste, die wirklichste Sicherheit Frankreichs ist die seelische Gesundheit des deutschen Volkes. Daß diese Gesundheit gestört ist durch eine allgemeine politische und wirtschaftliche Krise, die aber für Deutschland durch unweise Friedensbedingungen aufs gefährlichste verschärft wird, sieht die Welt. Darum lasse Frankreich mit sich reden, wie es sich zwischen gesitteten und vernunftvollen Völkern geziemt, über die schlimmsten Punkte eines Vertrages, geboren aus einer Gemütsverfassung, die nicht danach angetan war, echte Verträge zu zeitigen, eines Vertrages, dem Dauerlosigkeit von Anbeginn an der Stirne geschrieben stand.
Jeder Außenpolitik, meine geehrten Zuhörer, entspricht eine Innenpolitik, die ihr organisches Zubehör darstellt, mit ihr eine unauflösliche geistige und sittliche Einheit bildet. Wenn ich der Überzeugung bin – einer Überzeugung, für die es mich drängte nicht nur meine Feder, sondern auch meine Person einzusetzen –, daß der politische Platz des deutschen Bürgertums heute an der Seite der Sozialdemokratie ist, so verstehe ich das Wort ›politisch‹ im Sinn dieser inneren und äußeren Einheit. Marxismus hin, Marxismus her, – die geistigen Überlieferungen deutscher Bürgerlichkeit gerade sind es, die ihr diesen Platz anweisen; denn nur

der Außenpolitik, die der deutsch-französischen Verständigung gilt, entspricht eine Atmosphäre im Inneren, in der bürgerliche Glücksansprüche wie Freiheit, Geistigkeit, Kultur überhaupt noch Lebensmöglichkeit besitzen. Jede andere schlösse eine nationale Askese und Verkrampfung in sich, die den furchtbarsten Widerstreit zwischen Vaterland und Kultur und damit unser aller Unglück bedeuten würde.

Wir verabscheuen diesen krankhaften und zerstörerischen Widerstreit. Der Friede nach außen ist eins mit dem inneren Frieden. Das letzte Wort des Reichsanwalts in Leipzig, als er die Verurteilung der jungen Offiziere gefordert hatte, lautete: »Ich wollte die Angeklagten nicht kränken.« Nein, nicht um Kränkung geht es, auch hier und heute nicht. Der Name voll Sorge und Liebe, der uns bindet, der nach Jahren einer halben Entspannung uns heute wieder wie 1914 und 1918 im tiefsten ergreift, uns Herz und Zunge löst, ist für uns alle nur einer: *Deutschland.*

[1930]

WAS WIR VERLANGEN MÜSSEN

Werden die blutigen Schandtaten von Königsberg den Bewunderern der seelenvollen »Bewegung«, die sich Nationalsozialismus nennt, sogar den Pastoren, Professoren, Studienräten und Literaten, die ihr schwatzend nachlaufen, endlich die Augen öffnen über die wahre Natur dieser Volkskrankheit, dieses Mischmasches aus Hysterie und vermuffter Romantik, dessen Megaphon-Deutschtum die Karikatur und Verpöbelung alles Deutschen ist? Wird eine Regierung, die das Unwesen sieht und sich von ihm »tolerieren« läßt, ihre Fiktion von den »aufbauenden Kräften«, die hier wider den drohenden Kulturbolschewismus zu hegen und zu pflegen seien, nicht endlich angesichts dieser Geschehnisse opfern müssen? Was kann, wenn man es schon so nennen will, »bolschewistischer«, was kann unchristlicher und undeutscher sein, als die Feigheit all dieser in der ostpreußischen Hauptstadt und an vielen anderen Orten verübten Taten, als dies Abschießen aus dem Hinterhalt, dieses Eindringen in Menschenheime, diese Bubenstreiche, ausgeführt von Anhängern einer Partei, die damit prahlt, die deutschen Sitten reinigen zu wollen, jedesmal in ein Gezeter ausbricht, wenn einer der Ihren bei provozierten Schlägereien zu Schaden kommt, und die Seiten ihrer Presse mit selbstgerechtem Geschrei gegen die »roten Mordbestien« füllt, – dieser Partei, die heute die Stirn hat, ihre Söldner in die regulären Formationen der Polizei zu schieben, die doch in so vielen Fällen berufen wäre, gegen sie vorzugehen!
Die Regierung hat, mit einer Stärke, die ihr sonderbar zu Gesicht steht, die langjährigen und verdienten Hüter der Ordnung in Preußen ihrer Ämter enthoben unter dem Vorwand, sie seien aus inneren Gründen ihrer Aufgabe nicht gewachsen. Wenige Tage später erlebt die Welt mit angewidertem Staunen Erscheinungen von Unordnung in eben diesem Land, wie sie sich unter dem Regiment der Vertriebenen niemals ereignet haben.
Jetzt hat sich die Regierung zur Androhung drakonischer Maßnahmen aufgerafft. Sie hat alle Ursache dazu, das darf man sagen. Schon deswegen, weil, wie die Welt weiß, die neueste Ära der Roheiten mit der von ihr erzwungenen Aufhebung des Uniformverbotes begonnen hat. Wenn aber, darüber hinaus, irgend etwas dazu dienen konnte, das verächtliche Schlagwort von den »Novemberverbrechern« zu bekräftigen und die Häupter der soziali-

stischen Parteien in den Augen ohnedies verhetzter Toren vogelfrei erscheinen zu lassen, so war es die Art, in der die Razzia gegen die hochbeamteten Sozialisten in Preußen durchgeführt wurde. Noch einmal, die Regierung hat alle Ursache, ohne Ansehen der Partei Ordnung und Anstand zu erzwingen. Das Deutschland, das diesen Namen verdient, hat es satt, endgültig satt, sich tagaus, tagein durch Prahlereien und Drohungen der nationalsozialistischen Presse und durch das halbnärrische Geifern sogenannter Führer, die nach Köpfen, Hängen, Krähenfraß und Nächten der langen Messer schreien und all das, mit Recht, wenn es nach ihnen ginge, als unmittelbar bevorstehend verkünden, die Lebensluft im Vaterland vergiften zu lassen. Daß unreife und zwischen Illusion und Enttäuschung hin- und hergehetzte junge Menschen bei dieser »Erziehung« zu Verbrechern werden, ist gewiß kein Wunder. Auch zweifelt niemand, daß zu den dreizehneinhalb Millionen, die der falsche Messias an sich gezogen hat, viele Gutgläubige zählen, die nichts zu schaffen haben mit diesem Treiben und sich seiner schämen. Aber gerade, wenn die Reichsregierung den Plan verfolgt, den verirrten Idealismus, der im Nationalsozialismus lebt, ihren konstruktiven Absichten dienstbar zu machen und zur Volksgemeinschaft zu erziehen, sollte sie alle Macht, die sie sich nimmt und die man ihr nur dazu gewährt, daran setzen, diese barbarischen Entartungen des inneren deutschen Lebens auszurotten.

Sie nennt sich überparteilich und hat auch das Ergebnis der Wahlen als eine Kundgebung des Volkes gegen Parteiherrschaft ausgelegt. Überparteilich, das ist ein verfängliches Wort, mit dem gefährlicher Mißbrauch getrieben werden kann und schon getrieben worden ist: Nur zu gern nennt der Wille zur Unterdrückung aller anderen Willensmeinungen sich überparteilich, nur zu gern schmeichelt eine dumpfig-rückschrittliche Politik sich, unpolitisch-vaterländisch zu sein. Dazu birgt der zweideutige Begriff, wir wissen es wohl, eine Verführung für das deutsche Gemüt in sich. Er kommt gewissen romantisch-antipolitischen Instinkten unserer Natur entgegen, die sich leicht in einer zugleich hochmütigen und untertanenhaften Abwendung von politischen Entscheidungen und einem frommen Hinnehmen des Gottgegebenen gefällt. Um Entscheidung aber, um die Erkenntnis seiner in Wahrheit gottgewollten Aufgaben und um den Entschluß, sie zu erfüllen, kommt kein Volk, auch das deutsche nicht, herum, und ich für meine Person, wenn ich schon sprechen soll, kann mich auch hier und heute nur zu der Überzeugung bekennen, daß die soziale Republik, die gewiß bis jetzt noch in keinem Augenblick

verwirklicht war, die politische und gesellschaftliche Verfassung ist, in der allein Deutschland die ihm historisch zugewiesenen Weltaufgaben erfüllen kann.
Das ist nicht eben die Überzeugung der gegenwärtig amtierenden Reichsregierung; in ihrem Begriff der Überparteilichkeit steckt wesentlich anderes. Dennoch mag die Idee, die sie mit dem Wort verbindet, für den Augenblick das Gegebene, ja, das Rettende sein, berufen, das Äußerste an blutigem Zerwürfnis im Innern abzuwenden und Deutschland Frist zur Besinnung und Erkenntnis zu schaffen. Das ist eine zwar schwere, aber vergleichsweise bescheidene Aufgabe, die gleichwohl ihre zeitliche Ehre haben kann, wenn sie – und das ist es, was man von dieser Regierung verlangen muß – mit Anstand und aufrichtiger Gerechtigkeit erfüllt wird.

[1932]

[REDE VOR ARBEITERN IN WIEN]

Meine geehrten Zuhörer, – was immer Ihnen dieser Abend bedeuten möge, mir bedeutet er viel. Es geschieht zum ersten Mal, daß ich, der bürgerlich geborene Schriftsteller, vor einem sozialistischen Arbeiterpublikum spreche, und diese Situation ist kennzeichnend nicht nur für die Zeit, die das mit sich bringt, sondern ich empfinde sie auch als epochal für mein persönliches Leben und meine geistige Entwicklung.
Meine Genugtuung darüber, heute so vor Ihnen zu stehen, hat noch einen besonderen Grund. Es ist nicht lange her, daß während eines österreichischen Wahlkampfes eine Wiener sozialistische Zeitung die Meldung brachte, ich hätte mich in sehr entschiedenen Worten für einen sozialdemokratischen Wahlsieg in Österreich eingesetzt und erklärt, der österreichische Staat sei in den Händen des Austromarxismus am besten aufgehoben. Die Nachricht war nicht etwa unsinnig, sondern hatte eine gewisse innere Wahrheit, denn gerade hatte ich das reichsdeutsche Bürgertum in einer Rede ermahnt, seinen politischen Platz an der Seite der Sozialdemokratie zu nehmen. Die zitierten Worte über Österreich aber waren erfunden, und die willkürliche Handhabung meines Namens im Dienste der Wahlagitation und der dadurch erweckte Anschein, ich hätte mich in die Angelegenheiten eines immerhin fremden Landes eingemischt, irritierte mich so sehr, daß ich in der österreichischen Presse ein in ziemlich scharfen Worten abgefaßtes Dementi veröffentlichte. Von Freunden des Sozialismus wurde sogar die Schärfe dieser Äußerung bedauert, und ich selbst bedauerte sie sogleich. Sie war hervorgerufen durch den Unmut über die Willkür eines einzelnen Journalisten, gegen diese richtete sie sich, durchaus nicht gegen die österreichische Sozialdemokratie. Es konnte aber beinahe den Anschein haben, als sei es anders gewesen, und seitdem hat mich eine Art Schuldgefühl gegenüber Ihrer Sache, Ihrer Partei bedrückt, ein Schuldgefühl, dessen ich mich durch mein Erscheinen vor Ihnen, das ich als eine Kundgebung auffasse, und durch das, was ich Ihnen sagen will, am besten ledig mache.
Bei der Ankündigung dieser Vorlesung hat man sich einfach auf die Angabe beschränkt, daß ich vor Ihnen sprechen würde. Man hat das Thema nicht näher präzisiert, und das geschah nach meinem Wunsch, denn es war nicht ganz leicht, das, was es mich drängt, Ihnen zu sagen, auf eine Formel und einen Titel zu

bringen. Es sollte nichts weiter sein als ein Bekenntnis, als eine überzeugungsvolle Sympathieerklärung für Ihre Sache.
Wie fange ich es am besten an? Aber ich machte den Anfang schon, indem ich mich als einen Sohn der bürgerlichen Kultur bezeichnete, den Zeit und Überzeugung zu Ihnen geführt haben. Und so sind es die Begriffe Kultur und Sozialismus, die mich in dieser Stunde unwillkürlich beschäftigen, und ihr Verhältnis zueinander, das sich mir zur Erörterung nahelegt. Lassen Sie mich da vor allem eingestehen, daß ich kein ganz orthodoxer Anhänger der marxistischen Auffassung des Kulturbegriffes bin. Im Wirtschaftlich-Klassenmäßigen die schöpferische Grundtatsache des Lebens und in allem Geistigen und Kulturellen nur einen ideologischen Überbau zu erblicken, ist nicht ganz meine Sache, soviel historisch Wahres an dieser Theorie auch sein mag. Die Werke der Kultur und des Geistes gehören meiner Meinung nach keiner Klasse an, auf wissenschaftlichem Gebiet sowenig wie auf künstlerisch-geistigem. Sie können die großen Entdeckungen und Erkenntnisse der Wissenschaft, die Taten eines Newton oder Einstein, oder auch selbst die umwälzenden Erfindungen der Technik nicht klassenmäßig bestimmen. Es sind freie Taten der Menschheit, und in noch höherem Grade sind dies die Taten des Geistes, der Philosophie und Kunst, mit denen sogar mit Schicksalsnotwendigkeit eine Emanzipation von Herkunft und Klasse, ein sich befreiendes Darüberhinauswachsen verbunden ist: die großen Künstler und Denker waren immer gewissermaßen verlorene Söhne ihrer Klasse, deren Wesen in den vom Marxismus gewollten Bedingtheiten durchaus nicht rein aufging. Betrachten Sie den Flug, den etwa der Geist Goethe's, des Frankfurter Patrizier-Sohnes, oder den der Geist Nietzsche's, dieses Abkömmlinges protestantischer Pastoren, genommen hat, so werden Sie zugeben, daß diese sieghaften oder tragischen Weltschicksale nichts mehr mit Bürgerlichkeit zu tun haben, und ich weiß auch wohl, daß kluge und nach Bildung verlangende Angehörige Ihrer Klasse es ablehnen, der sogenannten bürgerlichen Kultur eine sogenannte proletarische entgegenzustellen und an die Selbstgenügsamkeit einer solchen zu glauben. Der freie und kühne Gedanke, das Gewissen, die Erkenntnis sind Menschenwerte, sie kommen nicht aus dem Klassenmäßigen, daran wollen wir festhalten. Aber unter einem gewissen Gesichtspunkt freilich, gerade wenn man den Kulturbegriff und speziell den deutschen Kulturbegriff in seinem Verhältnis zum Sozialismus betrachtet und in diesem Verhältnis eine ganz bestimmte Feindseligkeit und Gegensätzlichkeit erkennt, kann man in der Tat seiner bürgerlichen Herkunft und seines bürgerli-

chen Gepräges innewerden, wie ich Ihnen in Kürze erklären will. Das Wort Kultur ist ein und desselben Ursprungs mit jenem anderen, das sich von ihm nur durch einen Buchstaben der Endung unterscheidet, dem Worte Kultus. Beide bedeuten Pflege, dieses im Sinne der Verehrung und rituellen Betreuung der religiösen Heilsgüter, jenes im Sinn einer vom Religiösen gelösten und rein humanen ästhetischen und moralischen Verfeinerung, Veredlung, Steigerung des innerlich Individuellen, welcher man eine mittelbar weltfördernde Wirkung zuschreibt, ohne daß es unmittelbar auf eine solche abgesehen wäre. Eben hierdurch, nämlich durch die Unwillkürlichkeit und persönliche Unvorhergesehenheit seiner über- und außerindividuellen Wirkungen tritt ein Element des Wunderartigen und Mystischen in den Kulturbegriff ein, das seinen religionsnahen Charakter aufs neue deutlich macht. Denn im Verhältnis zum eigentlich Kultischen ist Kultur zwar ein profaner Begriff; zusammengehalten aber mit dem der Zivilisation, der gesellschaftlichen Gesittung also, erweist er seinen religiösen, das heißt seinen wesentlich ungesellschaftlichen, egoistischen und individualistischen Charakter. »Der religiöse Mensch«, hat Nietzsche gesagt, »denkt nur an sich«, das heißt: er denkt an seine Rettung, sein eigenes Seelenheil – und, ursprünglich wenigstens, an nichts weiter, huldigt jedoch unterderhand und prinzipiell dem Glauben und vertraut der Verheißung, das innere Werk seiner Selbstheiligung werde auf irgendeine mystische Weise dem Ganzen zugute kommen. Das ist durchaus auch der Fall der Kulturgläubigen.
Gemeinsam aber siedelt auf Erden das Menschengeschlecht, und es gibt keine Vereinzelung und Gottesunmittelbarkeit, der nicht eine Form der Vereinigung, der Sozialität entspräche. Das religiöse Ich wird korporativ in der Gemeinde. Das kulturelle Ich begeht seine höchsten Feste in der Form und unter dem Namen der Gemeinschaft, – einem stark aristokratisch und kultisch betonten Namen, durch den es die Heiligkeit seiner Sozialitätsidee von dem profanen Gesellschaftsbegriff der demokratischen Gesittung unterscheidet. Man kann für Gemeinschaft auch das Wort Volk oder Volksgemeinschaft einsetzen, ein Begriff, der ganz dem konservativen, unpolitisch-antigesellschaftlichen Kulturgedanken entspricht, einer Kulturfrömmigkeit, die allen Sozialismus immer als landfremd und volkswidrig, als teuflisch empfunden und verdammt hat: mit Recht insofern, als Sozialismus die Zersetzung der kulturellen und antigesellschaftlichen Volks- und Gemeinschaftsidee durch die gesellschaftliche Klasse bedeutet.
Wirklich ist dieser Zersetzungsprozeß so weit fortgeschritten,

daß man den kulturellen Ideenkomplex von Volk und Gemeinschaft heute als bloße Romantik ansprechen muß und das Leben mit allen seinen Gehalten an Gegenwart und Zukunft ohne allen Zweifel auf seiten des Sozialismus ist, – dergestalt, daß kein dem Leben zugewandter Sinn umhinkann, es mit ihm und nicht mit der bürgerlichen Kulturpartei zu halten. Ich nenne diese Partei bürgerlich, weil der halbreligiöse Kulturbegriff, den ich Ihnen eben zu entwickeln versuchte, wesentlich der bürgerlichen Bildungsepoche entstammt, die um die Wende des achtzehnten und neunzehnten Jahrhunderts lag, der klassischen Epoche, der die Deutschen den Ehrentitel des Volkes der Dichter und Denker verdanken, der Epoche eines idealistischen Individualismus, dessen humaner Zauber bei Goethe etwa in der eigentümlichen psychologischen Verbindung von autobiographischer Selbstausbildung und Selbsterfüllung mit dem Erziehungsgedanken besteht, und zwar so, daß die Erziehungsidee Brücke und Übergang bildet aus der Welt des Persönlich-Innermenschlichen in die Welt des Sozialen. Zugänge also zum Gesellschaftlichen und seinen Pflichten und Forderungen werden auch aus dieser Sphäre idealistischer Innerlichkeit gesucht und zum Teil gefunden, und doch steht sie wesentlich in einem Verhältnis aristokratischen Protestes gegen die Gesellschafts- und Klassenidee. Sie fühlt sich als geistig im Gegensatz zu dem materialistischen Ökonomismus dieser Welt und sieht mit Verachtung zugleich und Furcht auf sie herab – mit Unrecht, wie heute die Dinge liegen. Denn wenn auch der geistige Mensch bürgerlicher Herkunft sich heute auf die Seite des Sozialismus schlägt, so geschieht es, weil er sich sagt: Das Geistige war zwar in Gestalt des individualistischen Idealismus ursprünglich mit dem Kulturgedanken verbunden, während die gesellschaftliche Klassenidee ihre rein ökonomische Herkunft nie verleugnete; tatsächlich aber unterhält diese dennoch weit freundlichere Beziehungen zum Geist als die Gegenseite, deren Konservatismus die Berührung mit dem lebendigen Geist, die Sympathie mit seinen Lebensforderungen für jedes Auge sichtbar fast ganz verloren und verlernt hat. Es besteht heute, so sagt sich der geistige Mensch, in unserer Welt ein krankhaftes und gefahrdrohendes Spannungsverhältnis zwischen dem Geist, dem von den Spitzen der Menschheit eigentlich bereits erreichten und innerlich verwirklichten Erkenntnisstande – und der materiellen Wirklichkeit, dem, was in ihr noch immer für möglich gehalten wird. Diese beschämende und gefährliche Diskrepanz nach Möglichkeit zu tilgen, legt aber die sozialistische Klasse, die Arbeiterschaft, einen unzweifelhaft besseren und lebendigeren Willen an den Tag als ihr

kultureller Widerpart, handle es sich nun um die Gesetzgebung, die Rationalisierung des Staatslebens, die internationale Verfassung Europas oder um was immer. Die sozialistische Klasse ist, im geraden Gegensatz zum kulturellen Volkstum, geistfremd nach ihrer ökonomischen Theorie, aber sie ist geistfreundlich in der Praxis, – und das ist, wie heute alles liegt, das Entscheidende.
Wie heute alles liegt, sage ich, ist es für den geistigen, den Kulturmenschen eine falsche und lebenswidrige Haltung, auf die soziale, die politisch-gesellschaftliche Sphäre hochmütig herabzublicken und sie als zweiten Ranges zu bezeichnen im Verhältnis zur Welt der Innerlichkeit, der Metaphysik, des Religiösen und so weiter. Diese wertvergleichende Gegeneinanderstellung der persönlich innerlichen Welt und der gesellschaftlichen, die Kontrastierung also von Metaphysik und Sozialismus, wobei dieser als unfromm, unheilig und materialistisch, als ein Wille zum Termitenglück herausgestellt wird, ist heute nicht erlaubt. Es ist nicht erlaubt, in einer Welt, so widergöttlich und vernunftverlassen, wie die unsere es ist, dem Willen zum Besseren das Metaphysische, Innerliche, Religiöse als das Überlegene entgegenzustellen. Das Politische und Soziale ist ein Bereich des Humanen. Das humane Interesse, die humane Leidenschaft, das Gebundensein an das Problem des Menschen, die Sympathie mit seinem Los, dem Rätsel seines Daseins, dem Geheimnis seiner Stellung im All, seiner Vergangenheit und Zukunft, dieses Interesse und diese Leidenschaft umfaßt beide Bereiche, das des Persönlich-Innerlichen sowohl wie die äußerliche Ordnung menschlichen Zusammenlebens. Und es ist auch das Religiöse, denn im Geheimnis des Menschen mündet die Natur ins Geistige und Transzendentale. Dies Geheimnis ist ja dasjenige seiner Stellung zwischen zwei Welten und seiner Zugehörigkeit zu beiden. Den Menschen als bloße Natur zu behandeln, als Raubtier, das sein opponierter Daumen zur Technik geschickt gemacht hat, ist eine Sorte von Pessimismus, die sich die Miene besonderer Tapferkeit und heroischer Wahrheitsstrenge gibt, aber nichts weiter als schlechte Romantik ist, zu der vor allem eine recht alberne Verklärung des Raubtiers gehört, als ob nur der königliche Löwe und nicht auch etwa die Spinne ein Raubtier wäre. Seitdem der Mensch – Mensch ist, ist er mehr als Natur, – dieses mehr gehört zu seiner Definition. Er ist Tier mit einem Teil seines Wesens, ja, aber mit einem anderen gehört er einer höheren Sphäre, der geistigen an, Bewußtsein lehrt ihn zu unterscheiden, er ist, wie in der Genesis die Gottheit sagt, »wie unser einer«, er weiß, was gut und böse ist, er besitzt das Absolute. Gott – man braucht nicht gottgläubig in einem positiv kirchlichen Sinne zu sein, um

religiös zu empfinden. Ich bekenne offen, daß ich niemals das Bedürfnis gehabt habe, das Absolute zu personifizieren. Aber der Mensch besitzt es in seinem Gewissen, in den Ideen, in den nicht realisierbaren, aber die Natur gewissensmäßig korrigierenden Gedanken der Wahrheit, Freiheit, Gerechtigkeit, die jenem niedrig romantischen Pessimismus widersprechen, die optimistisch sind eben als Ideen und die mit einer demokratischen Gesellschaftssittlichkeit so innig verbunden sind.

Da ich hier von Humanität und ihrem umfassenden Charakter spreche, lassen Sie mich einen Augenblick auf das menschliche Gebiet kommen, das meinem persönlichen Interesse am nächsten steht und auf dem meine eigentlichsten Aufgaben liegen, auf das Gebiet der Kunst. Auch diese spielend leidenschaftliche Vertiefung ins Menschliche, die man Kunst nennt, ist Sache des humanen Interesses, gewissermaßen eine humanistische Fakultät. Die Kunst war ja immer und wird jederzeit sein das vollendete ›Dritte Reich‹, von dem große humane Geister geträumt haben und dessen Name heute so mißbräuchlich geführt wird, die Einheit nämlich von Leiblichkeit und Geistigkeit, des Natürlichen und des Menschlichen, ganz so, wie Friedrich Nietzsche, der Künstlergeist, es gefordert hat: »Mit Menschlichem«, sagt er, »wollen wir die Natur durchdringen... Wir wollen aus ihr nehmen, was wir brauchen, um über den Menschen hinauszuträumen. Etwas, das großartiger ist als Sturm und Gewitter und Meer, soll noch entstehen – der Menschensohn!« Das ist ein Wort höchster Humanität, höchster Liebe zum Menschen und seiner Steigerung über sich selbst hinaus, und es ist ein rechtes Künstlerwort. Denn was hat die schöpferische Kunst je anderes getan, als die Natur mit Menschlichem zu durchdringen und aus ihr zu nehmen, was sie zu ihrer schöpferischen Steigerung des Lebens braucht? Kunst bestand immer in dieser Durchdringung und Vermenschlichung, das heißt Vergeistigung. Sie ist das Zünden des Geistes in der Materie, der natürliche Trieb zur Gestaltung und Vergeistigung des Lebens – auch einen solchen Naturtrieb gibt es. »Des Lebens Leben« hat Goethe sie genannt, weil sie Leben im Licht des Geistes ist. Wie könnte der Künstler je naturfremd sein? Mit Notwendigkeit versteht er sich auf das Unbewußte, das Mächtige und Mütterliche, das Dunkelschöpferische. Er wäre nicht, was er ist, wenn er glaubte, Bewußtseinserlebnisse seien die letzte Wirklichkeit des Menschen, und so ist er gewiß kein bloßer Intellektgläubiger. Jeder, der nur eine Geschichte schreibt, weiß, daß er ein Bilddenken der Anschauung, ein symbolisches Denken treibt, bei dem der Intellekt nur der Diener tieferer Kräfte ist, der Handlanger

des Unbewußten. Wäre aber der ein Künstler, der sich nicht den geistigen Prinzipien der Ordnung, der Form, der Sinngebung verbunden fühlte und nicht den Trieb zur Durchgeistigung der Natur als seinen allerstärksten empfände? In besonders paradigmatischer Ausprägung wiederholt der Künstler die Situation des Menschen überhaupt: als Geist und Natur auf einmal, und man verfälscht die Kunst, wie man den Menschen verfälscht, wenn man sie nur als vernunftgeboren oder nur als Geschöpf des Triebes faßt.
Noch einmal, das Humane umfaßt beide Welten, die innere und die äußere, und das Politische und Soziale ist eines seiner Bereiche. Wir werden uns den Willen zu seiner Vermenschlichung und Vergeistigung, seiner Durchdringung mit Form und Vernunft, mit Freiheit und Gerechtigkeit nicht verekeln lassen durch den Vorwurf, eine solche Angelegentlichkeit sei inferior, irreligiös und ermangele des metaphysischen Sinnes, sie gehe aufs Termitenhafte aus und sei bloßer Materialismus. Materialismus – ein kindisches Schreckwort und perfid obendrein! Auf eine scheinbar idealistische Weise soll das menschlich Anständige damit hintangehalten werden – im Namen der Innerlichkeit! Materialismus kann viel geistiger, viel idealistischer und religiöser sein als die innerlichkeitsvolle Vornehmtuerei gegen das Materielle; denn er bedeutet ja gar nicht, wie der Kulturbürger will, das Versunkensein im Materiellen, sondern eben den Willen, es »mit Menschlichem zu durchdringen«. »An der Erde zu freveln, ist jetzt das Furchtbarste«, ruft Nietzsche. »Ich beschwöre euch, meine Brüder, bleibt der Erde treu. Nicht mehr den Kopf in den Sand der himmlischen Dinge stecken, sondern frei ihn tragen, einen Erdenkopf, der der Erde Sinn schafft!... Eure schenkende Liebe und eure Erkenntnis diene dem Sinn der Erde! Führt, gleich mir, die verflogene Tugend zur Erde zurück – ja, zurück zu Liebe und Leben: daß sie der Erde einen Sinn gebe, einen Menschensinn!« Das ist der Materialismus des Geistes, die Wendung eines religiösen Menschen zur Erde hin, die uns das Kosmische vertritt. Und Sozialismus ist nichts anderes als der pflichtmäßige Entschluß, den Kopf nicht mehr vor den dringendsten Anforderungen der Materie, des gesellschaftlichen, kollektiven Lebens in den Sand der metaphysischen Dinge zu stecken, sondern sich auf die Seite derer zu schlagen, die der Erde einen Sinn geben wollen, einen Menschensinn. Es ist die Gewissensempfindlichkeit für den Widerspruch, von dem ich sprach, zwischen dem, was noch immer ist, und dem, was sein sollte, der Wille zum, wenn auch immer nur annähernden, Ausgleich dieser Spannung. Es ist das Verlangen, daß der Geist nicht länger unbekümmert darum, wie weit die

Wirklichkeit hinter ihm zurückgeblieben ist und was dahinten aus ihr wird, seines Weges gehe, sondern dafür sorge, daß der Abstand zwischen dem, was ist, und dem, was sein sollte, endlich auf ein menschlich erträgliches Maß verringert werde.
Ich spreche vor Sozialdemokraten, meine geehrten Zuhörer, vor Menschen also, in deren politischer Überzeugung sich das Soziale mit dem Demokratischen verbindet, und zwar auf vollkommen berechtigte und logische Weise, denn Demokratie heißt Herrschaft des Volkswillens, und man ist heute durchaus berechtigt, jenen bessernden, geistigen Willen, von dem ich sprach, dem Willen des Volkes gleichzusetzen. Der Künstler, der geistige Mensch findet sich in ihm mit dem Volk. Man spricht heute viel von dem Niedergang und dem Ableben der Demokratie in ihren geschichtlich erprobten Formen, und es ist wahr, wenn man unter Demokratie die bürgerlich kapitalistische Republik versteht, deren Charakter in dem, was zu Weimar geschaffen wurde, oder jedenfalls in dem, was daraus gemacht worden ist, noch allzusehr vorherrscht, so muß man zugeben, daß die Geschichte dieser Staats- und Gesellschaftsform keinen sehr langfristigen Kredit mehr zu gewähren scheint. Versteht man Demokratie aber nach ihrem Wortsinn als einen Staat, in dem der Volkswille herrscht, als ein Europa, in dem der Wille seiner Völker maßgebend wäre, so ist es wenig zeitgemäß, sie für überlebt zu erklären, denn sie ist nicht verwirklicht, und das Notwendige geschieht eben darum nicht, weil sie nicht verwirklicht ist, wenigstens nicht an den wichtigsten Stellen Europas, auf die es für das Leben des Erdteils ankommt. Der Wille der Völker wird sabotiert. Was die Regierungen treiben, ist nicht dieser Wille, es geschieht gegen ihn. Die Völker wollen Frieden, Arbeit, Brot. Sie denken nicht daran, einander zu hassen, sie sind sehr mißtrauisch gegen den Schlachtruf Vaterland, sie wissen genau, daß es sich nicht um ihr Wohl handelt, wenn die Rüstungsindustrien sich schlagen, und noch weniger, wenn sie sich vertragen. Das französische Volk zum Beispiel hat seinen Willen mit unzweideutiger Klarheit kundgegeben und in der Weise, in der es ihm allein möglich war, durch den Wahlzettel. Es hat so gewählt, daß seine Willensmeinung unmißverständlich war; sie lautete: Friede, Verständigung, Ausgleich, Gerechtigkeit. Kann man behaupten, daß die regierenden Beauftragten dieses Willens ihn ausführen? Vielleicht möchten sie es, und was sie daran hindert und sie immer wieder dahin bringt, den Volkswillen unerfüllt zu lassen, ist, außer den unablegbaren Gewohnheiten der diplomatischen Machtintrige, die Tatsache, daß sie sich einem Deutschland gegenübersehen, in dem der Volkswille ebenfalls nicht zur Gel-

tung kommt. Ist etwa das, was heute bei uns regiert, ist die frömmelnde, christlich-militaristische, monarchistische Restauration, deren geistiges Rüstzeug hauptsächlich in dem stupiden Schimpfwort ›Kulturbolschewismus‹ besteht und die ganz offen, eingestandenermaßen, darauf ausgeht, den Zustand des Landes um ein Menschenalter zurückzuschrauben, – ist dies etwa, frage ich, nach seinen Worten und Taten der Ausdruck des Volkswillens? Alles, was diese Restmenschen einer feudalen Vergangenheit sagen und tun, hat zum einzigen Ziel, Deutschland in den Geisteszustand zu versetzen, der unser Teil gewesen wäre, wenn wir vor vierzehn Jahren den Krieg gewonnen hätten, und ihre beständigen Versuche, einer großen, modernen und geistig vielerfahrenen Nation die reaktionärsten Gedanken von christlich-soldatischer Untertanen-Gesinnung einzureden, haben weder mit dem Geist noch mit dem Volke etwas zu tun, – mit diesem nichts, so behaupte ich, weil sie mit jenem nichts zu tun haben.
Nein, die Demokratie ist nicht verwirklicht, die soziale, in der die Völker zu leben wünschen, während ihre Regierungen es im Namen des Vaterlandes hintertreiben. Ein anderer Völkerbund wäre nötig als der Genfer: ein Bund der Völker gegen ihre Regierungen, die ihren Friedenswillen nicht ausführen; und der bürgerlich geborene geistige Mensch muß sich heute sagen, daß, wenn in den Hauptstaaten Europas heute Arbeiterregierungen an der Spitze stünden statt bürgerlicher oder feudaler, der Erdteil ein gutes Stück weiter, als es leider der Fall ist, auf dem Wege der Ordnung, Vernunft und Gesundung vorangeschritten wäre.
Man könnte mir antworten, daß die Restauration in Deutschland ja erst von gestern datiert und daß sie nicht hätte zur Macht kommen können, wenn nicht die vorangegangenen Regierungen, unter denen sich sozialistische befanden, ihr durch ein Versagen den Weg bereitet hätten. Und doch wäre das kein Argument gegen das eben Gesagte, denn trotz sozialistischer Regierungen war die soziale Republik im Sinn einer wahrhaft den Volkswillen nach Frieden, Freiheit und Völkerverständigung erfüllenden Führung niemals eigentlich verwirklicht. Das lag, so muß man zugeben, an den Umständen, unter denen in Deutschland die Republik geboren worden war, an der Feindschaft gegen sie, die sich aus diesen Umständen ergab, und an der Kleingläubigkeit gegen sich selbst, die ihr durch diese Feindschaft eingeflößt wurde. Die soziale Republik hat nicht an sich geglaubt, sie hat nach einer Revolution, die keine wirkliche war, in Schulen, Universitäten, Gerichten, Ämtern den Geist des Alten fortwirken lassen, statt den der Zukunft an seine Stelle zu setzen; sie stand unter dem Druck von

Mächten der Vergangenheit, denen sie beständig Zugeständnisse glaubte machen zu müssen, zu denen sie in ihrem Tun und namentlich in ihrem Unterlassen beständig hinabstieg, und mit diesen Mächten meine ich all das, was dem großen Prinzip des Sozialismus in aller Welt entgegensteht und was man unter dem Namen des Nationalismus zusammenfassen kann.
Hier, meine geehrten Zuhörer, sind am leichtesten Mißverständnisse möglich. Das Vaterland! Es ist wahrhaftig eine große Sache darum, auch der sozialistische Arbeiter weiß das, so gut wie der geistige Mensch, der Schriftsteller oder Künstler es weiß. Wer könnte oder wollte auch nur die tief-natürlichen Bande leugnen und verleugnen, die uns an die Erde unseres Ursprunges fesseln, die Bande der Herkunft und Überlieferung, mit einem Worte die von Volks wegen angeborene seelische und geistige Form? Gerade der Künstler empfindet hier aristokratisch, er hat Herkunftsbewußtsein, er weiß, woher er geistig stammt, und er bejaht dies Bewußtsein mit einem gewissen Stolz. Wenn ich von mir sprechen darf, so bin ich als Mensch und Schriftsteller durchaus nicht international, wie eine gewisse kulturpolitische Kritik mir wohl vorwirft, sondern ein guter Deutscher und weiß, daß meine Arbeit gegründet ist in den Überlieferungen deutscher Kultur. Freilich herrscht in der künstlerisch-geistigen Sphäre des abendländischen Kulturkreises eine seit längerem immer zunehmende Freizügigkeit, und der Austausch an geistigen Gütern und Formen ist unter den Bedingungen unserer Zivilisation natürlich reger als in gebundeneren und national geschlosseneren Epochen. Und doch bleibt es dabei, daß das nationale Gepräge gerade bedeutender Kunstwerke niemals durch fremde Einflüsse, die bei ihrer Schöpfung geholfen haben, zu verwischen ist, und wenn eine gewisse allgemeine und übernationale Gültigkeit, sagen wir eine europäische Haltung, sie tauglich macht, in die Welt hinauszugehen und auch außerhalb des eigenen nationalen Bereiches zu wirken, so werden sie doch dort draußen immer gerade das Nationale, in unserem Falle also das Deutsche repräsentieren. Ja, es scheint ein Gesetz, daß der bedeutendere Künstler immer dem eigenen Lande ein europäisches, dem Auslande aber das Gesicht seiner Nation zukehrt. Zu Hause aber verwechselt man das Übernationale gern mit der internationalen Gebrauchsware, eine beliebte und tendenziöse Verwechslung, unter der jeder zu leiden hat, dessen Deutschtum sich auch bei anderen Völkern menschlich und formal zu bewähren vermag.
Das hängt mit einer Bewegung zusammen, die heute in fast allen Ländern Europas spürbar ist und einen gewissen geistesgeschichtlich durchaus erklärlichen und berechtigten Rückschlag gegen die

liberalen Ideen des neunzehnten Jahrhunderts bedeutet. Es ist der Sinn dieser Bewegung, den Menschengeist, der sich zu sehr ins Abstrakte und Intellektuelle verloren hatte, wieder näher an die Quellen des Lebens, an die natürliche Realität der Dinge heranzuführen und dem Pathos natürlicher Bindung und Verfestigung das Übergewicht über das der Freiheit zu geben. Das Menschliche erscheint und verwirklicht sich ja in den Lichtbrechungen des Nationalen und Volkhaften, und mit einer gewissen Geringschätzung des Abstrakten und Allgemeinen schöpft die Bewegung, von der ich spreche, aus diesen bekenntnishaften Gegebenheiten. Sie macht sich bemerkbar in Wissenschaft und Kunst, sie spielt eine große Rolle in den Bemühungen der heutigen Jugend um eine Weltanschauung, und niemand weigert sich, ihr geistesgeschichtliche Berechtigung, ja Notwendigkeit zuzugestehen. Sie ist besonders in ihren wissenschaftlichen Erscheinungen, in der modernen Anthropologie ganz danach angetan, das Wissen vom Menschen zu vertiefen und überhaupt unserem Weltbilde sattere Farben zu verleihen, als dasjenige der zurückliegenden Epoche sie besaß. Sie ist also, um ein freilich gerade von ihr verpöntes Wort zu gebrauchen, ein Fortschritt. Aber sie wird von Mächten, denen es um nichts weniger als Fortschritt zu tun ist, von den Mächten der Vergangenheit aufs gefährlichste mißbraucht und in den Dienst des Falschen und Lebenswidrigen eingespannt.

Dies geschieht, meine geehrten Zuhörer, wie Sie alle wissen, auf politisch-sozialem Gebiet. Wenn hier die philosophisch-modischen Begriffe des Blutes, des Instinktes, des Triebes und der Gewalt eingesetzt werden gegen die angeblich abgetanen und geistig nicht mehr lebensfähigen Gedanken der Freiheit und der Demokratie, so stellt jene verabscheuungswürdige Mischung von Revolution und Reaktion sich her, die wir heute so vielfach am Werke sehen, jener roh romantische Dienst am Vergangenen, der sich die Miene des Jugendlich-Zukünftigen gibt und dadurch verführerisch zu wirken versteht. Diese Art von antibürgerlicher Revolution nimmt die geistesgeschichtliche Gelegenheit wahr, um zugleich mit wirklich matt gewordenen Grundsätzen und Methoden der Menschenforschung und Welterkenntnis Errungenschaften der Menschheit für überwunden und nichtig zu erklären, die mit der Idee des Menschen, mit jedem Gefühl für die Tatsache Mensch selbst unverbrüchlich verbunden sind, und für jeden, der nicht an solchem tendenziösen Geckentum der Zeit teilhat, unveräußerlich bleiben. Diese Naturrevolution gegen das Geistige tut so, als ob die im achtzehnten und neunzehnten Jahrhundert aufgestellten Forderungen der Humanität verwirk-

licht wären und als ob deshalb das Leben, um lebendig zu bleiben, darüber hinwegschreiten und in jeder Beziehung zu ausgleichenden und wiederherstellenden Gegenforderungen übergehen müsse. Als ob, zum Beispiel, gegen die liberale und soziale Forderung der Völkervereinigung und der wirtschaftlich-politischen Zusammenfassung unseres Erdteils nun durchaus und allein der Begriff der völkischen Bindung und des Nationalismus zu stehen habe. Große Teile der Jugend, es ist leider so, zeigen sich stimmungsmäßig bereit, solche Gedankengänge anzunehmen. Aber das ist ja grundfalsch. Die humanen Forderungen der sogenannten bürgerlichen Epoche sind keineswegs verwirklicht, es hat leider nur noch allzu gute Weile mit solcher Verwirklichung, und über sie zu einem sogenannten Neuen hinwegzugehen ist eine praktisch verantwortungslose und menschenfeindliche Haltung. Die naturrevolutionäre Bewegung in ihrer politisch-sozialen Gestalt beurteilt das Jahrhundert vollkommen falsch, wenn sie es allein durch sich selbst bestimmt glaubt, denn sie übersieht, daß die von ihr verachteten und verpönten Tendenzen für dieses Jahrhundert mindestens so lebenswichtig bleiben wie sie und daß ohne die seelischen und sittlichen Inhalte, die das Wort Freiheit birgt, der Mensch nicht Mensch ist und nicht auf menschliche Art zu leben vermag.
Viele Jugend glaubt zum Beispiel, daß die Demokratie und Republik durchaus abgewirtschaftet habe und der Sozialismus demokratischen Gepräges, also die Sozialdemokratie, überall für einen lebendigen Sinn alle Anziehungskraft eingebüßt habe. Dabei sehen wir in Spanien zum Beispiel eine revolutionäre Jugend völlig begeistert für die Republik und auf dem Wege, sie mit äußerster Kraft als einen rocher de bronze zu befestigen. Wir hören von dänischen und schwedischen Wahlsiegen des Sozialismus und wissen, daß in Belgien eben noch die Sozialisten in zwanzig Gemeinden die absolute Mehrheit gewonnen haben. Das alles sind Symptome, die den Theorien des revolutionären Obskurantismus strikt widersprechen. Und eben das beweist, was ich behauptete, daß heute in hochmütigem Eifer vieles als überlebt verworfen wird, was mit Notwendigkeit noch volle und unentbehrliche Lebenskraft bewährt.
Was nun die Idee des Nationalismus, die nationale Idee betrifft, von der wir ausgingen, so versteht sich, daß die Prediger der Bindung und der Naturfrömmigkeit das Vaterländisch-Völkische als die wahre menschliche Realität gegen alles Übernationale und Völkerverbindende, gegen das Europäische und Menschheitliche, das sie als matten Liberalismus brandmarken, ausspielen und daß

sie als politische Bewegung sogar in erster Linie eine Renaissance des Nationalismus bedeutet.
Nun ist die Nation ja aber gar kein Urphänomen im Sinn der Natur-Romantik, keine anfängliche Lebenstatsache, sondern das sehr späte Ergebnis einer Vereinigung und Zusammenfassung, vor welcher Stamm und Landschaft, die später zu einer Nation zusammenwuchsen, in ebenso eigensinniger und mißtrauischer Absonderung gelebt haben, wie heute die Nationen es tun. Folgerichtigerweise müßten die völkischen Verehrer der heiligen Naturrealität viel weiter zurückgehen als auf die Nation, nämlich auf den Stamm, die Landschaft, ja auf die Familie, und sie würden auf diese Weise in einem anarchischen Individualismus endigen. Wir brauchen nur an die Geschichte der europäischen Nationen, die Geschichte Spaniens etwa oder Italiens, auch Frankreichs und vor allem Deutschlands uns zu erinnern, um innezuwerden, welche Anstrengungen es gekostet hat, um gegen den Separatismus des Natürlichen zu den großen Zusammenfassungen zu gelangen, die wir heute Nationen nennen, und um zu erkennen, daß die Nation weder etwas Erstes noch darum etwas Letztes ist. Sie ist eine Stufe zu größeren Zusammenfassungen, sie liegt auf dem Wege von Stamm und Landschaft zu Europa.
Trotz alldem empfindet die nationalistische Bewegung von heute sich nicht als rückschrittlich, sondern als Revolution. Den neuen Nationalismus nennt sie sich mit Stolz, und ich kann mich nicht enthalten, Ihnen eine Probe ihres Geistes, ihrer schwungvollen und apodiktischen Gebärde zu geben. Der italienische Faschist und Futurist Marinetti, Mitglied der von Mussolini begründeten italienischen Akademie, erklärt in einem Aufsatz:
»Darum rufen wir Futuristen, die wir schon vor zwanzig Jahren inmitten der Verweichlichung der Sozialdemokraten, der Parlamente, des Klerikalismus, des Kommunismus ausgerufen haben: das Wort Italien muß mehr gelten als das Wort Freiheit – heute noch hinzu: das Wort Italien muß auch mehr gelten als das Wort Genie! – Das Wort Italien muß auch mehr gelten als das Wort Intelligenz! – Das Wort Italien muß auch mehr gelten als das Wort Kultur! – Das Wort Italien muß auch schwerer wiegen als das Wort Wahrheit! Die Geschütze der Kritik müssen, wenn erforderlich, gegen die anderen Völker gerichtet werden, niemals gegen das eigne... Gedenkt vor allem an das wahre Meisterwerk Italiens, noch größer als die ›Göttliche Komödie‹: Vittorio Veneto! Im Namen dieses Meisterwerks, sichtbar noch heute in den Trümmern des österreichischen und ungarischen Reiches, zu Boden geworfen von unseren Tanks auf der Straße von Tarvis,

werden wir euch an die Wand stellen bei der geringsten Gefahr, alle Antiitaliener und Fremdenfreunde!«
Daß diese grotesken Albernheiten aus Italien stammen, ist mehr oder weniger ein Zufall. Sie könnten heute überall geschrieben werden, und es wäre falsch, zu glauben, daß es in deutscher Sphäre an Äußerungen dieses Stiles fehlte. Noch kürzlich hat ein literarischer Wortführer des Nationalsozialismus erklärt, deutsche Kunst habe einzig und allein den Zweck und die Aufgabe, den deutschen Menschen »unwiderstehlich« zu machen. Man könnte darauf erwidern, daß eine Kunst, deren Sinn und Leidenschaft nicht auf Wahrheit, Freiheit, Erkenntnis und Schönheit gerichtet ist, sondern auf kriegerische und nationale Ertüchtigung, das Volk, aus dem sie kommt, nicht unwiderstehlich, sondern unausstehlich machen wird.
Ich habe die Bindung an Heimat, Scholle, Vaterland und Volkskultur als eine natürliche Gegebenheit bezeichnet, die in diesem Sinn heilig und unverwüstlich ist. Das hindert nicht, daß für das politische und soziale Leben die nationale Idee heute die Führung, die Zukunft nicht mehr für sich in Anspruch nehmen kann. Sie hatte ihre heroische Zeit, und diese Zeit ihrer historischen Sendung war das neunzehnte Jahrhundert. Sie ist aus diesem Jahrhundert geboren worden und hat sich in diesem kämpfend und siegend nach allen Seiten hin und in allen Beziehungen, in politischer, sozialer, künstlerischer, vollkommen verwirklicht und ausgelebt. Es ist eine Idee der Vergangenheit und nicht der Zukunft; in aller Welt ist heute nichts mehr mit ihr anzufangen, und nur noch hinausgehen kann man über sie, um zu größeren Zusammenfassungen, die das Leben fordert, zu gelangen. Jeder Mensch von Gefühl und Verstand, auch jeder bessere Politiker, weiß, daß die Völker Europas heute nicht mehr einzeln und abgeschlossen für sich zu leben und zu gedeihen vermögen, sondern daß sie aufeinander angewiesen sind und eine Schicksalsgemeinschaft bilden, die es anzuerkennen und zu verwirklichen gilt. Solcher Lebensnotwendigkeit irgendwelche völkische Naturromantik als Argument entgegenzustellen ist nichts als frivole Quertreiberei. Gleichwohl spukt der Gedanke der sogenannten nationalen Autarkie, das heißt der materiellen und geistigen Absperrung der Völker gegeneinander und ihrer stolzen und mißtrauischen Selbstgenügsamkeit und Selbstversorgung in allen Dingen, heute überall in Europa. Und diese praktisch so unmögliche und allen Tatsachen und Notwendigkeiten des Lebens ins Gesicht schlagende Forderung wird geistig gestützt durch die angebliche Überlebtheit liberaler und humaner Ideen. Was aber zuletzt und tatsächlich immer dahinter steht, ist der Gedanke an

den Krieg, dessen man sich, so unmöglich er für jede Vernunft nachgerade geworden ist, nicht entschlagen will und kann. Wenn heute zum Beispiel das deutsche Volk für den Weizen, den es braucht, ungefähr 650 Millionen Reichsmark mehr bezahlt, als nach dem Weltmarktpreis zu zahlen notwendig wäre, wenn die Franzosen ein noch krasseres Verhältnis mit einem Zoll erreicht haben, der den französischen Weizenpreis auf 8 Mark 40 pro Scheffel trieb, während in Amerika der Weizen unter 2 Mark notiert, so sind die Tribute, die den Völkern auferlegt werden, nichts weiter als Opfer an das gegenseitige Mißtrauen und an den Gedanken selbstgenügsamer Kriegstüchtigkeit, nur läßt man das Wort Krieg bei Rechtfertigung dieser Maßnahmen schamhaft aus und spricht einfach von der Notwendigkeit, die Volksernährung zu sichern, die doch nur für den Kriegsfall in dieser Weise gesichert zu werden braucht, während im Frieden nur die Unterernährung des Volkes dadurch gesichert wird.
Ich habe dabei die Sympathie, die man aus moralischen und biologischen Gründen der Landwirtschaft zuwendet, beiseite gelassen, eine Sympathie, die gewiß ihre Berechtigung hat, obgleich ohne Zweifel auch sie in einem romantischen und tendenziös konservativen Sinn übertrieben ist. Denn die Beobachtung und Schilderung einer wahrheitsliebenden Literatur und eigne Erfahrung lehren doch, daß es sich bei der moralischen und körperlichen Kraft und Gesundheit des Bauernstandes, dem man eine heilig regenerative Rolle zuschreibt, mehr oder weniger um eine beschönigende Fiktion handelt. Wie heute die Dinge liegen, kann die Großstadt mit ihrem geweckteren Sinn für Hygiene und Sport und mit ihren neuen Freiluft-Lebensformen an den Peripherien zur vitalen Wiederherstellung mindestens ebenso nützlich beitragen wie der ländliche Lebenstyp.
Der Mißbrauch, der heute mit dem Wort national getrieben wird, diesem Trumpf- und Schreckwort, von dem für die deutsche Republik soviel Einschüchterung ausgegangen ist, daß sie an den Zugeständnissen, die sie ihm beständig gemacht hat, fast zu Grunde gegangen ist, – dieser Mißbrauch entbehrt jeder Vernunft und Logik. Dabei vergißt man, daß es sich bei dem Wort national um einen vollkommen neutralen Begriff handelt, den man mit den verschiedensten Inhalten erfüllen kann. Man spricht etwa von der nationalen Währung, deren Stand mehr oder weniger gut sein kann, man spricht von einer nationalen Literatur, das heißt dem Schrifttum, das die betreffende Nation hervorgebracht hat, wobei der Wert oder Unwert dieses Schrifttums ganz außer Diskussion steht, man spricht von nationalen Fehlern und von nationalen

Vorzügen, aber so zu tun, als ob die eine Hälfte eines Volkes national sein könnte und die andere nicht, ist vollendeter Unsinn. Mit der Lebensform unseres Volkes und mit seinen Lebensinteressen sind wir alle verbunden. Es fragt sich nur, und die Meinungen gehen nur darüber auseinander, wie diesen Interessen am besten gedient ist. Ich könnte mir einen Deutschen denken, der einen unbändigen nationalen Stolz empfunden hätte, wenn vor vierzehn Jahren am Ende des Weltkrieges Deutschland sich an die Spitze der Friedens- und Abrüstungsbewegung gestellt hätte und, statt nur auf die Wiederherstellung des Alten zu sinnen, die Führung der Welt ins Neue und Zukünftige, in die soziale Welt unserer Wünsche übernommen hätte.

Genau dies ist es aber, was von solchen, die sich nicht nur mit Auszeichnung, sondern auch mit Ausschließlichkeit als national bezeichnen, als unnational und widernational verdammt wird.

Der Streit hierüber ist, mag auch zur Zeit der Augenschein dagegen sprechen, ein durchaus unentschiedener und unausgetragener Streit. Die Ideen der sozialen Republik sind für den Augenblick in Deutschland zurückgedrängt, es herrscht auf allen Gebieten das Gegenteil. Daß hieran die Republik selbst nicht unschuldig ist, deutete ich schon an. Was man die politische Linke nennt, das ist unbestreitbar gegenwärtig ausgeschaltet; man hat sich mit der Tatsache abzufinden, daß den Augenblick zu meistern und das Chaos hintanzuhalten an ihrer Stelle die gemäßigte Rechte geschichtlich berufen ist. Diese hat ganz einfach die Notaufgabe, dem deutschen Volk Zeit zu gewinnen zur Besinnung und zur Erkenntnis, und die Aufgabe der zurückgedrängten Linken kann es im Augenblick nur sein, dafür zu sorgen, daß die herrschenden Mächte diese vergleichsweise bescheidene Berufung nicht überschreiten und daß die errungenen Grundrechte des Volkes nicht angetastet werden. Das soziale und demokratische Deutschland, dieser Überzeugung wollen wir Ausdruck geben, darf vertrauen, daß die gegenwärtige Konstellation vorübergehend ist und daß die Zukunft, so unwahrscheinlich es heute aussehen mag, dennoch ihm gehört. Das Rasen der nationalen Leidenschaften in den europäischen Ländern ist nichts weiter als ein spätes und letztes Aufflackern eines schon niedergebrannten Feuers, ein sterbendes Wiederaufflammen, das sich selbst als neue Lebensglut mißversteht, und alle Tatsachen des Lebens und der Entwicklung, die wirtschaftlichen, technischen und geistigen, zeugen dafür, daß die Zukunft auf dem Wege liegt, den einzuschlagen die Völker längst entschlossen sind und den auch wir heute abend im Geist verfolgt haben, dem Weg des Friedens und der Freiheit. [1932]

AN DAS REICHSMINISTERIUM DES INNEREN, BERLIN

An das Reichsministerium des Inneren richte ich die Bitte, es wolle dahin wirken, daß die zuständige Münchner Behörde mir die Erneuerung meines Anfang April vorigen Jahres abgelaufenen Passes bewillige und mir meine in Deutschland befindliche, seit acht Monaten mit Beschlag belegte Habe: Haus, Bibliothek, Inventar und Vermögen, zurückerstatte.

Zur Begründung und Erläuterung dieser Bitte diene folgendes.

Am 11. Februar 1933 habe ich München, meinen ständigen Wohnsitz seit vier Jahrzehnten, verlassen, um eine Reise anzutreten, die mich anläßlich des Wagner-Gedenkjahres nach Amsterdam, Brüssel und Paris führte. Ich unternahm diese Reise wie irgendeine frühere, ohne Hintergedanken, durchaus unabhängig von der politischen Lage im Reiche und in vollständiger Ahnungslosigkeit des Kommenden. Daß ich von ihr nicht, wie von vielen anderen, an meine gewohnte Arbeitsstätte zurückkehren sollte, war ich mir nicht vermutend.

Nach Absolvierung meiner Vorträge in den genannten Städten nahmen meine Frau und ich programmgemäß einen auf zwei oder drei Wochen bemessenen Erholungsaufenthalt in Arosa, und hier war es, wo die Nachrichten von dem Ausgang der Wahlen, der politischen Umwälzung in Deutschland uns überraschten. Ich war zunächst weit entfernt, in diesen Nachrichten einen Grund zu sehen, die Heimkehr auch nur zu verzögern. Im Gegenteil war es mein erster Antrieb, gerade unter diesen Umständen sofort nach Hause zurückzukehren. Meine Koffer waren gepackt, als Freundeswarnungen von verschiedenen Seiten mich erreichten, ich möge die Grenze noch nicht überschreiten, meine persönliche Sicherheit sei nicht gewährleistet, die neue nationale Regierung in Bayern habe es feindlich auf mich abgesehen, Verhaftung drohe mir, und so fort. Diese Vorstellungen bestimmten mich, den ersten Trubel der politischen Wandlung und die Rechtsvakanz, die eine solche mit sich bringt, im Auslande abzuwarten. Daß die Stadt, in der ich den größten Teil meines Lebens in Ehren verbracht, deren Magistrat meinen fünfzigsten Geburtstag und meine Auszeichnung mit dem Nobelpreis in herzlichen Feiern begangen, und die es mir gedankt hatte, daß ich ihr durch die Jahrzehnte, auch unter unerfreulichen Verhältnissen, treu geblie-

ben war – daß diese meine zweite Heimat es auf meine *Ausstoßung* abgesehen habe, konnte ich damals nicht denken.
Dennoch lief die Radio- und Presseaktion, die Anfang April unter dem Titel ›Protest der Wagnerstadt München‹ gegen mich ins Werk gesetzt wurde, auf nichts anderes hinaus. Ich hielt mich in Lugano auf, als die Nachricht von diesem lärmenden, mit erschreckender Gehässigkeit unternommenen Angriff zu mir drang, den Freunde, Rotary-Brüder, Künstler, Kameraden, bis dahin mir scheinbar wohlgesinnte, ja ergebene Menschen gegen mich unternommen hatten, und mit einem Schlage veränderte sich das Bild, das ich mir von meiner Lage gemacht hatte. Es handelte sich um eine weitschichtige Studie über den Bayreuther Meister, ›Leiden und Größe Richard Wagners‹, die ich im Winter geschrieben und im Aprilheft der ›Neuen Rundschau‹ veröffentlicht hatte. Ihr war ein Vortrag entnommen, den ich zum erstenmal am 10. Februar, einen Tag vor meiner Abreise, im Auditorium maximum der Münchner Universität zur herzlich bekundeten Befriedigung eines fünfhundertköpfigen Publikums, darunter erster Repräsentanten des Münchner kulturellen Lebens, gehalten, und dann in Amsterdam und Paris mit dem gleichen Erfolg wiederholt hatte. Die Arbeit war getragen und erfüllt von einer tief wurzelnden, ein Leben lang unterhaltenen Leidenschaft für das Werk des großen Theatralikers; sie ist von der europäischen Kritik als einer der ansehnlichsten geistigen Beiträge zu dem produktiv sonst nicht sehr ergiebigen Gedenkfest angesprochen worden, und ich weiß wohl, daß sie, ihrer kritischen Nuanciertheit ungeachtet, ja gerade durch sie danach angetan war, selbst dort eine lebendige Anteilnahme an der faszinierenden Erscheinung Wagners wieder wachzurufen, wo diese nur noch als museal empfunden wurde, und, als Problem, matter Gleichgültigkeit verfallen schien.
Die Veranstalter jener Aktion aber sahen in meinem Aufsatz auf einmal eine Verunglimpfung des deutschen Meisters, begangen noch dazu vor den Ohren des Auslandes. Ihr ›Protest‹, unterzeichnet von einem wahren Massenaufgebot großer und kleiner Namen, Einzel-Honoratioren, Instituten und Verbänden, war seinerseits eine einzige, in den erniedrigendsten Wendungen abgefaßte Verunglimpfung meiner Person und Lebensleistung vor dem In- und Auslande. Es steht fest, daß die große Mehrzahl derer, die man zur Unterschrift herangezogen, meine Arbeit nicht gelesen hatten, andere nicht einmal mit dem krassen, zum Teil – offen gestanden – lächerlichen Texte des Protestes bekanntgemacht worden waren. Es steht fest, daß mancher der Teilnehmer bis hinauf zu den Initiatoren, sich schon heute seiner Handlungs-

weise von damals keineswegs mit reiner Genugtuung erinnert. Verbreitet aber durch den Radio-Sender und die gesamte Presse, in einem Augenblick wie diesem unter die hocherregten Massen geworfen, stellte die Kundgebung nichts anderes dar als eine furchtbare Denunziation, die mich, wäre ich zufällig an Ort und Stelle gewesen, ohne Übertreibung gesagt, Gesundheit und Leben hätte kosten können. Ich mußte begreifen, daß mein Außenbleiben weniger vorläufig war als ich gedacht hatte, und daß ich unter Menschen, die mir dies angetan, nicht so bald wieder würde leben können.

Maßnahmen gegen mein in München zurückgelassenes Eigentum belehrten mich bald des Weiteren, wie es in der Heimat um mich stand. Noch im April wurden, angeblich auf Befehl der Politischen Polizei, meine beiden Automobile, eine Horch-Limousine und ein Buick-Phaeton, und nicht nur diese, sondern dazu das DKW-Wägelchen meines Sohnes aus der Garage geholt, – nicht etwa um sichergestellt, sondern einfach, um fortan von der Münchner SA gefahren und aufgebraucht zu werden. Die Irregularität dieser Enteignung wird heute nicht mehr bestritten, ist aber niemals wieder gutgemacht worden.

Nicht lange danach erfolgte die Beschlagnahme meines Hauses nebst Einrichtung sowie meiner Bankkonten und Honorare. Soweit dieser Schritt im Interesse des Finanzamtes geschah, das, wenn mein Fernbleiben sich als dauernd herausstellen sollte, Anspruch auf die Reichsfluchtsteuer hatte, war nichts dagegen einzuwenden: Tatsache ist aber, daß trotz früherer klarer Versprechungen der Politischen Polizei, die Beschlagnahme auch nach Befriedigung des Finanzamtes und bis zum heutigen Tage nicht aufgehoben worden ist.

Meinem Anwalt, Dr. Valentin Heins, einem vielfach ausgezeichneten Kriegsteilnehmer, der sich, aus menschlicher Verbundenheit mehr noch als aus beruflichem Eifer, meiner Interessen während dieses Jahres mit beispielloser Hingabe und unermüdlicher Zähigkeit angenommen hat, war es gelungen, den zur Erlegung der Reichsfluchtsteuer erforderlichen Teil freizubekommen: die Zahlung des hohen Prozentsatzes meines Gesamtbesitzes konnte zugleich mit meiner polizeilichen Abmeldung erfolgen, das Finanzamt war befriedigt, ich durfte meine Lage als legalisiert betrachten, und wenigstens die Erträgnisse meiner literarischen Arbeit blieben mir nicht länger entzogen. Aber keinen Vorstellungen, Reklamationen und unendlichen Bemühungen meines Anwaltes ist es bis heute gelungen, den Rest meines Münchner Guthabens und vor allem mein Haus nebst

Inventar und der für meine Arbeit so unentbehrlichen Bibliothek aus dem Gewahrsam der Politischen Polizei zu befreien, ja, von dieser wurde die Villa – ein nur zur Sicherstellung mit Beschlag belegtes, keineswegs enteignetes Objekt – ohne meine Zustimmung einige Monate lang der Benutzung durch einen privaten Pensionsbetrieb von fünfzehn Köpfen überlassen, – eine Verfügung, die wohl in dieselbe Kategorie wie die Wegführung der Autos gehört, nur daß sie sehr viel später getroffen wurde und kaum noch, wie diese, als revolutionäre Handlung erläutert werden kann. – Und ebensowenig wie die Freigabe meines Eigentums ist bis zur Stunde die Verlängerung beziehungsweise Erneuerung meines abgelaufenen Passes zu erreichen gewesen. Alle Versuche an Ort und Stelle oder bei den Konsulaten sind gescheitert und mußten scheitern, da, wie ich erfuhr, ein Rundschreiben der Münchner Politischen Polizei an die deutschen Vertretungen im Ausland vorliegt, mir die Erteilung des staatsbürgerlichen Ausweises zu verweigern. Ein Schritt der Berner deutschen Gesandtschaft in München blieb erfolglos. Ein eigener direkter Versuch, den ich noch vor kurzem auf Anraten des Zürcher Generalkonsulates unter Hinweis auf die veränderte und rechtlich durchaus geklärte Lage bei der Münchner Polizeidirektion unternahm, endete mit schlichter Abweisung ohne Angabe von Gründen.
Die Unfolgerechtheit im Verhalten der Münchner Behörde ist offenkundig. Bittere Erfahrungen bestimmen mich, auf die Rückkehr nach Deutschland, in die Stadt, in der ich länger als ein Menschenalter gelebt und gewirkt, in das Heim, das ich mir dort gegründet und in dem ich meine Tage zu beschließen gedacht hatte, auf unbestimmte Zeit zu verzichten und meinen Wohnsitz im deutschsprachigen Auslande zu nehmen. Die gesetzliche Auswanderungssteuer – eine Abgabe, die meine Lebensverhältnisse natürlich von Grund aus verändert hat – läßt man mich erlegen. Aber man zieht daraus weder die Konsequenz, mir meine restliche Habe zurückzugeben, noch ist man zu bewegen, mir, einem legal in der Schweiz lebenden deutschen Bürger, den Paß zu erneuern. Welchen Sinn hat das? Ist es nötig zu sagen, daß das Ausland diese Behandlung eines deutschen Schriftstellers, der seinem Vaterlande niemals Unehre gemacht, ja der, durch Kränkungen dazu herausgefordert, wohl das Gegenteil von sich behaupten darf, nicht begreift und daß sie dem Ansehen Deutschlands als Kultur- und Rechtsstaat nicht förderlich ist? Es ist wahr, ich kann zur Not ohne bürgerlichen Ausweis leben. Die Staaten, in denen ich mich seit Jahresfrist aufgehalten habe, Frankreich und die Schweiz, haben mir ein gastliches Entgegenkommen erwiesen, das mich –

ich muß es aussprechen – als Deutschen beschämt hat. Sie sehen in mir nicht den Repräsentanten irgendeines politischen Systems, sondern des deutschen Geistes; und es hat ja den Anschein, daß die obersten Amtsstellen des Reiches nicht abgeneigt sind, sich dieser Auffassung anzuschließen. Den Gedanken, mir den deutschen Namen abzuerkennen, haben diese entscheidenden Stellen nicht in Betracht gezogen, sie haben ihn jedenfalls von der Hand gewiesen. Ist denn aber nicht durch diese Entschließung den Maßnahmen der Münchner Behörde gegen mich, der Verweigerung des Passes sowohl wie der Einbehaltung meines Vermögens, jede rechtliche und logische Grundlage entzogen?
Ich muß hier auf die politischen Hintergründe meines Falles, die Motive des Übelwollens, das seine Bereinigung verzögert, mit einigen Worten eingehen. Meinem Anwalt hat man an Münchner Amtsstellen bedeutet, die Schwierigkeiten, die dieser Bereinigung entgegenständen, ergäben sich aus der Tatsache, daß ich ein »marxistischer Schriftsteller« sei. Das ist eine befremdende Vereinfachung, ja Verkennung meiner Wirksamkeit und geistigen Existenz. Vor allem ist mein Ansehen als Schriftsteller in Deutschland und im Auslande keine Frucht der vierzehn Jahre deutscher Republik und ist nicht an sie gebunden. Der Familienroman, dem es beschieden war, zu einem millionenfach verbreiteten Hausbuch des deutschen Bürgertums zu werden, erschien um die Jahrhundertwende, und die ihm zunächst folgenden Arbeiten, welche mein literarisches Bild vervollständigten, gehören ebenfalls der Epoche von vor dem Kriege an. Das Schwergewicht meiner Natur lag und liegt im Geistig-Künstlerischen, nicht im Politischen. Die nationalen Wirkungen, die von meiner Produktion ausgingen, waren sittlicher und formaler, sie waren kultureller Art. Eben darin glaube ich mich »deutsch«, daß ich das Moralisch-Ästhetische als meinen natürlichen Bereich empfand und die politisch-gesellschaftliche Sphäre als unterwertig ignorierte. Als die Erschütterung des Krieges auch mich zum politischen Bekenntnis zwang, da war es gerade die Politisierung, das heißt die Demokratisierung des deutschen Geistes, gegen die ich (in den ›Betrachtungen eines Unpolitischen‹) den Kampf aufnahm. Dies Buch war ein einziges großes Rückzugsgefecht romantisch-apolitischer Bürgerlichkeit vor der überwältigend andringenden Politik. Große Werte der Vergangenheit und der Tradition, denen man sich verbunden fühlt, auch ohne jede Aussicht auf Erfolg gegen das Revolutionäre zu verteidigen, das erschien mir immer als würdige und soldatisch-ehrenhafte Aufgabe eines Schriftstellers.

Nach diesem Sinne habe ich gehandelt, auch gegen diejenige Revolution, die dann in Deutschland und über Deutschland den Sieg davongetragen hat. Ich war bei den konservativ-antipolitischen Ideen der ›Betrachtungen‹ nicht stehengeblieben. Das Erleben der Zeit hatte mich gelehrt, das menschliche, das humane Problem als eine Totalität zu begreifen, zu der allerdings und unweigerlich auch das Politisch-Soziale gehörte, was freilich etwas anderes war, als nun etwa das Politische, den Staat, für das Ganze zu nehmen und ihn totalisieren zu wollen. Die Republik, die ich nicht herbeigesehnt hatte, schien mir eine Schicksalsgegebenheit, und in gewissen Reden und Aufsätzen habe ich während der Nachkriegszeit den Versuch gemacht, mein Volk oder diejenigen seiner Schichten, auf die ich Einfluß besaß, mit diesem Schicksal auszusöhnen, wobei ich mich, namentlich in dem Essay ›Von deutscher Republik‹, der traditionellen Anknüpfungsmöglichkeiten bediente, die die deutsche Romantik bot. Friedensliebe, der Wunsch, meine Nation nicht nur mit ihren eigenen, vom Schicksal diktierten Aufgaben, sondern auch mit der Welt, mit Europa zu versöhnen, führten mir die Hand bei diesen dem Pflichtgefühl, nicht der Anmaßung entstammenden und immer nur die künstlerische Tätigkeit begleitenden Arbeiten. Viel zu sicher fühlte ich mich in deutscher Überlieferung geborgen, als daß ich je von meinen europäischen Sympathien eine Beeinträchigung meines Deutschtums hätte befürchten können. Daß ein Schriftsteller der europäischen Welt ein nationales, dem eigenen Lande aber ein europäisches Gesicht zukehrt, ist seit Goethe's Tagen in Deutschland nichts Neues. Das Ausland hat mich, seit mein Werk ihm sichtbar wurde – etwa seit Abschluß des Krieges – immer als spezifisch deutsche Figur gesehen und wohl empfunden, daß meine Bücher nirgends sonst als in Deutschland, aus deutscher Kultur- und Geistesform hätten entstehen können. Das beruhigte mich zu einem gewissen Grade darüber, daß manche Landsleute zuletzt nichts anderes mehr als einen entwurzelten Intellektuellen in mir erblicken wollten und eine gewisse Europafähigkeit meiner Bücher mit charakterlosem Internationalismus verwechselten.
Daß ich mir »schadete« mit meinem politischen Eintreten und Zureden, daß vielen Deutschen schon ein solches »Herabsteigen« eines Dichters auf den Markt und in die Arena des öffentlichen Meinungskampfes für entwertend und dichterisch entehrend galt – ein echt deutscher Einwand, der jedoch nicht gegolten hätte, wenn ich mit dem Strom geschwommen wäre – wußte ich wohl und hatte darunter zu leiden. Klüger, im egoistisch-lebenspolitischen Sinn und bequemer wäre es gewesen zu schweigen. Doch

nahm ich es ernst mit der »Republik als Aufgabe«, wie ich sie meinen Landsleuten darzustellen versucht hatte, und solange es eine Diskussion gab, habe ich fortgefahren, dem zu Gunsten zu reden, was ich für das Rechte und Gute hielt. Daß dies der »Marxismus« gewesen wäre, ist wenig zutreffend. Ich habe das deutsche Bürgertum – also meine eigene Klasse, die Sphäre meiner eigenen Herkunft und Bindung – aufgefordert, sich politisch an die Seite der sozialdemokratischen Arbeiterschaft, dieser kulturell so gutwilligen deutschen Menschenart zu stellen, weil das einen mächtigen Kräftezustrom für eben dies Bürgertum und in meinen Augen die Rettung der bürgerlichen Kultur bedeutet hätte. Historisch gesehen war es kein unmöglicher Gedanke; denn hatte nicht schon im Jahre 1848 die Arbeiterklasse, bei ihrem ersten Hervortreten, in Bundesgenossenschaft mit dem Bürgertum gestanden? Eine bürgerlich-sozialistische Frontbildung zur Herstellung einer wirklichen sozialen und demokratischen Republik wäre – so schien mir – die humane, die friedliche und die europäische Lösung der deutschen Frage, sie wäre zugleich im kulturellen Sinn die konservativste gewesen.

Das Schicksal ist über solche Wünsche hinweggegangen, und ich bin nicht der Tor, gegen seinen mit hinlänglicher Entschiedenheit erlassenen Spruch zu revoltieren. Die elementarischen und, wie ich wohl wußte, vom Verhängnis auf alle Weise begünstigsten Mächte, in deren Zeichen längst alles stand, und denen im Kampf der Kräfte und Gesinnungen der unumschränkte, der totale und alles bestimmende Sieg für zweifellos lange Frist bestimmt war, habe ich im engen Rahmen meiner Möglichkeiten bekämpft, solange das einen Sinn hatte, und aus meiner inneren angeborenen und naturnotwendigen Abneigung gegen das nationalsozialistische Staats- und Weltbild mache ich auch heute, an dieser Stelle, um so weniger ein Hehl, als ich die Geringschätzung kenne und würdige, die der siegreiche Nationalsozialismus der Speichelleckerei und dem eifrig sich empfehlenden Überläufertum entgegenbringt. Seitdem aber die Geschichte ihr Wort gesprochen, habe ich *geschwiegen* und mich strikt an die Erklärung gehalten, die ich beim Austritt aus der Preußischen Akademie der Künste abgab: Es ist mein Entschluß, alles Offizielle, das sich im Lauf der Jahre an mein Leben gehängt habe, davon abzustreifen und in *vollkommener Zurückgezogenheit meinen persönlichen Aufgaben zu leben.*

Ich habe einsehen gelernt, daß ich diesen Vorsatz – die Konsequenz aus meinem früheren Eintreten für historisch unterlegene Ideen – am besten außerhalb der Reichsgrenzen verwirkliche, und

daß diese Lebensform mir die innere Ruhe am ehesten gewährleistet, die ich brauche, um mein dichterisches Lebenswerk – ein nachweislich der Nation auch heute nicht gleichgültiges Werk – zu Ende zu führen. Eine leicht erkämpfte Einsicht ist das nicht. Daß ich mich deutscher Kulturüberlieferung aufs tiefste und natürlichste zugehörig fühle, mein Denken und Dichten zuerst und zuletzt von ihr bestimmt weiß, sagte ich schon; und so hat der Gedanke des Exils, des auch über einige Jahre sich erstreckenden Lebens außerhalb meines Landes von jeher einen überaus schweren und verhängnishaften Akzent für mich getragen. Daß gerade mir je das Los des Emigranten zufallen könnte, habe ich mir nicht träumen lassen, es ist mir sozusagen nicht an der Wiege gesungen worden, und schon rein menschlich ist es begreiflich, daß für den fast Sechzigjährigen das jähe Abgeschnittensein von seiner ganzen gewohnten Lebensbasis eine schwere Erschütterung bedeutete.
Mein Außenbleiben fasse ich denn auch nicht als dauernde Trennung vom Vaterlande auf, sondern als eine vom Schicksal verordnete Episode, als eine Beurlaubung, wenn ich so sagen darf, aus der Volksgemeinschaft für eine unbestimmte, aber gemessene Frist. Auch war es von Anfang an mein Wille, mich geistig, was irgend an mir läge, von meinem innerdeutschen Publikum nicht trennen zu lassen. Meine Bücher, so sagte ich mir, sind für Deutsche geschrieben, für solche zuerst und ursprünglich. Sie sind das Produkt einer wechselseitigen erzieherischen Verbundenheit von Nation und Autor und rechnen mit Voraussetzungen, die ich selbst erst in Deutschland habe schaffen helfen. Die »Welt« und ihre Teilnahme waren immer nur ein erfreuliches Akzidens; mit ihr allein kann ich nichts anfangen. Die Wurzellosigkeit, die nur Unverständige mir nachsagen, will ich nicht selber am Ende zur Tatsache machen. So habe ich zu einem Zeitpunkt, als es noch sehr ungewiß war, ob ich aus Deutschland je einen Pfennig Honorar würde beziehen können, alle ausländischen Angebote, die mir auf meine neue epische Arbeit, den biblischen Roman, gemacht wurden und deren Annahme mir das Leben gesichert hätte, zurückgewiesen und auf jede Gefahr hin den ersten und zweiten Band des Werkes in Deutschland, in dem Berliner Verlage, mit dem ich seit meinem Eintritt in die Literatur zusammenarbeitete, erscheinen lassen; und zahlreiche Kundgebungen aus der Heimat zeigen mir, daß ich recht getan. –
Ich komme auf die zu Anfang dieses Schreibens ausgesprochene Bitte zurück. Ich bitte das Reichsministerium des Inneren, das Zürcher Generalkonsulat zu ermächtigen, mir meinen Ausweis als deutscher Staatsbürger zu erneuern; und ich bitte das Reich, die

Münchner Behörde zu bestimmen, die mir dort verbliebene Habe von der Beschlagnahme zu befreien. Nicht so sehr aus praktischen Gründen bitte ich darum – obgleich diese schwer ins Gewicht fallen – als aus ideellen, aus Gründen der Ehre: weil es nicht mein Wunsch ist und eine Verfälschung meines natürlichen Schicksals bedeuten würde, mit meinem Lande in unseligem Zerwürfnis zu leben, und aus dem Gefühl, daß in den Augen der Welt auch Deutschlands Ehre aus einem solchen Zustande keinen Vorteil zöge.

[1934]

LITERATURE AND HITLER

Every author is confronted with the question whether literature ought to have »tendencies«, or whether it should keep itself free from parties and political influences. Now very obviously it is impossible that political events should not influence literature in the long run. All art is dependent either implicitly or explicitly upon political problems. It is difficult to distinguish any strong line of demarcation between artistic and political-social events. Such events naturally play an important role in artistic production. The intellectual climate of the time is a medium from which the author cannot disengage himself. This, however, does not mean that the artist is to assume the functions of the feuilletonist or mere reporter, nor does it mean that he is exempt from the exigencies of artistic discipline.

The novelist, in particular, runs up against this problem in the delineation of his characters. Should he take them from natural life, or at least try to do so, or should he create them out of his own imagination? My conception of the matter is that a character should be a mixture of the real and the ideal. The novelist may prophesy from reality but he can never draw his characters from crude life. That would be photography, not art. The art of literature, like any other art, is a spiritual elevation of reality. True art is stylized, not literal.

In the light of these general observations it is interesting to review the development of the modern German novel and to speculate regarding its future. During the last three or four decades, the German novel has undergone great changes. It has been subjected to innumerable influences – the Scandinavian realists, Ibsen and Björnson; the Russians, Turgenev, Tolstoi, an Dostoievsky; Zola and the French naturalists. I believe, however, that the future development of the German novel will experience a tremendous set-back because of the repercussions of the present political-cultural events in that unfortunate country. The terrible experiences of the German people during and since the war have had a profound influence upon German writers. At the present time we must ask ourselves whether the extreme nationalist tendency in German letters is a permanent one or simply a natural reaction due to the political disturbances which have shaken Germany since the war. I believe it is simply a transitory tendency. Nationalism has

exercised a detrimental influence on European literature in general and, more specifically, National Socialism has had the same unwholesome effect on German literature. Personally I have tried to strike a balance between what is essentially German und what is essentially European and cosmopolitan. A student of Goethe and the German romanticists, I have turned to European culture just as these masters did. Viewed from the German perspective I incline towards the European rather than towards the specifically German. My European bias derives from my mother's influence.
The attitude of the artist towards political events depends entirely upon the individual orientation of the artist in question. How is the writer affected by the struggle among Communism, Fascism, and Capitalism? This struggle does not strongly influence the writer who is turned inward and who writes of inner things. It is, however, of vital importance to the writer interested in political and social events. The personal interests of the writer, his avocational activities, so to speak, his capacity for social compassion and his Messianic drive, will operate to place him in the very midst of the social struggle. These matters will not concern the artist who is constituted otherwise.
I do not consider it appropriate to pass summary judgment upon Gerhart Hauptmann's apostasy from a liberal democrat to National Socialism. Yet he represents one type of attitude towards political events. Hauptmann has always been strongly and peculiarly German. From the very beginning his democracy has been strongly tinged with nationalism. He goes along with momentary political events. He is sufficiently versatile to adjust himself to changes in government control. It may be that Hauptmann is convinced of the intellectual tenets of National Socialism, although I strongly doubt it. At any rate, he is apparently dependent upon whatever regime happens to be in power at the moment.
Exiled German authors are in great danger of losing contact with their native country. Their banishment has raised the question as to whether any such expatriated literature outside of Germany – a literature in exile.[!] I confess to doubt whether any such expatriated literature can ever achieve permanency or vigor. There is great danger that the feeling for German life will be lost, that the exiles will get out of touch with it. This has already happened to the Russian exiles who, when they began to write in a different cultural sphere, in a social vacuum, so to speak, found they had no solidity under their feet. I have been very sensitive to this danger in my personal situation. I, too, live outside of Germany because conditions there are unfavourable to my work, but I nevertheless

retain my intimacy with German culture and the German language. That is why I have chosen to live in the German part of Switzerland.
An appeal has been made by my brother, Heinrich Mann, to the effect that all Germans in exile should unite and keep alive the ideals of liberal and radical Germany outside of her borders. However, I do not believe much in collective action among intellectuals. I believe that every individual artist should pursue the work that interests him alone. I have found the collaboration in intellectual matters has always been injurious to the individual artist. This is a view that I held before the present events in Germany and it is one to which I still adhere even after the National Socialist resurgence. I have always felt that the work of the individual artist is more important than that of an organization, and therefore I do not concur in the organization of German émigrés in matters intellectual or artistic. I believe, however, that it is the duty of the German writer, and of all writers to work for world peace. How this is to be accomplished is another matter, for, if you were to ask Hitler and Goering, they would answer that Germany is a pacific state and that they, too, are working for world peace.
I should answer an emphatic »no« to those who contend that Germany's literary and social life was really in danger of Communism before the advent of Hitler. On the other hand, the definite policies of Goebbels with regard to literature and culture have opened a wide field for opportunists and mediocre writers to ride in on the wave of pseudo-patriotism. Naturally, the present political organization presents a great temptation for weak characters and demagogues. However, it is not lasting. It is a fact that all those early books on »hereditary ties« and »fatherland« are no longer being bought in such quantity by the German public. The public is beginning to tire of them. German journalism, of course, because of its enforced uniformity, has reduced German newspapers to mere bulletins issued by the official agencies of the government. That is the fundamental idea of the German press. Just as in Italy and in Russia, the press is an instrument of the government, and only an instrument. However, might it not be said that there are special interests behind all publications?
In a recent interview with a leading New York daily, I was quoted as having said that German socialism was growing and was much more deeply felt among the German masses than was nationalism. This statement was not entirely correct. Yet it has a certain basis of truth. What I actually did mean was that in certain *quarters*,

particulary among strata of the youth, certain socialistic tendencies exist and these tend to overcome the forces of reaction. There is a kind of socialism in Germany somewhat like that in Russia. The state takes an active part in business. Individualism which has been synonymous with capitalism, has disappeared in favor of collective enterprise. The government controls prices, and fixes import and export quotas in Germany. This may eventually develop into socialism. It was expected that when the Nazis took over the reigns of government, they would introduce some form of socialism. Nothing of the sort has happened. Still the dissatisfaction of the entrepreneur in present-day Germany is great, which is evidence that the government is not entirely favorable to capitalism.
As far as my own work is concerned, I am at present occupied with a biblical romance, ›Joseph and His Brothers‹. The second volume of this work has already appeared in Germany. At the present I am at work on the third volume. I shall require about another year for its completion. If I may be permitted a personal opinion, I believe that ›Joseph and His Brothers‹ is my best work.

[1934]

[Rückübersetzung:]

LITERATUR UND HITLER

Jeder Schriftsteller sieht sich vor die Frage gestellt, ob die Literatur »Tendenzen« haben oder sich von Parteien und politischen Einflüssen freihalten solle. Nun ist es ganz offensichtlich unmöglich, daß politische Ereignisse die Literatur auf längere Sicht nicht beeinflussen. Alle Kunst hängt entweder stillschweigend oder ausdrücklich von politischen Problemen ab. Es ist schwer, zwischen künstlerischen und politisch-sozialen Ereignissen eine scharfe Trennungslinie auszumachen. Solche Ereignisse spielen natürlich bei der künstlerischen Hervorbringung eine bedeutende Rolle. Das geistige Klima der Zeit ist ein Medium, aus dem der Schriftsteller sich nicht herauslösen kann. Dies bedeutet jedoch nicht, daß der Künstler die Funktionen des Feuilletonisten oder des reinen Reporters übernehmen solle, und ebensowenig bedeutet es, daß er von den Anforderungen der künstlerischen Disziplin befreit ist.
Der Romancier im besonderen stößt auf dieses Problem bei der Zeichnung seiner Personen. Soll er sie aus dem natürlichen Leben

nehmen oder doch zumindest es versuchen, oder soll er sie aus der eigenen Phantasie erschaffen? Meine Auffassung der Sache ist, daß eine Person, ein Charakter eine Mischung aus Realem und Idealem sein sollte. Der Romancier kann sich die Wirklichkeit zunutze machen, aber er kann niemals seine Charaktere nach dem unverfälschten Leben zeichnen. Das wäre Photographie und nicht Kunst. Die Kunst der Literatur ist, wie jede andere Kunst, eine geistige Erhöhung der Wirklichkeit. Echte Kunst ist stilisiert, nicht wortgetreu.

Es ist interessant, im Licht dieser allgemeinen Bemerkungen die Entwicklung des modernen deutschen Romans zu betrachten und Überlegungen über seine Zukunft anzustellen. Während der letzten drei oder vier Jahrzehnte hat der deutsche Roman große Wandlungen erfahren. Er war unzähligen Einflüssen unterworfen – den skandinavischen Realisten, Ibsen und Björnson; den Russen, Turgenjew, Tolstoi und Dostojewski; Zola und den französischen Naturalisten. Ich glaube jedoch, daß die künftige Entwicklung des deutschen Romans infolge der Auswirkungen der gegenwärtigen politisch-kulturellen Ereignisse in diesem unglücklichen Land einen gewaltigen Rückschlag erfahren wird. Die schrecklichen Erlebnisse des deutschen Volkes während und seit dem Krieg haben einen tiefen Einfluß auf die deutschen Schriftsteller gehabt. Gegenwärtig müssen wir uns fragen, ob die extrem nationalistische Tendenz im deutschen Schrifttum etwas Dauerndes ist oder einfach nur eine natürliche Reaktion auf die politischen Unruhen, die Deutschland seit dem Krieg erschüttert haben. Ich glaube, daß es lediglich eine vorübergehende Tendenz ist. Der Nationalismus hat ganz allgemein einen abträglichen Einfluß auf die europäische Literatur gehabt, und der Nationalsozialismus hat dieselbe schädliche Wirkung auf die deutsche Literatur. Persönlich habe ich versucht, einen Ausgleich zwischen dem wesentlich Deutschen und dem wesentlich Europäischen und Weltbürgerlichen zu finden. Als Kenner Goethe's und der deutschen Romantiker habe ich mich ebenso wie diese Meister der europäischen Kultur zugewandt. Aus deutscher Sicht betrachtet, neige ich eher dem Europäischen als dem spezifisch Deutschen zu. Meine europäische Voreingenommenheit leitet sich vom Einfluß meiner Mutter her.

Die Einstellung des Künstlers zu politischen Ereignissen hängt völlig von der individuellen Orientierung des in Frage stehenden Künstlers ab. Wie wird der Schriftsteller von dem Kampf zwischen Kommunismus, Faschismus und Kapitalismus berührt? Dieser Kampf wird den Schriftsteller, der sich nach innen wendet

und über innere Dinge schreibt, nicht stark beeinflussen. Er ist jedoch von lebenswichtiger Bedeutung für den Schriftsteller, der an politischen und sozialen Ereignissen interessiert ist. Die persönlichen Interessen dieses Schriftstellers, seine beruflichen Betätigungen sozusagen, seine Fähigkeit für soziales Mitgefühl und sein messianischer Drang werden dahin wirken, ihn in die Mitte des sozialen Kampfes zu stellen. Ein Künstler, der anders zusammengesetzt ist, wird sich um diese Dinge nicht kümmern.
Ich halte es nicht für passend, ein summarisches Urteil über Gerhart Hauptmanns Abtrünnigkeit vom liberalen Demokraten zum Nationalsozialismus zu fällen. Aber er repräsentiert immerhin einen Haltungstyp gegenüber politischen Ereignissen. Hauptmann war stets sehr stark und sehr eigentümlich deutsch. Seine Demokratie war von Anfang an sehr stark mit Nationalismus getönt. Er geht mit den augenblicklichen politischen Ereignissen mit. Er ist ausreichend vielseitig, um sich Veränderungen in der Regierungskontrolle anpassen zu können. Es mag sein, daß Hauptmann von den geistigen Grundsätzen des Nationalsozialismus überzeugt ist, obwohl ich dies stark bezweifle. Jedenfalls ist er anscheinend von jedem Regime abhängig, das im Augenblick gerade an der Macht ist.
Die exilierten deutschen Schriftsteller sind in großer Gefahr, den Kontakt mit ihrem Heimatland zu verlieren. Ihre Verbannung hat die Frage aufgeworfen, ob irgendeine solche Literatur außerhalb Deutschlands – eine Literatur im Exil – lebensfähig ist. (?) Ich gestehe meinen Zweifel, daß irgendeine solche expatriierte Literatur Dauer oder Entwicklungskraft haben kann. Es besteht die große Gefahr, daß das Gefühl für deutsches Leben verlorengeht, daß die Exilierten die Verbindung mit ihm verlieren. Dies ist bereits den russischen Exilierten widerfahren, die, als sie in einer anderen Kultursphäre, in einem sozialen Vakuum sozusagen, zu schreiben begannen, feststellten, daß sie keinen festen Boden unter den Füßen hatten. Ich habe in meiner persönlichen Lage diese Gefahr sehr empfindlich gespürt. Auch ich lebe außerhalb Deutschlands, weil die Verhältnisse dort meiner Arbeit ungünstig sind, aber ich halte nichtsdestoweniger an meinem vertrauten Verhältnis zur deutschen Kultur und zur deutschen Sprache fest. Deshalb habe ich mich entschlossen, in der deutschsprachigen Schweiz zu leben.
Mein Bruder Heinrich Mann hat einen Appell an alle Deutschen im Exil gerichtet, sich zusammenzuschließen und die Ideale des liberalen und radikalen Deutschland außerhalb seiner Grenzen lebendig zu halten. Ich habe jedoch keinen großen Glauben an

kollektive Aktionen unter Intellektuellen. Ich glaube, daß jeder einzelne Künstler dem Werk nachgehen soll, das ihn allein interessiert. Ich habe gefunden, daß Zusammenarbeit in geistigen Angelegenheiten den einzelnen Künstler stets geschädigt hat. Ich war dieser Auffassung bereits vor den gegenwärtigen Ereignissen in Deutschland, und ich halte an ihr auch nach der nationalsozialistischen Wiedererweckung fest. Ich war immer der Meinung, daß die Arbeit des individuellen Künstlers wichtiger ist als die einer Organisation, und deshalb bin ich mit der Organisation deutscher Emigranten in geistigen und künstlerischen Angelegenheiten nicht einverstanden. Ich glaube jedoch, daß es die Pflicht des deutschen Schriftstellers wie überhaupt aller Schriftsteller ist, für den Frieden zu wirken. Wie dies zu bewerkstelligen ist, ist eine andere Frage, denn wenn man Hitler und Göring fragte, würden sie antworten, daß Deutschland ein friedliebender Staat ist und daß auch sie für den Frieden wirken.
Ich würde mit einem nachdrücklichen »Nein« allen jenen antworten, die behaupten, Deutschlands literarisches und soziales Leben sei vor dem Machtantritt Hitlers wirklich in Gefahr gewesen, kommunistisch zu werden. Andererseits hat die genau umrissene Politik Goebbels' hinsichtlich Literatur und Kultur den Opportunisten und mittelmäßigen Schreibern ein weites Feld geöffnet, um auf der Welle des Pseudo-Patriotismus mitzuschwimmen. Selbstverständlich stellt die gegenwärtige politische Organisation eine große Versuchung für schwache Charaktere und Demagogen dar. Das ist jedoch nicht von Dauer. Es ist eine Tatsache, daß diese anfänglichen Bücher über »Erbgut« und »Vaterland« vom deutschen Publikum nicht mehr in solchen Mengen gekauft werden. Die Öffentlichkeit beginnt ihrer müde zu werden.
Der deutsche Journalismus hat freilich durch seine erzwungene Einförmigkeit die deutschen Zeitungen zu reinen Regierungsbulletins reduziert. Das ist der Grundgedanke der deutschen Presse. Genau wie in Italien und Rußland ist die Presse in Deutschland ein Instrument der Regierung und nur ein Instrument. Aber kann man andererseits nicht sagen, daß hinter allen Publikationen besondere Interessen stehen?
In einem kürzlichen Interview mit einer führenden New Yorker Tageszeitung wurde ich dahingehend zitiert, daß ich gesagt hätte, der deutsche Sozialismus sei im Wachsen und werde von den deutschen Massen viel tiefer empfunden als der Nationalismus. Diese Äußerung stimmt nicht ganz. Und doch liegt ihr eine gewisse Wahrheit zugrunde. Was ich tatsächlich meinte, war, daß in gewissen *Kreisen*, besonders unter der Jugend, gewisse soziali-

stische Tendenzen vorhanden sind und diese dahin tendieren, die Kräfte der Reaktion zu überwinden. Es gibt in Deutschland eine Art Sozialismus, die dem in Rußland einigermaßen ähnlich ist. Der Staat beteiligt sich aktiv am Geschäftsleben. Der Individualismus, der gleichbedeutend war mit dem Kapitalismus, ist zugunsten des Kollektiv-Unternehmens verschwunden. Die Regierung in Deutschland steuert die Preise und setzt die Einfuhr- und Ausfuhrquoten fest. Als die Nazis die Regierung übernahmen, erwartete man, daß sie eine gewisse Form des Sozialismus einführen würden. Nichts dergleichen ist geschehen. Immerhin ist die Unzufriedenheit des Unternehmertums mit dem gegenwärtigen Deutschland groß, was beweist, daß die Regierung dem Kapitalismus nicht gerade günstig gesonnen ist.
Was meine eigene Arbeit angeht, so bin ich gegenwärtig mit einem biblischen Roman ›Joseph und seine Brüder‹ beschäftigt. Der zweite Band dieses Werkes ist bereits in Deutschland erschienen. Gegenwärtig arbeite ich am dritten Band. Ich werde noch etwa ein Jahr zu seiner Vollendung brauchen. Wenn mir eine persönliche Meinung gestattet ist, so glaube ich, daß ›Joseph und seine Brüder‹ meine beste Arbeit ist.

[1934]

ACHTUNG, EUROPA!

Es ist nicht mehr als loyal, vorauszuschicken, daß der Verfasser dieser Zeilen im Beginn des siebenten Jahrzehnts seines Lebens steht. Altersverstimmung gegen die Zeit mag eine in dem Grade gesetzmäßige Erscheinung sein, daß sechzig und mehr Jahre die Meinungen eines Mannes über ›Das Neue‹, den Zustand der Welt, in den hineinzuleben ihm bestimmt war, einigermaßen entwerten. Dennoch werde ich nicht auf viel Widerspruch stoßen bei der Behauptung, daß man nicht unbedingt sechzig sein muß, um die gegenwärtige Verfassung Europas grauenhaft zu finden. Man hat Jüngere dabei auf seiner Seite, vielleicht jeden, der überhaupt imstande ist, sich von Zeit und Mitwelt kritisch zu distanzieren, statt dumm und fröhlich mit zu sein, was die anderen sind. Wem diese vom Standpunkt des Eudämonismus allerdings zweifelhafte Gabe zuteil wurde, der ist nicht nur berechtigt, sondern verpflichtet, von ihr Gebrauch zu machen, solange er lebt: das Leben selbst, das kein Zufall ist, haftet für jene Kompetenz, die erst der Tod uns entzieht. Es ist merkwürdig genug, wie wenig man sich das Urteil eines Abgeschiedenen über das, was nach ihm kam, vorzustellen vermag. Das Gedankenexperiment, so gern man es anstellen mag, erweist sich als undurchführbar und müßig; die Stellungnahme eines aus der Zeit Gerufenen zur Zeit ist eine nicht nur physische, sondern auch geistige Unmöglichkeit. Auf ihrer Zeitentrücktheit beruht die Distinktion der Toten, die einem Dichter das Wort eingab: »Ein toter Bettelmann ist vornehmer als ein lebendiger König.« Aber auch das Leben hat seine Vornehmheit, denn es ist eine wählende Macht, und die Tatsache selbst, daß es uns in der Zeit, der Welt der Entwicklungen hält, bedeutet die biologische Autorisation und natürliche Berufung zum Mitreden in irdischen Angelegenheiten: wir sind mit unserem Urteil zuständig in dieser Zeitlichkeit, und daß wir »die Welt nicht mehr verstünden«, hat als Mundverbot so wenig Sinn wie als freiwillige Abdankung.

So sind niemals sehende und sorgende Menschen vor scharfen Urteilen über die junge Mitwelt ihres Alters zurückgeschreckt, nur weil sie eben alt waren. Diese Urteile mochten ja trotzdem richtig sein. Goethe's Altersbekenntnis, daß er die Jugend herzlich liebe und sich selbst, da er noch jung gewesen, auch viel lieber gehabt habe als jetzt, steht mitten zwischen Äußerungen, die seine Ungeduld mit dem neuen Geschlecht, seinen Unglauben an dieses nicht verhehlen. »Wenn man sieht«, schreibt er 1812, »wie die Welt überhaupt und besonders die junge, nicht allein ihren Lüsten und Leidenschaften hingegeben ist, sondern wie zugleich das Höhere und Bessere an ihnen durch die ernsten Torheiten der Zeit verschoben und verfratzt wird, so daß ihnen alles, was zur Seligkeit führen sollte, zur Verdammnis wird, unsäglichen äußern Drang nicht gerechnet, so wundert man sich nicht über Untaten, durch welche der Mensch gegen sich selbst und andere wütet.« – Wir kennen das alles: die Verfratzung des Höheren und Besseren an den jungen Leuten, den unsäglichen äußeren Drang und auch die Untaten. Altersschüchternheit soll uns nicht hindern, die Dinge beim Namen zu nennen.

Derselbe Sechziger sagt ein andermal: »Das junge Volk hört nicht mehr. Zum Hören gehört freilich auch eine besondere Bildung.« – Bildung! Das Hohngelächter einer ganzen Generation antwortet dem Wort. Es gilt, versteht sich, dem Lieblings-Terminus liberaler Bürgerlichkeit, – als ob Bildung im Ernste nichts anderes wäre als eben dies: Liberalismus und Bürgerlichkeit. Als ob sie nicht das Gegenteil der Roheit und menschlichen Armut bedeutete und das Gegenteil der Faulheit dazu, einer elenden Schlaffheit, die elende Schlaffheit bleibt, auch wenn sie sich noch so stramm gebärdet, – mit einem Wort: als ob Bildung als Form, als Wille zur Freiheit und Wahrheit, als gewissenhaft geführtes Leben, als unendliche Bemühung, nicht die moralische Zucht selber wäre!

Ich liebe ein Altersgedicht Goethe's, das mit den Worten beginnt:

> Wo ist einer, der sich quälet
> Mit der Last, die wir getragen?

Ja, wo ist einer, der sich quälet? Die Kinder der jungen Welt behaupten, es schwerer zu haben, als wir es je gehabt hätten, weil ihr Teil das Abenteuer, die Not, die vollendete Unsicherheit sei, während wir in der wirtschaftlichen Geborgenheit des bürgerlichen Zeitalters hätten heranwachsen dürfen. Aber sie überschätzen die Bedeutung der äußeren Umstände, an deren Wandlung aus satter Behäbigkeit ins schäbig Heroische wir Söhne der Vorzeit uns ja noch auf unsere alten Tage gewöhnen müssen. Das Entscheidende ist, daß sie von »Bildung« im höheren und tieferen Sinn, von der Arbeit an sich selbst, von individueller Verantwortung und Mühewaltung nichts mehr wissen und sich's dafür im Kollektiven bequem machen.

Das Kollektive ist bequeme Sphäre im Vergleich mit dem Individuellen, bequem bis zur Liederlichkeit; was das kollektivistische

Geschlecht sich wünscht, sich gönnt und bewilligt, sind die immerwährenden Ferien vom Ich. Was es will, was es liebt, das ist der *Rausch*, und bei diesem Wort, dessen hohe und heilige Inhalte gewiß unentbehrlich sind für die Steigerung und religiöse Erhöhung des Lebens, zeigt sich sogleich, wie sehr die kollektivistische Lebensmode von heute nur ein Beispiel ist für die populäre Verhunzung großer und ehrwürdiger europäischer Intuitionen im modernen Massenverschleiß und -verbrauch. »Eines zu sein mit allem, was lebt!« ruft Hölderlin im ›Hyperion‹. »Mit diesen Worten legt die Tugend den zürnenden Harnisch, der Geist des Menschen den Zepter weg und aus dem Bunde der Wesen schwindet der Tod, und Unzertrennlichkeit, ewige Jugend beseliget, verschönert die Welt.« – Das dionysische Erlebnis, von dem diese Worte künden, finden wir erniedrigt wieder im kollektivistischen Rausch, in der rein egoistisch-genußhaften, im Grunde nichts Reelles verbürgenden Lust des jungen Menschen am Marschieren im Massentritt unterm Singen von Liedern, die eine Mischung von heruntergekommenem Volkslied und Leitartikel sind. Diese Jugend liebt das allem persönlichen Lebensernst enthobene Aufgehen im Massenhaften um seiner selbst willen und kümmert sich um Marschziele nicht viel. Aufgefordert, das Glück, das sie dabei findet, etwas näher zu bestimmen, legt sie nicht gerade viel Neigung zu konkreten Einlösungen und Verwirklichungen an den Tag. Der vom Ich und seiner Last befreiende Massenrausch ist Selbstzweck; damit verbundene Ideologien wie ›Staat‹, ›Sozialismus‹, ›Größe des Vaterlandes‹ sind mehr oder weniger unterlegt, sekundär und eigentlich überflüssig: Der Zweck, auf den es ankommt, ist der Rausch, die Befreiung vom Ich, vom Denken, genaugenommen vom Sittlichen und Vernünftigen überhaupt; auch von der *Angst* natürlich, der Lebensangst, die dazu drängt, sich kollektivistisch zusammenzudrücken, es menschenwarm zu haben und recht laut zu singen: – hier ist die Seite der Sache, die weitaus am ehesten unsere Sympathie und unser erbarmendes Verständnis erregen kann.
Die Glückserfahrung des Dispenses vom Ich, der Enthobenheit aus aller Selbstverantwortung, gehört dem Kriege an, und wenn ich vom modernen, vom gegenwärtigen Menschen spreche, so sind wir wohl einig, darunter den Nachkriegseuropäer zu verstehen, den Typ, der durch den Krieg hindurchgegangen oder in die Welt hineingeboren ist, die er zurückgelassen hat. Wir sind geneigt, den heutigen Weltzustand in wirtschaftlicher wie in geistiger und moralischer Beziehung als das Ergebnis des Krieges aufzufassen – und gehen darin vielleicht zu weit. Die ungeheueren

Verwüstungen äußerer und innerer Art, die er angerichtet, stehen außer Zweifel; aber der Schöpfer unserer Welt ist er nicht, sondern hat nur verdeutlicht, verstärkt und auf die Spitze getrieben, was vorher schon da war. Der unglaubwürdige Kulturschwund und moralische Rückschritt gegen das neunzehnte Jahrhundert, den wir wahrheitsgemäß festzustellen haben, ist nicht das Ergebnis des Krieges, wie sehr ihn dieser auch gefördert haben möge, sondern war vorher in vollem Gange. Er ist eine säkulare Erscheinung, bedingt in erster Linie durch das Heraufkommen und die Machtergreifung des Massenmenschen, wie José Ortega y Gasset es in seinem Buch ›La rebelión de las masas‹ mit großem Glanz geschildert hat.

Es ist eine tragische Einsicht, daß die Generosität des neunzehnten Jahrhunderts, dieser in ihrer Produktivität gewaltigen Epoche, unter deren wissenschaftlichen und sozialen Wohltaten die europäische Bevölkerung sich verdreifachen konnte, – daß, sage ich, die ungeheure Gutwilligkeit dieses Jahrhunderts *schuld* ist an aller Ratlosigkeit unserer Gegenwart, daß diese Krise, die uns in Barbarei zurückzuschleudern droht, ihre Wurzeln in seiner kurzsichtigen Großmut hat. Ortega beschreibt vortrefflich den Einbruch der neuen Massen in eine Zivilisation, deren sie sich bedienen, als ob sie Natur wäre, ohne ihre höchst komplizierten Voraussetzungen zu kennen und ohne also vor diesen Voraussetzungen den geringsten Respekt zu haben. Ein Beispiel für ihr Verhalten zu den Bedingungen, denen sie ihr Leben verdanken, ist es, daß sie die liberale Demokratie zertrampeln, genauer gesagt, benützen, um sie zu zerstören. Es ist leicht möglich, daß sie bei aller kindischen Primitiven-Liebe, die sie der Technik entgegenbringen, auch deren Verfall herbeiführen, weil sie nicht ahnen, daß sie nur das Nützlichkeitsprodukt einer freien und zwecklos um der Erkenntnis willen geübten Forschung ist, und weil sie den Idealismus und alles, was mit ihm zu tun hat, also Freiheit und Wahrheit verachten. Vom Primitivismus zu reden ist sehr angebracht. Man setze ein heutiges Publikum (wenn dieses Wort, das noch allzu sehr den Begriff der Elite suggeriert, am Platze ist in bezug auf die moderne Masse) vor ein Stück wie Ibsens ›Wildente‹, und man wird feststellen, daß es im Laufe von fünfunddreißig Jahren überhaupt unverständlich geworden ist. Die Leute halten es für eine Posse und lachen an den falschesten Stellen. Im neunzehnten Jahrhundert gab es eine Gesellschaft, die fähig war, die europäische Ironie und Doppelbodigkeit, die idealistische Bitterkeit und das moralische Raffinement eines solchen Werkes aufzunehmen. Das ist abhanden gekommen, – und eben die

bewiesene Möglichkeit des »Abhandenkommens«, das Phänomen der fast jähen Niveausenkung, der Reduktion und Primitivisierung nicht nur bis zur Stumpfheit gegen die Nuance, sondern bis zum wilden Haß auf sie, – diese Erscheinung, die das neunzehnte Jahrhundert nicht für möglich gehalten hätte, weil es an Dauer glaubte, wirkt darum so erschreckend, weil sie viel weitergehende Möglichkeiten eröffnet, weil sie zeigt, daß überhaupt und im Großen Errungenes wieder verlorengehen und in Vergessenheit geraten kann, daß die Zivilisation selbst vor einem solchen Schicksal keineswegs sicher ist.
Ich wiederhole, daß der europäische Kulturschwund nicht erst durch den Krieg erzeugt, sondern durch ihn nur beschleunigt und verschärft worden ist. Nicht der Krieg erst hat die Riesenwelle exzentrischer Barbarei und primitiv-massendemokratischer Jahrmarktsroheit aufgeworfen, die über die Welt geht; nur gehoben hat er sie und ihre brutale Wucht verstärkt, wie er den Niedergang, das Absterben von sittigenden und gütig-strengen Begriffen wie Kultur, Geist, Kunst, Idee nicht bewirkt, sondern nur beschleunigt hat. Das sind Begriffe aus Bürgerzeiten, idealistisches Gerümpel aus dem neunzehnten Jahrhundert. Und in der Tat war das neunzehnte Jahrhundert vor allem eine idealistische Epoche, – man sieht es erst heute mit einer Art von Rührung, wie idealistisch es war. Es glaubte nicht nur an den Segen der liberalen Demokratie, sondern auch an den Sozialismus, – an einen solchen nämlich, der die Massen zu *heben*, sie zu belehren, Wissenschaft, Bildung, Kunst, die Güter der Kultur an sie heranzubringen wünschte. Heute hat man sich überzeugt, daß es sowohl wichtiger wie auch leichter ist, sie zu *beherrschen*, indem man immer vollkommener die plumpe Kunst ausbildet, auf ihrer Psychologie zu spielen, das heißt also: indem man Propaganda für Erziehung eintreten läßt, – nicht ohne die innere Zustimmung der Massen, wie es scheint, die sich von einer smarten Propagandatechnik im Grunde moderner und vertrauter angemutet fühlen als von irgendwelchen Erziehungsideen. Sie sind organisierbar, und es zeigt sich, daß sie dankbar sind für *jede* Organisation, gleichviel welches Geistes sie ist, sei es auch der Geist der Gewalt. Die Gewalt ist ein außerordentlich vereinfachendes Prinzip; kein Wunder, daß sie das Verständnis der Massen findet.
Wären sie nur primitiv, diese modernen Massen, wären sie nur frischfröhliche Barbaren, – es wäre mit ihnen auszukommen, man könnte manches von ihnen hoffen. Aber sie sind außerdem zweierlei, was sie schlechthin fürchterlich macht: sie sind *sentimental* und sie sind auf katastrophale Weise *philosophisch*. Der Massen-

geist, von rummelhafter Modernität wie er ist, redet dabei den Jargon der Romantik; er spricht von »Volk«, von »Erde und Blut«, von lauter alten und frommen Dingen und schimpft auf den Asphaltgeist, – mit dem er identisch ist. Das Ergebnis ist eine lügnerische, in roher Empfindsamkeit schwimmende Vermanschung von Seele und Massenmumpitz, – eine triumphale Mischung; sie charakterisiert und bestimmt unsere Welt.
Was das Philosophentum der Massen betrifft, so steht es damit noch schlimmer. Natürlich haben sie es nicht aus sich selbst erzeugt, sondern es ist ihnen von oben her, aus geistiger Region zugesickert. Die Rolle, die schon seit einigen Jahrzehnten der Geist auf Erden spielt, ist ja die sonderbarste. Er hat sich gegen sich selbst gewandt, hat sich zuerst ironisiert und dann sich mit vollem Pathos selber verneint zugunsten des Lebens und der allein lebenspendenden Kräfte des Unbewußten, Dynamischen, Dunkelschöpferischen, des Mütterlich-Chthonischen, der heilig-gebärerischen Unterwelt. Wir alle kennen diese Wendung des Geistes gegen sich selbst, gegen die Vernunft, die er als die Mörderin des Lebens verfluchte und anprangerte: ein kühnes und faszinierendes Schauspiel, – nur etwas verwirrend seiner Natur nach, so daß man vielleicht besser getan hätte, nicht allzu breite Schichten des Publikums dabei zuzulassen. Es versteht sich, daß der Kampf gegen den Idealismus *aus Idealismus* begonnen wurde. Das neunzehnte Jahrhundert war so bitter wahrheitsliebend, daß es, durch Ibsen, sogar die ›Lebenslüge‹ als unentbehrlich anerkennen wollte, – und man sieht wohl: es ist ein großer Unterschied, ob man aus schmerzlichem Pessimismus und bitterer Ironie die Lüge bejaht oder aus Mangel an Wahrheitsliebe. Dieser Unterschied ist heute nicht jedermann deutlich. Nietzsche's hocherregte Polemik gegen Platonismus, Sokratismus, Christentum war die eines Menschen, der mit Pascal mehr Ähnlichkeit hatte als mit Cesare Borgia oder Machiavell, sie war die asketische Selbstüberwindung eines geborenen Christen. Sehr ähnlich war der Kampf, den Marx gegen den Wahrheits- und Moralbegriff des deutschen Idealismus führte, – er führte ihn aus Idealismus, um einer neuen Wahrheit und Gerechtigkeit willen, nicht eigentlich aus Verachtung des Geistes. Diese war Jahrzehnten vorbehalten, die die idealistische Erhebung gegen den Idealismus romantisierten und ihr dadurch gefährliche Möglichkeiten der Popularität verliehen. Sie sahen nicht oder kümmerten sich nicht um die Gefahren für Humanität und Kultur, die in aller geistigen Antigeistigkeit liegen, den Keim der Reaktion in solcher Revolution, die finsteren Möglichkeiten des Mißbrauchs durch eine Wirklichkeit, für die sie im Handum-

drehen zum Freibrief der Un- und Antigeistigkeit pur sang und jeder menschlichen Unanständigkeit, jeder wüsten Verachtung von Wahrheit, Freiheit, Gerechtigkeit, Menschenanstand wird. Man muß feststellen, daß es dem Geist an Sinn für Verantwortung fehlte, an der Einsicht, daß das Moralische mit dem Intellektuellen zusammenhängt, daß sie zusammen steigen und fallen und die Folge der Vernunftverachtung moralische Verwilderung ist. Zehntausend Dozenten des Irrationalen kümmerten sich nicht darum, ob sie etwa das Volk zum moralischen Sansculottismus und zur Stumpfheit gegen alle Greuel erzogen.

Die neuen Massen hörten läuten von der epochalen Entthronung des Geistes und der Vernunft, die sich in der oberen Sphäre vollzogen hatte, sie erfuhren davon als vom Neuesten und Modernsten und konnten nicht sehr verblüfft davon sein, da entsprechende Vorgänge unter ihnen selbst praktisch längst im Gange waren. Viele Dinge, die die strengere Humanität des neunzehnten Jahrhunderts nicht zugelassen hätte, waren wieder möglich geworden, hatten sich im Jahrmarktslärm und Budengeläut der Zeit wieder in sie eingeschlichen: allerlei Geheimwissenschaften, Halbwissenschaften und Charlatanerien, obskures Sektenwesen und alberne Hintertreppenreligionen, krasser Humbug, Köhlerglaube und Schäfersalbaderei blühten, sie hatten Massenzulauf, bestimmten den Zeitstil, – und das alles wurde von vielen Gebildeten nicht als niedriger moderner Rummel, nicht als kulturelle Verelendung empfunden, sondern als Wiedergeburt tiefer Lebenskräfte und ehrwürdiger Volksseelenhaftigkeit mystifiziert. Der Boden war bereitet auch für den absurdesten und schimpflichsten Massenaberglauben, – aber es war nicht der dumpfe, gedankenlose Aberglaube früherer Zeiten, sondern ein moderndemokratischer, der das Recht zu denken für jeden voraussetzt, ein Aberglaube mit ›Weltanschauung‹.

Zweifellos, Not lehrt denken – es fragt sich nur, wie? Was geschieht, wenn verelendete, depossedierte, von Not verstörte und mit Ressentiment geladene Mittelstands- und Untermittelstandsmassen zu denken und Mystik zu treiben beginnen, das haben wir erfahren. Der Kleinbürger hatte in Erfahrung gebracht, daß die Vernunft abgeschafft sei, daß man den Intellekt beschimpfen dürfe, daß diese Popanze, die irgendwie mit Sozialismus, mit Internationalismus, auch mit dem jüdischen Geiste zu tun hatten, wohl gar an seinem Elend schuld waren, und mit höherer Ermächtigung dachte er gegen die Vernunft, lernte das sprachlich schwierige, sonst aber sehr triebbehagliche Wort ›Irrationalismus‹ aussprechen. Die Popularisierung des Irrationalen, ein Ereignis des

zweiten und dritten Jahrzehnts unseres Jahrhunderts, ist wohl das kläglichste und lächerlichste Schauspiel, das die Geschichte zu bieten hat. Ganz auf eigene Hand erfand der denkerisch wildgewordene Kleinbürger das Wort ›Intellektbestie‹, eine blödsinnige Vokabel, aber autorisiert gewissermaßen aus der oberen Sphäre des antigeistigen Geistes und effektvoll in ihrer inferioren Schmissigkeit, – eine Totschlageformel, die zunächst allem politischen und sozialen Vernunftwillen, dem Willen zum Frieden, der europäischen Gesinnung galt, darüber hinaus aber eigentlich jeder geistigen Zucht und Gesinnung.
Wie aber der antigeistige Geist nicht umhinkann, immer noch Geist zu sein, so kommt auch sein subalterner Sprößling, der räsonierende Massenmensch, ohne Geist und Denken nicht aus. Er redet ja, er philosophiert und schreibt, und was er von sich gibt, ist nichts als verhunzter Geist, Groschenintellektualismus. Die Luft ist voll von stümperhaft aufgeregtem Massendenken. Schwaden verdorbener Literatur liegen über dem Lande und machen das Atmen unmöglich. Der gegen die Vernunft philosophierende Massenmensch hat das Recht zu denken, zu reden und zu schreiben für sich allein usurpiert, er hat allen anderen den Mund verboten und, vor Widerspruch sicher, macht er von seinem Prärogativ auf eine Weise Gebrauch, daß einem Hören und Sehen vergeht und man die liberale Demokratie verfluchen möchte, die jedermann Lesen und Schreiben gelehrt hat. Man hat das Gefühl, daß der Gedanke selbst und das Wort auf immer entehrt sind durch einen so elenden Mißbrauch. Hemmungslos schleudert eine kläglich überreizte Viertelsbildung ihre Pseudoerkenntnisse und bösartigen Theoreme, ihren mystagogischen Galimathias und ihre unverschämten Millenniumsentscheidungen hervor, und nur schwach, nur ängstlich wagt eine teils eingeschüchterte, teils schimpflich sympathisierende Wissenschaft eine leise Gegenerinnerung. Nicht lange mehr, und dies Denkertum wird überall die Macht haben, seine ›Ideen‹ zu verwirklichen, sich dreist und gewaltsam in Geschichte umzusetzen. Die Geschichte wird danach sein. – Aber hat es nicht etwas christlich Ergreifendes, dieser siegreiche Aufstand der Armen im Geist, dies Zuschandenwerden von Wissenschaft, Bildung, Gescheitheit und Kultur vor dem Geschmack und dem Urteil der kleinen Leute, der Fischer, Zöllner und Sünder? Ich glaube, daß Vorsicht geboten ist im Gebrauch dieser Parallele. Die christliche Revolution und die des Massenmenschen weisen Charakterunterschiede auf, Unterschiede des Wohlwollens und der Menschenfreundlichkeit, um es aufs einfachste zu sagen, die einer ernsten Warnung vor Verwechslungen

und falschem Wiedererkennen gleichkommen. Unsere Zeit hat das eigentümlich verdrehte Phänomen zustandegebracht, daß eine Massenversammlung armer Schlucker im Geiste voll krankhaften Entzückens der *Abschaffung der Menschenrechte* zujubelte, die jemand von der Tribüne herab durch den Lautsprecher verkündete. – Aus Schlichtheit kann Wahrheit kommen, aus Schlechtigkeit nicht.

Vielleicht wird man mir erwidern, die moderne Bewegung sei heroischer Art, während die christliche Weltveränderung und die Französische Revolution altruistisch-humanitären Charakter getragen hätten. Aber so sehr ich das Heroische in seinen großen geistigen Manifestationen liebe und bewundere, – ich kann mich nicht überwinden, an den Heroismus der kleinen Leute zu glauben. Ihre Welt ist nicht heroisch, sie ist kolportagehaft, kriminalromantisch; sie hat viel vom Pfennigschmöker und vom Sensationsfilm, aber gar nichts Heroisches. Man müßte eine Moritat heroisch nennen dürfen, wenn dieses Wort passend sein sollte für die moderne Massenwelt. Man wird Anstand nehmen, den neuen Verbrecher- und Mordstil in der Politik, diese Kreation eines inferioren Fanatismus, heroisch zu nennen. Um auch nur begreifen zu können, was Heroismus sei, dazu gehört ein höheres moralisches Niveau als das einer Philosophie, für die Gewalt und Lüge die Grundprinzipien alles Lebens bedeuten. Es ist in der Tat die Philosophie des an Denkwut erkrankten Kleinbürgers. Außer an die Gewalt glaubt er nur an die Lüge und an diese vielleicht noch inbrünstiger als an jene. Unter den europäischen Ideen, die er dank seiner Erhebung für endgültig erledigt hält: Wahrheit, Freiheit, Gerechtigkeit, ist die Wahrheit ihm die verhaßteste, unmöglichste. Was er dafür einsetzt, ist der ›Mythus‹: dies Wort spielt in seinem Bildungsvokabular eine ebenso hervorstechende Rolle wie das ›Heroische‹. Sieht man genauer hin, was er damit meint, so ergibt sich, daß es die Aufhebung des Unterschiedes von Wahrheit und Humbug ist.

Das Problem der Wahrheit, nämlich der Wahrheit als absoluter Idee und in ihrer Bedingtheit durch das Leben, der Wahrheit in ihrer Ewigkeit und ihrer Wandelbarkeit, ist ein Problem von ernstestem moralischen Gewicht. Was ist Wahrheit? So fragt nicht nur der skeptische römische Weltmann, so fragt die Philosophie selbst, der kritisch sich selbst bedenkende Geist. Er ist lebenswillig, er räumt ein, daß das Leben die Wahrheit braucht, die ihm hilft, die es fördert. »Nur das Lebensfördernde ist wahr.« Der Satz möge gelten. Um aber nicht aus aller Moral zu fallen, um nicht in einem Abgrund von Zynismus zu versinken, ist es nötig, ihn durch den anderen zu ergänzen: »Nur die Wahrheit ist lebensfördernd.« Ist die »Wahrheit« nicht ein für allemal gegeben, sondern ist sie wandelbar, so muß desto tiefer, gewissenhafter und empfindlicher die Sorge sein des geistigen Menschen um sie; seine Achtsamkeit auf die Regungen des Weltgeistes, auf Veränderungen im Bilde der Wahrheit, auf das zeitlich Rechte und Notwendige, um nicht zu sagen: das Gottgewollte, dem der geistige Mensch zu dienen hat, unbekümmert um den Haß der Stumpfen, Furchtsamen und Verstockten, der Interessenten an der Erhaltung des falsch und schlecht Gewordenen.

So also, in kurzen Worten, stellt das Problem der Wahrheit sich dem leidlich gutartigen, leidlich gottesfürchtigen Menschensinn dar. Dagegen die Lüge als einzig lebenzeugende, einzig geschichtswirksame Macht zu inthronisieren; sich eine Philosophie daraus zu machen, daß man den Unterschied zwischen Wahrheit und Lüge überhaupt nicht mehr anerkennt; einen Schandpragmatismus in Europa aufzurichten, der den Geist selbst zugunsten des Nutzens leugnet, ohne Skrupel Verbrechen begeht oder gutheißt, wenn sie seinen Ersatz-Absolutheiten dienen und vor dem Begriff der Fälschung nicht im mindesten zurückschreckt, sondern dem Fälschung ebensoviel gilt wie Wahrheit, wenn sie in seinem Sinne *nützt* – das war dem Menschentyp vorbehalten, vom dem ich spreche. Ich will nicht so weit gehen, ihn dem ›modernen Menschen‹ selbst gleichzusetzen. Aber er ist ein verbreiteter Typus, ein Massentypus, und wenn ich ihn zeitbestimmend nenne, so spreche ich zum mindesten seine eigene Überzeugung aus, – diese Überzeugung, die ihm den schmetternden Elan verleiht, mit dem er sich anschickt, eine durch moralische Hemmungen gegen ihn benachteiligte Welt zu überrennen und sich zu ihrem Herrn und Meister zu machen.

Was das Ergebnis wäre, ist vollkommen klar und gewiß. Es wäre der Krieg, die umfassende Katastrophe, der Untergang der Zivilisation. Es ist meine feste Überzeugung, daß nur dies und nichts anderes die Folge der aktiven Philosophie dieses Menschentyps sein kann, und darum schien es mir Pflicht, auf ihn und auf die furchtbare Bedrohung, die von ihm ausgeht, die Rede zu bringen. Die Schwäche der älteren, gebildeten Welt angesichts dieses Hunnentums zu beobachten, ihr beirrtes, verwirrtes Zurückweichen vor ihm mit anzusehen, ist wahrhaft beängstigend. Eingeschüchtert, vor den Kopf geschlagen, nicht wissend, wie ihr geschieht, mit betretenem Lächeln, räumt sie Position für Position und scheint eingestehen zu wollen, daß sie »die Welt nicht mehr versteht«. Sie kondeszendiert zu dem geistigen und moralischen

Stande des Todfeindes, übernimmt seine stupide Redeweise, bequemt sich seinen elenden Denkkategorien, dem tückischen Stumpfsinn seiner Idiosynkrasien und propagandistischen Alternativen – und merkt es nicht einmal. Sie ist vielleicht schon verloren. Entreißt sie sich nicht der Hypnose, besinnt sie sich nicht auf sich selbst, so ist sie es gewiß. In allem Humanismus liegt ein Element der Schwäche, das mit seiner Verachtung des Fanatismus, seiner Duldsamkeit und seiner Liebe zum Zweifel, kurz: mit seiner natürlichen Güte zusammenhängt und ihm unter Umständen zum Verhängnis werden kann. Was heute not täte, wäre ein *militanter* Humanismus, ein Humanismus, der seine Männlichkeit entdeckte und sich mit der Einsicht erfüllte, daß das Prinzip der Freiheit, der Duldsamkeit und des Zweifels sich nicht von einem Fanatismus, der *ohne* Scham und Zweifel ist, ausbeuten und überrennen lassen darf. Ist der europäische Humanismus einer streitbaren Wiedergeburt seiner Ideen unfähig geworden; vermag er nicht mehr, sich die eigene Seele in kämpferischer Lebensfrische bewußt zu machen, so wird er zugrunde gehen, und ein Europa wird sein, das seinen Namen nur noch ganz historischerweise weiterführen wird und vor dem es besser wäre, sich ins Unbeteiligt-Zeitlose zu bergen.

[1935]

[AN EDUARD KORRODI]

Lieber Herr Dr. Korrodi,
Ihr Artikel ›Deutsche Literatur im Emigrantenspiegel‹, erschienen in der Zweiten Sonntagsausgabe der ›Neuen Zürcher Zeitung‹ vom 26. Januar, ist viel beachtet, viel diskutiert, von der Presse verschiedener Richtungen zitiert, um nicht zu sagen: ausgebeutet worden. Er stand überdies in einem gewissen, wenn auch lockeren, Zusammenhange mit der Erklärung, die ich im Verein mit ein paar Freunden zugunsten unserer alten literarischen Heimstätte, des S. Fischer Verlages, glaubte abgeben zu sollen. Darf ich also noch heute ein paar Bemerkungen daran knüpfen, vielleicht sogar ein paar Bedenken dagegen erheben?
Sie haben recht: Es war ein ausgemachter polemischer Mißgriff des Herausgebers des ›Neuen Tage-Buchs‹, zu behaupten, die ganze zeitgenössische Literatur, oder so gut wie die ganze, habe Deutschland verlassen, sei, wie er sich ausdrückt, »ins Ausland transferiert« worden. Ich verstehe vollkommen, daß eine solche unhaltbare Übertreibung einen Neutralen wie Sie in Harnisch jagen mußte. Herr Leopold Schwarzschild ist ein sehr glänzender Publizist, ein guter Hasser, ein schlagkräftiger Stilist; die Literatur aber ist nicht sein Feld, und ich vermute, daß er – vielleicht mit Recht – den politischen Kampf unter den heutigen Umständen für viel wichtiger, verdienstlicher und entscheidender hält als alle Poesie. Auf jeden Fall mußte der Mangel an Überblick und künstlerischer Gerechtigkeit, den er mit seiner Behauptung bewiesen hat, einen Literaturkritiker wie Sie zum Widerspruch aufrufen, und einige der innerdeutschen Autorennamen, die Sie ihm entgegenhalten, widerlegen ihn unbedingt.
Zu fragen bleibt freilich, ob nicht einer oder der andere von den Trägern dieser Namen auch lieber draußen wäre, wenn es sich machen ließe. Ich will auf niemanden die Aufmerksamkeit der Gestapo lenken, aber in vielen Fällen mögen weniger geistige als recht mechanische Gründe da ausschlaggebend sein, und so ist die Grenze zwischen emigrierter und nicht emigrierter deutscher Literatur nicht leicht zu ziehen: sie fällt, geistig gemeint, nicht schlechthin mit der Reichsgrenze zusammen. Die außerhalb dieser Grenze lebenden deutschen Schriftsteller sollten, so meine ich, nicht mit allzu wahlloser Verachtung auf diejenigen herabblicken, die zu Hause bleiben wollten oder mußten, und nicht ihr künstle-

risches Werturteil ans Drinnen oder Draußen binden. Sie leiden; aber gelitten wird auch im Inneren, und sie sollten sich vor der Selbstgerechtigkeit hüten, die so oft ein Erzeugnis des Leidens ist. Sie sollten zum Beispiel Berufsgenossen, die zwar um ihrer europäischen Gesinnung und um der Vorstellung willen, die sie vom Deutschtum hegen, auf Heim und Heimat, Ehrenstand und Vermögen verzichteten; die zwar sich keinem Wink mit dem Zaunpfahl zugänglich zeigten, man könne sie im Grunde ganz gut brauchen und werde ihres unbegreiflichen, aber nun einmal vorhandenen Weltansehens wegen ein Auge zudrücken, sondern blieben, wo sie waren, und es vorzogen, Blüte und Verfall des Dritten Reiches in der Freiheit abzuwarten, aber auf keinen Fall, weder für den, daß die gegenwärtige deutsche Herrschaft besteht, noch für den, daß sie vergeht, alle Brücken zu ihrem Lande abzubrechen und sich jeder Wirkungsmöglichkeiten dort zu begeben wünschten: – die Schriftsteller der Emigration, sage ich, sollten gegen einen solchen nicht sofort den Vorwurf der Felonie und der Abtrünnigkeit vom gemeinsamen Schicksal erheben, sobald er in Fragen der Neuansiedlung deutschen Geistes, vielleicht aus guten und ihnen nicht ganz übersehbaren Gründen, anderer Meinung ist als sie.
Lassen wir das. Die Gleichsetzung der Emigrantenliteratur mit der deutschen ist schon darum unmöglich, weil ja zur deutschen Literatur auch die österreichische, die schweizerische gehören. Mir persönlich sind von lebenden Autoren deutscher Sprache zwei besonders lieb und wert: Hermann Hesse und Franz Werfel – Romandichter beide und bewunderungswürdige Lyriker zugleich. Emigranten sind sie nicht, denn der eine ist Schweizer, der andere böhmischer Jude. – Eine wie schwere Kunst aber bleibt die Neutralität selbst bei so langer historischer Übung, wie ihr Schweizer darin besitzt! Wie leicht verfällt der Neutrale bei der Abwehr einer Ungerechtigkeit in eine andere! In dem Augenblick, da Sie Einspruch erheben gegen die Identifikation der Emigrantenliteratur mit der deutschen, nehmen Sie selbst eine ebenso unhaltbare Gleichsetzung vor; denn merkwürdig, nicht der Irrtum selbst es es, der Sie erzürnt, sondern die Tatsache, daß ein jüdischer Schriftsteller ihn begeht; und indem Sie daraus schließen, hier werde wieder einmal, in Bestätigung eines alten vaterländischen Vorwurfs, die Literatur jüdischer Provenienz mit der deutschen verwechselt, verwechseln Sie selber die Emigrantenliteratur mit der jüdischen.
Muß ich sagen, daß das nicht angeht? Mein Bruder Heinrich und ich sind keine Juden. Leonhard Frank, René Schickele, der Soldat

Fritz von Unruh, der bayrisch bodenständige Oskar Maria Graf, Annette Kolb, A. M. Frey, von jüngeren Talenten etwa Gustav Regler, Bernard v. Brentano und Ernst Gläser sind es auch nicht. Daß in der Gesamt-Emigration der jüdische Einschlag zahlenmäßig stark ist, liegt in der Natur der Dinge: es ergibt sich aus der erhabenen Härte der nationalsozialistischen Rassenphilosophie und, von der andern Seite, aus einem besondern Grauen der jüdischen Geistigkeit und Sittlichkeit vor gewissen Staatsveranstaltungen unserer Tage. Aber meine Liste, die auf Vollständigkeit sowenig Anspruch erhebt wie Ihre innerdeutsche und auf deren Herstellung ich von mir aus nicht verfallen wäre, zeigt, daß von einem durchaus oder auch nur vorwiegend jüdischen Gepräge der literarischen Emigration nicht gesprochen werden kann.
Ich füge ihr die Namen Bert Brechts und Johannes R. Bechers hinzu, die Lyriker sind – weil Sie nämlich sagen, Sie wüßten nicht einen ausgewanderten Dichter zu nennen. Wie können Sie das, da ich doch weiß, daß Sie in Else Lasker-Schüler eine wirkliche Dichterin ehren? Ausgewandert, sagen Sie, sei doch vor allem die Romanindustrie »und ein paar wirkliche Könner und Gestalter von Romanen«. Nun, Industrie heißt Fleiß, und fleißig müssen die entwurzelten und von einer wirtschaftlich geängstigten, in ihrer Hochherzigkeit beeinträchtigten Welt überall nur knapp geduldeten Menschen wohl sein, wenn sie ihr Leben gewinnen wollen; es wäre recht hart, ihnen daraus einen Vorwurf zu machen. Es ist aber auch schon hart, sie zu fragen, ob sie sich etwa einbildeten, das Nationalvermögen der deutschen Literatur auszumachen. Nein, darauf verfällt niemand von uns, weder Industrielle noch Gestalter. Aber es ist ja ein Unterschied zwischen dem uns allen teuren historischen Schatz der deutschen Nationalliteratur, den zu mehren nur weniges von dem, was heute entsteht, gewürdigt sein wird – und eben dieser gegenwärtigen, von lebenden Menschen geübten Produktion, die im Ganzen und im Vergleich mit früheren Epochen, wie überall, kein gerade sehr mächtiges Format aufweist, in der aber, wiederum wie in der ganzen Welt, der *Roman* eine besondere, ja beherrschende Rolle spielt – eine Rolle, der Sie nicht ganz gerecht werden, wenn Sie sagen, nicht die Dichtung, nur allenfalls die Prosa, der Roman sei ausgewandert. Das wäre an sich kein Wunder. Das reine Gedicht – rein, insofern es sich von gesellschaftlichen und politischen Problemen hübsch fernhält, was nicht alle Lyrik immer getan hat – steht unter andern Lebensgesetzen als die moderne Prosa-Epopöe, der Roman, der in seiner analytischen Geistigkeit, seiner Bewußtheit, seinem eingeborenen Kritizismus soziale und staatliche Verhältnisse zu fliehen

gezwungen ist, in denen jenes, still am Rande, ungestört und in holder Weltvergessenheit blühen mag. Eben diese seine prosaistischen Eigenschaften aber, Bewußtsein und Kritizismus, dazu der Reichtum seiner Mittel, sein freies und bewegliches Schalten mit Gestaltung und Untersuchung, Musik und Erkenntnis, Mythos und Wissenschaft, seine menschliche Breite, seine Objektivität und Ironie machen den Roman zu dem, was er auf unserer Zeitstufe ist: zum repräsentativen und vorherrschenden literarischen Kunstwerk. Drama und Lyrik sind im Vergleich mit ihm archaische Formen. Er führt überall, in Europa und Amerika. Er tut es seit einigem auch in Deutschland – und darum, lieber Doktor, war Ihre Aufstellung nicht eben vorsichtig, der deutsche Roman sei ausgewandert. Wäre es so – nicht ich bin es, der es behauptet, – dann würde erstaunlicherweise der Politiker Schwarzschild recht behalten gegen Sie, den Literarhistoriker, dann wäre in der Tat das Schwergewicht deutschen literarischen Lebens aus dem Lande weg ins Ausland verlagert.
Sie haben noch vor kurzem, gelegentlich der Karlweis'schen Wassermann-Biographie, von dem Prozeß der Europäisierung des deutschen Romans mit gewohnter Divination und Feinheit gehandelt. Sie sprachen von der *Veränderung* im Typus des deutschen Romanciers, die durch eine Begabung, wie die Jakob Wassermanns, gezeitigt worden sei, und bemerkten: kraft der internationalen Komponente des Juden sei der deutsche Roman international geworden. Aber sehen Sie: an dieser »Veränderung«, dieser »Internationalisierung«, haben mein Bruder und ich nicht weniger Anteil gehabt als Wassermann, und wir waren keine Juden. Vielleicht war es der Tropfen Latinität (und Schweizertum, von unserer Großmutter her) in unserem Blut, der uns dazu befähigte. Die »internationale« Komponente des Juden, das ist seine mittelländisch-europäische Komponente – und diese ist zugleich *deutsch*; ohne sie wäre Deutschtum nicht Deutschtum, sondern eine weltunbrauchbare Bärenhäuterei. Das ist es ja, was heute die katholische Kirche, in einer Bedrängnis, die sie auch dem Zögling protestantischer Kultur wieder ehrwürdig macht, in Deutschland verteidigt, wenn sie erklärt, erst mit der Annahme des Christentums seien die Deutschen in die Reihe der führenden Kulturvölker eingetreten. Man ist nicht deutsch, indem man völkisch ist. Der deutsche Judenhaß aber, oder derjenige der deutschen Machthaber, gilt, geistig gesehen, gar nicht den Juden oder nicht ihnen allein: er gilt Europa und jedem höheren Deutschtum selbst; er gilt, wie sich immer deutlicher weist, den christlich-antiken Fundamenten der abendländischen Gesittung:

er ist der (im Austritt aus dem Völkerbund symbolisierte) Versuch einer Abschüttelung zivilisatorischer Bindungen, der eine furchtbare, eine unheilschwangere Entfremdung zwischen dem Lande Goethe's und der übrigen Welt zu bewirken droht.
Die tiefe, von tausend menschlichen, moralischen und ästhetischen Einzelbeobachtungen und -eindrücken täglich gestützte und genährte Überzeugung, daß aus der gegenwärtigen deutschen Herrschaft nichts Gutes kommen *kann*, für Deutschland nicht und für die Welt nicht, – diese Überzeugung hat mich das Land meiden lassen, in dessen geistiger Überlieferung ich tiefer wurzele als diejenigen, die seit drei Jahren schwanken, ob sie es wagen sollen, mir vor aller Welt mein Deutschtum abzusprechen. Und bis zum Grunde meines Wissens bin ich dessen sicher, daß ich vor Mit- und Nachwelt recht getan, mich zu denen zu stellen, für welche die Worte eines wahrhaft adeligen deutschen Dichters gelten:

> Doch wer aus voller Seele haßt das Schlechte,
> Auch aus der Heimat wird es ihn verjagen,
> Wenn dort verehrt es wird vom Volk der Knechte.
> Weit klüger ist's, dem Vaterland entsagen,
> Als unter einem kindischen Geschlechte
> Das Joch des blinden Pöbelhasses tragen.

[1936]

BRIEFWECHSEL MIT BONN

Philosophische Fakultät
der Rheinischen
Friedrich-Wilhelms-Universität
J.-Nr. 58

Bonn, den 19. Dezember 1936

Im Einverständnis mit dem Herrn Rektor der Universität Bonn muß ich Ihnen mitteilen, daß die Philosophische Fakultät sich nach Ihrer Ausbürgerung genötigt gesehen hat, Sie aus der Liste der Ehrendoktoren zu streichen. Ihr Recht, diesen Titel zu führen, ist gemäß Art. VIII unserer Promotionsordnung erloschen.

[unleserlich]
Dekan

Herrn Schriftsteller Thomas Mann!

An den Herrn Dekan der Philosophischen Fakultät
der Universität Bonn

Sehr geehrter Herr Dekan,
ich habe die trübselige Mitteilung erhalten, die Sie unterm 19. Dezember an mich gerichtet haben. Erlauben Sie mir, Ihnen folgendes darauf zu erwidern:
Die schwere Mitschuld an allem gegenwärtigen Unglück, welche die deutschen Universitäten auf sich geladen haben, indem sie aus schrecklichem Mißverstehen der historischen Stunde sich zum Nährboden der verworfenen Mächte machten, die Deutschland moralisch, kulturell und wirtschaftlich verwüsten, – diese Mitschuld hatte mir die Freude an der mir einst verliehenen akademischen Würde längst verleidet und mich gehindert, noch irgendwelchen Gebrauch davon zu machen. Den Ehrentitel eines Doktors der Philosophie führe ich auch heute, da die Harvard-Universität ihn mir aufs neue verliehen hat, und zwar mit einer Begründung, die ich Ihnen, Herr Dekan, nicht vorenthalten möchte.
Aus dem Lateinischen ins Deutsche übersetzt, lautet das Doku-

ment: »...haben wir Rektor und Senat unter dem Beifall der ehrenwerten Universitätsinspektoren in feierlicher Sitzung Thomas Mann, den weitberühmten Schriftsteller, welcher, indem er vielen unserer Mitbürger das Leben deutete, *zusammen mit ganz wenigen Zeitgenossen die hohe Würde der deutschen Kultur bewahrt*, zum Doktor der Philosophie ehrenhalber ernannt und ausgerufen und ihm alle Rechte und Ehren, welche mit diesem Grade verbunden sind, verliehen.«

So sonderbar der aktuellen deutschen Auffassung widersprechend malt sich meine Existenz in den Köpfen freier und gebildeter Männer jenseits des Meeres – und, ich darf es hinzufügen, nicht nur dort. Nie wäre es mir in den Sinn gekommen, mit den Worten jenes Schriftstücks zu prahlen; heute und hier aber darf, ja muß ich sie anführen; und wenn Sie, Herr Dekan (ich kenne die Gepflogenheiten nicht), die an mich gerichtete Mitteilung am Schwarzen Brett Ihrer Universität sollten haben anschlagen lassen, so müßte ich wahrhaftig wünschen, daß auch dieser meiner Entgegnung solche Ehre zuteil würde: vielleicht daß manchen akademischen Bürger, Student oder Professor, doch ein nachdenkliches Stutzen, ein rasch unterdrückter, ahnungsvoller Schrecken ankäme bei einer Lektüre, die einem flüchtigen Blick aus bösartig erzwungener Abgeschlossenheit und Unwissenheit in die freie geistige Welt gleichkommen würde.

Hier könnte ich schließen. Und doch wollen in diesem Augenblick einige weitere Erklärungen mir wünschenswert oder doch statthaft scheinen. Zu meiner staatsrechtlichen ›Ausbürgerung‹ habe ich, trotz mancher Anfrage, geschwiegen; die akademische darf ich als schickliche Gelegenheit betrachten zu einem knappen persönlichen Bekenntnis, – wobei Sie, Herr Dekan, den ich nicht einmal dem Namen nach kenne, sich nur als den Zufallsadressaten dieser Ihnen kaum zugedachten Äußerung betrachten wollen.

In diesen vier Jahren eines Exils, das freiwillig zu nennen wohl eine Beschönigung wäre, da ich, in Deutschland verblieben oder dorthin zurückgekehrt, wahrscheinlich nicht mehr am Leben wäre, hat die sonderbare Schicksalsirrtümlichkeit meiner Lage nicht aufgehört, mir Gedanken zu machen. Ich habe es mir nicht träumen lassen, es ist mir nicht an der Wiege gesungen worden, daß ich meine höheren Tage als Emigrant, zu Hause enteignet und verfemt, in tief notwendigem politischem Protest verbringen würde. Seit ich ins geistige Leben eintrat, habe ich mich in glücklichem Einvernehmen mit den seelischen Anlagen meiner Nation, in ihren geistigen Traditionen sicher geborgen gefühlt. Ich bin weit eher zum Repräsentanten geboren als zum Märtyrer, weit eher dazu, ein wenig höhere Heiterkeit in die Welt zu tragen, als den Kampf, den Haß zu nähren. Höchst Falsches mußte geschehen, damit sich mein Leben so falsch, so unnatürlich gestaltete. Ich suchte es aufzuhalten nach meinen schwachen Kräften, dies grauenhaft Falsche, – und eben dadurch bereitete ich mir das Los, das ich nun lernen muß, mit meiner ihm eigentlich fremden Natur zu vereinigen.

Gewiß, ich habe die Wut dieser Machthaber herausgefordert nicht erst in den letzten vier Jahren, durch mein Außenbleiben, die ununterdrückbaren Kundgebungen meines Abscheus. Lange vorher schon hatte ich es getan und mußte es tun, weil ich früher als das heute verzweifelte deutsche Bürgertum sah, wer und was da heraufkam. Als Deutschland dann wirklich in diese Hände gefallen war, gedachte ich zu schweigen; ich meinte, mir durch die Opfer, die ich gebracht, das Recht auf ein Schweigen verdient zu haben, das es mir ermöglichen würde, etwas mir herzlich Wichtiges, den Kontakt mit meinem innerdeutschen Publikum aufrechtzuerhalten. Meine Bücher, so sagte ich mir, sind für Deutsche geschrieben, für solche zuerst; die ›Welt‹ und ihre Teilnahme waren mir immer nur ein erfreuliches Akzidens. Sie sind, diese Bücher, das Produkt einer wechselseitigen erzieherischen Verbundenheit von Nation und Autor und rechnen mit Voraussetzungen, die ich selber erst in Deutschland habe schaffen helfen. Das sind zarte und hütenswerte Beziehungen, die plump zu zerreißen man der Politik nicht erlauben soll. Gab es Ungeduldige daheim, die, selbst geknebelt, dem in der Freiheit Lebenden sein Stillschweigen verübeln würden: die große Mehrzahl, durfte ich hoffen, würde meine Zurückhaltung verstehen, ja sie mir danken.

So meine Vorsätze. Sie waren undurchführbar. Ich hätte nicht leben, nicht arbeiten können, ich wäre erstickt, ohne dann und wann zwischenein, wie alte Völker sagten, »mein Herz zu waschen«, ohne von Zeit zu Zeit meinem unergründlichen Abscheu vor dem, was zu Hause in elenden Worten und elenderen Taten geschah, unverhohlenen Ausdruck zu geben. Verdient oder nicht, mein Name hatte sich nun einmal für die Welt mit dem Begriff eines Deutschtums verbunden, das sie liebt und ehrt; daß gerade ich der wüsten Verfälschung klar widerspräche, welche dies Deutschtum jetzt erlitt, war eine in alle freien Kunstträume, denen ich mich so gern überlassen hätte, beunruhigend hineintönende Forderung. Eine Forderung, schwer abzuweisen für einen, dem immer gegeben gewesen war, sich auszudrücken, sich im Wort zu befreien, dem immer Erleben eins gewesen war mit reinigend bewahrender Sprache.

Das Geheimnis der Sprache ist groß; die Verantwortlichkeit für sie und ihre Reinheit ist symbolischer und geistiger Art, sie hat keineswegs nur künstlerischen, sondern allgemein moralischen Sinn, sie ist die Verantwortlichkeit selbst, menschliche Verantwortlichkeit schlechthin, auch die Verantwortung für das eigene Volk, Reinerhaltung seines Bildes vorm Angesichte der Menschheit, und in ihr wird die Einheit des Menschlichen erlebt, die Ganzheit des humanen Problems, die es niemandem erlaubt, heute am wenigsten, das Geistig-Künstlerische vom Politisch-Sozialen zu trennen und sich gegen dieses im Vornehm-›Kulturellen‹ zu isolieren; diese wahre Totalität, welche die Humanität selber ist und gegen die verbrecherisch verstieße, wer etwa ein Teilgebiet des Menschlichen, die Politik, den Staat, zu ›totalisieren‹ unternähme.

Ein deutscher Schriftsteller, an Verantwortung gewöhnt durch die Sprache; ein Deutscher, dessen Patriotismus sich – vielleicht naiverweise – in dem Glauben an die *unvergleichliche moralische Wichtigkeit* dessen äußert, was in Deutschland geschieht, – und sollte schweigen, *ganz* schweigen zu all dem unsühnbar Schlechten, was in meinem Lande an Körpern, Seelen und Geistern, an Recht und Wahrheit, an Menschen und an dem Menschen täglich begangen wurde und wird? Zu der furchtbaren Gefahr, die dies menschenverderberische, in unsäglicher Unwissenheit über das, was die Weltglocke geschlagen hat, lebende Regime für den Erdteil bedeutet? Es war nicht möglich. Und so kamen, gegen das Programm, die Äußerungen, die unvermeidlich Stellung nehmenden Gesten zustande, die nun den absurden und kläglichen Akt meiner nationalen Exkommunikation herbeigeführt haben.

Der einfache Gedanke daran, wer die Menschen sind, denen die erbärmlich-äußerliche Zufallsmacht gegeben ist, mir mein Deutschtum abzusprechen, reicht hin, diesen Akt in seiner ganzen Lächerlichkeit erscheinen zu lassen. Das Reich, Deutschland soll ich beschimpft haben, indem ich mich gegen *sie* bekannte! Sie haben die unglaubwürdige Kühnheit, sich mit Deutschland zu verwechseln! Wo doch vielleicht der Augenblick nicht fern ist, da dem deutschen Volke das Letzte daran gelegen sein wird, nicht mit ihnen verwechselt zu werden.

Wohin haben sie, in noch nicht vier Jahren, Deutschland gebracht? Ruiniert, seelisch und physisch ausgesogen von einer Kriegsaufrüstung, mit der es die ganze Welt bedroht, die ganze Welt aufhält und an der Erfüllung ihrer eigentlichen Aufgaben, ungeheurer und dringender Aufgaben *des Friedens*, hindert; geliebt von niemandem, mit Angst und kalter Abneigung betrachtet

von allen, steht es am Rande der wirtschaftlichen Katastrophe, und erschrocken strecken sich die Hände seiner ›Feinde‹ nach ihm aus, um ein so wichtiges Glied der zukünftigen Völkergemeinschaft vom Abgrunde zurückzureißen, ihm zu helfen, wenn anders es nur zur Vernunft kommen und sich in die wirklichen Notwendigkeiten der Weltstunde finden will, statt sich irgendeine falschheilige Sagennot zu erträumen. Ja, die Bedrohten und Aufgehaltenen müssen ihm schließlich noch helfen, damit es nicht den Erdteil mit sich reiße und gar in den Krieg ausbreche, auf den es, als auf die ultima ratio, immer noch die Augen gerichtet hält. Die reifen und gebildeten Staaten – wobei ich unter ›Bildung‹ die Bekanntschaft mit der grundlegenden Tatsache verstehe, daß *der Krieg nicht mehr erlaubt ist* – behandeln dies große, gefährdete und alles gefährdende Land oder vielmehr die unmöglichen Führer, denen es in die Hände gefallen, wie Ärzte den Kranken: mit größter Nachsicht und Vorsicht, mit unerschöpflicher, wenn auch nicht gerade ehrenvoller Geduld; jene aber glauben, ›Politik‹, Macht- und Hegemonie-Politik gegen sie treiben zu sollen. Das ist ein ungleiches Spiel. Macht einer ›Politik‹, wo die anderen an Politik gar nicht mehr denken, sondern an *den Frieden*, so fallen ihm vorübergehend gewisse Vorteile zu. Die anachronistische Unwissenheit darüber, daß der Krieg nicht mehr statthaft ist, trägt selbstverständlich eine Weile ›Erfolge‹ ein über die, die es wissen. Aber wehe dem Volk, das, weil es nicht mehr ein noch aus weiß, am Ende wirklich seinen Ausweg in den Gott und Menschen verhaßten Greuel des Krieges suchte! Dies Volk wäre verloren. Es wird geschlagen werden, daß es sich nie wieder erhebt.
Sinn und Zweck des nationalsozialistischen Staatssystems ist einzig der und kann nur dieser sein: das deutsche Volk unter unerbittlicher Ausschaltung, Niederhaltung, Austilgung jeder störenden Gegenregung für den ›kommenden Krieg‹ in Form zu bringen, ein grenzenlos willfähriges, von keinem kritischen Gedanken angekränkeltes, in blinde und fanatische Unwissenheit gebanntes Kriegsinstrument aus ihm zu machen. Einen anderen Sinn und Zweck, eine andere *Entschuldigung* kann dieses System nicht haben; alle Opfer an Freiheit, Recht, Menschenglück, eingerechnet die heimlichen und offenen Verbrechen, die es ohne Bedenken auf sich genommen hat, rechtfertigen sich allein in der Idee der unbedingten Ertüchtigung zum Kriege. Sobald der Gedanke des Krieges dahinfiele, als Zweck seiner selbst, wäre es nichts weiter mehr als Menschheitsschinderei – es wäre vollkommen sinnlos und überflüssig.
Die Wahrheit zu sagen: es *ist* dies beides, sinnlos und überflüssig, –

nicht nur, weil man ihm den Krieg nicht erlauben wird, sondern weil es selbst in Ansehung seiner Leitidee, der absoluten und ›totalen‹ Kriegsertüchtigung, das Gegenteil von dem bewirkt, was es anstrebt. Kein Volk der Erde ist heute so wenig in der Verfassung, so ganz und gar untauglich, den Krieg zu bestehen, wie dieses. Daß es keinen Verbündeten haben wird, nicht einen einzigen in der Welt, ist das erste, doch das geringste. Deutschland würde allein sein, furchtbar gewiß immer noch in seiner Verlassenheit; aber diese wäre furchtbarer, denn es wäre eine Verlassenheit auch von sich selbst. Geistig reduziert und erniedrigt, moralisch ausgehöhlt, innerlich zerrissen, in tiefem Mißtrauen gegen seine Führer und alles, was sie durch Jahre mit ihm angestellt, tief unheimlich sich selber, zwar unwissend, aber übler Ahnungen voll, würde es in diesen Krieg gehen – nicht in dem Zustande von 1914, sondern, selbst physisch schon, in dem von 17, von 18. Zehn Prozent unmittelbare Nutznießer des Systems, auch sie schon halb abgefallen, würden nicht hinreichen, einen Krieg zu gewinnen, in welchem die Mehrzahl der andern nur die Gelegenheit sähe, den schändlichen Druck abzuschütteln, der so lange auf ihnen gelastet, – einen Krieg also, der nach der ersten Niederlage in Bürgerkrieg sich verkehren würde.
Nein, dieser Krieg ist unmöglich. Deutschland kann ihn nicht führen, und sind seine Machthaber irgend bei Verstande, so sind die Versicherungen ihrer Friedfertigkeit nicht das, als was sie sie vor ihren Anhängern blinzelnd ausgeben möchten: taktische Lügen, sondern entspringen der scheuen Einsicht in eben diese Unmöglichkeit. Kann und soll aber nicht Krieg sein – wozu dann Räuber und Mörder? Wozu Vereinsamung, Weltfeindschaft, Rechtlosigkeit, geistige Entmündigung, Kulturnacht und jeglicher Mangel? Warum nicht lieber Deutschlands Rückkehr nach Europa, seine Versöhnung mit ihm, seine freie, vom Erdkreis mit Jubel und Glockengeläut begrüßte Einfügung in ein europäisches Friedenssystem mit all ihrem inneren Zubehör an Freiheit, Recht, Wohlstand und Menschenanstand? Warum nicht? Nur weil ein das Menschenrecht in Wort und Tat verneinendes Regime, das an der Macht bleiben will und nichts weiter, sich selbst verneinen und aufheben würde, wenn es, da es denn nicht Krieg machen kann, wirklich Frieden machte? Aber ist das auch ein Grund? –
Ich habe wahrhaftig vergessen, Herr Dekan, daß ich noch immer zu Ihnen spreche. Gewiß darf ich mich getrösten, daß Sie schon längst nicht mehr weitergelesen haben, entsetzt von einer Sprache, deren man in Deutschland seit Jahren entwöhnt ist, voll Schrekken, daß jemand sich erdreistet, das deutsche Wort in alter Freiheit

zu führen. – Ach, nicht aus dreister Überheblichkeit habe ich gesprochen, sondern aus einer Sorge und Qual, von welcher Ihre Machtergreifer mich nicht entbinden konnten, als sie verfügten, ich sei kein Deutscher mehr; einer Seelen- und Gedankennot, von der seit vier Jahren nicht eine Stunde meines Lebens frei gewesen ist und gegen die ich meine künstlerische Arbeit tagtäglich durchzusetzen hatte. Die Drangsal ist groß. Und wie wohl auch ein Mensch, der aus religiöser Schamhaftigkeit den obersten Namen gemeinhin nur schwer über die Lippen oder gar aus der Feder bringt, in Augenblicken tiefer Erschütterung ihn dennoch um letzten Ausdrucks willen nicht entbehren mag, so lassen Sie mich – da alles doch nicht zu sagen ist – diese Erwiderung mit dem Stoßgebet schließen:
Gott helfe unserm verdüsterten und mißbrauchten Lande und lehre es, seinen Frieden zu machen mit der Welt und mit sich selbst!

Küsnacht am Zürichsee, Neujahr 1937

›MASS UND WERT‹

[Vorwort zum ersten Jahrgang]

Wir haben wohl einen und den anderen das Gesicht verziehen sehen beim Klang dieses Namens. »So artig? So konservativ?« schien er sagen zu wollen. »So esoterisch sogar und vornehm wollt ihr sein? Gab es keine zündendere, kecker werbende Parole einer deutschen Zeitschrift an die Stirn zu schreiben, die heute in Freiheit wirken darf und will? Hofft ihr mit solcher züchtigen Titel-Pädagogik einen Hund vom Ofen zu locken in Zeiten kundigsten Anreißertums und einer revolutionären Propaganda-Schmissigkeit, in der alles Angriff, Vorstoß, Umbruch und ›junger Morgen‹ ist oder sich doch triumphierend so nennt?«
Nun denn, wir glauben, daß sehr bald kein Hund mehr vom Ofen zu locken sein wird mit den Fanfaren einer verlogenen Sieghaftigkeit und Zukünftigkeit; sie werden ein Ekel und Achselzucken geworden sein, sie sind es schon heute geworden für jung und alt. Das Vokabular der Revolution ist heillos geschändet, kompromittiert und ins Läppische gezogen, seit es ein Jahrzehnt lang und länger dem Massenspießer hat dienen müssen, sich revolutionär vorzukommen. Es ist spießige, schundige Welt, wo heute die kecken Devisen winken, – die Gegenwelt, unbedingt, zu der der Qualität, des Ranges, der Kunst, aus welcher die Wortsymbole stammen, mit denen wir unser Wollen, unseren Glauben bezeichnen.
Denn musische Zeichen und Begriffe sind es vor allem, diese beiden, ›Maß‹ und ›Wert‹: Maß, das ist Ordnung und Licht, die Musik der Schöpfung und dessen, was schöpferisch ist; es ist auch das Errungene, dem Chaos Abgewonnene, das Anti-Barbarische, der Sieg der Form, der Sieg des Menschen. Nicht, daß es das Mäßige wäre, das Mittelmäßige gar. Kunst ist durchaus eine Sphäre der Kühnheit, des Wagnisses, stets geht sie zum Äußersten, nie fehlt ihr der »Zug von Verwegenheit«, ohne welchen, nach Goethe, »kein Talent denkbar« ist. Das Mittelmäßige perhorresziert sie, wie sie das Triviale, das Abgeschmackte und Niedrige, das ekle Klischee perhorresziert; denn sie ist die Qualität selbst, der Anspruch, die Ungenügsamkeit, und ihr ›Maß‹, das sie in sich trägt, ist auch das Maß, das *angelegt* wird, es ist das Richtende, die kritische Waage, auf der gewogen zu werden

gefährlich ist, denn gar bald ist sie mehr als nur eine Prüferin von Geschmacklichkeiten, sie entscheidet über Werte, die über das Ästhetische weit hinausgehen, ihm vorangehen und ihm zum Grunde liegen, über *den Wert* selbst in des Wortes substantiellster und fundamentalster Bedeutung: »Heute«, sagt Goethe, der Künstler, »kommt es darauf an, was einer wiegt auf *der Waage* der *Menschheit*. Alles Übrige ist eitel.«
Künstler wollen wir sein und Anti-Barbaren, das Maß verehren, den Wert verteidigen, das Freie und Kühne lieben und das Spießige, den Gesinnungsschund verachten – ihn am besten und tiefsten verachten, wo er sich in pöbelhafter Verlogenheit als Revolution gebärdet. Weit entfernt von der Meinung gewisser Sozial-Intellektueller, die Kunst habe ausgespielt auf Erden, ihre belletristische Müßigkeit sei erwiesen, sie gestalte bloß nach, sie verändere nicht, sie lenke nur schönselig ab von Kampf und Pflicht – glauben wir vielmehr, daß Kunst als Gesinnung und menschliche Haltung nie beispielhafteren, nie hilfreicheren, ja rettenderen Berufes gewesen ist als eben heute. Stets haben wir in ihr das Paradigma des Menschlichen – im Künstlertum ein auf die Spitze getriebenes Menschentum, ein Menschentum gleichsam an sich und in Reinkultur erblickt und sind überzeugt, daß das heute aus Tiefen des Leidens sich erneuernde Menschheitsbewußtsein, dies verjüngte, human-religiöse Gefühl für das Geheimnis, die liebenswerte Problematik des Menschentumes in seiner Zugehörigkeit zu den Welten des Geistes und der Natur, das Ansehen gerade der Kunst auf Erden nicht herabsetzen, die Liebe zu ihr, das Verlangen nach ihr nicht verringern, sondern steigern und ihr Wesen in einem neuen heiteren und ehrwürdigen Glanze erscheinen lassen wird. Sie ist das Menschlichste, das Menschenfreundlichste, denn sie ist die Mittlerin zwischen Geist und Leben, und nichts wäre irrtümlicher, als ihre Ironie – die Ironie allen Mittlertums – als ein nihilistisch-unterhaltsames Ausweichen vor Kampf und Menschenpflicht zu begreifen. Sie, deren freudiges Betreiben es ist, die Natur mit Menschlichem zu durchdringen und aus ihr zu nehmen, was sie zur schöpferischen Steigerung des Lebens braucht; die das Zünden des Geistes ist in der Materie, der natürliche Trieb zur Vermenschlichung, das heißt zu vergeistigender Gestaltung des Lebens (denn auch einen solchen Naturtrieb gibt es) – wie sollte sie der Müßigkeit verfallen sein in einer Zeit und Welt, deren immer noch scheu und träge umgangene und verleugnete Aufgabe, um zu neuer besserer Ordnung zu gelangen, genau diese ist: Durchdringung des Stoffes mit Menschlichem, Vermenschlichung des Lebens in vergeistigender Gestaltung?

Worauf aber besonders unser Glaube an die beispielgebende Sendung der Kunst in dieser Zeit beruht, ist die Einheit von Überlieferung und Erneuerung, die sie wesensmäßig darstellt, ihr revolutionärer Traditionismus. »Der Künstler«, sagt Goethe, »muß eine Herkunft haben, muß wissen, woher er stammt.« Ein aristokratisches Wort, ein Wort der Treue und des Stolzes auf alle Vorgeschichte persönlich-künstlerischen Seins, auf alles Ein- und Angeborene, früh Erlebte und Mitgebrachte. Aber der es prägte, hat auch gerufen: »Entzieht euch dem verstorbnen Zeug, Lebend'ges laßt uns lieben!«, und als, 1823, eine Gesellschaft in seinem Hause der ›Erinnerung‹ ein biedermeierliches Vivat brachte, wurde der Alte unvermutet heftig. »Ich statuiere keine Erinnerung in eurem Sinne«, rief er, »das ist nur eine unbeholfene Art, sich auszudrücken. Was uns irgend Großes, Schönes, Bedeutendes begegnet, muß nicht erst von außen her wieder *er-innert*, gleichsam er-jagt werden, es muß sich vielmehr gleich vom Anfang her in unser Inneres verweben, mit ihm eins werden, ein neueres bessres Ich in uns erzeugen und so ewig bildend in uns fortleben und schaffen. Es gibt kein Vergangnes, das man zurücksehnen dürfte, es gibt nur *ein ewig Neues, das sich aus den erweiterten Elementen des Vergangenen gestaltet,* und die echte Sehnsucht muß stets produktiv sein, ein neues Bessres erschaffen.«
Herrliche Worte in ihrem Zornmut gegen Sentimentalität und falsche Frömmigkeit! Worte echten und beispielhaften Künstlertums in der Tat! Denn Künstlertum ist gerade dies: Das Neue, das sich aus den erweiterten Elementen des Vergangenen gestaltet; es ist immer überlieferungsbewußt und zukunftswillig, aristokratisch und revolutionär in einem; es ist seinem Wesen nach das, womit es der Zeit und dem Leben ein Vorbild sein kann: konservative Revolution.
Konservative Revolution. Was haben Dummheit, Renitenz und böser Wille, was hat die belesene Roheit gemacht aus dieser Parole, die von Geistigen und Künstlermenschen einst ausgegeben wurde! Welchen Jugendverderb, welchen weltverdunkelnden Unfug und Freiheitsmord! Welch ein verbrecherisches Banausentum! Nicht ›echte Sehnsucht‹ nach einem Neuen, Besseren haben sie darunter verstanden, die Übeldenker und Übeltäter, sondern ›konservative Revolution‹, das war ihnen eine Revolution zur Konservierung des Falsch- und Schlechtgewordenen, ein Schreckensregiment zur Hintanhaltung des wirklich Gebotenen und Lebensnotwendigen mit allen Mitteln unter Bevorzugung der infamsten.

Die *Wiederherstellung* des Begriffes aus Verdrehung und Verderbnis liegt uns am Herzen. Wiederherstellung überhaupt, aus Verwirrung und moralischer Herrschaftslosigkeit, scheint uns die dringendste Aufgabe des Geistes und jedes guten Willens: Daher der Titel dieser Blätter. Es ist wahr: Maß und Wert sind der Zeit verlorengegangen. Länder, Gruppen, Parteien, Dogmen behaupten und verfolgen heute ihre unumschränkte, subjektive Geltung, und in den aberwitzigen Vernichtungskämpfen, die unsere Welt in Stücke reißen, ist jedes überlegene, gemeingültige, humane Kriterium in grauenhafte Vergessenheit geraten. Not tut die Besinnung auf ein souveränes Maß, an dem die Tatbestände, die Menschen, die Werke zu messen sind, von dem sie ihren rein menschlichen Wert erhalten. Wir fühlen es alle. Und an die Unentbehrlichkeit eines solchen Maßes glauben, heißt es wiederherstellen wollen. Es wiederherstellen aber heißt nicht, sich nach Vergangenem sehnen, sondern es *neu* herstellen, es aus den Bedingungen, die wir heute vorfinden, frisch erarbeiten und einsetzen. Eine solche Bemühung ist also ebenso konservativ wie revolutionär. Sie ist konservativ, insofern sie etwas bewahren will, was bisher die Würde des Menschen ausgemacht hat: die Idee eines überpersönlichen, überparteilichen, übervölkischen Maßes und Wertes; insofern sie die Geister, die Herzen, die Willen auf das Ziel eines solchen überparteilichen, humanen Maßes richten will. Sie ist aber revolutionär, da sie dieses Maß selbst aus keinerlei Vergangenheit ungeprüft übernehmen will, sondern es an den heutigen Bedingungen und Erfahrungen mit größter Wahrhaftigkeit zu erproben, aus der gegenwärtigen Situation neu zu gewinnen unternimmt.

Wahrhaftigkeit – Kunst und Moral werden eins in ihr. Wir sind keine Ästheten und Gecken des Immoralismus. Das Kunsturteil ›gut‹ hat niemals bloß ästhetischen Sinn; nichts ist ›gut‹, heute gewiß nicht, was nicht Gewicht hat »auf der Waage der Menschheit«, und das Barbarische ist uns nicht nur das ästhetisch, sondern in einem damit auch das moralisch Minderwertige und Niederträchtige. Es ist vor allem die Lüge, – in deren allergründlichster Verachtung Künstler und Moralist sich finden. »Alle Gesetze und Sittenregeln lassen sich auf eine zurückführen, die Wahrheit.« Das ist die Stimme der Kunst wiederum, das Wort Goethe's. Und da denn also alle Sittlichkeit auf Wahrheit zurückzuführen ist; da Wahrheit und Recht ganz ein und dasselbe und Recht nur die Anwendung der Wahrheit ist, so sei als der schändlichste Satz, der je der gesitteten Welt ins Gesicht gesprochen worden, dieser gebrandmarkt: »Recht ist, was dem Volke nützt.« Es gibt nichts Schändlicheres, sondern dies ist die Schändlichkeit selbst und die Quelle alles Schändlichen. Unmoral und Philisterei werden eins darin; es ist das schlechthin Schlechte, die Barbarei. Da es auf deutsch gesagt worden ist, genügt es nicht, daß ihm in fremden Sprachen widersprochen wird; auf deutsch muß es geschehen, und die Notwendigkeit dieses Widerspruchs allein würde die Gründung einer freien deutschen Zeitschrift rechtfertigen. Goethe erklärte: »Ich ziehe die schädliche Wahrheit dem nützlichen Irrtum vor. Eine schädliche Wahrheit ist nützlich, weil sie nur Augenblicke schädlich sein kann und alsdann zu anderen Wahrheiten führt, die immer nützlicher und nützlicher werden müssen; und umgekehrt ist ein nützlicher Irrtum schädlich, weil er nützlich nur einen Augenblick sein kann und in andere Irrtümer verleitet, die immer schädlicher werden.« – Das ist nicht Intellektualismus noch verblasener Idealismus, es ist Wahrheitssinn als Sinn für die wahre Wohlfahrt des Lebens. – Derselbe große Deutsche hat auch gesagt: »Der Patriotismus verdirbt die Geschichte« – was der entschiedenste, der entscheidende Widerspruch ist zu jener entarteten Bestimmung von Wahrheit und Recht. Es ist die Stimme des großen, freien und geistigen Deutschland, das geliebt war von den Völkern der Erde und dem unser Patriotismus gilt.

Man sagt uns, es sei machtlos gewesen dazumal, und wenn es um sein Erdenrecht gehe, um seine politische Größe, so sei ihm mit Humanität nicht geholfen, so müsse es sich hart machen, ganz Wille sein, sich selbst vergewaltigen, heroisch sein Gewissen ertöten und Recht und Wahrheit eine Weile einmal bewußt und eisern seinem Nutzen gleichsetzen. – Nun denn, die Meinung, um der Politik und Macht willen sei man sich eine so krampf- und krankhafte Selbstverleugnung schuldig, läßt eine derart ausschweifende Verachtung der Politik durchblicken, daß sie zu tiefem Zweifel an der Berufenheit eines sonst hochberufenen Volkes zu Politik und Macht Anlaß geben könnte. Ein Franzose hat das Spottwort geprägt: »Wenn der Deutsche graziös sein will, so springt er zum Fenster hinaus.« Er tut das auch, wenn er politisch sein will. Dann glaubt er sein Menschentum abwerfen zu müssen – was kein anderes Volk der Erde glaubt. Daß es zwischen Politik und Moral, zwischen Macht und Recht irgendeine Brücke gäbe; daß sie irgend etwas Gemeinsames haben könnten, ist ihm durchaus unglaubhaft: so sehr verachtet er die Politik, – auf die er doch eifersüchtigen Anspruch erhebt. Sie ist ihm die pure und unvermischte Teufelei, – so will er denn recht ein Teufel sein und

legt sich um ihretwillen eine entmenschte ›Weltanschauung‹ zu, mit der er, zu seiner Enttäuschung, das kalte Grauen – wir fürchten: zudem noch das Gelächter der Welt erregt.
Vor allem tritt die ehrgeizige Verachtung, die dieses Volk der Politik widmet, in der Wahl des Menschentyps zutage, den es mit der Verkündigung dieser unnatürlichen Weltanschauung und ihrer Praktizierung, kurz mit der Führung seiner politischen Sache betraut und der immer, wenn es in Deutschland ›national‹ und machtpolitisch zugeht, darüber befinden darf, was deutsch ist und was nicht. Wir sagen nichts weiter über ihn als eben dies: daß seine Einsetzung von einem maßlosen Pessimismus des nationalen Verhältnisses zur Politik Zeugnis gibt, und wir fügen allerdings hinzu, daß die unselige Kluft zwischen Macht und Geist, die das deutsche Leben charakterisiert, die tragische Fremdheit zwischen deutschem Staat und deutscher Kultur – man denke an Goethe's eisige Vereinsamung zur Zeit der Freiheitskriege, an Nietzsche's verzweifelte Vermaledeiung des »Reiches«, an George's bitteres und unerbittliches »Nein« zum Deutschland von heute und an sein Grab in der Schweiz – hier ihren Ursprung hat. Wir wollen nicht glauben an die ewige Notwendigkeit dieser Kluft und Fremdheit, wollen nicht aufhören, auf eine deutsche Macht, einen deutschen Staat zu hoffen – und nach unseren Kräften helfen, ihn vorzubereiten –, an welchem der deutsche Geist freudig teilnehmen kann und der ihn, eine wahrhafte Totalität verwirklichend, mit umfaßt.

Totalität; – es gibt nur eine: die menschliche, die Totalität des Humanen, wovon das Politisch-Soziale ein Segment und Teilgebiet ist. Der deutsche Bürger wußte das nicht. Er glaubte, um seiner Innerlichkeit und Bildung willen die Politik negieren, sich »unter ihr fortstehlen« zu können, wie Richard Wagner sagte, und aus seinem Wahn, man könne ein unpolitischer Kulturmensch sein, ist viel deutsches Unheil gekommen. Muß immer der Deutsche von einem Extrem ins andere fallen? Muß er, in grotesker Fehlkorrektur, zum Beweis einer ›Gründlichkeit‹, die schauerliche Übertreibung und traurigen Mangel an menschlichem Equilibrium bedeutet, nun darauf verfallen, die Politik, den Staat zu totalisieren, – was denn doch ärger noch ist als die frühere Versäumnis der Politik, die ein Vergehen gegen die Ganzheit des Menschlichen sein mochte, da das Hineinzwängen alles Menschlichen ins Politische ein Verbrechen ist, das zu nichts anderem als zu Verbrecherischem führen kann?
Wir glauben, das deutsche Volk hat eine Ahnung davon, wie

schauerlich-unwahrscheinlich gerade ihm die totale Politik zu Gesicht steht. Daß sie ihm so recht eine Herzenssache wäre, ist nicht glaubwürdig. Es erduldet sie in der Meinung, sie sei ihm nun einmal verhängt; ergeben, wenn auch mit zweifelhaften Gefühlen, läßt es seine politischen Sachwalter sie ins Werk setzen, – jene Leute, die es mit der Wahrheit, dem Recht halten wie bekannt, und mit der Freiheit desgleichen. Mit jeder Art von Freiheit müssen sie in Konflikt geraten bei ihrem unmenschlichen Betreiben, das ist klar; besonders aber muß ihnen die Freiheit des Christenmenschen ein Dorn im Auge sein, weshalb wir sie denn auch im Begriffe sehen, »das Christentum zu überwinden«.

Das ist ein höchst unanständiger Anblick, gegen den zu protestieren eine *freie* deutsche Zeitschrift, wie uns scheint, genau der rechte Ort ist. Ja, so sehr es in der Logik der Dinge liegt, daß Staatsdenker und -lenker, die Wahrheit und Recht traktieren gleich diesen, mit den christlichen Grundlagen der abendländischen Kultur in Widerspruch geraten müssen, so notwendig ist es, auszusprechen, daß zur Revision und Erneuerung dieser Grundlagen, möge der Prozeß der Geistesgeschichte sie nun fordern oder nicht, diejenigen, die sich heute ihrer vermessen, am allerwenigsten qualifiziert sind. Man überwindet das Christentum nicht, indem man unter das sittliche Niveau zurückgeht, auf das es die Menschheit gehoben hat, sondern höchstens, indem man es überbietet. Danach aber sehen uns die dreisten Propagandisten seines Unterganges nicht aus. »Über die Höhe und sittliche Kultur des Christentums«, sagte Goethe zu Eckermann, »wie es in den Evangelien schimmert und leuchtet, wird der menschliche Geist nicht hinauskommen.« Und heute glauben ein paar pseudorevolutionäre Popular-Literaten in ihrer angeregten Halbbildung, damit fertig zu sein. Ein besonders unzeitiger Dünkel, wahrhaftig! Denn wenn das Christentum immer eine zu hohe und reine Forderung des Geistes war, als daß es je anders denn als richtendes und die Gewissen schärfendes *Korrektiv* des Lebens auf Erden sich hätte verwirklichen können, so war es eben als sittliches Zuchtmittel nie einer Zeit und Menschheit notwendiger als dieser gegenwärtigen, für deren Verwirrung und Verwilderung diejenigen, die sich anmaßen, das Christentum zu überwinden, das abstoßendste Beispiel bilden. Wo es sich um Wertverteidigung, um die Bewahrung eines allgemein gültigen humanen Maßes handelt, wird auf der kulturellen Christlichkeit abendländischen Menschentums mit aller Freiheit und Festigkeit bestanden werden müssen.

Wir haben von einem neuen human-religiösen Gefühl gesprochen, das aus Leidenstiefen sich heute erhebe; und wirklich glauben wir, daß keine tiefere Empfindung für das Problem des Menschentums eines religiösen Einschlages je entraten wird. Nicht, daß Humanität sich als Religion aufzutun prätendierte durch die Vergottung des Menschen. Wie wenig Anlaß besteht zu dieser! Aber Humanität ist religiös in der Verehrung des Geheimnisses, das sich im Menschen verkörpert. Denn der Mensch ist ein Geheimnis. In ihm transzendiert die Natur und mündet ins Geistige. Die, sei es höhnische oder heroische, Neigung, ihn als bloße Natur zu betrachten, ist heute stark, und doch ist sie falsch. Seitdem der Mensch – Mensch ist, ist er mehr als Natur: dieses Mehr gehört zu seiner Definition. Er ist Tier mit einem Teil seines Wesens, ja; aber mit einem anderen gehört er einer anderen Sphäre an, der geistigen. Bewußtsein lehrt ihn zu unterscheiden; er ist, wie in der Genesis die Gottheit sagt, »wie unser einer«; er weiß, was gut und böse ist, er besitzt das Absolute. Es ist ihm gegeben in den Gedanken der Wahrheit, Freiheit, Gerechtigkeit, und mit diesen Ideen ist der Traum von Erlösung in ihn gelegt aus dem Unzulänglich-Natürlichen, der Traum von Vollkommenheit. Er ist das Menschlichste. Die Kunst kennt ihn wohl; und wenn es, wie man behauptet hat, eine Verwandtschaft gibt zwischen ihr und der Religion, so besteht sie hierin: im Drang nach Vollkommenheit.

Was Religion und Metaphysik die Erlösung nennen, liegt nicht hier, sondern im Ewigen. Keine religiöse Sehnsucht aber braucht uns in dem guten Willen zu beeinträchtigen, auf einen irdischen Zustand hinzuwirken, welcher, nicht gar zu ehrenrührig für die Vernunft, die unvermeidliche Diskrepanz zwischen Geist und Wirklichkeit, zwischen Leben und Gewissen, auf das erreichbare, menschlich erträgliche Mindestmaß zurückführt. Sozialisten? Wir sind es. Nicht, weil wir auf die marxistische Kulturphilosophie zu schwören bereit wären. Im Wirtschaftlich-Klassenmäßigen die schöpferische Grundtatsache des Lebens und in allem Geistigen nur den »ideologischen Überbau« zu erblicken, ist nicht ganz unsere Sache, soviel geschichtlich Wahres an dieser Theorie auch sein möge. Die Werke der Kultur und des Geistes gehören unserer Meinung nach keiner Klasse an, die wissenschaftlichen sowenig wie die künstlerisch-geistigen. Wir mögen nicht darauf verzichten, in den großen Entdeckungen und Erkenntnissen der Wissenschaft, den Taten eines Newton oder Einstein, wie auch selbst in den umwälzenden Erfindungen der Technik und besonders den Schöpfungen der Philosophie und Kunst freie Taten der Menschheit zu sehen, mit denen sogar notwendigerweise eine

Emanzipation von Herkunft und Klasse, ein sich befreiendes Darüberhinauswachsen verbunden ist: Die großen Künstler und Denker waren immer gewissermaßen verlorene Söhne ihrer Klasse, und ihr Wesen ging in den vom Marxismus gelehrten Bedingtheiten durchaus nicht rein auf. In Betrachtung des Fluges, den etwa der Geist Goethe's, des Frankfurter Patriziersohnes, oder der Geist Nietzsche's, dieses Abkömmlings protestantischer Pastoren, nahm, ist man unwillig zuzugeben, daß solche sieghaften oder tragischen Weltschicksale noch etwas mit Bürgerlichkeit zu tun haben. Der freie und kühne Gedanke, das Gewissen, die Erkenntnis sind Menschenwerte; sie kommen nicht aus Klassen-Bedingtheit, daran wollen wir festhalten.
Und doch kann man mit dieser Überzeugung Sozialist sein, – wenn sich nämlich die andere und weitere Überzeugung damit verbindet, daß es heute für den geistigen, den Kulturmenschen eine falsche und lebenswidrige Haltung wäre, auf die soziale, die politisch-gesellschaftliche Sphäre hochmütig herabzublicken und sie als zweiten Ranges zu erachten im Vergleich mit der Welt der Innerlichkeit, der Metaphysik und Religion. Die wertvergleichende Gegeneinanderstellung der persönlich-innerlichen Welt und der gesellschaftlichen, die Kontrastierung also von Metaphysik und Sozialismus, wobei dieser als unfromm, unheilig, bildungswidrig, als platter Eudämonismus und Materialismus hingestellt wird, ist heute nicht erlaubt. Es ist nicht erlaubt, in einer Welt, so widergöttlich und vernunftverlassen wie die unsere es ist, einer Welt, in welcher der Zwiespalt zwischen der erreichten geistigen Stufe und dem, was im Wirklichen immer noch möglich ist, so krankhaft ausgeartet erscheint, dem Willen zum Besseren, Leidlicheren das Metaphysische, Innerliche, Religiöse als das Überlegene, ja einzig Würdige entgegenzustellen. Noch einmal: Das Politische und Soziale ist ein Teil des Humanen. Dieses umfaßt beide Welten, die innere und die äußere, und es hat seinen guten Sinn, wenn gerade der Künstler sich den Willen zur Vermenschlichung und Vergeistigung der politisch-sozialen Welt nicht verleiden lassen mag durch den Vorwurf, ein solches Interesse sei seiner unwert und bloßer Materialismus.
Materialismus – ein kindisches Schreckwort und perfid obendrein! Auf eine scheinbar idealistische Weise soll das menschlich Anständige damit hintangehalten werden im Namen der Innerlichkeit. Aber ›Materialismus‹ kann viel geistiger, viel idealistischer und religiöser sein als irgendein sentimentaler Hochmut gegen das Materielle. Denn es bedeutet ja gar nicht das Versinken in diesem, das Aufgehen darin – es bedeutet im Gegenteil den

Künstlerwillen, es mit Menschlichem zu durchdringen. Wir kennen einen Ruf des großen Individualisten Nietzsche, der vollkommen sozialistisch lautet: »An der Erde zu freveln«, lautet er, »ist jetzt das Furchtbarste. Ich beschwöre euch, meine Brüder, bleibt der Erde treu! Nicht mehr den Kopf in den Sand der himmlischen Dinge stecken, sondern frei ihn tragen, einen Erdenkopf, der der Erde Sinn schafft!... Eure schenkende Liebe und eure Erkenntnis diene dem Sinn der Erde. Führt gleich mir die verflogene Tugend zur Erde zurück – ja, zurück zu Liebe und Leben: daß sie der Erde einen Sinn gebe, einen Menschensinn!« – Das ist der Materialismus des Geistes, die Wendung des religiösen Menschen zur Erde hin, die uns das Kosmische vertritt. Und Sozialismus ist nichts anderes als der pflichtmäßige Entschluß, den Kopf nicht vor den dringendsten Anforderungen der Materie, des gesellschaftlichen, kollektiven Lebens in den Sand der metaphysischen Dinge zu stecken, sondern sich auf die Seite derer zu schlagen, die der Erde einen Sinn geben wollen, einen Menschensinn.

Unser ›Programm‹ – wir haben es in Form eines Bekenntnisses gegeben, das notwendig persönliche Züge trägt. Sollte es darum zu individuell, zu einzelgängerisch sein, als daß ein Unternehmen geistiger Gesellschaftlichkeit, wie eine Zeitschrift es ist, darauf zu gründen wäre? Aber das Persönliche unterscheidet sich vom Querköpfig-Eigensinnigen eben dadurch, daß es des sympathetischen Kontaktes mit dem Allgemeinen, dem Sinnen und Trachten der Zeit keineswegs entbehrt, und uns ist nicht bange, daß auf ein Programm der Bewahrung und Freiheit, wie wir es in großen Zügen zu umschreiben versuchten, sich heute nicht viele in vielen Ländern, – daß nicht die Besten und Wohlwollendsten in aller Welt sich darauf sollten einigen können. Wir sind weder pessimistisch noch dünkelhaft genug, uns für Einsame und ›Unzeitgemäße‹ zu halten. Wir glauben im Gegenteil, daß Zeit und Stunde einem Hervortreten wie diesem günstig, daß sie wohl gewählt dafür sind. Die Sehnsucht nach dem Menschenanständigen, nach Freiheit, Vernunft und Recht, nach Maß und Wert ist heute keine gering zu schätzende Macht mehr auf Erden; sie ist, wenn uns nicht alles täuscht, riesengroß herangewachsen, auch und zumal in dem Lande, dessen Sprache wir reden; und wir machen kein Hehl daraus, daß es uns nicht zuletzt, vielleicht zu allererst um das Vertrauen derer zu tun ist, die in Deutschland das Bessere wollen; wir erklären es für unseren Herzenswunsch, dasjenige vorbereiten zu helfen, was dort eines gesegneten Tages an die Stelle des Gegenwärtigen treten soll. Mißlingt es uns, so wollen wir unserer

Unzulänglichkeit die Schuld daran geben – nicht dem mechanischen Hemmnis unserer Verpöntheit, das gewiß ohnmächtig wäre, unser Wort den Herzen fernzuhalten, die dafür offen sind.

Nein, die inneren Umstände sind einem Unternehmen wie diesem nicht ungünstig – nicht einmal die äußeren sind es mehr. Die erste Verblüffung, Verwirrung und Lähmung der europäischen Demokratie durch den unverschämten Anspruch und Ansturm scheinrevolutionärer Gegenmächte ist vorüber; zusehends gewinnt, was den Namen ›Europa‹ verdient und was eine stupide Schreckenspropaganda als vergreist und als Raub der Verwesung hatte verschreien wollen, Haltung, Machtbewußtsein und Anziehungskraft zurück, und die Jugendlichkeitsgrimasse derer, die dank der konsternierenden Roheit und Teufelei ihrer Kampfmethoden schon über Europa zu triumphieren meinten, – dies ganze dumm-anmaßende Zukünftigkeitsgetu' verfällt von Tag zu Tag mehr der Lächerlichkeit. Jeder ruhige Blick durchschaut, daß es der Diktatur nicht gut geht, daß sie im Grunde schon widerlegt ist, und schon bevor sie sich praktisch ad absurdum geführt hat, wird sie sich geistig von der Jugend verlassen sehen. Die Bezauberungskraft, welche eine Weile von den durchaus depressiven ›Ideen‹ ausging, die man die faschistischen nennt, ist im Schwinden begriffen; als geistige Mode kann der Faschismus heute schon als überwunden gelten, und aller Neuigkeitsreiz, aller Reiz von Hoffnung, Zukunft und eines echten, frohen geistigen Kämpfertums ist auf seiten der Freiheit und Humanität, – einer neuen, vervollkommneten, erst zu erobernden, erst zu erarbeitenden und zu gestaltenden Humanität, einer wahrheitsliebenden Andacht zum Menschen, ebenso stark im Bewahren wie im Verändern, in der Frömmigkeit wie in der Freiheit, und welche nach unserer Zuversicht die Lebensluft des Europa von morgen bilden soll.

In den Dienst der Arbeit an ihr, des redlichen Kampfes um sie stellt sich diese Zeitschrift. Sie braucht dazu die Hilfe aller Kräfte, bewährter wie junger, denen ehrlich am Schicksal des Menschen, des europäischen Menschen und des europäischen Deutschtums gelegen ist, die um dieses Anliegens willen auch bereit sind, persönliche, parteiliche, ständische Rücksichten hinter sich zu lassen und eine gemeinsame Arbeit zu tun. Sie bedarf eines ebensolchen Vertrauens von Lesern und rezeptiven Freunden, die um des großen Zieles willen bereit sind, eine Strecke mit uns zu gehen, uns zu fördern und zu stützen. Sie bedarf der vollen Freiheit des Wortes, die ein seltenes Gut geworden ist in diesem Erdteil. Zwar sind wir nicht auf Polemik aus, sondern unsere

Aufgabe ist konstruktiv: wir wollen in erster Linie wissen und erarbeiten, was zu tun und zu erstreben: das Verwerfen, Bestreiten sei Nebensache und Nebenwerk, – möge das wegsprengende Werk des Meißels auch unabtrennbar sein von allem bildnerischen Tun. »Ich freue mich zu fühlen«, sprach Goethe, »daß es Dinge gibt, die ich hasse. Denn nichts ist tödlicher für den Geist, als zu finden, daß die Dinge gut sind, wie sie sind: es ist die Zerstörung jedes wahren Gefühls.« – Heute zu finden, die Dinge seien gut, wie sie sind, das wäre wahrlich Gefühlszerstörung, und wir wollen uns den Haß auf das Schlechte nicht nehmen lassen. Kritik soll nicht um der Kritik willen, nicht zu einem bloß räsonierenden Selbstzweck getrieben werden, sondern nur um der geistigen Besinnung und moralischen Bemühung – um des Gewinnes willen von Maß und Wert. Aber wofern sie um deswillen geschieht, muß sie unbeschränkt bleiben.

Wir haben unsere Bundesgenossen und Gesinnungsverwandten in allen Ländern und Erdteilen, das wissen wir. Wenn wir unser Unternehmen von einer deutschen Plattform aus anheben, so geschieht es, um dem deutschen Geist, dessen heute in seiner Heimat von unberufenen Wortführern verleugnete Tradition eine unveräußerlich europäische und humane ist, eine Stätte zu schaffen, wo er frei und rückhaltlos dieser seiner wahrhaften Tradition nachleben und in Gemeinschaft mit den Brüdern anderer Nationen zum Wort und zum Werk gelangen mag.

Und so mögen die Leistungen reden.

[1937]

VOM KOMMENDEN SIEG DER DEMOKRATIE

Meine Damen und Herren, – die Redensart ›Eulen nach Athen tragen‹ ist wohl ein humanistischer Eigenbesitz der deutschen Sprache. Sie will eine sehr überflüssige Bemühung bezeichnen, den Transport einer Sache an einen Ort, wo davon ohnedies schon massenweise vorhanden ist. Denn da die Eule der heilige Vogel der Athene war, so gab es in Athen außerordentlich viele Eulen, und wer geglaubt hätte, dorthin noch welche bringen zu müssen, den hätte man ausgelacht.
Wie ein Mann, der Eulen nach Athen trägt, komme ich mir ein wenig vor, da ich mich anschicke, in Amerika über Demokratie zu sprechen. Es sieht aus, als wüßte ich nicht, daß ich mich im klassischen Lande der Demokratie befinde, wo die Gesinnung und Gesellschaftsverfassung, die man mit diesem Namen bezeichnet, recht eigentlich zu Hause und jedermanns eingefleischte Überzeugung, kurzum eine herrschende Selbstverständlichkeit ist, über die der amerikanische Mensch keiner Belehrung bedarf – von einem Europäer gewiß nicht. Im Gegenteil: was Demokratie sei, darüber hat Europa von Amerika viel zu lernen gehabt; amerikanische Staatsmänner und Dichter wie Lincoln und Whitman waren es, die demokratisches Denken und Fühlen, eine demokratische Menschlichkeit der Welt in Worten aere perennius verkündigt haben, und namentlich was Whitman betrifft, so hat die Erde wohl keinen Meister des Wortes hervorgebracht, der ein Gesellschaftsprinzip wie das demokratische so ins Trunken-Gesanghafte emporzureißen, es mit einem so mächtigen, aus Geist und Sinnlichkeit herrlich gemischten Gefühlsinhalt zu begaben gewußt hätte.
Nein, Amerika bedarf keiner Unterweisung in Dingen der Demokratie. Aber eines ist Unterweisung – und ein anderes Erinnerung, Besinnung, Revision, das Wiederbewußtmachen eines geistigen und moralischen Besitzes, den für allzu gesichert zu halten und auf sich beruhen zu lassen gefährlich wäre. Es gibt keinen Besitz, der Nachlässigkeit vertrüge. Selbst physische Dinge sterben ab, gehen ein, kommen abhanden, wenn man sich nicht um sie kümmert, wenn sie Blick und Hand des Besitzers nicht mehr spüren und er sie aus den Augen verliert, weil ihr Besitz ihm allzu selbstverständlich dünkt. Es ist mit der Selbstverständlichkeit der Demokratie in aller Welt eine zweifelhafte Sache geworden – auch in Amerika;

denn Amerika gehört zum Kulturterritorium des Abendlandes und hat teil an seinen inneren Schicksalen, an dem Auf und Ab seines geistigen und moralischen Lebens. Es kann sich nicht davon isolieren. Daß Demokratie heute kein gesichertes Gut, daß sie angefeindet, von innen und außen her schwer bedroht, daß sie wieder zum *Problem* geworden ist, das spürt auch Amerika. Es spürt, daß die Stunde gekommen ist für eine Selbstbesinnung der Demokratie, für ihre Wieder-Erinnerung, Wieder-Erörterung und Bewußtmachung, – mit einem Wort: für ihre *Erneuerung* im Gedanken und im Gefühl. Denn was die ihr feindlichen Tendenzen für sich haben oder für sich zu haben scheinen, ist vor allem der Reiz der Neuheit, – ein Reiz, für den sich die Menschheit allezeit äußerst empfänglich zeigt. Was Cäsar von den alten Galliern sagte: sie seien novarum rerum cupidi, nach neuen Dingen begierig, das gilt im Großen für die ganze Menschheit – aus Gründen, die eine pessimistisch-mitleidige Beurteilung ihres Schicksals zu stützen geeignet sind. Es steht nun einmal mit dem Menschen so, daß er sich in keiner Lage und unter keinen Umständen auf Erden ganz wohl befindet, keine Lebensverfassung ihm ganz gerecht wird und ihm ganz gemäß ist. Warum dem so ist, warum gerade für dieses Geschöpf auf Erden immer ein Rest von Ungenüge, Unzufriedenheit und Leiden bleibt, ist ein Geheimnis, – ein für den Menschen vielleicht sehr ehrenvolles, aber auch schmerzliches Geheimnis; und jedenfalls hat es zur Folge, daß der Mensch im Kleinen und Großen nach Abwechslung, Veränderung, nach dem *Neuen* trachtet, weil er sich eine Verbesserung und Erleichterung seines immer halb peinlichen Zustandes davon verspricht.
Ich wiederhole: Die Hauptstärke, die eigentliche Verführungskraft der Ideen und Tendenzen, die heute die Demokratie bedrohen und sie in den Zustand der Problematik versetzen, ist ihr Neuigkeitsreiz. Darauf pochen sie, damit prahlen sie; ihre revolutionäre Gebärde, ihre Attitüde von Jugendlichkeit und Zukünftigkeit soll die Jugend der Welt bestechen und tut es, wenigstens in Europa, nicht selten. Nach meiner Meinung ist es betrogene Jugend, die dieser Verführung unterliegt – ich will das hier gleich sagen. Nach meiner Meinung ist es mit der revolutionären Zukünftigkeit und Morgenrötlichkeit dieser Tendenzen – der faschistischen, es ist klar, was ich meine – ein fauler Zauber; es ist, nicht nur in diesem Punkt, aber namentlich auch in diesem, ein so verlogenes Wesen damit, daß ehrliche Jugend in aller Welt sich schämen sollte, etwas damit zu schaffen zu haben. Auch ist die Empfänglichkeit dafür keineswegs eine Frage von Alter und Jugend, und keineswegs ist es so, daß alte Leute, weil sie eben einer

anderen Zeit angehören und nicht mehr mitkönnen, davon ausgeschlossen oder dagegen gefeit wären und diese taufrische Gedankenwelt, genannt Faschismus, der Jugend überlassen müßten. Mein großer Kollege Knut Hamsun zum Beispiel, in Norwegen, ein schon sehr alter Mann, ist ein eifriger Faschist. Er agitiert für diese Partei in seinem eigenen Lande und hat es sich nicht nehmen lassen, ein weltbekanntes Opfer des deutschen Faschismus, den Pazifisten Ossietzky, öffentlich zu verhöhnen und zu beschimpfen. Das ist aber nicht das Benehmen eines Greises von besonders jung gebliebenem Herzen, sondern eines Schriftstellers der Generation von 1870, dessen entscheidende literarische Bildungserlebnisse Dostojewski und Nietzsche waren und der in dem Apostatentum von damals gegen den Liberalismus steckengeblieben ist, ohne zu verstehen, um was es heute eigentlich geht, und ohne zu merken, daß er sein Dichtergenie durch sein politisches – ich will lieber sagen: sein menschliches Verhalten, heillos kompromittiert. – Anderseits ist festzustellen, daß große Teile der Jugend in aller Welt, in Europa und besonders auch in Amerika, man kann wohl sagen: ihr überwiegender Teil, von dem, was man die faschistischen Ideen nennt, nichts wissen will und geistig oder selbst körperlich im Kampfe für ganz entgegengesetzte Ideale steht. Offensichtlich hat die Anfälligkeit für das faschistische Miasma nichts mit Alter oder Jugend zu tun; sie ist vielmehr eine Frage der Intelligenz, des Charakters, des Wahrheitssinnes, des menschlichen Gefühls, kurzum, es entscheiden darüber Eigenschaften, die sowohl dem Alter wie der Jugend angehören oder nicht angehören, und von hier aus ist für die revolutionäre Zukünftigkeit des Faschismus entschieden nichts zu beweisen.
Dennoch hat der Faschismus, seine schreiende Jugendlichkeits-Propaganda, sein Reklametrick, die Demokratie als vergreist, verrottet, überlebt, abgestanden und gähnend langweilig, sich selber aber als höchst lustig und prall von Leben und Zukunft hinzustellen, die uns allen bekannten Erfolge aufzuweisen. Groß und schlau wie er ist im Ausnutzen menschlicher Schwächen, kommt er damit dem leidenden Neuigkeitsbedürfnis der Menschheit entgegen, von dem wir sprachen; und was not tut, ist, meine ich, daß die Demokratie dieser faschistischen Spekulation durch eine Wiederentdeckung ihrer selbst begegnet, die ihr denselben Neuigkeitsreiz, ja, einen viel höheren verschaffen kann als der ist, den der Faschismus auszuüben sucht; daß sie alle Selbstverständlichkeit und Selbstvergessenheit von sich abtut und diese schon nicht mehr erwartete Situation, die Tatsache, daß sie wieder problematisch geworden, dazu benutzt, sich durch die Bewußt-

machung ihrer selbst zu erneuern und zu verjüngen. Man kann nämlich ihre vitalen Hilfsquellen, ihre Ressourcen an Jugendlichkeit gar nicht überschätzen: tatsächlich ist der Jugendübermut des Faschismus dagegen eine bloße Grimasse. Der Faschismus ist ein Kind – ein recht garstiges Kind – der *Zeit* und schöpft aus der Zeit, was er an Jugend besitzt. Die Demokratie aber ist zeitlos-menschlich, und Zeitlosigkeit bedeutet immer ein Maß von potentieller Jugend, das nur im Gedanken und im Gefühl realisiert zu werden braucht, um alle bloß zeitliche Jugendlichkeit an Reizen jeder Art, Lebensreizen, Schönheitsreizen, bei weitem zu übertreffen.
Ich nannte die Demokratie zeitlos-menschlich und ihren heute so sieghaft auftretenden Gegner, den Faschismus, eine Zeiterscheinung. Ich vergesse dabei nicht, daß auch er tiefe und vielleicht unzerstörbare Wurzeln im Menschlichen hat; denn sein Wesen ist die *Gewalt*. An sie, die physische und geistige Vergewaltigung, glaubt er, sie praktiziert er, sie liebt, ehrt und verherrlicht er, sie ist für ihn nicht erst die ultima, sondern die prima ratio, – und wir wissen nur zu gut, daß die Gewalt ein ebenso menschlich-unsterbliches Prinzip ist wie ihr Gegenteil, der Gedanke des Rechtes: Sie ist das unerbittlich Tatsachen schaffende Prinzip, sie kann alles oder fast alles; nachdem sie sich durch Angst die Körper unterworfen, unterwirft sie sich sogar die Gedanken – denn der Mensch kann auf die Dauer kein Doppelleben führen; um in Harmonie mit sich selber zu sein, paßt er notgedrungen seine Gedanken dem äußeren Verhalten an, zu dem die Gewalt ihn zwingt. So viel vermag diese auszurichten. Täglich sehen wir das Recht vor ihr erbleichen und zunichte werden, denn die Gewalt ist die erdrükkende und in der Erfahrung meist das Feld behauptende Materie, und das Recht nur eine Idee. Aber dies ›nur‹, so bitter pessimistisch es klingt, ist dennoch erfüllt von Stolz und der entschiedensten Zuversicht, – einer Zuversicht, die nicht läppischem, naturlosem Idealismus entspringt, sondern im Gegenteil über die Natur und Realität des Menschen besser, *vollständiger* Bescheid weiß als der nur halb unterrichtete Gewaltglaube. Denn das ist eine besondere Natur, die menschliche, welche sich von der übrigen eben dadurch unterscheidet, daß ihr die Idee gegeben ist, daß sie ihr untersteht und ohne sie nicht sein kann, da sie durch sie ist. Die Idee ist das spezifisch und eigentlich Menschliche, das, was ihn zum Menschen macht; sie ist in ihm eine reale, natürliche und unmöglich zu vernachlässigende Tatsache, so daß die plumpsten und auf die Dauer verderblichsten Fehler begeht, wer des Anteils der menschlichen Natur am Ideellen nicht achtet – wie die Gewalt es tut. Mit dem Worte ›Recht‹ aber ist die Idee bei einem ihrer

Namen genannt – mit einem nur; denn man kann auch andere, ebenso starke und keineswegs naturarme, sondern eher schreckliche Namen dafür einsetzen: zum Beispiel Freiheit und Wahrheit. Man weiß nicht, welchen man an die Spitze stellen soll, welcher der größte ist; denn jeder von ihnen bezeichnet die Idee in ihrer Ganzheit, und einer steht für den anderen. Sagt man Wahrheit, so sagt man auch Freiheit und Gerechtigkeit; spricht man von diesen, so meint man die Wahrheit. Es ist ein mit geistiger Natur und elementarer Sprengkraft geladener Komplex untrennbarer Art, – man nennt ihn das Absolute. Dem Menschen ist das Absolute gegeben – möge das nun ein Fluch oder ein Segen sein, es ist eine Tatsache. Er ist ihm verpflichtet, sein Wesen ist nach ihm gerichtet; und im menschlichen Bereich nimmt sich die wahrheitswidrige, freiheitsfeindliche und rechtlose Gewalt darum so subaltern, so verächtlich aus, weil sie ohne Gefühl und Verstand ist für die Verbundenheit des Menschen mit dem Absoluten und ohne Begriff für die unabdingbare Würde, die ihm aus dieser Verbundenheit erwächst.

Sie sehen, meine Damen und Herren, ich will dem Namen der Demokratie einen sehr weiten Sinn geben, einen viel weiteren, als der rein politische Klang dieses Namens zunächst vermuten läßt, denn ich knüpfe ihn an das Menschlichste, an die Idee und das Absolute, ich bringe ihn in Beziehung zu des Menschen unveräußerlicher und durch keine Gewalterniedrigung zerstörbarer Würde – und so muß ich tun, wenn ich den Wunsch erfüllen soll, der an mich erging: meinen Glauben zu bekennen an den Endsieg der Demokratie über die sie heute bedrohenden Tendenzen und Mächte. Wägt man nur ein politisches System gegen das andere ab, von denen das andere, feindliche, sogar recht robuste praktische Vorteile vor dem demokratischen aufzuweisen hat, so ist es schwer, zu diesem Glauben zu gelangen. Er muß fußen auf der menschlichen Zeitlosigkeit der Demokratie und auf ihrer daraus sich ergebenden grenzenlosen Erneuerungsfähigkeit, auf ihrem unerschöpflichen, vom Absoluten genährten Schatz an potentieller Jugendlichkeit, mit dem sie des prahlerischen Anspruchs der faschistischen Diktatur auf Jugend und Zukunft lachen kann. Daß dieser Glaube an bestimmte Bedingungen geknüpft bleibt, deren historische Erfüllung der Demokratie obliegt, werde ich noch sagen. Für den Augenblick ist es mir um ihre begriffliche Bestimmung zu tun, – und jede Bestimmung der Demokratie ist ungenügend für den Glauben an sie – die sich im bloß Technisch-Politischen hält. Es ist ungenügend, das demokratische Prinzip als Prinzip der Majorität zu bestimmen und Demokratie wörtlich –

allzu wörtlich mit ›Volksherrschaft‹ zu übersetzen, einem zweideutigen Wort, das auch Pöbelherrschaft bedeuten kann, – und das ist vielmehr die Definition des Faschismus. Es ist selbst noch unzulänglich – so richtig es sei –, die demokratische Idee auf die Friedensidee zurückzuführen und zu erklären, das Recht des freien Volkes, über sein Schicksal selbst zu entscheiden, schließe auch die Achtung vor den Rechten fremder Völker ein und sei die beste Gewähr für die Entstehung einer Völkergemeinschaft und für den Frieden. Man muß höher greifen und aufs Ganze gehen. Man muß die Demokratie als diejenige Staats- und Gesellschaftsform bestimmen, welche vor jeder anderen inspiriert ist von dem Gefühl und Bewußtsein der Würde des Menschen.

Die Würde des Menschen... Wird uns nicht etwas bange und lächerlich zumute bei diesem Wort? Schmeckt es nicht nach matt und dumpfig gewordenem Optimismus? Nach einer Fest-Rhetorik, die mit der bitteren, derben Alltagswahrheit über die Menschen schlecht übereinstimmt? – Wir kennen sie, diese Wahrheit. Wir sind mit der Natur des Menschen oder besser gesagt: *der* Menschen so ziemlich vertraut und weit entfernt, uns Illusionen über sie zu machen. Sie ist befestigt in dem Sakralwort: »Das Trachten des Menschenherzens ist böse von Jugend auf.« Sie ist mit philosophischem Zynismus ausgesprochen in dem Wort Friedrichs II. von der »verfluchten Rasse« – »de cette race maudite«. Mein Gott, die Menschen... Ihre Ungerechtigkeit, Bosheit, Grausamkeit, ihre durchschnittliche Dummheit und Blindheit sind hinlänglich erwiesen, ihr Egoismus ist kraß, ihre Verlogenheit, Feigheit, Unsozialität bilden unsere tägliche Erfahrung: ein eiserner Druck disziplinären Zwanges ist nötig, sie nur leidlich in Zucht und Ordnung zu halten. Wer wüßte diesem vertrackten Geschlecht nicht alle Laster nachzusagen, wer dächte nicht öfters völlig hoffnungslos über seine Zukunft und verstände es nicht, daß die Engel im Himmel vom Tage der Erschaffung an die Nase rümpfen über den unbegreiflichen Anteil, den Gott der Herr an diesem fragwürdigen Geschöpfe nimmt? Und doch ist es so – und zwar heute mehr als jemals –, daß man sich von soviel nur allzu begründeter Skepsis nicht zur Menschenverachtung verleiten lassen – über soviel lächerlicher Schlechtigkeit nicht das Große und Ehrwürdige vergessen darf, das sich als Kunst, Wissenschaft, als Wahrheitstrieb, Schönheitsschöpfung, Rechtsidee im Menschen offenbart; und doch ist es so, daß Fühllosigkeit gegen das große Geheimnis, das man berührt, wenn man ›Mensch‹ sagt und ›Menschheit‹, den geistigen Tod bedeutet. Das ist keine Wahrheit von gestern und vorgestern, veraltet, reizlos und matt. Es ist die

neue und notwendige Wahrheit von heute und morgen, diejenige, die Leben und Jugend für sich hat gegen die falsche und welke Jugendlichkeit gewisser Tageslehren und Wahrheiten.
Sagte ich zuviel, wenn ich den Menschen ein großes Geheimnis nannte? Woher stammt er? Aus der Natur, der tierischen, und danach benimmt er sich unverkennbar. Aber in ihm kommt die Natur zum Bewußtsein, sie scheint ihn hervorgebracht zu haben, nicht nur, um ihn zum Herrn über sich zu machen – das ist nur der Ausdruck für etwas Tieferes: sondern in ihm eröffnet sie sich gegen das Geistige, befragt, bewundert und beurteilt sich selbst in einem Wesen, das zugleich ihr angehört und seiner höheren Ordnung. Zum Bewußtsein kommen heißt: ein Gewissen bekommen, heißt wissen, was Gut und Böse ist, – die untermenschliche Natur weiß es nicht. Sie ist unschuldig; im Menschen wird sie schuldig. Der Mensch ist der Sündenfall der Natur, aber das ist kein Fall, sondern so gewiß eine Erhebung, wie das Gewissen höher ist als die Unschuld. Was das Christentum die ›Erbsünde‹ nennt, ist mehr als ein Priestertrick, um die Menschen niederzuhalten und zu beherrschen, – es ist das tiefe Gefühl des Menschen als eines geistigen Wesens von seiner natürlichen Brest- und Fehlhaftigkeit, über die er sich im Geiste erhebt. Ist das Untreue gegen die Natur? Durchaus nicht. Es ist nach ihrem tiefsten Willen. Denn zu ihrer Vergeistigung hat sie den Menschen hervorgebracht.
Diese Geheimniswürde des Menschen sieht und ehrt die Demokratie: den Sinn dafür, den Respekt davor nennt sie ›Humanität‹. Die antihumane, diktatorische Gesinnung des Tages will von ›Erbsünde‹, das heißt vom geistigen Gewissen nichts hören: Sündenbewußtsein, also *Geist*, erachtet sie der Kriegertugend für abträglich. Sie lehrt eine optimistische Heroik – in schlechthin blödsinnigem Widerspruch zu der bodenlosen Menschenverachtung, der sie zugleich damit huldigt. Denn alle Gewaltüber, Unterdrücker, Betäuber, Verdummer, alle, die darauf aus sind, aus der Nation ein gedankenloses Kriegs-Dynamo zu machen und auf diese Weise den freien und denkenden Völkern den Rang abzulaufen, sind selbstverständlich Menschenverächter: Sie geben zwar vor, dem Menschen seine vom Christentum geschändete Ehre zurückgeben zu wollen, indem sie ihn von der Erbsünde lossprechen und ihm germanische Heroik in den Leib reden – immer gebärden sie sich als Wiedererstatter der Ehre; auch Deutschland hätten sie ja, wenn man dem Radio glauben dürfte, ›die Ehre zurückgegeben‹. In Wirklichkeit aber praktizieren sie eine wahrhaft groteske Menschenverachtung – grotesk durch ihr

Subjekt, grotesk durch den Gedanken, *wer* hier verachtet: es sind die Verächtlichsten. Ich lasse mir die Verachtung gefallen, die aus der Höhe kommt, die große, dem Menschenmaß entwachsene Persönlichkeit, welche verachtet. Aber vergebens fragt man sich, wie die totale Erbärmlichkeit, die moralische und geistige Misere eigentlich dazu kommt, zu verachten. Es ist denn auch eine Sorte von Verachtung, die den Menschen erst aus allen Kräften erniedrigen und verderben muß, damit er recht zu ihrem Objekte tauge. Der Terror verdirbt die Menschen, das ist klar: Er zerrüttet ihren Charakter, setzt das Böse in ihnen frei, macht sie zu angstvollen Heuchlern und schamlosen Angebern, er macht sie verächtlich – darum lieben die Menschenverächter den Terror so sehr. Ihre Lust an der Menschenschändung ist schmutzig und pathologisch. Die Behandlung der Juden in Deutschland, die Konzentrationslager und was sich in ihnen abgespielt hat und immer noch abspielt, sind dafür Belege und Beweise. Jeder Art Pranger, Entehrung, schimpfliche Auszeichnung, das Haarabschneiden, der gelbe Flecken, der Zwang zur moralischen Selbstvernichtung, die Zerbrechung von Geist und Seele durch die Körpertortur, die Schändung des Rechtes durch die Gewalt, so daß der Mensch, überwältigt von Weltuntergangsschaudern, am Rechte verzweifelt, ihm abschwört und die Gewalt anbetet: – dies alles sind Hilfsmittel dieser Lust, die teuflisch zu nennen schon zuviel Ehre wäre, denn sie ist einfach krankhaft. Oder sind die Zumutungen nicht krankhaft, die die Diktatur sich auf dem Gebiete der Lüge, des Wahrheitsmordes, des Betruges gönnt, eines Betruges, der so plump ist, daß er ebenfalls auf Gewalt hinausläuft? Ist es das schrankenlose Vertrauen nicht, das sie in die Verdummtheit und geistige Widerstandslosigkeit der nach ihren Wünschen und Bedürfnissen zugerichteten Menschen setzt? Es gibt nur eine öffentliche Stimme – die ihre. Jede andere ist zum Schweigen gebracht, es gibt keinen Widerspruch, nicht die leiseste Gegenerinnerung, – sie kann sagen, was sie will, kann den Leuten die Lügenpeitsche um die Ohren knallen lassen nach ungestörter Herzenslust – die Lügenpeitsche der Propaganda. Die Demokratie, wie immer ihre Meinung über die Menschen sei, meint es jedenfalls gut mit den Menschen. Sie möchte sie heben, denken lehren und befreien, möchte der Kultur den Charakter eines Vorrechtes nehmen und sie ins Volk tragen, – mit einem Worte: sie ist auf *Erziehung* aus. Erziehung ist ein optimistisch-menschenfreundlicher Begriff, – die Achtung vor dem Menschen ist unabtrennbar von ihm. Sein menschenfeindlicher, menschenverächterischer Gegenbegriff heißt Propaganda. Diese soll verdummen, betäuben, einebnen,

›gleichschalten‹ – im Interesse der Kriegstüchtigkeit und vor allem, um das diktatorische System an der Macht zu erhalten. Ich will damit nicht sagen, daß nicht auch Propaganda im Geist der Erziehung, im demokratischen Geist also, geübt werden könnte: Die Demokratie hat vielleicht bisher überall und auch in diesem Lande zuwenig im eigenen Sinn von ihr Gebrauch gemacht. In den Händen der Diktatur jedenfalls ist Propaganda ein Instrument zynischer Menschenverachtung.
Wir sehen also Widerspruch da wie dort – es geht ohne solchen im Leben offenbar nicht ab. Die Demokratie widerspricht sich, indem sie zwar von Geistes wegen (denn sie steht mit Geist, Literatur, psychologischer Wahrheitserkenntnis und Wahrheitsforschung auf gutem Fuß) für die kosmische Schlechtigkeit des Menschen allen Sinn hat und sie kritisch analysiert, dennoch aber an der Würde des Menschen grundsätzlich festhält und an die Möglichkeit seiner Erziehung glaubt. – Die Diktatur widerspricht sich, indem sie zwar die christliche Erbsünde für abgeschafft erklärt, den Menschen vom Gewissen befreit und ihn adelige Heroik lehrt (damit er sich besser für sie schlage), – dabei ihn aber ohne jedes Gefühl für seine Würde erniedrigt und versklavt, überzeugt, daß kein anderes Los ihm zukomme und alles andere veraltet-schönseliges Gerede sei. – Beides ist unlogisch. Aber welche Art Unlogik wohl ist die anständigere? –
Bemerkenswert und charakteristisch ist das Wohlverhältnis der Demokratie zum Geiste und auch zum schönen Geiste, zur Literatur, schon dieses unterscheidet sie bestimmend von der Diktatur, welche ihre Gewaltgläubigkeit selbstverständlich geistfern, geistfremd und geistfeindlich macht. Wirklichen Definitionswert für die Demokratie gewinnt diese Feststellung aber erst, wenn man den Begriff des Geistes nicht einseitig, isoliert, abstrakt und hochmütig-lebensfremd versteht, sondern ihn als lebensverbundenen, dem Leben und der Tat zugewandten Geist kennzeichnet, – denn nur *das*, und *das eigentlich*, ist demokratischer Geist und ist der Geist der Demokratie. Die Demokratie ist nicht intellektualistisch in einem alten und überwundenen Sinne. Demokratie ist Denken; aber es ist ein dem Leben und der Tat verbundenes Denken, sonst wäre es nicht demokratisch, und eben hierin ist die Demokratie neu und modern. Der französische Philosoph Bergson sandte einem Kongreß von geistigen Forschern, der kürzlich in Paris tagte, eine Botschaft, worin er den Imperativ aufstellte: »Handle als Denker und denke als Handelnder.« – Das ist eine durch und durch demokratische Devise. Kein vordemokratischer Denker hat je ans Handeln gedacht noch

daran, wie ein Handeln sich ausnehmen würde, das sein Denken verwirklichte. Es ist ein Charakteristikum undemokratischer oder demokratisch unerzogener Nationen, daß bei ihnen ohne jede Beziehung zur Wirklichkeit gedacht wird, rein abstrakt, in völliger Isolierung des Geistes vom Leben und bar jeder Rücksichtnahme auf die Wirklichkeitskonsequenzen des Denkens. Das ist ein Mangel an Pragmatismus, der ins Sträfliche fällt und dahin führt, daß der Gedanke durch die Wirklichkeit eine gräßliche und das Denken überhaupt kompromittierende Widerlegung erfährt. Goethe hat gesagt: »Der Handelnde ist immer gewissenlos; Gewissen hat nur der Betrachtende.« Das ist wahr, aber weil es wahr ist, muß der Betrachtende gewissenhaft sein auch noch für den Handelnden, – eine Forderung, die sich natürlich am glücklichsten erfüllt, wenn der Denkende und der Handelnde ein und dieselbe Person sind. Wir nennen den jüngst verstorbenen Gründer und ersten Präsidenten der tschechoslowakischen Republik einen großen Demokraten. Warum? Weil sich in seiner Gestalt ein neues und modernes Verhältnis von Geist und Leben verkörpert, weil er in organischer Verbindung Denker und Staatsmann war – ein Denker als Staatsmann und als Staatsmann ein Denker. Die Forderung Plato's, daß Philosophen den Staat regieren sollen, wäre eine gefährliche Utopie, wenn sie nur besagen wollte, daß der Regent ein Philosoph sein soll. Der Philosoph muß auch ein Regent sein – erst das schafft das Verhältnis von Geist und Leben, welches wir demokratisch nennen. Was man heute an dem Philosophen bewundert, der am Beginn neuzeitlichen Denkens steht: Descartes, ist ausdrücklich die Lebensnähe und Aktivität seiner Denkweise; und je länger, desto entschiedener hat seit den Tagen des Cartesius die europäische Philosophie diese demokratische Richtung verfolgt. Selbst ein so extrem individualistischer und aristokratischer Denker wie Nietzsche ist Demokrat in diesem bestimmten modernen Sinn: sein Kampf gegen den theoretischen Menschen, seine fast schon exzessive und gefährliche Verherrlichung des Lebens auf Kosten des Geistes und der abstrakten Wahrheit hat philosophisch-demokratischen Charakter, und einen sehr künstlerischen dazu. Denn der Künstler ist kein Theoretiker oder doch nur in unmittelbarer Verbindung mit dem Handeln, dem Tun und Machen, das aus dem Geiste geschieht. In mehr als einer Beziehung hat ja Nietzsche Kunst und Geisteswissenschaft einander genähert, sie ineinander übergehen lassen; durch ihn ist die Grenze zwischen beiden fließend geworden. Aber Annäherung an die Kunst bedeutet Annäherung an das Leben, und wenn der Sinn für die Würde des Menschen die *moralische*

Bestimmung der Demokratie ist, so ergibt sich ihre *psychologische* Definition aus diesem ihrem Willen zur Versöhnung und Vereinigung von Erkenntnis und Kunst, Geist und Leben, Gedanke und Tat.

Mißverständnis und Mißbrauch liegen hier freilich nahe. Es gibt eine Karikatur des modernen Anti-Intellektualismus, die mit Demokratie nichts mehr zu tun hat, sondern bei der man sich mitten in die niedrig demagogische Welt des Faschismus versetzt findet: Es ist die Verachtung der klaren Vernunft, die Leugnung und Vergewaltigung der Wahrheit zugunsten der Macht und des Staatsinteresses, der Appell an die dumpfen Instinkte, das sogenannte ›Gefühl‹, die Lossprechung der Dummen und Schlechten von der Zucht der Vernunft und des Geistes, die Freigabe der Gemeinheit, – kurz eine barbarische Pöbelei, neben der sich, was wir Demokratie nennen, nun freilich im höchsten Grade aristokratisch ausnimmt. Dies nun ist der Augenblick, einzusehen, daß der Gegensatz von Demokratie und Aristokratie dem Leben nur mangelhaft gerecht wird; das eine ist nicht immer das echte Gegenteil des andern. Wenn Aristokratie wirklich und immer ›Herrschaft der Guten, der Besten‹ bedeutete, dann wäre sie das Wünschenswerte, weil sie genau das wäre, was wir unter Demokratie verstehen. Der Demokrat Masaryk, der Demokrat Roosevelt, der Demokrat Léon Blum sind als persönlich-menschliche wie als staatsmännische Typen bestimmt aristokratischer als der Typus Hitler oder Mussolini. Daß aber eine aristokratische Menschlichkeit politisch das Ziel der Demokratie vertritt, kommt daher, daß der Geist zwar vornehm macht und selbst schon eine Äußerung der Verfeinerung und höheren Artung ist, daß er aber zugleich kraft seiner Verbundenheit und Solidarität mit Erkenntnis, Wahrheit, Gerechtigkeit und als das Gegenteil von Gewalt und Roheit der Befürworter und Vertreter der Demokratie auf Erden ist.

Die wirkliche Demokratie, wie wir sie verstehen, kann niemals eines aristokratischen Einschlags entbehren – das Wort ›aristokratisch‹ nicht im Sinne der Geburt und irgendwelcher Privilegien genommen, sondern im geistigen Sinn. In einer Demokratie, die das höhere Leben des Geistes nicht ehrt und nicht von ihm bestimmt wird, hat die Demagogie freies Spiel, und das Niveau des nationalen Lebens wird auf dasjenige der Unwissenden und Unkultivierten hinabgedrückt, anstatt daß das Prinzip der Erziehung waltete und die Tendenz herrschte, die unteren Schichten zur Kultur zu erheben und das Niveau der Besseren zum anerkannt herrschenden zu machen. Den Begriff der Kultur und ihr Niveau von unten her, nach dem Sinn und Verständnis des Pöbels bestimmen zu lassen, – genau dies und nichts anderes ist Demagogie; und wir haben das Musterbeispiel dafür in den sogenannten Kulturreden des erwähnten Führers, zu deren praktischen Folgen es unter anderem gehört, daß zeitgenössische deutsche Maler von Weltruf wie Corinth, Kokoschka, Pechstein, Klee, Hofer, Marc und Nolde figürlich und damit beinahe auch persönlich an den Schandpfahl gestellt wurden und daß man ihre Werke in einer Ausstellung für »entartete Kunst« dem Hohngelächter derer preisgab, deren machthabender Exponent der erwähnte Kulturredner ist. Was dieser neuartige Herrscher über Kunst und Geist, über Skulptur, Malerei, Musik, Literatur autoritativ zum besten gibt, wird späteren Generationen vor Augen führen, was in dem kriegsbeschädigten Deutschland unserer Tage, einem ehemals geistig hochstehenden Lande, möglich war; es wird sie lehren, was das ist, entartete Demokratie. Ich verstehe nichts von Staatskunst, – es ist möglich, daß das erwähnte Ingenium Deutschland herrlichen Zeiten entgegenführt, wenngleich das Wilhelm II. auch schon versprochen hat. Von Kultur aber glaube ich etwas zu verstehen, hier bin ich legitimiert, ein Wort mitzureden; und da Deutschland in das Friedhofsschweigen der Diktatur gehüllt, da dort jede Widerrede erstickt ist, so verlangt die Menschenwürde, daß wenigstens hier in der Freiheit ausgesprochen werde, daß diese Kulturreden nichts weiter sind als subalternes Kleinbürgergeschwätz, daß ihr einziger Wert darin besteht, zu zeigen, wohin die Demokratie gerät, wenn sie des notwendigen geistes-aristokratischen Einschlages verlustig geht.

Die pseudo-aristokratische Grimasse gehört freilich zum Bilde dieser Entartung. Diktatoren sind ja Herrenmenschen, sie verachten die Menge, und während sie sich zum Mundstück ihrer armseligen Meinungen machen, geben sie ihr ihre persönlich ganz unbegreifliche und ungerechtfertigte Geringschätzung zu verstehen. Das Volk, sagt der Kulturredner, habe nicht mitzureden; es brauche Brot und Spiele, und damit punktum. Denn es habe einen »Kaninchenhorizont« und bestehe vorwiegend aus »schwachen Spießern«. Aber gerade in ihm und durch ihn redet es ja mit, und es ist wahrhaft sonderbar zu sehen, wie der regierende Redner gar nicht auf den Gedanken kommt, es möchten gerade seine Kulturaspekte mit Kaninchenhorizont und schwachem Spießertum irgend etwas zu tun haben. Ich nenne das Pseudo-Aristokratismus, – in der faschistischen Diktatur ist alles ›Pseudo‹, vor allem auch der Sozialismus, wie das Verhalten des Kulturredners zum Volke zeigt. Es ist ein Sozialismus der Menschenverachtung, dazu

Kulturterror des Kleinbürgers und alles in allem eine Art von Banausen-Bolschewismus, der unstreitig für die Gesittung eine viel scheußlichere Gefahr bedeutet als die soziale Doktrin, deren Drohung so große Teile des besitzenden Bürgertums der faschistischen Diktatur in die Arme treibt oder ihm doch Sympathie mit ihr einflößt. Sie halten diese für einen rettenden Schutzwall gegen den eigentlichen, den russischen, proletarisch gefärbten Bolschewismus und gegen den Sozialismus überhaupt, und die Diktaturen geben sich denn auch für solch einen Schutzwall aus, sie spielen die Retter der europäischen Zivilisation vor dem Bolschewismus, zu welchem, wie sie behaupten, die Demokratie schon die Vorstufe ist. Man kann sagen: sie leben von dieser künstlich genährten Angst: sie vor allem hat ihnen zum Siege im Inneren verholfen, und sie vertrauen, daß die anti-bolschewistische Ideologie, unermüdlich propagiert, ihnen auch zum äußeren, zum Weltsieg verhelfen werde. Das Bürgertum ist jedoch vor der grausamen Enttäuschung zu warnen, die es erwartet, wenn es dieser betrügerischen Propaganda unterliegt, – einer schweren Enttäuschung, die das Bürgertum der dem Faschismus verfallenen Länder bereits erprobt hat. Daß es die Funktion und Absicht des Faschismus, besonders etwa des deutschen Nationalsozialismus sei, das Privateigentum und die individualistische Wirtschaftsform zu konservieren, ist ein vollständiger Irrtum. In entscheidender Beziehung, nämlich gerade in wirtschaftlicher, ist der Nationalsozialismus nichts anderes als Bolschewismus: Es sind feindliche Brüder, von denen der jüngere von dem älteren, russischen, so gut wie alles gelernt hat – nur nicht das Moralische; denn sein Sozialismus ist moralisch unecht, verlogen und menschenverächterisch, aber im wirtschaftlichen Effekt läuft er auf dasselbe hinaus wie der Bolschewismus. Zwar sind unter dem Nationalsozialismus die Arbeiter entrechtet, die Gewerkschaften vernichtet, alle sozialistischen Organisationen zerschlagen; daß aber damit das goldene Zeitalter des Unternehmertums gekommen sein würde, war ein Traum des Herrn Thyssen und anderer finanzieller Gönner der Hitler-Partei, ein Traum, von dem wir dahingestellt sein lassen wollen, ob er schön war, von dem aber jedenfalls das strikte Gegenteil in Erfüllung gegangen ist. Die Kriegswirtschaft, die heute im sogenannten Dritten Reiche herrscht, ist eine moralisch tiefstehende Form des Sozialismus, aber eine Form davon eben doch. Sie ist etwas, was man sowohl Staatssozialismus wie Staatskapitalismus nennen kann, militärisch bestimmte Diktatur des Staates über die Wirtschaft, vollendete Verdrängung der Unternehmer-Initiative, der unzweifelhafte Untergang der privatkapitalistischen Wirtschaft. Dies möge das Bürgertum der Welt sich klarmachen, bevor es aus Panik vor dem Sozialismus für den Faschismus optiert. Freilich ist nicht genug zu betonen, daß der faschistische Sozialismus eine moralische Verhunzung des wirklichen ist, der Diebstahl an einer sittlichen und humanitären Idee, um Jugendlichkeits- und Zukünftigkeitspropaganda damit zu treiben. Wie es mit dem Sozialismus der Diktatur bestellt ist, zeigt sehr anschaulich der exaltierte Baubetrieb im heutigen Deutschland: Der Drang dieses Regimes, sich in ebenso großmannssüchtigen wie künstlerisch armseligen Prunk- und Riesenbauten zu verherrlichen, ist eine Leidenschaft von stark krankhaftem Einschlage; sie hat etwas Maniakalisches und erinnert daran, daß die Bauwut eine klinisch bekannte Erscheinung ist. Das Geld spielt bei diesen überall angelegten, geplanten oder schon in öder, leer-epigonenhafter Vollendung prangenden Staats- und Kommunalbauten überhaupt keine Rolle; die Ausgaben dafür sind enorm; der ›innere Kreislauf‹ scheint es zu erlauben. In Nürnberg – um von den Berliner und Münchener architektonischen Plänen und Taten zu schweigen – erwächst eine sogenannte »Tempelstadt«, in der die zukünftigen Parteitage sich abspielen sollen. Da gibt es eine steinerne Sport-Arena, die 404 000 Personen fassen soll, also viermal so groß sein wird wie das Olympiastadion in Berlin; ein ungeheures Versammlungsgebäude, das von hinten gesehen dem römischen Kolosseum gleicht – wie es von vorne aussehen wird, kann ich nicht sagen; einen besonderen Riesenbau für ›Kulturtagungen‹, der voraussichtlich besonders reich an Säulen sein wird, hinter welchen dann eine Kultur tagt, die man sich denken kann. Die ›Zeppelinwiese‹ bei Nürnberg ist groß genug, daß sie als Schauplatz für die alljährlichen Gefechtsübungen der Wehrmacht mit Tanks und schweren Geschützen dienen konnte. Das genügt nicht. Ein dreimal so großes Aufmarschfeld mit steinernen Wällen wird errichtet, das den cäsarischen Namen ›Märzfeld‹ führt und eine Million Menschen faßt. Bedenkt man, daß das Berliner ›Reichssportfeld‹ fünfzig Millionen gekostet hat, so kann man sich eine ungefähre Vorstellung davon machen, welche Summen das ›Märzfeld‹ und überhaupt die Nürnberger Tempelstadt – um nur von dieser zu reden – verschlingen wird. Und dabei herrscht in Deutschland die krasseste Wohnungsnot – in direkter Folge dieser Staatsbauwut, wie sich versteht. Auf amtliche Ziffern gestützt, hat man ausgerechnet, daß es im Lande 950 000 Wohnungen zuwenig gibt. Der Anblick der in den Monstrebauten dargestellten Reichsherrlichkeit muß die Un- und Schlechtbehausten entschädigen. Das nenne ich Sozialismus! Es ist Nationalsozialismus, wohlge-

merkt. Ich finde es aber sowohl nationaler wie auch sozialistischer, wenn eben jetzt der Präsident Roosevelt an den amerikanischen Kongreß mit einem Plan für den Bau von drei bis vier Millionen neuer Wohnungen herantritt, für deren Kosten – es sind hohe Kosten – die privaten Unternehmungen und das Kapital zusammen mit dem Staate aufkommen sollen. An Großzügigkeit läßt auch dieser Plan nichts zu wünschen übrig. Aber es ist eine Großzügigkeit, die nicht auf Verblendung und Einschüchterung des Volkes durch die Pracht- und Machtentfaltung des Regimes, sondern auf den Nutzen und das vernünftige Wohl der Landesbewohner gerichtet ist.
Daß das Wort ›Sozialismus‹, trotz aller anti-individualistischen Wirtschaftsgebarung, im Mund des Faschismus eine Lüge ist, zeigt schon der Name seiner deutschen Spielart: Nationalsozialismus. Diese Wortverbindung ist eine Bauernfängerei wie das ganze ›Gedankengut‹, dessen Etikette sie ist. Nationalismus und Sozialismus sind Gegensätze. Ein Parteiprogramm aus beiden zu machen, ist geistiger Unfug. Sozialismus ist ein durchaus moralischer, das heißt nach innen gerichteter Impuls, ein Impuls des Gewissens. Wie man als bürgerlicher Individualist über ihn auch denken möge, – man muß zugeben, daß er friedlich ist, pazifistisch bis zur Selbstgefährdung. Er hat von Natur wenig Machtsinn, – sollte er zugrunde gehen, so wird es an diesem Mangel liegen. Wir haben ja gesehen, daß die sozialistisch beeinflußte deutsche Republik aus pazifistischer Scheu vor dem Blutvergießen, dem Bürgerkrieg, die Waffen vor ihren Mördern streckte. Wir haben auch gesehen, welches Druckes von seiten der aggressiv-kriegerischen Mächte es bedurfte, bis der französische und englische sozialistische Pazifismus sich notgedrungen mit der defensiven Aufrüstung ihrer Länder befreundeten. Ich nenne den Sozialismus darum einen moralischen Impuls, weil er wesentlich innenpolitisch, nicht außenpolitisch interessiert ist: seine Passion ist Gerechtigkeit, nicht Macht. Die sozialistische Reform Léon Blums in Frankreich geschah unter fast sträflicher Vernachlässigung der außenpolitischen Dinge, in dem idealistischen Glauben, daß die Herstellung einer höheren und gerechteren Ordnung im Innern ein Land eo ipso in jeder Beziehung stärke, also im Glauben an die Moral. Möge dieser Glaube, trotz seines Idealismus, auf die Dauer sogar *richtig* sein, – unmittelbar kann er zu großer Schwächung und Gefahr im Lebenskampfe führen, gleichwie ein Mensch, der ganz nach innen gerichtet lebte, allein sein Seelenheil im Auge hätte und auf die Umwelt und wie er mit ihr fertig werde gar nicht Bedacht nähme, auf Erden wohl schlecht bestünde. – Und Ruß-

land? – Man kann das innenpolitische Beispiel, das es gibt, böse finden und dieses Beispiel fürchten. Aber man muß einräumen, daß die moralische Natur alles wirklichen Sozialismus sich auch im Falle Rußlands bewährt: man muß es als *Friedensmacht* anerkennen und feststellen, daß es als solche eine Verstärkung der Demokratie bedeutet. Es ist kein Zufall und keine bloße Sache der Politik, sondern der Moral, wenn Rußland sich als Friedensmacht an die Seite der großen und kleinen Demokratien: Englands, Frankreichs, Amerikas, der Tschechoslowakei und so weiter stellt. Soweit der Friede in Frage kommt, gehören Sozialismus und bürgerliche Demokratie zusammen, denn der Sinn des Friedens ist die innere Aufgabe, die *Arbeit* in der weitesten und sittlichsten Bedeutung des Wortes, die Arbeit der Völker an sich selbst. Der Krieg dagegen ist moralischer Müßiggang, das liederliche Abenteuer, ein Hinter-die-Schule-Laufen vor den großen und dringenden Verbesserungsaufgaben der Zeit, die der Friede stellt und die nur im Frieden gelöst werden können. Ich habe vielleicht nicht genug Sinn für die von Rußland ausgehende Bedrohung der kapitalistisch-bürgerlichen Lebensordnung; denn ich bin kein Kapitalist. Soviel aber sehe ich, daß von Rußland *keine* Bedrohung dessen ausgeht, worauf alles ankommt, nämlich des Friedens. Nicht Rußland ist es, das zwanzig Jahre nach dem Weltkrieg Europa zwingt, ungeheure Mittel den Friedenszwecken zu entziehen und der Rüstung zuzuwenden; es ist der Faschismus und seine sogenannte Dynamik. Daß die Welt nicht zur Ruhe und zum Gedeihen kommt, ist sein Werk, nicht das des Sozialismus.
In geradem Gegensatz nun zu diesem ist der Nationalismus ein durchaus aggressiver, nach außen gerichteter Impuls; seine Sache ist nicht das Gewissen, sondern die Macht, nicht die Arbeit, sondern der Krieg. Der Vorbereitung des Krieges und seiner Verherrlichung ist selbst das an propagandistischen Gehalten reiche Wort ›Sozialismus‹ gut genug. In der Tat, zu Hause schlägt man den Sozialismus tot; nach außen aber, international, gibt man sich plötzlich sozialistisch; die Begriffe ›proletarisch‹, ›Armut‹, ›Besitz‹, ›Gerechtigkeit‹ spielen da auf einmal eine hervorragende Rolle, und der Klassenkampf, im Inneren geleugnet, perhorresziert und durch eine zweifelhafte ›Volksgemeinschaft‹ ersetzt, wird nach außen zum dynamischen Motor aller Geschichte gemacht. Man teilt die Welt ein in proletarische Staaten, have-nots, die nichts zu verlieren und alles zu gewinnen haben, die durch Armut dynamisch und heroisch gemacht werden, sehnsüchtig nach Raum, Sonne, Glück, Teilhaberschaft an den Gütern der Erde, – und in kapitalistische Staaten, satt und statisch, welche auf

ihrem Besitz wie der schatzbehütende Lindwurm ruhen und die armen Teufel vom Glück und Reichtum der Erde ausschließen wollen. Ein sozialistisches Recht und Pathos der Dynamiker gegen die Statiker wird da in Anspruch genommen, der Umsturz der bestehenden Besitzverhältnisse zugunsten der ›Armen‹ aufwieglerisch propagiert und mit einem proletarischen Krieg gegen die Kapitalwelt gedroht, wenn die Forderung nicht erfüllt wird.
Nun kommt es im Leben darauf an, wer eine Wahrheit ausspricht. In gewissem Munde wird auch die Wahrheit zur Lüge. Es ist kein Zweifel: unter den Erscheinungsformen und begrifflich-gefühlsmäßigen Abwandlungen der Idee: Wahrheit, Freiheit, Gerechtigkeit ist es diese, die Gerechtigkeit, die als Gewissensforderung heute dem Herzen der Menschheit am nächsten liegt. Jeder lebendige Geist, das ist eine Tatsache, erkennt in einem gerechteren sozialen und ökonomischen Ausgleich die Forderung der Weltstunde, und es ist ebenfalls gar keine Frage, daß diese moralisch lebenswichtige Forderung sich nicht nur auf die innere Struktur der Staaten, sondern auch auf die Staatengesellschaft selbst und ihr Zusammenleben zu erstrecken hat. Europa, die Welt sind reif für den Gedanken einer umfassenden Reform der Besitzordnung und der Güterverteilung, einer Sozialisierung der Rohstoffe, die natürlich im Geiste und im Rahmen einer Gesamtverständigung und vernünftigen Generalbereinigung der Konflikte, kurzum im Geiste des *Friedens*, der Arbeit und der allgemeinen Wohlfahrt in Angriff zu nehmen wäre. Leider liegt es nun aber so, daß gerade die Staaten, die heute nach außen Gerechtigkeit propagieren, für diesen Gedanken am allerwenigsten reif, ihm moralisch tatsächlich nicht gewachsen sind. Einzig im Sinne des nackten und puren nationalen Egoismus stoßen sie den Schrei nach Gerechtigkeit aus, weit entfernt von dem Gedanken, auch ihnen könnte es zukommen, zum Wohle des Ganzen irgend etwas beizutragen. Legt man ihnen dergleichen nahe, schlägt man ihnen irgendein Zugeständnis an die kollektive Verständigung und Befriedung vor, so sprechen sie verächtlich von einem ›politischen Tauschgeschäft‹, zu dem sie sich keineswegs hergäben. Sie wollen nur nehmen, nicht geben. Nicht um des Friedens und der gemeinsamen Arbeit willen fordern sie die Neuordnung des Besitzes, sondern zur Erhöhung ihrer Macht, um ihre Kriegsdrohung besser stützen und den Krieg gegebenenfalls erfolgreich führen zu können.
Man sieht, der ›äußere Sozialismus‹ der faschistischen Diktaturen ist nicht ganz der richtige; er ist notwendigerweise sowenig richtig wie der innere. Er ist eine Lüge, denn er will nichts weiter als

ablenken von den inneren, moralischen und sozialen Aufgaben, denen eine anständige, wirklich auf das Wohl, die Ehre und das Glück ihres Volkes bedachte Regierung, welche nicht nur an die Erhaltung ihrer Gewalt und an die Einschüchterung dächte, vor allem ihr Augenmerk zuwenden müßte. Der Pazifismus der Völker, die heute den Frieden wollen und ein Recht haben, dieses Wort auszusprechen, beruht auf der Einsicht, daß der Krieg nicht mehr statthaft ist, daß der Menschengeist auf eine Stufe der sozialen Gesittung gelangt ist, auf der der Krieg als politisches Mittel unmöglich geworden; daß es der Friede ist, der den Menschen heute ihre Aufgaben stellt, und daß diese Aufgaben groß und dringend genug sind, daß alle Energie, Intelligenz, Opferbereitschaft, aller Heldenmut des Menschen vollauf davon beansprucht werden und Gelegenheit finden, sich daran zu bewähren. Krieg ist nichts als Drückebergerei vor den Aufgaben des Friedens. Er ist, als Ersatz der inneren Arbeit und Verbesserung durch das äußere Abenteuer, so tief in moralischen Verruf gekommen, daß man zu sehen glaubt, er sei nie etwas anderes gewesen als ein Mittel zur inneren Unterdrückung und Niederhaltung der Völker, das große und betrügerische Mittel, sie zum Hurra-Schreien zu bringen ob ihrer eigenen Niederlage vor der siegreichen Regierung. Der Gegensatz von Nationalismus und Sozialismus ist beschlossen in dem Gegensatz von Krieg und Frieden. Ein ›ruhmreiches‹, nach außen erfolgreiches Regime braucht sich um innere Verbesserungen nicht mehr zu kümmern. Der Probleme der Kultur und des Fortschritts ist es ledig, wenn es im Glanz des kriegerischen Erfolges dasteht und das Volk, geblendet und verdummt von diesem Glanze, hurra schreit. Glaubt irgendein Mensch, daß Abessinien zum größeren Glück des italienischen Volkes erobert – oder besetzt – worden sei und nicht vielmehr, um die wankende Macht des faschistischen Regimes aufs neue zu fristen? Dazu mußten in größter Eile die abessinischen Dörfer mit Giftgas ausgeräuchert werden. Umgekehrt scheut eine freiheits- und friedensfeindliche Regierung den Krieg nicht aus Sorge vor dem Unheil, das sie damit über ihr Volk heraufbeschwören könnte, sondern ausschließlich aus Furcht vor der Schwächung oder Vernichtung ihrer Autorität als Folge der Niederlage. Sie erwägt ihre Siegeschancen, nicht diejenigen des Volkes. Dies ist der falsche Pazifismus freiheitsfeindlicher Staaten. Solche halten weder Frieden, noch führen sie den Krieg zur Vermehrung des Glückes und der Ehre ihres Volkes, sondern beides wägen sie ab, je nachdem es der Erhaltung ihrer Schreckensmacht über das eigene Volk günstig scheint. Auch ihre sozialistisch-proletarische Gri-

masse nach außen hat nur diesen Sinn. Sie ist eine alberne Lüge. Wenn ihr Volk keinen Raum hat, warum treiben diese Machthaber dann mit allen Mitteln zur Erhöhung der Geburtenzahl, zu einem den Raum immer noch verengenden Anschwellen des Volkskörpers? Es ist freche Unmoral, das Verlangen nach Expansion sozialistisch zu nennen, bevor man sich durch innere Kolonisation, durch eine anständige Agrarreform das Recht auf solche Forderung erworben hat. Statt des Entschlusses zu einer wirklichen und aufrichtigen, nicht nur von der Furcht vor dem eigenen Sturz bestimmten Friedenspolitik; statt sozialer Einfügung in eine kollektive Ordnung, deren Ergebnis Weltwirtschaftsblüte, Austausch der Kräfte und Leistungen, wechselseitige Hilfe, kurz, aller Segen der Vernunft wäre, treiben sie Autarkie, Abschließung, Kriegswirtschaft, Scheinbeseitigung der Arbeitslosigkeit durch Aufrüstung, zwingen damit die übrige Welt, sich ebenfalls in ein Kriegslager zu verwandeln, hindern jedermann, sich den Aufgaben des Friedens zu widmen, und wagen es bei alldem, sich auch noch als die großen Sozialisten zu gebärden...
Ich sagte, meine Damen und Herren, der Glaube an den künftigen Sieg der Demokratie über ihre Widersacher und dieser Sieg selbst seien an bestimmte Bedingungen geknüpft, deren historische Erfüllung der Demokratie heute obliege. Ich nannte die erste dieser Bedingungen: es ist die tiefe und kraftvolle Besinnung der Demokratie auf sich selbst, die Erneuerung ihres geistigen und moralischen Selbstbewußtseins, die Entbindung ihrer Jugendlichkeit aus dem Menschlich-Zeitlosen durch den Gedanken und das Gefühl. Die zweite wird erfüllt durch die klare und unbeschönigte Einsicht in die zweifellos bedrohlichen praktischen Vorteile, auf die ihr zeitlicher Gegner und Konkurrent, der diktatorische Faschismus, seine eigenen Siegeshoffnungen gründet. Es wäre nutzlos, die Augen zu verschließen vor der – freilich hochbezahlten – Überlegenheit an außenpolitischer Stoßkraft, die das Diktatursystem zeitigt, vor einer Geschlossenheit des Willens, die nur erzwungen, sehr oft sogar nur scheinbar sein mag, die aber selbst als Vorspiegelung noch wirksam ist, da das System Mittel und Wege kennt, sie nicht nur den anderen Völkern, sondern zuerst dem eigenen weiszumachen. Was man aber zu sein glaubt, das ist man bis zu einem gewissen Grade. Ein solches Volk bietet wirklich – wenigstens augenblicksweise – das Bild eines einheitlichen, ungeheuer selbstbewußten und tatkräftigen, in sich harmonischen und synergetischen Staatskörpers dar, gestählt durch eine wirtschaftliche Kriegsaskese, die – man muß die psychologische Tatsache einsetzen – nicht ausschließlich als Druck und Entbeh-

rung, sondern auch als Reiz, als Anlaß zum Stolz und als Gemeinschaftserlebnis empfunden wird. Das Glück, die Freiheit, ja das Leben des Individuums gelten nichts: es ist Staatsbürger und nichts als das, Teilelement der den Staat verkörpernden Nation. Es ist gehalten – zunächst durch Gewalt, die sich allmählich aber auch des inneren Menschen versichert –, sein Denken, Fühlen, Wollen und Handeln in erster und letzter Linie dem Ganzen zu widmen, ihm mit Leib und Seele, Gut und Blut zu dienen. Dem Ziel asketisch-heroischer Kriegstüchtigkeit und zukünftiger Größe ordnet der totale Staat eisern alle Gebiete des öffentlichen Lebens unter. Er wäre nicht total, wenn er irgendeine Art von Leben duldete, das sich seiner Kontrolle, seinem Dienst entzöge. Das darf kein noch so intimer und privater Winkel der Menschenseele: Was wir Kultur nennen, Religion, Kunst, Forschung, höhere Moral, der freie menschliche Gedanke, gilt nicht nur nichts, sondern fällt unter das Verbrechen des Landesverrats, sofern es eben irgendwelche Freiheit und Eigenwürde für sich in Anspruch nimmt. Die Demokratie ist im ganzen noch weit entfernt, sich eine deutliche Vorstellung von dieser faschistischen Konzentration, dem totalen Staat, seinem Fanatismus, seiner Unbedingtheit zu machen, die bereit ist, alle Kultur und Menschlichkeit um des Sieges und der Macht willen daranzugeben und sich auf diese unfaire Weise einen nie dagewesenen und für die Gesittung zunächst völlig verwirrenden Vorteil und Vorsprung im Lebenskampf zu verschaffen.

Dennoch muß sie das Neue, das damit in die Welt gekommen ist, in seiner durchaus bösartigen Neuheit begreifen, um dagegen bestehen zu können. Ihre Gefahr ist die humane Illusion, der gute Glaube, dies neue Wesen werde mit sich reden lassen, es sei durch Nachgiebigkeit, Entgegenkommen, loyale Zugeständnisse für die Idee des Friedens und des kollektiven Aufbaues zu gewinnen. Das ist ein gefährlicher Irrtum, der seinen Grund in einer völlig verschiedenen Denkungsweise des demokratischen und des faschistischen Staatsgeistes hat. Demokratie und Faschismus wohnen gleichsam auf verschiedenen Sternen, oder besser gesagt: sie leben in verschiedenen Zeitaltern. Das Welt- und Geschichtsbild des Faschismus ist ein absoluter, von Moral und Vernunft völlig freier und ihnen fremder Dynamismus, dessen Forderungen nicht mit Zugeständnissen zu befriedigen und zur Ruhe zu bringen, sondern durchaus uferlos, unbestimmbar und ohne Grenzen sind. Die Gedanken der Demokratie und des Faschismus müssen einander darum verfehlen, weil dieser in der Vorstellung von Macht und Hegemonie als Ziel und Inbegriff der Politik tief und unbedingt verfangen ist – zu einem Zeitpunkt, wo jene sich für Macht und Hegemonie, ja für Politik als Mittel dazu gar nicht mehr interessiert, *sondern für den Frieden.* Es ist ein Konflikt des Mißverständnisses, der sogar viel historische Komik birgt, aber zweifellos für die Demokratie vitale Gefahren mit sich bringt. So gewiß es uns sein mag, daß sie, die den Gedanken der Machtpolitik hinter sich gelassen und sozusagen den Frieden entdeckt hat, die höhere, spätere, neuere Entwicklungsstufe des Geistes und der Moral repräsentiert, so überzeugt ist der Faschismus von seiner eigenen Lebendigkeit und Zukünftigkeit und von der Rückständigkeit, Abgelebtheit, historischen Hinfälligkeit der Demokratie, und in jedem Entgegenkommen, jeder Nachgiebigkeit gegen seine Forderungen wird er immer nur ein Zeichen der Schwäche, der Resignation und der epochalen Abdankung sehen. Was insbesondere Deutschland betrifft, so ist es für eine verständnisvolle Würdigung seiner Ansprüche zu spät und zu früh. Entgegenkommen gegen Deutschland war an der Zeit, als der Nationalsozialismus noch nicht die Macht ergriffen hatte und es die friedenswillige deutsche Republik zu stützen und vor ihm zu bewahren gegolten hätte. Entgegenkommen wird wieder an der Zeit sein nach Hitlers Fall. Gegenwärtig aber bedeutet jede Erfüllung deutscher Ansprüche einen grausamen und entmutigenden Schlag gegen die auf Freiheit und Frieden gerichteten Kräfte im deutschen Volk; und da deutsche Forderungen im Munde des Nationalsozialismus niemals dem Frieden, sondern ausschließlich der Machterhöhung und der Verbesserung der Kriegsaussichten gelten, so dient man mit ihrer Erfüllung nicht dem Frieden, sondern dem Krieg.

Es ist notwendig, daß die Demokratie dies begreife. Sie muß auch verstehen, welche Vorteile dem Faschismus ein Weltzustand bietet, in welchem die Grenzen zwischen Krieg und Frieden sich verwischt haben und weder der eine noch ausgesprochen der andere herrscht: es fehlt viel, daß von Frieden die Rede sein könnte, aber eine Kriegserklärung ist nicht ergangen, man führt einen inoffiziellen und undeklarierten Krieg, führt ihn zur Probe auf entlegenen Schauplätzen und mit beschränkten Mitteln, während man die großen Kriegsapparate noch schont – eine zweideutige oder doch nicht voll eindeutige Situation, die der Faschismus erfunden hat und in der er sich außerordentlich behagt. Es ist wahrscheinlich, daß er sie dem wirklichen, dem großen und offenen Krieg so lange wie möglich vorziehen wird, denn dieser würde den starken Anteil, den Lüge und Vortäuschung an seinem ›totalen Staate‹ haben, rasch augenfällig werden lassen, die niedergehaltenen Kräfte menschlicher Freiheit würden durch den ersten

Rückschlag, den die Tyrannei erlitte, unfehlbar entbunden werden: Darum scheut der Faschismus den Krieg, zu dem er erzieht und dessen pazifistische Gegner er dem Henkerbeil überliefert. Er zweifelt im Grunde sehr daran, daß seine ›Volksgemeinschaft‹ die Feuerprobe des Krieges, wenn er nur einige Zeit dauert, bestehen würde; – wir haben die verräterische Allokution gehört, in der ein deutscher Oberpolizist von den drei Fronten sprach, an denen der zukünftige Krieg werde geführt werden müssen: der auf der Erde, der in der Luft und der *im Inneren des Landes*. Das ist klar gesprochen. Der Faschismus gibt zu, daß er im Kriege nicht zuletzt mit dem eigenen Volk und Land zu tun haben wird; daß er keineswegs sicher ist, dieses werde gar weit mit ihm durch dick und dünn gehen; daß vielmehr für ihn der äußere Krieg fast sofort auch der Bürgerkrieg wäre. Kein Wunder, daß er diesem Wagnis den Frieden oder vielmehr den Mittelzustand zwischen Krieg und Frieden vorzieht, der seine Erfindung ist und der ihm erlaubt, den inneren und äußeren Bluff, die Erpressung der demokratischen Friedensliebe sicherer fortzusetzen und vielleicht ohne eigentlichen Krieg zu seinen Machtzielen zu gelangen; – besonders wenn er den Zeitgewinn zu einer Art von Politik benutzt, vor der die Demokratie sich so gut wie wehrlos erweist, – aus menschlich sympathischen Gründen, wie man zugeben muß, einfach, weil ihre Kinderstube ihr nicht erlaubt, ihr ein Gleiches an Skrupellosigkeit entgegenzusetzen. Es ist eine Politik der Hintertreppe, des Schundromans und des Verbrechens, – höchst ekelhaft zu betrachten und ein Zeugnis dafür, wohin es mit der Politik kommt, wenn der Wille des Weltgeistes eigentlich schon über sie hinaus ist und nur noch rückständiger- und anachronistischerweise ›Politik‹ getrieben wird. Mord, Bestechung, korrupte Intrigen spielen eine Hauptrolle darin, Mittel von hemmungsloser Niedrigkeit, aber auch von vorläufiger Wirksamkeit ohne Zweifel, wenn der Gegner aus seelischen Gründen gezwungen ist, sie mit gekreuzten Armen walten zu lassen.

Ich schildere einen Zustand, meine Damen und Herren, welcher den Sieg der Demokratie, an den wir glauben, schmerzlich verzögern, ihm schwere historische Niederlagen in den Weg legen kann, wenn die Demokratie sich nicht klare Rechenschaft von ihm gibt und nicht alle ihre eingeborenen Hilfsmittel an Lebens- und Erneuerungskräften aufbietet, ihm zu begegnen. Ich sage mit einfachen Worten, was not tut. Es ist eine *Reform der Freiheit*, die etwas anderes aus ihr macht, als was sie zur Zeit unserer Väter und Großväter, in der Epoche des bürgerlichen Liberalismus, war und sein durfte, etwas anderes als ›Laissez-faire, laissez-aller‹, denn

damit kann sie nicht bestehen, sie kommt damit nicht mehr aus. Die Reform, die ich meine, muß eine soziale Reform, eine Reform sozialen Sinnes sein: nur durch eine solche kann die Demokratie dem Faschismus und auch dem Bolschewismus den Wind aus den Segeln nehmen, kann sie der Diktatur den bloß zeitlichen und stark lügenhaften, aber werbekräftigen Jugendlichkeitsvorsprung abgewinnen. Und zwar muß diese soziale Reform der geistigen sowohl wie der ökonomischen Freiheit gelten. In beiden Beziehungen sind die Zeiten des Manchestertums und des passiven Liberalismus vorüber. Der Liberalismus ist der Freiheit ausgetrieben worden – mit Skorpionen hat man ihn ihr ausgetrieben. Sie hat gelernt. Humanität wird nicht länger eine Duldsamkeit bedeuten, die sich auf alles erstreckt – auch auf die Entschlossenheit, der Humanität den Garaus zu machen. Aug' in Auge mit dem Fanatismus selbst ist eine Freiheit, die aus lauter Güte und humaner Skepsis nicht mehr an sich selber glaubt, verloren. Nicht eine Humanität der Schwäche und der selbstbezweifelnden Duldsamkeit ist es, die heute der Freiheit not tut – damit nimmt sie sich erbärmlich und gottverlassen aus angesichts eines Gewaltglaubens, der von keines Gedankens Blässe im mindesten angekränkelt ist. Was not tut, ist eine Humanität des Willens und der kämpferischen Entschlossenheit zur Selbsterhaltung. Die Freiheit muß ihre Männlichkeit entdecken, sie muß lernen, im Harnisch zu gehen und sich gegen ihre Todfeinde zu wehren, muß endlich, nach bittersten Erfahrungen, begreifen, daß sie mit einem Pazifismus, der eingesteht, den Krieg *um keinen Preis* zu wollen, den Krieg herbeiführt statt ihn zu bannen.
Soviel von der geistigen Reform der Freiheit. Was ihre Erneuerung von der ökonomischen Seite her betrifft, so ist zu sagen, was jeder weiß: daß ihr sittlicher Makel und Nachteil, welcher es dem Faschismus sogar gestattet, sich ihr gegenüber ›idealistisch‹ aufzuspielen, die Geldherrschaft ist, die sie zeitigt und die durch die bürgerliche Revolution als das Modernere, aber nicht Edlere, an die Stelle der feudalen Vorrechte und Ungleichheiten gesetzt wurde. Will die Demokratie ihre unzweifelhafte moralische Überlegenheit über den Faschismus historisch wirksam machen und seinem Pseudo-Sozialismus ein Paroli bieten, so muß sie im Ökonomischen ebenso wie im Geistigen von sozialistischer Moral das zeitlich Gebotene und Unentbehrliche in sich aufnehmen. Hier ebenfalls muß die Freiheit sich durch soziale Disziplin ergänzen; sie muß die bürgerliche Revolution aus dem Politischen ins Wirtschaftliche fortentwickeln in der Erkenntnis, daß Gerechtigkeit die herrschende Idee der Epoche, ihre Verwirklichung,

soweit sie in Menschenkräften steht, eine Angelegenheit des Weltgewissens geworden ist, deren man sich nicht entschlagen, über die man nicht hinwegleben kann. Es ist lächerlich genug, zu sehen, wie heute der General der spanischen Reaktion, Franco, dem Volke, das sich verzweifelt seiner Revolte erwehrt, sozialistische Versprechungen macht; denn wozu das ganze im Auftrage des Feudalismus, des Kapitals und des Auslandes begonnene Unternehmen, wozu der Bürgerkrieg, wenn es nun auf Sozialismus hinauslaufen soll? Man weiß natürlich, wie das Wort gemeint ist: im faschistischen Sinn. Der brave Volksfeind hat sich nie träumen lassen, daß er es je in den Mund nehmen werde; aber seine deutschen und italienischen Ratgeber, die sich auf faschistische Propaganda verstehen, haben ihm gesagt, daß es ohne das heute nicht geht. Eben dies aber zeigt, welchen beherrschenden Rang der Zeitgeist dem sozialen Gedanken zuweist. Jeder, der es als großes menschliches Unglück empfände, wenn im historischen Ringen der Weltanschauungen die Demokratie aus Mangel an Angepaßtheit versagte, muß wünschen, wie man das Notwendige wünscht, daß sie, im Ökonomischen wie im Geistigen, aus einer liberalen zur *sozialen Demokratie* werde.
Schreckt diese Forderung ab durch das Revolutionäre ihres Klanges? Aber er ist sehr relativ zu verstehen, dieser Revolutionarismus, er ist in Wirklichkeit konservativen Sinnes, denn er zielt ab auf die Erhaltung der abendländischen Kulturtradition, auf ihre Verteidigung gegen die Barbarei und das politische Amokläufertum aller Art. Ich nenne Franklin D. Roosevelt einen konservativen Staatsmann eben des sozialen Einschlages wegen, den bei ihm die Demokratie gewinnt und mit dem er, ein wahrer Freund und aufrichtiger Diener der Freiheit auch da, wo er sie sozialistisch bedingt und regelt, dem Faschismus sowohl wie dem Bolschewismus den Wind aus den Segeln nimmt. Aus demselben Grund nenne ich die Bestrebungen der französischen Volksfront so und stimme darin überein mit konservativen Politikern wie dem katholischen Deputierten Le Grand-Maison, einem Royalisten obendrein, der heute als eine der bedeutendsten Erscheinungen der französischen Kammer gilt. »Hoffen wir«, rief er vor kurzem, »daß bald der Tag anbricht, an dem die Franzosen sich ohne Unterschied ihres sozialen Ursprungs auf neuer Grundlage zusammenfinden und im Interesse Frankreichs und der Freiheit das vollführen, was die einen Strukturreform nennen und was ich selbst eine friedliche Revolution nennen will. *Wir haben nicht die Pflicht, eine unmenschliche soziale Ordnung zu konservieren*, sondern wir müssen im Gegenteil alle darauf hinarbeiten, daß eine

humanere Ordnung an ihre Stelle tritt, die die wahre Hierarchie der Werte aufbaut, das Geld in den Dienst der Produktion stellt, die Produktion in den Dienst des Menschen und den Menschen selbst in den Dienst eines Ideals, das dem Leben einen Sinn gibt.« – Diese Worte eines christlich-konservativen Vertreters des in sozialen Dingen feinfühligsten Landes der Erde sind neu, sie sind das Neue. Das Neue in der Welt ist das, was die politische Jugend Frankreichs den ›Ökonomischen Humanismus‹ nennt. »Das Neue in der Welt«, so hat der Belgier Vandervelde dem Condottiere des Palazzo Venezia kürzlich geantwortet, als er wieder einmal prophezeit hatte, Europa werde morgen faschistisch sein, – »das eigentlich und wirklich Neue in der Welt ist die soziale Demokratie.«

Das ist die Wahrheit. Es ist die Wahrheit, welche die aus den Reserven ihrer Zeitlosigkeit verjüngte Freiheit dem prahlerischen Jugendlichkeitsanspruch der Diktatur entgegensetzt. Die soziale Erneuerung der Demokratie ist *Bedingung* und *Gewähr* ihres Sieges. Sie wird die ›Volksgemeinschaft‹ schaffen, welche sich dem Lügengebilde, das der Faschismus so nennt, im Frieden schon und, wenn es sein muß, auch im Kriege weit überlegen erweisen wird. In ihr ist die Gemeinschaft schon lebendig, die das *Ziel aller Politik* ist und sie endlich aufheben soll: die Gemeinschaft der Völker.

[1938]

EIN BRUDER

Ohne die entsetzlichen Opfer, welche unausgesetzt dem fatalen Seelenleben dieses Menschen fallen, ohne die umfassenden moralischen Verwüstungen, die davon ausgehen, fiele es leichter, zu gestehen, daß man sein Lebensphänomen fesselnd findet. Man kann nicht umhin, das zu tun; niemand ist der Beschäftigung mit seiner trüben Figur überhoben – das liegt in der grob effektvollen und verstärkenden (amplifizierenden) Natur der Politik, des Handwerks also, das er nun einmal gewählt hat,– man weiß, wie sehr nur eben in Ermangelung der Fähigkeit zu irgendeinem anderen. Desto schlimmer für uns, desto beschämender für das hilflose Europa von heute, das er fasziniert, worin er den Mann des Schicksals, den Allbezwinger spielen darf, und dank einer Verkettung phantastisch glücklicher – das heißt unglückseliger – Umstände, da zufällig kein Wasser fließt, das nicht seine Mühlen triebe, von einem Siege über das Nichts, über die vollendete Widerstandslosigkeit zum andern getragen wird.

Dies auch nur zuzugeben, die bloßen leidigen Tatsachen anzuerkennen, kommt schon moralischer Kasteiung nahe. Es gehört Selbstbezwingung dazu, die noch obendrein fürchten muß, unmoralisch zu sein, da sie den Haß zu kurz kommen läßt, der hier von jedem gefordert ist, dem das Schicksal der Gesittung auf irgendeine Weise auf das Gewissen gelegt ist. Haß – ich darf mir sagen, daß ich es daran nicht fehlen lasse. Redlich wünsche ich diesem öffentlichen Vorkommnis einen Untergang in Schanden,– einen so baldigen, wie er bei seiner erprobten Vorsicht kaum zu erhoffen ist. Dennoch fühle ich, daß es nicht meine besten Stunden sind, in denen ich das arme, wenn auch verhängnisvolle Geschöpf hasse. Glücklicher, angemessener wollen jene mir scheinen, in denen das Bedürfnis nach Freiheit, nach ungebundener Anschauung, mit einem Wort nach Ironie, die ich seit so langem schon als das Heimat-Element aller geistigen Kunst und Produktivität zu verstehen gelernt habe, über den Haß den Sieg davonträgt. Liebe und Haß sind große Affekte; aber eben als Affekt unterschätzt man gewöhnlich jenes Verhalten, in dem beide sich aufs eigentümlichste vereinen, nämlich das Interesse. Man unterschätzt damit zugleich seine Moralität. Es ist mit dem Interesse ein selbstdisziplinierter Trieb, es sind humoristisch-asketische Ansätze zum Wiedererkennen, zur Identifikation, zum Solidaritätsbekennt-

nis verbunden, die ich dem Haß als moralisch überlegen empfinde.
Der Bursche ist eine Katastrophe; das ist kein Grund, ihn als Charakter und Schicksal nicht interessant zu finden. Wie die Umstände es fügen, daß das unergründliche Ressentiment, die tief schwärende Rachsucht des Untauglichen, Unmöglichen, zehnfach Gescheiterten, des extrem faulen, zu keiner Arbeit fähigen Dauer-Asylisten und abgewiesenen Viertelskünstlers, des ganz und gar Schlechtweggekommenen sich mit den (viel weniger berechtigten) Minderwertigkeitsgefühlen eines geschlagenen Volkes verbindet, welches mit seiner Niederlage das Rechte nicht anzufangen weiß und nur auf die Wiederherstellung seiner ›Ehre‹ sinnt; wie er, der nichts gelernt hat, aus vagem und störrischem Hochmut nie etwas hat lernen wollen, der auch rein technisch und physisch nichts kann, was Männer können, kein Pferd reiten, kein Automobil oder Flugzeug lenken, nicht einmal ein Kind zeugen, das eine ausbildet, was not tut, um jene Verbindung herzustellen: eine unsäglich inferiore, aber massenwirksame Beredsamkeit, dies platt hysterisch und komödiantisch geartete Werkzeug, womit er in der Wunde des Volkes wühlt, es durch die Verkündigung seiner beleidigten Größe rührt, es mit Verheißungen betäubt und aus dem nationalen Gemütsleiden das Vehikel seiner Größe, seines Aufstiegs zu traumhaften Höhen, zu unumschränkter Macht, zu ungeheueren Genugtuungen und Über-Genugtuungen macht, – zu solcher Glorie und schrecklichen Heiligkeit, daß jeder, der sich früher einmal an dem Geringen, dem Unscheinbaren, dem Unerkannten versündigt, ein Kind des Todes, und zwar eines möglichst scheußlichen, erniedrigenden Todes, ein Kind der Hölle ist ... Wie er aus dem nationalen Maß ins europäische wächst, dieselben Fiktionen, hysterischen Lügen und lähmenden Seelengriffe, die ihm zur internen Größe verhalfen, im weiteren Rahmen zu üben lernt; wie er im Ausbeuten der Mattigkeiten und kritischen Ängste des Erdteils, im Erpressen seiner Kriegsfurcht sich als Meister erweist, über die Köpfe der Regierungen hinweg die Völker zu agacieren und große Teile davon zu gewinnen, zu sich hinüberzuziehen weiß; wie das Glück sich ihm fügt, Mauern lautlos vor ihm niedersinken und der trübselige Nichtsnutz von einst, weil er – aus Vaterlandsliebe, soviel er weiß – die Politik erlernte, nun im Begriffe scheint, sich Europa, Gott weiß es, vielleicht die Welt zu unterwerfen: das alles ist durchaus einmalig, dem Maßstabe nach neu und eindrucksvoll; man kann unmöglich umhin, der Erscheinung eine gewisse angewiderte Bewunderung entgegenzubringen.

Märchenzüge sind darin kenntlich, wenn auch verhunzt (das Motiv der Verhunzung und der Heruntergekommenheit spielt eine große Rolle im gegenwärtigen europäischen Leben): Das Thema vom Träumerhans, der die Prinzessin und das ganze Reich gewinnt, vom ›häßlichen jungen Entlein‹, das sich als Schwan entpuppt, vom Dornröschen, um dessen Schlaf die Brünnhilden-Lohe zu Rosenhecken geworden ist und das unter dem weckenden Kusse des Siegfriedhelden lächelt. »Deutschland erwache!« Es ist abscheulich, aber es stimmt. Dazu der ›Jude im Dorn‹ – und was nicht noch alles an Volksgemüt, vermischt mit schändlicher Pathologie. Wagnerisch, auf der Stufe der Verhunzung, ist das Ganze, man hat es längst bemerkt und kennt die gut begründete, wenn auch wieder ein bißchen unerlaubte Verehrung, die der politische Wundermann dem künstlerischen Bezauberer Europas widmet, welchen noch Gottfried Keller »Friseur und Charlatan« nannte.

Künstlertum ... Ich sprach von moralischer Kasteiung, aber muß man nicht, ob man will oder nicht, in dem Phänomen eine Erscheinungsform des Künstlertums wiedererkennen? Es ist, auf eine gewisse beschämende Weise, alles da: die ›Schwierigkeit‹, Faulheit und klägliche Undefinierbarkeit der Frühe, das Nichtunterzubringensein, das Was-willst-du-nun-eigentlich?, das halb blöde Hinvegetieren in tiefster sozialer und seelischer Boheme, das im Grunde hochmütige, im Grunde sich für zu gut haltende Abweisen jeder vernünftigen und ehrenwerten Tätigkeit – auf Grund wovon? Auf Grund einer dumpfen Ahnung, vorbehalten zu sein für etwas ganz Unbestimmbares, bei dessen Nennung, wenn es zu nennen wäre, die Menschen in Gelächter ausbrechen würden. Dazu das schlechte Gewissen, das Schuldgefühl, die Wut auf die Welt, der revolutionäre Instinkt, die unterbewußte Ansammlung explosiver Kompensationswünsche, das zäh arbeitende Bedürfnis, sich zu rechtfertigen, zu beweisen, der Drang zur Überwältigung, Unterwerfung, der Traum, eine in Angst, Liebe, Bewunderung, Scham vergehende Welt zu den Füßen des einst Verschmähten zu sehen ... Es ist unratsam, aus der Vehemenz der Erfüllung Schlüsse zu ziehen auf das Maß, die Tiefe der latenten und heimlichen Würde, die unter der Ehrlosigkeit des Puppenstandes zu leiden hatte, auf die außerordentliche Spannungsgewalt eines Unterbewußtseins, das ›Schöpfungen‹ solchen ausladenden und aufdringlichen Stils zeitigt. Das al fresco, der große historische Stil ist ja nicht Sache der Person, sondern des Mediums und Wirkungsgebietes: der Politik oder Demagogie, die es auf eine lärmende und opferreiche Weise mit Völkern und vielumfassenden Massenschicksalen zu tun hat und deren äußere Großartigkeit gar nichts für die Außerordentlichkeit des seelischen Falles beweist, für das eigene Format dieses effektreichen Hysterikers. – Aber auch die Unersättlichkeit des Kompensations- und Selbstverherrlichungstriebes ist da, die Ruhelosigkeit, das Nie-sich-Genüge-Tun, das Vergessen der Erfolge, ihr rasches Sich-Abnutzen für das Selbstbewußtsein, die Leere und Langeweile, das Nichtigkeitsgefühl, sobald nichts anzustellen und die Welt nicht in Atem zu halten ist, der schlaflose Zwang zum Immer-wieder-sich-neu-beweisen-Müssen ...

Ein Bruder ... Ein etwas unangenehmer und beschämender Bruder; er geht einem auf die Nerven, es ist eine reichlich peinliche Verwandtschaft. Ich will trotzdem die Augen nicht davor schließen, denn nochmals: besser, aufrichtiger, heiterer und produktiver als der Haß ist das Sich-wieder-Erkennen, die Bereitschaft zur Selbstvereinigung mit dem Hassenswerten, möge sie auch die moralische Gefahr mit sich bringen, das Neinsagen zu verlernen. Mir ist nicht bange deswegen, – und übrigens ist Moral, sofern sie die Spontaneität und Unschuld des Lebens beeinträchtigt, nicht unbedingt Sache des Künstlers. Es ist nicht ausschließlich ärgerlich, es ist auch eine beruhigende Erfahrung, daß trotz aller Erkenntnis, Aufklärung, Analyse, allen Fortschritten des Wissens vom Menschen – an Wirkung, Geschehen, eindrucksvollster Projektion des Unbewußten in die Realität jederzeit alles möglich bleibt auf Erden – zumal bei dem Primitivisierungsprozeß, dem das Europa von heute sich wissentlich, willentlich überläßt, – wobei denn freilich das Wissen und Wollen, der dolose Affront gegen den Geist und die von ihm eigentlich erreichte Stufe einen schweren Einwand gegen die Primitivität bildet. Unstreitig, Primitivismus in seiner frechen Selbstverherrlichung gegen Zeit und Gesittungsstufe, Primitivität als ›Weltanschauung‹ – und sei diese Weltanschauung noch so sehr als Korrektur und Gegengewicht eines dörrenden ›Intellektualismus‹ gemeint – ist eine Schamlosigkeit, sie ist genau, was das Alte Testament einen »Greuel« und eine »Narrheit« nennt, und auch der Künstler als ironischer Parteigänger des Lebens kann sich von einem so dreisten und lügenhaften Rückfall nur angewidert abwenden. Neulich sah ich im Film einen Sakraltanz von Bali-Insulanern, der in vollkommener Trance und schrecklichen Zuckungen der erschöpften Jünglinge endete. Wo ist der Unterschied zwischen diesen Bräuchen und den Vorgängen in einer politischen Massenversammlung Europas? Es gibt keinen – oder vielmehr, es gibt immerhin einen: den Unterschied zwischen Exotik und Unappetitlichkeit.

Ich war sehr jung, als ich in ›Fiorenza‹ die Herrschaft von Schönheit und Bildung über den Haufen werfen ließ von dem sozial-religiösen Fanatismus des Mönches, der »das Wunder der wiedergeborenen Unbefangenheit« verkündete. Der ›Tod in Venedig‹ weiß manches von Absage an den Psychologismus der Zeit, von einer neuen Entschlossenheit und Vereinfachung der Seele, mit der ich es freilich ein tragisches Ende nehmen ließ. Ich war nicht ohne Kontakt mit den Hängen und Ambitionen der Zeit, mit dem, was kommen wollte und sollte, mit Strebungen, die zwanzig Jahre später zum Geschrei der Gasse wurden. Wer wundert sich, daß ich nichts mehr von ihnen wissen wollte, als sie auf den politischen Hund gekommen waren und sich auf einem Niveau austobten, vor dem nur primitivitätsverliebte Professoren und literarische Lakaien der Geistfeindlichkeit nicht zurückschrecken? Es ist ein Treiben, das einem die Ehrfurcht vor den Quellen des Lebens verleiden könnte. Man muß es hassen. Aber was ist dieser Haß gegen denjenigen, den der Exzedent des Unbewußten dem Geist und der Erkenntnis entgegenbringt! Wie muß ein Mensch wie dieser die Analyse hassen! Ich habe den stillen Verdacht, daß die Wut, mit der er den Marsch auf eine gewisse Hauptstadt betrieb, im Grunde dem alten Analytiker galt, der dort seinen Sitz hatte, seinem wahren und eigentlichen Feinde, – dem Philosophen und Entlarver der Neurose, dem großen Ernüchterer, dem Bescheidwisser und Bescheidgeber selbst über das ›Genie‹.
Ich frage mich, ob die abergläubischen Vorstellungen, die sonst den Begriff des ›Genie‹ umgaben, noch stark genug sind, daß sie uns hindern sollten, unsern Freund ein Genie zu nennen. Warum denn nicht, wenn's ihm Freude macht? Der geistige Mensch ist beinahe ebensosehr auf Wahrheiten aus, die ihm wehe tun, wie die Esel nach Wahrheiten lechzen, die ihnen schmeicheln. Wenn Verrücktheit zusammen mit Besonnenheit Genie ist (und das *ist* eine Definition!), so ist der Mann ein Genie: Um so freimütiger versteht man sich zu dem Anerkenntnis, weil Genie eine Kategorie, aber keine Klasse, keinen Rang bezeichnet, weil es sich auf den allerverschiedensten geistigen und menschlichen Rangstufen manifestiert, aber auch auf den tiefsten noch Merkmale aufweist und Wirkungen zeitigt, welche die allgemeine Bezeichnung rechtfertigen. Ich will es dahingestellt sein lassen, ob die Geschichte der Menschheit einen ähnlichen Fall von moralischem und geistigem Tiefstand, verbunden mit dem Magnetismus, den man ›Genie‹ nennt, schon gesehen hat wie den, dessen betroffene Zeugen wir sind. Auf jeden Fall bin ich dagegen, daß man sich durch ein solches Vorkommnis das Genie überhaupt, das Phänomen des

großen Mannes verleiden läßt, das zwar vorwiegend immer ein ästhetisches Phänomen, nur selten auch ein moralisches war, aber, indem es die Grenzen der Menschheit zu überschreiten schien, die Menschheit einen Schauder lehrte, der trotz allem, was sie von ihm auszustehen hatte, ein Schauder des Glückes war. Man soll die Unterschiede wahren – sie sind unermeßlich. Ich finde es ärgerlich, heute rufen zu hören: »Wir wissen es nun, Napoleon war auch nur ein Kaffer!« Das heißt wahrhaftig, das Kind mit dem Bade ausschütten. Es ist als absurd abzulehnen, daß man sie in einem Atem nennt: den großen Krieger zusammen mit dem großen Feigling und Erpressungspazifisten, dessen Rolle am ersten Tage eines wirklichen Krieges ausgespielt wäre; das Wesen, das Hegel den »Weltgeist zu Pferde« nannte, das alles beherrschende Riesengehirn, die ungeheuerste Arbeitskapazität, die Verkörperung der Revolution, den tyrannischen Freiheitsbringer, dessen Gestalt der Menschheit als Erzbild mittelmeerländischer Klassik für immer ins Gedächtnis geprägt ist, – zusammen mit dem tristen Faulpelz, tatsächlichen Nichtskönner und ›Träumer‹ fünften Ranges, dem blöden Hasser der sozialen Revolution, dem duckmäuserischen Sadisten und ehrlosen Rachsüchtigen mit ›Gemüt‹ ... Ich sprach von europäischer Verhunzung: Und wirklich, unserer Zeit gelang es, so vieles zu verhunzen: Das Nationale, den Sozialismus – den Mythos, die Lebensphilosophie, das Irrationale, den Glauben, die Jugend, die Revolution und was nicht noch alles. Nun denn, sie brachte uns auch die Verhunzung des großen Mannes. Wir müssen uns mit dem historischen Lose abfinden, das Genie auf dieser Stufe seiner Offenbarungsmöglichkeit zu erleben.

Aber die Solidarität, das Wiedererkennen sind Ausdruck einer Selbstverachtung der Kunst, welche denn doch zuletzt nicht ganz beim Worte genommen sein möchte. Ich glaube gern, ja ich bin dessen sicher, daß eine Zukunft im Kommen ist, die geistig unkontrollierte Kunst, Kunst als schwarze Magie und hirnlos unverantwortliche Instinktgeburt ebensosehr verachten wird, wie menschlich schwache Zeiten, gleich der unsrigen, in Bewunderung davor ersterben. Kunst ist freilich nicht nur Licht und Geist, aber sie ist auch nicht nur Dunkelgebräu und blinde Ausgeburt der tellurischen Unterwelt, nicht nur ›Leben‹. Deutlicher und glücklicher als bisher wird Künstlertum sich in Zukunft als einen helleren Zauber erkennen und manifestieren: als ein beflügelt-hermetisch-mondverwandtes Mittlertum zwischen Geist und Leben. Aber Mittlertum selbst ist Geist.

[1939]

DAS PROBLEM DER FREIHEIT

Meine Damen und Herren,
die moderne Demokratie ist historisch nichts weiter als die Herrschaftsform des Bürgertums, des tiers-état, welcher auf den Trümmern des Feudalismus sein merkantiles und industrielles Weltreich errichtet. Revolutionär durchgesetzt gegen die alten Mächte der Ungleichheit, der Bevorrechtung und der geistigen wie materiellen Unterdrückung mit den Mächten der Aufklärung und der als göttlich-wohltätig empfundenen, Fesseln und Vorurteile sprengenden Vernunft, ist dieses Weltreich ein Reich der Freiheit, zugleich aber ein Reich des Friedens, des Fleißes, des Nutzens und des Wohlstandes. »Nach der welthistorischen Epoche des Krieges«, schreibt Benjamin Constant im Jahre 1813, also gegen Ende der napoleonischen Epopöe, zwischen der großen Französischen Revolution und der Pariser Juli-Revolution von 1830, »nach der Epoche des Krieges sind wir zu der des Handels gelangt; jener ist der barbarische Antrieb, dieser der zivilisierte Kalkul; die neueren Nationen bezwecken nur Ruhe und nebst dieser Wohlhabenheit, deren Quelle die Industrie.« – Es ist merkwürdig genug, wie in dieser Äußerung des französischen Novellisten und politischen Moralisten das sensitive Amt des Schriftstellers sich offenbart, den Willen der Zeit zu erspüren und zu bezeichnen, Veränderungen und Übergänge des seelischen, sittlichen, gesellschaftlichen Lebens mit einer Bestimmtheit, die das Ergebnis verschärfter Wahrnehmungsgabe und Nerven-Reaktion ist, zu registrieren, selbst wenn die äußeren Umstände sie für das weniger durchdringende Auge so schwer erkennbar machen, wie sie es damals taten. Es war kühn, zwischen Moskau und Waterloo die Epoche des Krieges für abgelöst zu erklären durch die des Handels und der rationalen Wohlfahrt; und doch war die Beobachtung ins Große und Wesentliche gerechnet zutreffend, zumal es ja die Funktion der napoleonischen Kriege war, die Revolution und ihre bürgerlichen Ideen über Europa zu verbreiten.

Auch stand der Verfasser des ›Adolphe‹ nicht allein mit seinem Zeitgefühl. Ein anderer französischer Gesellschaftskritiker bemerkte um dieselbe Zeit, wie »nunmehr Geld, Städte, Geist und Handel an die Stelle der liegenden Güter, der Schlösser und der Waffenehre getreten seien«: daran erkenne man die neue gesellschaftliche Ordnung, die schon in den Rat der Monarchen gedrungen sei und von da auf das Volk zurückwirke. – Man kann den Wandel der Zeit aus dem Feudalen ins Bürgerliche und Demokratische nicht einfacher und befriedigender definieren. Was damals aus aktuellem Erleben heraus kritisch konstatiert wurde, entspricht genau unserem Gefühl, wenn wir den neuen Gesellschaftsgeist, das Wesen der Demokratie historisch zu bestimmen suchen. Die Veränderung wurde überall stark empfunden und beschäftigte, sei es im Sinn der Klage oder der hoffnungsvollen Zustimmung, jeden lebendig beobachtenden Geist. Heinrich Heine, in seiner ambivalenten, halb bejahenden und halb ironischen Art, schrieb im Jahre 1832 aus Paris: »Beim Ausbruche der Cholera versammelte die gute Königin ihre Freunde und Diener und verteilte unter ihnen Leibbinden von Flanell, die sie meistens selbst verfertigt hatte. Die Sitten der alten Chevalerie sind nicht erloschen; sie sind nur ins Bürgerliche umgewandelt; hohe Damen versehen ihre Kämpen jetzt mit minder poetischen, aber gesünderen Schärpen. Wir leben ja nicht mehr in den alten Helm- und Harnischzeiten des kriegerischen Rittertums, sondern in der friedlichen Bürgerzeit der warmen Leibbinden und Unterjacken; wir leben nicht mehr im eisernen Zeitalter, sondern im flanellenen.« – Da haben wir den etwas schadenfrohen Spott eines ironischen Dichters, der der frommen Generosität der alten Zeiten im geheimen ein wenig nachtrauert, über den nüchternen Nützlichkeitsgeist der neuen Zeit, zu der er sich übrigens, wenn es Ernst wurde, als ein Kämpfer für bürgerliche Freiheit, als Parteigänger der Vernunft und Verfechter von Menschheitsrechten ganz ohne Ironie bekannte.

Das Verhältnis Goethe's, der aus dem achtzehnten Jahrhundert ein gutes und entscheidendes Stück ins neunzehnte hinüberlebte und erschütterter Zuschauer der staatlichen Umwälzungen war, in denen die politischen Formen sich den veränderten sittlich-gesellschaftlichen Verhältnissen stoßweise anpaßten, – sein Verhalten zur siegenden Demokratie, zwiespältig seinem Format gemäß auf eine tiefere und mächtigere Weise als bei Heine, ist vom höchsten persönlichen und sachlichen Interesse. Schwere, sein Alter trübende Kultur-Besorgnisse knüpfen sich ihm an das Zeitalter der Verkehrsfazilitäten, der Geldherrschaft und der Massen, das er heraufkommen sieht; aber sein Wirklichkeitssinn, sein Instinkt, auf der Höhe des Lebens zu bleiben, aufzunehmen und bis zum letzten Augenblick alles in sein Riesenwerk einzubeziehen, waren stärker oder doch ebenso stark, und jedermann kennt die Huldigung, die er der ›neuen Welt‹ – um diesen Ausdruck nach seinem geographisch-gesellschaftlichen Doppelsinn zu gebrauchen – dargebracht hat in den Versen:

> Amerika, du hast es besser
> Als unser Kontinent, der alte!
> Hast keine verfallenen Schlösser
> Und keine Basalte.

Auf Amerika waren überhaupt die Augen des Achtzigjährigen gerichtet, das zeigen die späten Teile des ›Wilhelm Meister‹, und großartig war die immer lebensbegierig ausspähende Anteilnahme des Greises an utopisch-welttechnischen Fragen, seine Begeisterung für Projekte wie den Durchstich der Landenge von Panama, wovon er mit einer Eindringlichkeit und Ausführlichkeit spricht, als sei es ihm wichtiger als all' Poesie, und das war es zuletzt in der Tat. Die hoffnungsvolle Freude am Technisch-Zivilisatorischen und Verkehrssteigernden kann nicht wundernehmen bei dem Dichter des letzten ›Faust‹, der seinen höchsten Augenblick in der Verwirklichung eines utilitaristischen Traumes, der Trockenlegung eines Sumpfes erlebt, – ein eigentümlicher Affront gegen das einseitig schöngeistig-philosophische Interesse der damaligen deutschen Öffentlichkeit. Er, der alte Dichter, ergeht sich in der Erörterung von Möglichkeiten, den mexikanischen Meerbusen mit dem Stillen Ozean zu verbinden und der unberechenbaren Ergebnisse solchen Unternehmens. Er rät den Vereinigten Staaten von Amerika, die Sache anzugreifen, und phantasiert von den blühenden Handelsstädten, die an dieser Küste des Pazifik nach und nach entstehen müßten. Er konnte dies alles kaum erwarten, dies und die Verbindung von Donau und Rhein, die freilich ein über alles Hoffen riesenhaftes Unternehmen sein würde, und etwas Drittes, ganz Großes: den Kanal von Suez für die Engländer. »Dies alles noch zu sehen«, ruft er, »würde es wohl lohnen, noch fünfzig Jahre auf Erden auszuhalten!« Und dieser Zug ins Nützlich-Weite und Weltverbindende, ein Zug der Zeit, ein demokratischer Zug, findet einen anderen Ausdruck in gewissen Übertragungen liberal-ökonomischer Grundsätze auf das geistige Leben, so, wenn der alte Goethe von einem »Freihandel der Begriffe und Gefühle« spricht oder wenn er erklärt, an Nationalliteratur sei nicht mehr viel gelegen, eine Weltliteratur sei an der Tagesordnung.

Ich will aber eine Briefstelle des Faust-Dichters anführen, die mir kürzlich aufstieß und worin sich mir Geist und Wesen dessen, was wir ›Demokratie‹ nennen, und die wohlwollende innere Bereitwilligkeit des seinem Ende schon nahen Dichters dazu besonders klar und vollständig auszusprechen scheint. Ein guter Bekannter hatte auf seinen Wunsch Zeichnungen von seinem kürzlich erworbenen Landsitz anfertigen lassen und sie Goethe geschickt. Dieser schreibt ihm Dezember 1831: »Ich mag nun also diese abgebildete Gegend hin und wider in ihrer höchst verständigen, und ich darf wohl sagen, *vernünftigen* Lage betrachten, so erquickt mich die Hoffnung, daß die liebe Natur auch zur Vernunft gekommen sei und alle jene verrückten fieberhaften Erschütterungen für immer aufgegeben habe, damit sowohl die umschauende umsichtige Schönhöhe als das daran sich schließende Wohlhaben für ewige Zeiten gesichert sei und, mitten unter den problematischen Ruinen der Vorzeit, Ihnen und Ihren Nachfahren fest und beruhigt verharren, auch das Reelle, Faßliche, Nützliche, wie es in diesen Bildern vor uns liegt, immerfort unverkümmert zur Freude gedeihen möge.« – Ich glaube, es gibt im ganzen Bereich der Sprache keine Wortfügung, die unserem Gefühl, was eigentlich unter ›Demokratie‹ und weiter unter ›Zivilisation‹ im historischen und über-historischen Sinn zu verstehen sei, genaueren Ausdruck gibt. Das Reelle, Faßliche, Nützliche; die »umsichtige Schönhöhe«, an die sich gesichertes Wohlhaben schließt; die »problematischen« Ruinen der Vorzeit im Hintergrund, die an die verfallenen Schlösser und die Basalte der Amerika-Anrede erinnern; dazu die Vermenschlichung der Natur, die nicht nur als bezwungen und nutzbar gemacht, sondern als von sich aus zur Vernunft gekommen und zu einem friedlichen, dienlichen Verhalten gewillt vorgestellt wird: das Bild ist vollständig, und man muß die Lebenswilligkeit eines noch in so anderer Weltverfassung groß gewordenen Geistes bewundern, der von dem neuen Wesen nur angerührt zu werden braucht, um es in Worten an- und auszusprechen, in denen Sensibilität und Sympathie fast nicht zu unterscheiden sind.

Was aus diesen Worten spricht, ist *Hoffnung* – eine Hoffnung auf Menschenglück und -frieden, die ans Utopische grenzt und einem überraschenden Zugeständnis des im Grunde kultur-pessimistischen alten Dichters an den Zeitgeist gleichkommt. Denn Hoffnung, ja Utopismus ist wirklich ein Wesensmerkmal der jungen Demokratie, die auf die eigentümlichste Weise Industrialismus und Menschheitsenthusiasmus, Nüchternheit mit dem Glauben an ein bevorstehendes Goldenes Zeitalter verknüpft. »L'âge d'or«, lautet ein Wort aus der französischen sozial-prophetischen Literatur jener Zeit, »qu'une aveugle tradition a placé jusqu'ici dans le passé, est devant nous!« »Das goldene Zeitalter, das eine

blinde Überlieferung bis jetzt in die Vergangenheit verlegt hat, liegt vor uns!« Dieser Glaube ist die seelische Frucht eines von Klerikalismus und Feudalgewalt nicht länger gefesselten stürmischen Fortschritts in Naturerkenntnis und Naturbeherrschung, vereinigender Technik und Reichtum bringenden Gewerbefleißes. Er ist stark moralisch, ja religiös gebunden, dieser Glaube; bei soviel Materialismus und Utilitätssinn weist er die entschiedensten Merkmale der Geistigkeit auf. »Geld, Städte, *Geist* und Handel«: »Geist« ist das ›dritte Wort‹, und er spielt keine geringe Rolle in dem Komplex.
Daß nach dem Ableben der auf dem alten Kriegswesen und dem Kirchenglauben beruhenden Institutionen die Gesellschaft auf die beiden neuen Gewalten der *Wissenschaft* und *Industrie* basiert werden müsse, daß Gelehrte und Gewerbefleißige sich fortan in die Regentschaft der Welt zu teilen hätten, ist die allgemeine Überzeugung. Heine vertritt sie voller Temperament in seinen ›Französischen Zuständen‹, unter dem deutlichen Einfluß des sozial-religiösen Sektenstifters Saint-Simon, der 1825 seine ›Opinions littéraires, philosophiques et industrielles‹ veröffentlicht hatte. Ein anderes von Saint-Simons Büchern heißt höchst charakteristischerweise: ›Nouveau Christianisme‹. Sein Schüler Dunoyer schreibt ›De la morale et de l'industrie‹, und diese Verbindung der Industrie mit der *Moral* ist noch kennzeichnender und häufiger als die von Industrie und Wissenschaft. Zusammen mit Auguste Comte gibt derselbe Dunoyer den ›Producteur‹ heraus, ein Periodikum, das »durch Förderung des Assoziationsgeistes die Menschheit in Wissenschaften, Moral und Industrie weiterbringen soll«. Es ist ein gerade heute fast überwältigend rührend und auch beschämend anmutendes Menschheitswohlwollen und Vertrauen, gerichtet auf die ›Association Universelle‹, die allgemeine Vereinigung zur rationalen Bewirtschaftung der Natur, zum Glück und zum Reichtum; ein zwar irdisch gesinnter und verpflichteter, aber sehr religiös fundierter und geistig orientierter Fortschritts-Utopismus, in dem Materialistisch-Sensualistisches sich mit Moralischem mischt, beherrscht von den Ideen Friede, Arbeit, Gemeinschaft, Wohlstand.
Gemeint ist nicht sowohl der individuelle und egoistische, als vielmehr der allgemeine, gesellschaftliche Wohlstand, das eben ist das Moralische. Moral und Gesellschaftlichkeit sind Synonyme in dieser Sphäre; Moral ist Gesellschaftsgeist, kaum etwas außerdem; und unmerklich, ohne Bruch, und als verstehe es sich von selbst, sehen wir hier, in der ersten gedanklichen Blütezeit der Demokratie, das Demokratische ins Sozialistische übergehen. Es

ist außerordentlich merkwürdig und lehrreich, dies offenbar geistig notwendige Hinüberspielen demokratischer Moral in eine sozialistische in der Altersdichtung Goethe's zu beobachten, das Wetterleuchten kollektivistischer Prophetie in den ›Wanderjahren‹, wo es sich am Ende um eine Selbstüberwindung der individualistischen Humanität und des Kulturbegriffs handelt, den Goethe selbst in erster Linie geschaffen und geprägt hatte. Tatsächlich wird hier das Ideal privatmenschlicher Höchstausbildung, Höchststeigerung und Allseitigkeit preisgegeben und ein Zeitalter der Einseitigkeiten proklamiert. Das Ungenügen am Individuum ist da: Erst sämtliche Menschen vollenden das Menschliche, der einzelne wird Funktion, der Begriff der Gemeinschaft tritt hervor, der Kommunität; und den Geist der Pädagogischen Provinz, musisch durchheitert wie er ist, kann man ebensogut jesuitisch-militaristisch wie sozialistisch nennen.
Auch im Saint-Simonismus hat das Individuum nur insofern einen Wert, als es beiträgt zur Verbesserung des Loses der vielen, der Allgemeinheit, in der es aufgehen soll. Den alten Goethe hat seine aufmerksame Zeit-Sensibilität und -Rezeptivität nicht davor bewahrt, von dem jungen französischen Sozialismus als Egoist, Indifferentist und als Geist »sans but sympathique« verschrien zu werden, eben weil er im Geistigen ein so mächtiges Individuum war wie im Wirtschaftlichen und Sozialen der Typus des ›königlichen Kaufmanns‹, den die Demokratie gezeitigt hatte, die Figur des aus dem Dritten Stande hervorgegangenen Industrie-Königs, des großen Geldmachers und Konquistadoren des Kapitals, die um 1830 die Einbildungskraft der Menschen der alten und neuen Welt beschäftigte. Es ist der plutokratische Zug der Demokratie, die materialistische Geldherrschaft, die sie hervorbringt und die durch die bürgerliche Revolution als das Modernere, aber nicht Edlere an die Stelle der feudalen Vorrechte und Ungleichheiten gesetzt wurde, was der junge Sozialismus, dieser ehrfurchtsvoll und gläubig bewundernde Sohn der Demokratie, als ihren sittlichen Makel und Mangel empfindet. Kein Wunder denn, daß er mit der radikalen Forderung der Abschaffung des Erbrechts hervortritt und damit der Demokratie die Krone aufzusetzen meint. Diese Forderung mag Unkenntnis der menschlichen Natur verraten, aber sie ist sehr alt. Schon Plato hat in seinem Buch vom Staat, das im ganzen nichts anderes als eine sozialistische Utopie ist, die Beseitigung des persönlichen Eigentums und der Familie verlangt. Es wird allezeit Ungleichheit geben, so lautet die saint-simonistische Lehre, aber es soll keine mehr geben, die nicht von Gott selbst gewollt ist. Das Erbrecht ist es, das Reiche und Arme, Gebildete

und Unwissende, ja Gute und Böse schafft. Man beseitigte es, und es wird dem Zufall verwehrt sein, die Produktionsmittel in die Hände der Faulen und Unfähigen zu spielen. Jedem nach seinen Fähigkeiten; jeder Fähigkeit nach ihren Werken: das ist die Formel der Gerechtigkeit, und der junge Sozialismus von 1830 ist überzeugt, daß sie dem ursprünglichen Willen Gottes entspricht. Sein Denken und Wollen ist zweifellos religiös bestimmt, ja er ist von den Zeitgenossen selbst als eine Religion, als »la religion Saint-Simonienne« bezeichnet worden. »Die Religion«, erklärt Saint-Simon, »soll die Gesellschaft dem großen Ziel der möglichst schnellen Verbesserung des Loses der zahlreichsten Klasse entgegenführen.« Das ist christlich empfunden; aber es ist ein entwikkeltes, vom Dogma gelöstes und der Erde, dem Gemeinschaftsleben zugewandtes Christentum, ein christlicher Humanismus, der in der Menschheit la fille de Dieu, die Tochter Gottes, sieht und ihre Zukunft glänzend wünscht. Der Mensch soll weder, nach heidnischer Art, nur sein physisches, noch, wie im asketischen Christentum, sein geistiges Leben berücksichtigen und fördern, sondern beide vereint. Er ist hienieden nicht bloß ein Reisender und Fremdling oder ein gefallener Engel, der seine Augen nur auf das Jenseits zu richten hätte, sondern er ist mit dem Beruf auf die Erde gekommen, das Werk allmählicher Vervollkommnung aller Dinge zu vollenden. Notwendig ist die Reorganisation des gesamten Weltwesens, aber sie ist der dank der Arbeit des einzelnen fortschreitenden *Zeit* zu überlassen.
Es wäre auch heute unmöglich, die Idee eines christlichen Sozialismus oder sozialen Humanismus präziser zu bestimmen, als es damals geschah. Vor allem äußert sich die klare und richtige Einsicht in die Unabhängigkeit abendländisch-christlicher Sittlichkeit von Kirche und Dogma, das heißt: in die Vergeistigungsfähigkeit des Christentums, die seinen ungeheuren Vorzug vor den Religionen der alten Naturvölker bildet. Im antiken Rom, heißt es in Schriften damaliger Zeit, brachte der Verfall der Staatsreligion und des Pontifikalismus eine moralische Anarchie, ein Durcheinander widersprechender und haltloser Strebungen und Weltbilder hervor, der zum Untergang führte. Die alten Naturvölker und ihre Staaten gingen wirklich zugrunde, weil Religion und Politik unlösbar eins und jene wesentlich an feste Priesterschaften gebunden war. Den christlichen Völkern dagegen ist statt des Untergangs die *Metamorphose* gewährt, denn dem Christentum ist Vergeistigung eingeboren, es treibt selbst zu ihr hin und stirbt nicht zugleich mit seinen dogmatischen und pontifikalen Formen, sondern bleibt Lebensgeist der Völker, und wäh-

rend es das Staats- und Kulturleben läutert, wird es umgekehrt durch sie wieder zur Selbstverklärung angeregt.
Man muß sagen: diese Einsicht in die Unsterblichkeit des Christentums, beruhend auf seiner Vergeistigungsfähigkeit, die es befähigt, seine kirchlichen Formen zu überleben und unabhängig von ihnen Lebensgeist und -grund der abendländischen Gesittung zu bleiben, ist ein großes Verdienst des jungen, aus der bürgerlichen Demokratie geborenen Sozialismus vom Anfang des neunzehnten Jahrhunderts und von stärkster Aktualität für uns Heutige, für die scheinbar das Christentum mit in die Krise der Demokratie hineingerissen wird, die wir erleben. Das hat seine Logik, denn Demokratie und Christentum sind eng verbunden, sie sind in dem Grade solidarisch, daß man die Demokratie die politische Ausprägung christlichen Lebensgefühls nennen kann; und unter ihrem Namen verteidigen wir nichts anderes als die sittliche Grundlage abendländischen Lebens, die geistige Einheit unseres Kulturkreises. Aber die Demokratie selbst, als Freiheitsbewegung, ist ja im emanzipatorischen Kampf gegen einen niederhaltenden Klerikalismus groß geworden, was sie nicht gehindert hat, als neue Form abendländischen Völker- und Gesellschaftslebens im Christentum verwurzelt zu bleiben. Nicht sie ist es, die auf der Erhaltung kirchlich-pontifikaler Formen des Christentums besteht, wenn sie sich als überlebt und hinderlich erweisen. Sie selbst ist Beispiel und Beweis für die Geistigkeit und Sublimierungsfähigkeit des Christentums, welche für die von ihr bestimmten nach-antiken Staatsvölker an die Stelle des Todes die Wandlung setzt; und aus der innigen Verbundenheit von Demokratie und Christentum ist nicht zu folgern, daß sie zusammen untergehen, sondern daß sie zusammen leben werden.
Das frühzeitige Hinauswachsen eines religiös-gefärbten Sozialismus aus der kaum installierten bürgerlichen Demokratie bezeugt ihren inneren Zusammenhang, ihre gemeinsame Wurzel, und diese Wurzel, dieser gemeinsame Lebensgrund ist das Christentum. Daß auch ein Widerspruch und Gegensatz zwischen ihnen besteht, ist unleugbar: der Gegensatz von Demokratie und Sozialismus ist der von *Freiheit* und *Gleichheit* – ein logischer Widerspruch ohne Zweifel, denn logisch und absolut genommen schließen Freiheit und Gleichheit einander aus, wie Individuum und Gesellschaft einander ausschließen. Freiheit ist die Forderung des Individuums, Gleichheit aber eine gesellschaftliche Forderung; und gesellschaftliche Gleichheit schränkt selbstverständlich die Freiheit des Individuums ein. Für das gesellschaftlich lebende Individuum – und existiert denn ein anderes? – gibt es Freiheit nur

im Sinne der freiwilligen Subordination und Einordnung, als *Verzicht* auf Freiheit also im Grunde, aus der Einsicht, daß die Gesellschaft auf Gleichheit gegründet ist und mit dieser Freiheit des einzelnen sich nur mangelhaft verträgt. Aber die Logik, dies Beispiel zeigt es am besten, hat keine letzte und oberste Lebensgültigkeit, und für das Gefühl des Menschen, für sein sittliches Bedürfnis bilden Freiheit und Gleichheit tatsächlich keinen Widerspruch. Mit etwas verschiedener Akzentverteilung schließen Demokratie und Sozialismus beide Strebungen ein, denn der Gegensatz zwischen ihnen hebt sich auf in dem, was sie beide überwölbt und bindet, dem Christentum.

Auch die christliche Humanität schon vereinigt in sich das individualistische und das soziale Prinzip auf eine gefühlsmäßig unangreifbare und natürliche Weise: Wert und Würde, die sie dem Einzelwesen, der gottesunmittelbaren Menschenseele beimißt, widersprechen nicht der Gleichheit aller vor Gott, die sie behauptet, nicht der sozialen Liebe, die eine *Vor*liebe ist und sich als Caritas vornehmlich dorthin wendet, wo Liebe am nötigsten ist: zu den vielen, der zahlreichsten Klasse, den Armen, Enterbten und Bedrückten. Es ist die Forderung und das Statut des *Menschenrechtes,* dies christliche Erbe der großen bürgerlichen Revolution, worin beide Prinzipien, das individualistische und das soziale, Freiheit und Gleichheit sich vereinigen und einander wechselseitig rechtfertigen. In der Demokratie prävaliert die Freiheit – unter Berufung auf die Gleichheit. Im Sozialismus wiegt die Gleichheit vor – sie tut es *im Namen und zum Zwecke der Freiheit.* Aber dabei ist nicht zu leugnen, daß aller Sozialismus geneigt ist, die Mechanisierung und Reglementierung der Gesellschaft auf die Spitze zu treiben und das Individuum im Gesellschaftlichen, nützlich Gleichförmigen und Massenhaften untergehen zu lassen. Bedenkt man aber, welche hohen und letzten Kultur- und Schönheitswerte mit dem Individuellen verbunden sind, so versteht man den Schrecken, den Geister wie Goethe und Heine vor der demokratischen Verwandlung der Welt und ihren sozialistischen Konsequenzen empfanden, die sie früh voraussahen.

Goethe, der Sohn des achtzehnten Jahrhunderts, hat unter den Erschütterungen der Französischen Revolution in dem Maß gelitten, daß sie ihn beinahe sein Talent, seine Produktivität gekostet hätten. In einem großen Individuum, einer herrscherlichen und erleuchteten Persönlichkeit hat er die Revolution geliebt und bewundert: in Napoleon. Nach dessen Sturz hielt sein Ordnungssinn es mit der Restauration und mit der Heiligen Allianz, und wiederum bedeutete die Revolution von 1830 ihm eingestandenermaßen die schwerste, belastendste Denkaufgabe seines Alters. »Verwirrende Lehre zu verwirrtem Handel«, schreibt der Greis an Humboldt, »waltet über die Welt, und ich habe nichts angelegentlicher zu tun, als dasjenige, was an mir ist und geblieben ist, womöglich zu steigern und meine Eigentümlichkeiten zu kohobieren.« Das ist der Protest des Kultur-Individualisten, dem einzig die Frage ›Kultur oder Barbarei‹ am Herzen liegt, gegen die neue Welt demokratischer Sozialität, eine Welt beanspruchten Massenglücks, in der sein Instinkt den Einbruch der Barbarei in die ihm bekannte Kulturwelt witterte. Und nicht anders ist es bei Heine, der, nach seiner Art, den Gefühlszwiespalt spielerisch genießt, den die Liebe zum Schönen, zum Künstlertum, und die humanitär-zukunftsgläubige Bejahung der neuen demokratisch-sozialen Welt ihm erregen. Für ihn liegt die soziale Revolution auf der geraden Linie der bürgerlichen, und was er mit visionärer Deutlichkeit, mit einer Mischung aus Entsetzen und Zustimmung heraufkommen sieht, ist der Kommunismus, – eine Welt, in der nach seiner Vorstellung Heinrich Heine's Gedichte nur noch dazu gut sein werden, daß der Proletarier seine Wurst hineinwickle, und die er dennoch gutheißt, bereit, Kunst und Schönheit den Menschheitsideen Freiheit und Gleichheit zum Opfer zu bringen – und übrigens aus diesem Phantasie-Opfer ein individualistisch-ästhetisches Schauspiel zu machen. –

Die Furcht des Kultur-Menschen vor dem Untergang der Freiheit und der individuellen Werte im Kollektiven und in sozialistischer Gleichheit ist begreiflich. Es ist, sozusagen, die Furcht der Demokratie vor sich selbst, – eine Furcht, die nicht wenig teilhat an der Erschütterung und Schwächung, die heute die Demokratie als geistige und moralische Position in der Welt erleidet. Und da sie schamlos ausgebeutet wird, ausgebeutet von den schlimmsten und niedrigsten Feinden der Freiheit, Feinden, die ich nicht zu nennen brauche, die aber die Demokratie, um in ihrer Sprache zu reden, ›sturmreif‹ zu machen hoffen, indem sie ihr und der Welt einreden, sie sei die Vorstufe zum Bolschewismus: so mag es der Augenblick sein für ein Wort der Besonnenheit und der Abwehr.

Jene Furcht wäre ja nur dann berechtigt, wenn Freiheit und Gleichheit einen unaufhebbaren und unausgleichbaren Gegensatz bildeten, was sie doch für unser Gefühl, ein christlich bestimmtes Gefühl, nicht tun. Dieses Gefühl will als notwendig wahrhaben, daß eine menschliche Synthese, eine Synthese des Maßes und Rechtes, von Freiheit und Gleichheit, Individuum und Gesellschaft, Person und Kollektivität möglich sein muß; und es ist nicht unvernünftig; denn die Vernunft sagt uns, daß reiner Individualismus, absolute Freiheit ebenso menschenunmöglich und kulturwidrig ist wie ihr liberticides Gegenteil. Es gäbe keine Hoffnung für den Menschen, wenn ihm nur die Wahl gelassen wäre zwischen Anarchie und einer die Person vernichtenden Vergesellschaftung äußerster Konsequenz. Nicht das aber bedeutet ein Sozialismus, der die Demokratie als seinen Mutterboden empfindet und ausgleichende Gerechtigkeit im Namen der Freiheit fordert: also eine soziale Demokratie. Sozialismus besagt Gesellschaftlichkeit; und dieser Begriff selbst, die bloße Anerkennung der Tatsache, daß der Mensch ein gesellschaftliches Wesen ist, kommt einer Bedingung und Einschränkung der Freiheit und des Individuums gleich. Es bedeutet die Einsicht, welche dem auf seine Sonderkultur stolzen Individuum nicht eben leichtfällt, daß eine rein individualistische, rein persönliche und geistige Humanität unvollständig und für die Kultur gefährlich ist; daß das Politische und Soziale Teilgebiete des Menschlichen sind, und daß es nicht möglich ist, sie vom Geistigen und Kulturellen reinlich zu trennen, sich auf diese zurückzuziehen und zu erklären, daß man sich für jenes ›nicht interessiere‹; es bedeutet mit einem Wort die *Totalität des Humanen*, – sehr zu unterscheiden von der *totalitären Politik,* in welcher ein freilich unveräußerlicher Teil, ein Ingrediens oder Segment des Menschlichen das Ganze verschlingt und die Freiheit vernichtet. Die gerechte und vernünftige Betonung des individuellen und des sozialen Elementes im Menschlichen, die Einschränkung des Politischen und Sozialen auf seinen natürlichen und notwendigen Anteil an Humanität, Kultur und Leben – das ist Freiheit. Das Absolutwerden der Politik, ihre totale Diktatur über alles Menschliche, das ist der Untergang der Freiheit, kulturvernichtend, für unsere Begriffe, so gut wie die Anarchie, und in dem Willen dazu finden sich Faschismus und Bolschewismus. Der Wesensgegensatz des Bolschewismus zu dem, was wir soziale Demokratie nennen, zu einer *gewissenhaften Freiheit,* ist heute nicht klar genug zu erfassen und nicht stark genug zu betonen. Ist es aber schon eine Lüge, die soziale Demokratie für eine Vorstufe des Bolschewismus auszugeben, so kommt der Betrug auf seinen Gipfel, wenn der Faschismus – und insbesondere der deutsche Nationalsozialismus – sich für den Schutz und das Bollwerk gegen den Bolschewismus ausgibt: ein Propaganda-Betrug, dem tatsächlich ein erheblicher Teil der bürgerlichen Welt mindestens zeitweise zum Opfer gefallen ist. Ich weiß nicht, wie es heute, nach gewissen jüngsten Erfahrungen, um die Einsicht in den betrügerischen Charakter dieser Behauptung steht, aber nicht zu leugnen ist, daß die Sympathien, die die faschistische Diktatur unter den besitzenden Klassen gefunden hat, auf ihr beruhen, und daß der Faschismus den Großteil seiner Erfolge, zuerst in den eigenen Ländern, dann draußen in der Welt, der Fiktion zu danken hat, es gäbe nur ihn oder den Bolschewismus, er sei die Rettung vor diesem, und an ihn müsse man sich halten, seine Macht müsse man mehren, ja, wenn er durch zügelloses Machtstreben in Gefahr gekommen sei, so müsse man ihn unter Opfern *retten*, um nur dem Bolschewismus zu entgehen. Soviel ich sehe, ist dies der wesentliche Inhalt der letzten sechs Jahre europäischer Geschichte. Und doch ist das Bürgertum so eindringlich wie vor nichts anderem vor der grausamen Enttäuschung zu warnen, die es erwartet, wenn es dieser betrügerischen Propaganda unterliegt – einer schweren Enttäuschung, die das Bürgertum der dem Faschismus verfallenen Länder bereits erprobt hat. Daß es die Funktion und Absicht des Faschismus, besonders etwa des deutschen Nationalsozialismus sei, das Privateigentum und die individualistische Wirtschaftsform zu konservieren, ist ein vollständiger Irrtum. Gerade in wirtschaftlicher Beziehung ist der Nationalsozialismus nichts anderes als Bolschewismus: es sind feindliche Brüder, von denen der jüngere von dem älteren, russischen, so gut wie alles gelernt hat – nur nicht das Moralische; denn sein Sozialismus ist moralisch unecht, verlogen und menschenverächterisch, aber im wirtschaftlichen Effekt läuft er auf dasselbe hinaus wie der Bolschewismus. Gewiß, unter dem Nationalsozialismus sind die Arbeiter entrechtet, die Gewerkschaften vernichtet, alle sozialistischen Organisationen zerschlagen; daß aber damit das goldene Zeitalter des Unternehmertums gekommen sein würde, war ein Traum der finanziellen Gönner der Hitler-Partei, ein Traum, von dem wir dahingestellt sein lassen wollen, ob er schön war, von dem aber jedenfalls das strikte Gegenteil in Erfüllung gegangen ist. Die Kriegswirtschaft, die heute im sogenannten Dritten Reich herrscht, ist eine moralisch tiefstehende Form des Sozialismus, aber eine Form davon eben doch: sie ist etwas, was man sowohl Staatssozialismus wie Staatskapitalismus nennen kann, militärisch bestimmte Diktatur des Staates über die Wirtschaft, Verdrängung der Unternehmerinitiative, der unzweifelhafte Untergang der privatkapitalistischen Wirtschaft, – und je länger, desto ausgesprochener und unverhüllter wird sie das alles werden. Es ist gar kein Zweifel, und alle Zeichen deuten darauf hin, daß sich die nationalsozialistische Revolution, die als radikale Rechtsbewegung begann, schneller und schneller nach links, das heißt ins Bolschewistische entwik-

kelt oder vielmehr aus einem Rechts-Bolschewismus in Links-Bolschewismus umzuschlagen im Begriffe ist. So ist ganz gewiß, daß die Expropriation der Juden in Deutschland nur die Vorübung bildet zu umfassenderen, von Rassen-Ideologie gänzlich freien Aktionen dieser Art, – und gerade wenn man den Begriff des Bolschewismus in seiner populären, mythischen Bedeutung, als Inbegriff des Schreckens und rasender Zerstörung nimmt, so wüßte ich nicht, welche Bilder sich besser mit ihm decken sollten als diejenigen, die der deutsche Pogrom gezeitigt hat.
Die Welt hat damit eine anschauliche Probe davon empfangen, was der sogenannte Nationalsozialismus eigentlich ist: nämlich die radikalste, rasanteste und zerstörerischste Revolution, die die Welt gesehen hat, so ungeeignet wie möglich, irgendwelchem bürgerlichen Konservativismus als Schutzwall zu dienen und von ihm in Dienst genommen zu werden. Wenn ich sage: Revolution, – so ist dieses Wort freilich geistig zu ehrenvoll für das Phänomen, denn auch einen Hunnen-Einbruch werden wir nicht als Revolution bezeichnen. Revolutionen pflegen irgendeine Beziehung zur Menschheitsidee, einen Glauben, einen – wenn auch verworrenen – Willen zur Weiter- und Höherführung der menschlichen Gesellschaft zu besitzen, in einem leidenschaftlichen Verhältnis zum Absoluten und zur Idee zu stehen, in deren Namen sie ihre Taten und Untaten begehen; und um solchen Glaubens, solcher Bindung und Leidenschaft willen, aus geheimem Respekt davor, war auch die Menschheit immer geneigt, ihnen ihre Untaten zu verzeihen und ein Auge dabei zuzudrücken, eben in dem Gefühl eines letzten guten und hochherzigen Willens, aus dem die Schrecknisse kamen. So war es bei der französischen, so war es selbst noch, wenigstens anfänglich, bei der proletarischen russischen Revolution. Die Untaten der sogenannten nationalsozialistischen Revolution aber sind ohne jedwede menschliche Entschuldigung, denn sie ist bar jeder Beziehung und jeder, sei es auch verirrten, Liebe zur Menschheitsidee und zur Idee der Vervollkommnung der menschlichen Gesellschaft. Sie ist eine Revolution der leeren Gewalt, will sagen: des geistigen Nichts. Man kann absolut überzeugt sein – längst ist es am Tage –, daß alles, womit sie sich ideologisch drapiert, daß Motive wie Nation, Volk, Rasse, Selbstbestimmungsrecht, Sozialismus oder wie die gestohlenen Worte nun lauten, immer nur Vorschützung und Mittel zum Zweck, – bewußtes und im stillen keineswegs ernstgenommenes Propagandamittel der Verwirrung, Zersetzung und Zerstörung ist. Es ist eine Revolution, wie es sie noch nicht gab, eine Revolution des absoluten Zynismus, ohne irgendwelche Glaubensbindung und

erfüllt von einer Lust an der Menschen- und Ideenschändung, die ohne Beispiel ist. Was sie im Ökonomischen mit sich bringt, mag Umwälzung heißen und kann uns vergleichsweise kalt lassen. Aber worauf sie im Moralischen aus ist, das ist Vernichtung der Grundfesten unserer Zivilisation. Der letzte Sinn ihres Antisemitismus ist nicht die unsinnige Idee der Rasse-Reinheit des deutschen Volkes, sondern der Angriff auf das Christentum selbst; und auch wenn sie die Demokratie verhöhnt, so meint sie das Christentum, in welchem alle Demokratie wurzelt und dessen politischer Ausdruck sie ist. Freiheit, Wahrheit, Recht, Vernunft, Menschenwürde – woraus schöpfen wir diese Ideen, die der Halt und die Stütze unseres Lebens sind und ohne die unsere geistige Existenz zerfallen würde, als aus dem Christentum, das sie zum Weltgesetz machte? Eine Revolution, die an die Stelle jeder einzelnen von ihnen und an die Stelle ihrer Gesamtheit die Gewalt setzt, – das ist der Antichrist. Und in dieser Revolution hat das bürgerliche Europa so lange den Schutzwall gegen den Bolschewismus erblickt, daß ihre Erfolge bereits dem vollständigen Siege über den Erdteil nahekommen!

Die Demokratie, meine Damen und Herren, war selbst einmal Revolution; heute ist sie die große konservative Macht auf Erden, konservativ im tiefsten Sinne des Wortes, im Sinn der Verteidigung und Erhaltung der schamlos bedrohten sittlichen Grundgesetze des Abendlandes. Um aber dieser Funktion gerecht zu werden, muß sie bis zu einem gewissen Grade in das revolutionäre Stadium zurückkehren; sie darf nicht nur sein, sie muß kämpfen, denn ohne Kampf wird sie aufhören zu sein. Ein leidenschaftlicher Wunsch und Wille ringt sich allmählich aus den Nöten und Wirrnissen, der moralischen Deroute unserer Zeit hervor: der Wille zur Sammlung und zum Widerstand, der Wille, haltzumachen und Halt zu gebieten, die Gesittung zu verteidigen gegen den zerrüttenden Vormarsch der Gewalt. Die Religionsgeschichte spricht uns von der ecclesia militans, der kämpfenden Kirche, die der triumphierenden, der ecclesia triumphans, voranging. Nun denn, damit die Demokratie triumphiere, muß sie kämpfen, möge sie auch lange des Kampfes entwöhnt gewesen sein. Eine militante Demokratie tut heute not, die sich des Zweifels an sich selbst entschlägt, die weiß, was sie will, nämlich den Sieg, welcher der Sieg der Gesittung ist über die Barbarei und der also nicht zu teuer bezahlt wird mit dem Opfer eines Luxus an Humanität: nämlich einer Duldsamkeit, die sich auf alles erstreckt – auch auf die Entschlossenheit, aller Humanität den Garaus zu machen. So weit in der Duldsamkeit darf die Humanität niemals gehen; sie darf es am wenigsten in Notzeiten des Kampfes wie der unsrigen. Wenn ich sage: der Freiheitsbegriff der Demokratie darf nicht auch die Freiheit umfassen, die Demokratie ums Leben zu bringen, er darf nicht den Todfeinden der Demokratie freies Wort und freie Hand geben, – so werden Sie mir antworten: das ist die Selbstaufgabe der Freiheit! – Nein, erwidere ich, es ist ihre Selbstbewahrung. Daß man aber überhaupt hierüber verschiedener Meinung sein kann, zeigt, daß die Freiheit in der Tat etwas wie ein Streitfall, daß sie ein Problem geworden ist – oder vielmehr, es ist sichtbar geworden, daß sie immer eines war. Die Krise der Demokratie, das ist in Wahrheit die Krise der Freiheit, und die Rettung der Demokratie vor dem feindlichen Ansturm, der sie heute bedroht, ist nur möglich durch eine lebensgerechte Lösung des Problems der Freiheit.

Jeder, der von Bedingungen spricht, welche die Freiheit um ihrer selbst willen sich auferlegen sollte, – von einer willentlichen Selbst-Einschränkung, einer sozialen Selbstdisziplin der Freiheit, muß gewärtig sein, des Verrates an ihr und an der Demokratie bezichtigt zu werden. Und doch glaube ich, daß es die wertvollsten und uneigennützigsten Anhänger der Freiheit nicht sind, die am geschwindesten und lautesten diesen Vorwurf erheben. Die Lösung der Freiheitsfrage ist dadurch erschwert, daß es ein dreifaches Verhältnis zur Freiheit gibt. Sie hat echte Feinde – und mit denen kann man fertig werden. Sie hat echte Freunde – und zu denen möchten wir alle uns zählen dürfen. Aber dazwischen hat sie *falsche Freunde,* und die stiften Verwirrung, weil sie bewußt oder unbewußt die Liebe zur Freiheit mit dem Interesse an ihr, mit *ihrem* Interesse verwechseln und ausrufen, die Demokratie sei in Gefahr, sobald man der Freiheit rät, sich selbst in eine heilsame soziale Zucht zu nehmen, – da es doch gerade umgekehrt sich so verhält, daß die Demokratie nur zu retten ist durch eine reif und weise gewordene, dem Stadium unsozialer Libertinage entwachsene Freiheit.

Das Interesse an der Freiheit ist nicht echte Liebe zu ihr, sonst könnte es nicht geschehen, daß es sich, in den großen Demokratien Europas, lieber noch mit den Todfeinden der Freiheit verbündet und ihnen auf Kosten des eigenen Landes die fürchterlichsten Erfolge bereitet, als daß es in soziale Regulierungen der Freiheit willigte, die allein dazu helfen können, daß die Freiheit den Liberalismus überlebt.

Daß diese beiden, Liberalismus und Freiheit, identisch seien, daß die eine mit dem anderen stehe und falle, ist eine Vorspiegelung des Faschismus, – eine unter vielen, aber eine der bösartigsten. Wir

wollen ihr nicht unterliegen. Der Liberalismus, im Geistigen und Ökonomischen, ist die Lebenshaltung einer Epoche, er ist ein Zeitgeist, und die Zeiten wechseln. Die Freiheit aber ist eine unsterbliche Idee, die nicht mit dem Zeitgeist altert und vergeht, und der ist ihr Freund nicht, der behauptet, mit ihren liberalen Formen falle die Freiheit dahin. Man nützt ihr nicht, man schadet ihr und ist, bewußt oder unbewußt, schon im Begriff, das Spiel ihrer Feinde zu spielen, wenn man sich, scheinbar in ihrem Namen, dagegen sträubt, daß ihr heute strengere, sozial gebundenere Formen zukommen als zur Zeit unserer Väter und Großväter, da ihre Parole das ›Laissez-faire, laissez-aller‹ war. Wir haben versucht, einzusehen, was Demokratie ist: sie ist der menschliche Ausgleich zwischen einem logischen Gegensatz, die Versöhnung von Freiheit und Gleichheit, der individuellen Werte und der Anforderungen der Gesellschaft. Dieser Ausgleich aber ist niemals vollendet und endgültig erreicht, er bleibt eine immer aufs neue zu lösende Aufgabe der Humanität; und wir fühlen, daß heute in der Verbindung von Freiheit und Gleichheit das Schwergewicht sich nach der Seite der Gleichheit und der ökonomischen Gerechtigkeit, vom Individuellen also nach der Seite des Sozialen verlagert. Die *soziale Demokratie* ist heute an der Tagesordnung – nur in dieser geistigen Form und Verfassung, als eine zum Sozialen gereifte Freiheit, die gerade durch freundwillige Zugeständnisse an die Gleichheit die individuellen Werte rettet, als ökonomische Gerechtigkeit, die alle ihre Kinder fest an sie bindet, kann die Demokratie dem Ansturm eines entmenschenden Gewaltgeistes standhalten und ihre große konservative Aufgabe erfüllen: Wahrerin zu sein des christlichen Fundaments abendländischen Lebens, der Gesittung selbst gegen die Barbarei. –
Vor Ihnen, meine Herren und Damen, steht ein Mensch, dem Erörterungen und Bemühungen, wie die, denen wir uns heute abend unterzogen, ursprünglich nicht auferlegt schienen: ein Schriftsteller, dessen natürlichste Sache es ist und bleibt, seine Kräfte in dem freien Dienst am Menschlichen zu bewähren, den wir Kunst nennen. Nicht umsonst sprechen wir von ›freien Künsten‹; denn Kunst ist ja die Sphäre des freien Gedankens, der freien Betrachtung und Gestaltung, Politik aber diejenige der Entscheidung, der Gesinnung und des Willens. Ist es nicht bemerkenswert und symptomatisch, daß heute ein Künstler, gewohnt, sich in seiner Heimatsphäre um das Rechte, Gute und Wahre zu mühen, sich verbunden fühlt, dies auch im Politisch-Sozialen zu tun und seinen Gedanken mit dem politischen Willen der Zeit zu vereinigen sucht, weil er glauben würde, der Totalität des Huma-

nen etwas schuldig zu bleiben, wenn er sich dessen weigerte? Ist diese politische Bemühung des Geistes, unzulänglich wie sie sein mag, nicht ein Beispiel für jene soziale Selbstbindung der Freiheit, von der ich sprach und die eine *moralische* Bindung ist? Ich habe Ihnen von Wahrheit, Recht, christlicher Gesittung, Demokratie gesprochen – meine rein ästhetisch gerichtete Jugend hätte sich solcher Worte geschämt, sie als abgeschmackt und geistig undistinguiert empfunden. Heute spreche ich sie mit ungeahnter Freudigkeit. Denn die Situation des Geistes hat eigentümlich gewechselt auf Erden. Eine Epoche zivilisatorischen Rückschlages, der Gesetzlosigkeit und Anarchie ist offenbar angebrochen im äußeren Völkerleben; aber eben damit, so paradox es klingt, ist der *Geist* in ein *moralisches* Zeitalter eingetreten, will sagen: in ein Zeitalter der Vereinfachung und der hochmutlosen Unterscheidung von Gut und Böse. Ja, wir wissen wieder, was gut und böse ist. Das Böse hat sich uns in einer Graßheit und Gemeinheit offenbart, daß uns die Augen aufgegangen sind für die Würde und schlichte Schönheit des Guten, – daß wir uns ein Herz dazu gefaßt haben und es für keinen Raub an unserer Finesse erachten, es zu bekennen. Wir wagen es wieder, Worte wie Freiheit, Wahrheit und Recht in den Mund zu nehmen; ein Übermaß von Niedertracht hat uns der skeptischen Schüchternheit davor entwöhnt. Wir halten sie dem Feinde der Menschheit entgegen wie einst der Mönch dem leidigen Satan das Kruzifix; und alles, was die Zeit uns erdulden läßt, wird überwogen von dem jungen Glück des Geistes, sich in der ihm ewig zugedachten Rolle wiederzufinden, in der Rolle Davids gegen Goliath, im Bilde Sankt Georgs gegen den Lindwurm der Lüge und Gewalt.

[1939]

SCHICKSAL UND AUFGABE

Mir ist es vorgekommen, daß, wenn ich irgendwo in den amerikanischen Staaten über Demokratie gesprochen und mich zu ihr bekannt hatte, ein high-brow Journalist, der sich die kritischen Sporen verdienen wollte, schrieb, ich hätte »Mittelstandsideen« geäußert. Was aus ihm sprach, war ein falscher und rückständiger Begriff des Banalen und des geistig Interessanten, ein Mißverständnis, das mir von Europa her nur zu wohl bekannt war. Ich denke an Paris, wenn ich etwa mit Angehörigen der schon stark faschistisch infizierten Bourgeoisie über Aristide Briand und seine liberal-europäischen, pazifistischen Bestrebungen sprach. »Aber lieber Freund«, hieß es, »was wollen Sie mit Ihrem Briand! Das ist von der letzten Banalität, – d'une trivialitè insupportable!« Was der high-brow Journalist mit diesem Wort bezeichnet, ist ja freilich nichts anderes als die liberale Tradition. Es ist der Ideen-Komplex von Freiheit und Fortschritt, humanitarianism, Zivilisation, kurz, der Anspruch der menschlichen Vernunft auf Vorherrschaft über die Dynamik der Natur, der Triebe, des Blutes, des Unbewußten, über das naturgebundene, naturfromme Leben.
Es ist ein entsetzlicher Anblick, wenn der Irrationalismus populär wird. Man fühlt, es muß ein Unglück geben, ein Unglück, wie die einseitige Überschätzung der Vernunft es niemals herbeiführen kann. Diese kann komisch sein in ihrer optimistischen Pedanterie und kann lächerlich bloßgestellt werden durch die tieferen Kräfte des Lebens; aber sie fordert nicht die Katastrophe heraus. Das tut nur die inthronisierte Anti-Vernunft. Von einem bestimmten Augenblick an, nämlich als der Faschismus in Deutschland und Italien die Sache politisch in die Hand nahm und massenwirksam machte, als der Nationalismus zum Sammelbecken und General-Ausdruck all dieser Strömungen wurde, war ich überzeugt, daß nichts anderes als Krieg und äußerste Zerstörung das Endergebnis der irrationalistischen Geistesorgie sein könne, und zwar binnen kurzem. Darum versuchte ich, die Erinnerung an andere Werte, an die Ideen der Demokratie, der Humanität, des Friedens, der Freiheit und Menschenwürde in die hochauffliegende, schrecklich unterbelastete Schale der Waage zu werfen und wurde zu ihrem Propagator, – in dem klaren Bewußtsein, daß es *diese* Seite des Menschlichen ist, die Hilfe braucht: die andere bedarf unserer Hilfe überhaupt nicht.

Es besteht nicht die geringste Gefahr, daß je die Vernunft auf Erden überhandnehmen, daß es je zu vernünftig zugehen könnte auf Erden. Es besteht keine Gefahr, daß die Menschen eines Tages zu emotionslosen Engeln werden, was sehr langweilig wäre. Aber daß sie übertrieben interessanterweise zu Bestien werden, dazu gehört, wie sich gezeigt hat, gar nicht viel. Diese Neigung ist viel stärker im Menschen als die zum Anämisch-Engelhaften, und es genügt, durch allgemeine Instinktverherrlichung die schlechten Instinkte freizugeben, die immer die Verherrlichung zuerst auf sich beziehen, um die bestialische Neigung zu triumphalem Übergewicht zu bringen. Es ist bequem und genußsüchtig, sich auf die Seite der Natur gegen den Geist zu schlagen, auf die Seite also, die ohnedies immer die stärkere ist. Die einfachste Generosität und ein wenig humanes Pflichtgefühl müßten uns bestimmen, das schwache Flämmchen des Geistes und der Vernunft auf Erden zu schützen und zu nähren, damit es ein wenig besser leuchte und wärme.

Freiheit und Recht sind längst nicht mehr ›banal‹, sie sind vital, und sie langweilig finden, heißt nichts anderes, als auf den Schwindel der faschistischen Pseudo-Revolution hereinzufallen, daß Gewalt und Massenbetrug das Allerneueste und Zeitgemäßeste sind. Die besseren Geister wissen, daß das wirklich Neue in der Welt, dem zu dienen der lebendige Geist berufen ist, etwas ganz anderes ist, nämlich die soziale Demokratie und ein Humanismus, der, statt in mutlosem Relativismus steckenzubleiben, wieder den Mut hat zur Unterscheidung von Gut und Böse.

Das ist es, was die europäischen Völker getan haben. Sie haben dem Übel der neuen Ordnung, der Sklaverei, die Unterwerfung verweigert. Und so lassen Sie mich die Gelegenheit wahrnehmen, hier ein Wort zu Ehren dieses jetzt so tief daniederliegenden Erdteils einzuschalten. Es mag wohl sein, daß wir Europäer nur die ›Graeculi‹ abgeben werden in der römischen Machtwelt, die aus diesem Kriege erstehen wird und deren Hauptstädte Washington, London und Moskau sein werden. Aber diese diminutive Rolle soll uns den berechtigten Stolz nicht mindern auf die alte Heimat dort drüben. Wieviel leichter, bequemer hätten die Völker Europas es haben können, wenn sie Hitlers infame ›Neue Ordnung‹ hingenommen, sich in die Sklaverei ergeben, mit Nazi-Deutschland, wie man es nennt, ›kollaboriert‹ hätten! Sie haben es nicht getan, keines von ihnen. Jahre, voll von brutalstem Terror, von Marter und Hinrichtungen haben nicht genügt, ihren Widerstandswillen zu brechen. Im Gegenteil, sie haben ihn nur stärker gemacht, und die frechste aller Nazilügen ist die von dem mit

Hitler zur Verteidigung seiner heiligsten Güter gegen die Invasion der Fremden zusammenstehenden Europa. Die Fremden, gegen die es die heiligsten Güter zu verteidigen gilt, das sind sie, die Nazis, und sonst niemand. Nur eine dumme, korrupte Oberschicht, Verräterpack, dem nichts heilig ist als Geld und Vorteil, arbeitet mit ihnen zusammen. Die Völker weigern sich dessen, und je deutlicher sich der Sieg der Alliierten abzeichnet, desto mehr gewinnt selbstverständlich ihre Auflehnung gegen das Unerträgliche an Zuversicht. Sieben Millionen sind zur Zwangsarbeit deportiert, fast zwei Millionen sind exekutiert und ermordet worden, und Zehntausende hält die Hölle der Konzentrationslager. Es hilft nichts, der ungleiche, heroische Kampf geht weiter.
Ehre den Völkern Europas! Sie führen unseren Kampf, sie sind unsere Verbündeten, und als Verbündete verdienen sie behandelt zu werden. Langsam, langsam genug nähert sich ihnen die Befreiung, und sie halten aus. Sie verdienen, daß man sie ins Vertrauen zieht, daß man sie ihren Weg haben, sie ihr Haus reinigen läßt von den Mächten, die sie verraten und ins Elend geführt haben; verdienen, daß man zu ihnen spricht, offen und brüderlich, und sie nicht in dem Glauben wankend macht, daß die Befreier als Befreier kommen und nicht, um sie unter die Mächte der alten, abgelebten und verachteten Ordnung zu beugen.

Aber da wir von Europa sprechen, kann ich unmöglich mein eigenes Land und sein Verhältnis zur Welt außer acht lassen. Wie war es möglich, daß es in den Zustand geriet, in dem wir es heute sehen? Wie weit ist das deutsche Volk in seiner Gesamtheit verantwortlich zu machen für die Untaten der Nazis? Das sind schmerzliche und komplizierte Dinge, von denen man demjenigen mit Worten kaum einen Begriff geben kann, der in solchen Zeiten inmitten seines Volkes, im Einverständnis mit ihm, im guten Glauben an seine Sache lebt und für diese Sache sich freudig einsetzen darf. Dieses so natürliche Glück ist uns verwehrt. Nicht der Einsatz, nicht der Kampf. Auch wir kämpfen. Aber unser Schicksal ist es, den Kampf gegen unser eigenes Land und seine Sache, von deren Verworfenheit wir durchdrungen sind, führen zu müssen, – gegen das Land, dessen Sprache der geistige Stoff ist, darin wir wirken, das Land, in dessen Kultur wir wurzeln, dessen Tradition wir verwalten und dessen Landschaft und Lebensluft auch unsere natürliche Berge wäre.
Sie werden mir sagen: »Wir kämpfen alle für dieselbe Sache, die Sache der Menschheit, da ist kein Unterschied.« Gewiß, aber Sie haben das Glück, diese Sache mit der Ihres Volkes, Ihres kämpfen-

den Heeres, Ihres Staates mehr oder weniger gleichsetzen zu können, und wenn Sie das Hoheitszeichen Amerikas sehen, das Sternen- und Streifen-Banner, so blicken Sie auf dieses Zeichen mit Heimatgefühl, Sympathie und Vertrauen, mit ruhigem Stolz und herzlichem Wünschen, während wir...

Sie machen sich kaum eine Vorstellung davon, mit welcher Empfindung wir auf das gegenwärtige Hoheitszeichen Deutschlands, das Hakenkreuz, blicken. Wir blicken nicht darauf, wir sehen weg, sehen lieber zur Erde oder zum Himmel, denn der Anblick des Symbols, unter dem unser Volk um sein Leben kämpft oder darum zu kämpfen wähnt, macht uns physisch krank. Hier geschieht mir das nur noch im Cinema; aber als ich in Zürich lebte, kam ich oft in die Nähe des Hauses der deutschen Vertretung mit der ominösen Fahne darauf, und ich gestehe, daß ich jedes Mal einen weiten Bogen darum machte wie um die Höhle des Verderbens, einen Vorposten mörderischer Barbarei, hinausgeschoben ins Bereich der freundlichen Zivilisation, in deren Schutz ich lebte.
Deutschland – ein großer Name, ein Wort, mit dem sich hundert trauliche und ehrwürdige, liebliche und stolze Assoziationen verbinden. Und nun, dieses Wort, ein Name des Schreckens und tödlicher Wildnis, in welche selbst der Traum uns nicht zu versetzen wagt. Lese ich, daß irgendein Unseliger »nach Deutschland gebracht worden ist«, wie kürzlich die Parteiführer in Mailand, die das antifaschistische Manifest unterschrieben hatten, oder wie Romain Rolland, von dem es heißt, er sei in einem deutschen Konzentrationslager, so läuft es mir kalt über den Rücken. »Nach Deutschland gebracht« zu werden, das ist das Äußerste.
Welch ein abnormer, krankhafter Zustand, abnorm und krankhaft für jedermann, aber besonders für den Schriftsteller, den Träger einer geistigen Überlieferung, wenn einem das eigene Land zur tiefsten, feindseligsten, unheimlichsten Fremde wird! Und nun will ich nicht mehr bloß an uns hier draußen, an uns Emigranten denken; ich will mich endlich der Menschen drinnen, der deutschen Massen selbst erinnern und der grausamen Zwangslage, in die das Schicksal das deutsche Gemüt gedrängt hat. Glauben Sie mir: für viele dort ist das Vaterland ebenso zur Fremde geworden wie für uns, eine nach Millionen zählende ›innere Emigration‹ dort wartet auf das Ende, wie wir es tun.
Dieses Ende kann nur *eins* sein, die Menschen in Deutschland, trotz ihrer von Stickstoff erfüllten Abgeschlossenheit, wissen es nachgerade. Trotzdem ersehnen sie es – ihrem natürlichen Patrio-

tismus, ihrem staatsbürgerlichen Gewissen entgegen. Die nimmer rastende Propaganda hat ihnen allen ja die angeblich zermalmenden, in ihrer Schrecklichkeit endgültigen Folgen einer deutschen Niederlage tief ins Bewußtsein gesenkt, so daß sie mit einem Teil ihres Wesens gar nicht umhinkönnen, sie mehr zu fürchten als alles auf der Welt. Dennoch gibt es etwas, was einige von ihnen heimlich, in Augenblicken, die ihnen selbst verbrecherisch erscheinen, andere aber sogar mit vollem Bewußtsein und permanent, wenn auch gleichfalls unter Gewissensbissen, mehr fürchten als die deutsche Niederlage, und das ist der deutsche Sieg.

Stellen Sie sich vor, Sie wären gezwungen, sich dem Siege Amerikas als einem großen Unglück für alle Welt mit ihrem ganzen Wünschen und Hoffen entgegenzustemmen, – und Sie können sich in die Seelenlage dieser Menschen versetzen. Noch einmal, es ist die Seelenlage, die ungezählten Deutschen zum Schicksal geworden ist, und ich bin nicht frei von der Neigung, für dieses Schicksal eine besondere, nie dagewesene Tragik in Anspruch zu nehmen. Dieses Volk ist betört und zu Untaten verführt worden, die zum Himmel schreien. Es hat dafür zu büßen begonnen und wird noch immer schwer dafür büßen, und das dürfte nicht anders sein; die Moral, oder wenn Sie wollen, die göttliche Gerechtigkeit verlangt es. Aber wir hier draußen, die wir das Unheil kommen sahen, die früher als der Großteil unserer von einer falschen Erhebung berauschten Landsleute, früher vor allem als die übrige Welt überzeugt waren, daß aus der Naziherrschaft nie etwas anderes als die Katastrophe, als Krieg und Verderben kommen könne, wir sehen keinen großen Unterschied zwischen dem, was jene Schurken uns und was sie unserem ganzen Volke daheim angetan haben. Wir hassen die Verderber und ersehnen den Tag, der die Welt von ihnen befreit, aber mit wenigen Ausnahmen sind wir weit entfernt, einem unseligen Emigrantenhaß gegen das eigene Land zu verfallen und unserem Volk den Untergang zu wünschen. Wir können seine Verantwortlichkeit nicht leugnen, – denn irgendwie verantwortlich ist der Mensch für sein Sein und Tun; aber uns ist weit eher danach zumute, hier von Unglück und Verirrung und historischem Fluch zu reden als von Verbrechen.

Der Fall Deutschland ist darum so verwirrend und kompliziert, weil Gutes und Böses, das Schöne und das Verhängnisvolle sich darin in der eigentümlichsten Weise vermischen. Da ist zum Beispiel die große künstlerische Erscheinung Richard Wagners, die man oft mit dem Phänomen Nationalsozialismus in Verbin-

dung gebracht hat, indem man auf die Vorliebe des Herrn Adolf Hitler für diese Kunst hinwies, eine Vorliebe, gegen die man Wagner gern in Schutz nehmen möchte und die doch nicht ohne alle Bedeutung und belehrenden Sinn ist. Die Wagner'sche Kunstrevolution war, auf unvergleichlich höherer Ebene, ein der nationalsozialistischen Revolution verwandtes Phänomen. Man muß sich darüber klar sein, daß ein Werk wie der ›Ring des Nibelungen‹ im Grunde gegen die ganze bürgerliche Kultur und Bildung gerichtet ist, wie sie seit der Renaissance herrschend gewesen war, daß dies Werk sich in seiner Mischung aus Urtümlichkeit und Zukünftigkeit an eine nichtexistente Welt klassenloser Volkheit wendet.
Die Widerstände, auf die es stieß, die Empörung, die es erregte, richteten sich viel weniger gegen das Revolutionäre seiner *Form* und dagegen, daß es mit den Regeln einer Kunstgattung, der Oper, brach, aus der es offenkundig heraustrat. Es trat auch noch aus ganz anderem heraus. Der deutsche Goethe-Mensch, der seinen ›Faust‹ auswendig wußte, erhob zornig-verächtlichen Protest dagegen, einen respektablen Protest, der aus der noch bestehenden Verbundenheit mit der Bildungswelt des deutschen Klassizismus und Humanismus kam, von welcher dieses Werk sich lossagte. Der deutsche Bildungsbürger lachte über das Wagalaweia und all die Stabreimerei wie über eine barbarische Schrulle. Der ungeheure, man kann sagen, planetarische Erfolg, den dann doch die bürgerliche Welt, die internationale Bourgeoisie dieser Kunst, dank gewisser sinnlicher, nervöser und intellektueller Reize, die sie ihr bot, bereitete, ist ein Paradox, über dem man nicht vergessen darf, daß sie einem ganz anderen Publikum zugedacht ist als dem kapitalistisch-bürgerlichen, nämlich eben dem romantischen ›Volk‹, das das Ideal auch des Nationalsozialismus ist.
Es handelt sich bei Wagner um eine archaische Revolution, in der sich reaktionäre und zukünftige Elemente auf das sonderbarste mischen. Immer geht es bei ihm um das Ur-Epische, das Erste und Einfachste, das Vor-Konventionelle und Vor-Gesellschaftliche. Nur diese scheint ihm überhaupt für die Kunst geeignet. Sein Werk ist der deutsche Beitrag zur Monumentalkunst des neunzehnten Jahrhunderts, die bei anderen Nationen vorzüglich in der Gestalt der großen sozialen Roman-Dichtung erscheint. Dickens, Thackeray, Tolstoi, Dostojewski, Balzac, Zola – ihre mit demselben Hang zur moralischen Größe getürmten Werke waren *europäisches* neunzehntes Jahrhundert, literarisch-gesellschaftskritische, *soziale* Welt.
Die deutsche Erscheinungsform dieser Größe weiß vom Gesell-

schaftlichen nichts und will nichts davon wissen. Denn das Gesellschaftliche ist nicht musikalisch und überhaupt nicht kunstfähig. Kunstfähig ist allein das Mythisch-Rein-Menschliche, die unhistorisch-zeitlose Ur-Poesie der Natur und des Herzens, und aus ihrem Grunde schafft der deutsche Geist das vielleicht Größte und Schönste, was das Jahrhundert zu bieten hat. Das ungesellschaftlich Ur-Poetische ist ja sein eigener Mythus, seine typische und grundgegebene nationale Natur, die ihn von anderen europäischen Nationalgeistern und -typen unterscheidet. Die verwickelte Frage ›Was ist deutsch?‹ findet vielleicht mit der Feststellung dieses Unterschiedes ihre bündigste Antwort.

Der deutsche Geist ist sozial und politisch wesentlich uninteressiert. Im tiefsten ist diese Sphäre ihm fremd. Das ist gewiß nicht nur negativ zu werten, aber man kann hier von einem Vakuum, einem Mangel und Ausfall sprechen, und es ist wohl wahr, daß in Zeiten, wo das gesellschaftliche Problem dominiert, wo die Idee des sozialen und ökonomischen Ausgleichs, einer gerechteren wirtschaftlichen Ordnung von jedem wachen Bewußtsein als die lebendigste und dringlichste Aufgabe empfunden wird, daß unter solchen Umständen dieser oft so furchtbare Ausfall nicht zum glücklichsten hervortritt und zur Disharmonie mit dem Willen des Weltgeistes führt. Angesichts zeitlicher Probleme führt er zu Lösungsversuchen, die Ausweichungen sind und das Gepräge mythischer Surrogate für das wirklich Soziale tragen. Es ist nicht schwer, im sogenannten Nationalsozialismus ein solches mythisches Surrogat zu erkennen. Aus der politischen Terminologie ins Psychologische übersetzt heißt Nationalsozialismus: »Ich will überhaupt das Soziale nicht, ich will das Volksmärchen.« Nur, daß im politischen Bereich das Märchen zur blutigen Lüge wird.
Es ist schauerlich und beschämend zu sehen, wie die zivilisierte Welt sich auf Tod und Leben herumschlagen muß mit der politisch heruntergekommenen Lüge einer aggressiven Volksmärchenpoesie, die in ihrer früheren geistigen Reinheit der Welt so viel Schönes zu geben hatte. Sie war unschuldsvoll idealistisch ursprünglich, aber dieser Idealismus begann sich seiner selbst zu schämen und wurde von Neid ergriffen auf Welt und Wirklichkeit. »Deutschland ist Hamlet«, hatte es einst geheißen. »Tatenlos und gedankenreich« hatte Hölderlin es genannt. Es wollte weit lieber tatenreich sein und gedankenarm. »Deutschland, Deutschland über alles, das bedeutet das Ende der deutschen Philosophie«, stellte Nietzsche fest.
Der Neid auf Welt und Wirklichkeit, das war der Neid auf die

Politik, und sie wurde, eben weil sie dem deutschen Geist so fremd war, als eine Welt des absoluten Zynismus und Machiavellismus mißverstanden. Bestärkt in dieser Auffassung wurden die Deutschen durch die Erscheinung Bismarcks, der bei gewissen musischen Zügen seines Wesens freilich ein Gewaltmensch und Hohnsprecher des Ideologischen war. Der deutsche Liberalismus, den es immerhin gab, empfand ihn als atavistisch und rückfällig, und doch wurde er als politisches Genie grenzenlos bewundert, um seines ›Realismus‹ willen, der in Wirklichkeit durchaus nicht so brutal war, wie die Deutschen ihn verstanden, denn er wußte die Bedeutung moralischer Imponderabilien durchaus zu würdigen. Seinen Deutschen aber erschien alle moralische Beschönigung und Rechtfertigung politischen Machtstrebens als pure Heuchelei, und nie wäre ein nach-bismarckischer Deutscher des Wortes fähig gewesen, das Kardinal Manning gesprochen hat: »Politics is a part of morals.«
Schließlich ist Heuchelei ein Kompliment an die Tugend; sie bedeutet die prinzipielle Anerkennung des moralischen Standards. Es ist ein Unterschied, ob die zehn Gebote nicht gehalten werden, wie es ja überall in der Welt der Fall ist, oder ob man sie für aufgehoben erklärt. Der Deutsche, wenn er politisch sein will, glaubt, alle Moral und Menschlichkeit über Bord werfen zu müssen. Ein Franzose hat gesagt: »Wenn der Deutsche graziös sein will, so springt er zum Fenster hinaus.« Er tut dasselbe, wenn er politisch sein will. Er glaubt, sich zu diesem Zweck entmenschen zu müssen. Man tut gut, im Nationalsozialismus einen solchen Sprung aus dem Fenster zu sehen, die wüste Überkompensation des deutschen Mangels an politischer Begabung.

Dies alles scheint die Urverwandtschaft des deutschen Charakters mit dem Nationalsozialismus zu beweisen und daß dieser der deutschen Natur unabänderlich inhärent ist. Dennoch darf man über diesen Einsichten, die ihre partielle Wahrheit haben, nicht vergessen, wie *viel* humane und im besten Sinne demokratische Antriebe im deutschen Leben wirksam sind, die es mit der großen Welt christlich abendländischer Gesittung gemeinsam hat und die dem völkischen Barbarismus von jeher widerstanden.
Wir dürfen nicht vergessen, daß die Hitler-Partei nur durch Intrige und Terror, durch einen Staatsstreich zur absoluten Macht gekommen ist. Bei Ausbruch des gegenwärtigen Krieges befanden sich mehr als zweihunderttausend Menschen in deutschen Konzentrationslagern, zu schweigen von den vielen Zehntausenden

von Opfern des Systems, die in Nazi-Kasernen und Gestapo-Kellern zu Tode gequält worden sind.
Man spricht oft von der hoffnungslosen Verseuchung der deutschen Jugend durch den Nationalsozialismus, aber die Vorgänge an der Universität München, die in Amerika so großes Aufsehen gemacht haben, zeigen, daß wenigstens heute, nach den Erfahrungen der letzten Jahre, junge Deutsche bereit sind, ihren Kopf auf den Hinrichtungsblock zu legen für die Überzeugung, daß der Nationalsozialismus ein schändlicher Irrweg war und Hitler der Verderber Deutschlands und Europas.
Diese Dinge sind um der Gerechtigkeit willen in die andere Waagschale zu werfen. Nicht, damit Deutschland und das deutsche Volk von Schuld und Verantwortung entbunden seien. Moralisch-pädagogisch betrachtet, kann nach der entsetzlichen Hybris, dem unverzeihlichen Superioritäts-Rausch, in dem das Land jahrelang gelebt hat, zunächst sein Sturz nicht tief genug sein, und uns Emigranten kommt es nicht zu, nach allem, was geschehen ist, den Siegern Ratschläge zu geben, wie sie Deutschland zu behandeln haben.
Daß durch ihre Beschlüsse die Zukunft nicht allzu schwer belastet werde, ist die Hoffnung des liberalen Amerika. Nicht Deutschland oder das deutsche Volk sollen vernichtet oder sterilisiert werden. Was zerstört werden muß, ist die unglückselige Machtkombination, das weltbedrohende Bündnis von Junkertum, Generalität und Schwerindustrie. Man soll das deutsche Volk nicht etwa daran hindern, sondern ihm behilflich sein, die Herrschaft dieser Schicht ein für allemal zu brechen, die längst überfällige Agrarreform durchzuführen, kurz, die echte, aufrichtige und reinigende Revolution ins Werk zu setzen, die allein Deutschland, in den Augen der Welt, der Geschichte und in den eigenen Augen rehabilitieren und ihm den Weg in die Zukunft öffnen kann, in die neue Welt der Einheit und Zusammenarbeit, der zu dienen der deutsche Geist durch seine höhere Tradition durchaus vorbereitet ist.
Wir wollen Psychologen genug sein, zu erkennen, daß der ungeheuerliche deutsche Versuch der Weltunterwerfung, den wir jetzt katastrophisch scheitern sehen, nichts anderes ist als ein verzerrter und unglückseliger Ausdruck jenes dem Deutschtum eingeborenen Universalismus, der ehemals so viel höhere, reinere, edlere Gestalt hatte und diesem bedeutenden Volk die Zuneigung, ja die Bewunderung der Welt erwarb. Machtpolitik hat ihn verdorben und ins Unglück gebracht, denn wenn der Universalismus zur Machtpolitik wird, so muß sich die Menschheit zum Freiheits-

kampf erheben. Wir wollen vertrauen, daß der deutsche Universalismus in seinen alten Ehrenstand zurückfinden, daß er sich des frevelhaften Gedankens der Welteroberung für immer entschlagen und wieder als Welt-Sympathie, Welt-Offenheit und geistige Bereicherung der Welt bewähren wird. Wie nahe hängen Freiheit und Friede zusammen und wie nahe Deutschlands Freiheit mit dem Frieden der Welt!
Weisheit in der Behandlung des geschlagenen Gegners ist am Platze schon auf Grund eigenen Schuldgefühls. Die Welt-Demokratie, die 1918 im Besitz unumschränkter Macht war, hat es an allem fehlen lassen, was dem Unglück, in dem wir heute leben, hätte vorbeugen können. Die Befriedung der Welt durch Reformen und Genugtuungen für das menschliche Gerechtigkeitsbedürfnis, die es heute erwägt, hätte sie schon damals verwirklichen können und hätte damit dem Aufkommen der Diktatoren und der ganzen dynamisch-explosiven Haß-Philosophie des Faschismus vorgebeugt. Aber der Faschismus, von dem der Nationalsozialismus eine eigentümliche Abwandlung ist, ist keine deutsche Spezialität, sondern eine Zeitkrankheit, die überall zu Hause und von der kein Land frei ist. Und nie hätten die Gewalt- und Schwindelregierungen in Italien und Deutschland sich auch nur vier Wochen halten können, wenn nicht eine schmähliche Sympathie ihnen von überall her aus den wirtschaftlich herrschenden und darum die Regierungen bestimmenden Schichten der demokratischen Länder entgegengekommen wäre.

Ich würde gewiß das marxistische Examen nicht bestehen, aber obgleich ich weiß, daß der Faschismus seine geistige Seite hat und daß man ihn als eine rückschlägige Bewegung gegen die rationalistische Humanität des neunzehnten Jahrhunderts verstehen muß, kann ich nicht umhin, ihn zugleich als eine politisch-wirtschaftlich-reaktionäre Bewegung zu sehen, eine Gegenrevolution pur sang, als den Versuch alles Alten, sozial und ökonomisch Rückwärtsgewandten, die Völker und ihre Glücksansprüche niederzuhalten und jeden sozialen Fortschritt zu verhindern, indem man ihm den Schreckensnamen des ›Bolschewismus‹ anheftet. In den Augen des konservativen Kapitalismus des Westens war der Faschismus schlechthin das Bollwerk gegen den Bolschewismus und gegen alles, was man mit diesem Namen treffen wollte, – besonders mit den ›purges‹ vom Juni 1934, durch die, was sozialistisch war im Nationalsozialismus, ausgetilgt und die alte Machtkombination von Junkertum, Armee und Industrie gerettet worden war.

Diese blutige Aktion bedeutete eine wohlbeabsichtigte internationale Stützung des Nazi-Regimes. Es war damit dem Westen demonstriert, daß es sich in Deutschland zwar um einen Machtwechsel, aber nicht um eine Revolution handelte, die das bestehende Wirtschaftssystem bedrohte. Man sah sich nicht getäuscht in seiner Auffassung des Faschismus, man fand, daß er ›Ordnung‹ bedeutete, Ordnung im Sinne des Alten. Man verzog wohl den Mund über die Scheußlichkeiten seines Gebarens, hütete sich aber, ihn im Innern durch diplomatische Isolierung unmöglich zu machen, was damals so leicht zu bewerkstelligen gewesen wäre. Das Phänomen einer ›Revolution‹ bot sich dar, die überall in der Welt das Reaktionäre, jedes Comité des Forges, alle Feinde der Freiheit und des sozialen Fortschrittes für sich hatte, auch den Adel, das Faubourg St. Germain, die vornehme Gesellschaft, die Prinzen, das hohe Militär und jenen Teil der katholischen Kirche, der im Christentum vor allem Hierarchie, Bescheidung, devote Gebundenheit an das Bestehende erblickt.
Feldmarschall Göring ist die Verkörperung – die sehr umfangreiche Verkörperung – dieses Machtkomplexes von Junkertum, Militarismus und Industrie, – eine groteske Mischung aus ordenbehangenem miles gloriosus und Groß-Aktionär. Er ist der Herr des deutsch-europäischen Industrie-Monopols nach der Unterwerfung Europas, die durch die Unterminierung der demokratischen Widerstandskräfte und die allgemeine Anfälligkeit für den faschistischen Bazillus gelungen ist. Was es an ›Mitarbeit‹ gibt, ist die Mitarbeit der Reichen, der Geschäftemacher überall in den Ländern. Diesen geht es gut dabei, sie verdienen, kaufen auf schwarzen Märkten, schlemmen in Monte Carlo, während die Völker verhungern und das Opfer einer von Deutschland geplanten, auf moralische und psychische Entmannung gerichteten Bevölkerungspolitik sind.
Ich wiederhole: in den Augen des konservativen Kapitalismus des Westens war der Faschismus schlechthin das Bollwerk gegen den Bolschewismus und gegen alles, was man darunter verstand. Man ließ sich alle Scheußlichkeiten, die er im Innern beging, gefallen, ohne zu realisieren, daß ihr außenpolitisches Zubehör der Krieg war. Vielleicht hatte man auch gegen diesen nichts. In Frankreich, zum Beispiel, waren ja Krieg und Niederlage das Hilfsmittel zum Sturz der Republik und zur ›nationalen‹, das heißt faschistischen Revolution. Man befestigte die faschistischen Regimes von außen, denn in der wüstesten Unordnung, Rechtlosigkeit und Kulturzerrüttung wollte man Ordnung, Schönheit und Sicherheit sehen –

Sicherheit nicht für die Völker, sondern vor den Völkern, Sicherheit vor dem sozialen Fortschritt.
Mit einem Schein von Recht konnten die Diktatoren ausrufen: »Was wollen diese Menschen? Warum führen sie plötzlich Krieg gegen uns? Sie waren ja unsere offenen oder heimlichen Gönner und Helfer! Sie haben uns in den Sattel gesetzt und darin befestigt, haben uns finanziert, belobt, bekurt, und uns die außenpolitischen Erfolge, mit denen wir unsere Gegner zu Hause vollends mundtot machen konnten, auf dem Präsentierteller dargebracht. Aber sie meinen es auch gar nicht ernst. Sie wünschen im Grunde nicht, den Faschismus zu vernichten. Heimlich wollen sie ihn erhalten. Sie kämpfen halben Herzens, mit unklaren Absichten, und die Gebrochenheit ihres Willens ist unsere Zuversicht. Sie bekommen zwar militärisch allmählich die Überhand, aber wenn wir nur aushalten, den Krieg nur möglichst lange hinziehen, so werden die inneren Gegensätze zwischen den Alliierten zum offenen Ausbruch kommen, und wir werden den Nutzen davon haben, werden Ost und West gegeneinander ausspielen und dem unconditional surrender entgehen!«

Sie sind im Irrtum, und ihre Hoffnungen werden fehlschlagen. Gewiß gibt es Gegensätze der Weltanschauung zwischen Rußland und seinen Verbündeten, aber dieser Krieg ist ja unter anderem ein Mittel zum Ausgleich dieses Gegensatzes, zum Ausgleich von Sozialismus und Demokratie, auf dem alle Hoffnung der Welt beruht. Einig sind sie im Kampfe gegen die menschliche Degradierung, die die Eroberung der Welt durch den Faschismus bedeuten würde. Einig sind sie im Kampf für Freiheit und Recht. Ein Krieg aber für Freiheit und Recht kann nur mit den Völkern und für die Völker geführt werden. Man muß von Herzen hoffen, daß es nicht gehen möge wie nach den Kriegen gegen Napoleon, die ›Freiheitskriege‹ hießen, solange sie dauerten und man die Völker und ihren Freiheitsdrang dafür brauchte, die aber dann nur noch ›Befreiungskriege‹ im außenpolitischen Sinn gewesen sein sollten, damit dem Volk die innerpolitischen, revolutionären Früchte des Kampfes vorenthalten blieben.
Damals, im Jahre 1813, kämpften die Fürsten und Regierungen nicht so sehr gegen Napoleon als gegen die Revolution, deren Schwertträger der Kaiser war; den Völkern aber wurde vorgemacht, sie kämpften für die Freiheit, und ich weiß nicht, ob Sie, wie ich, das Abscheuliche in der Täuschung der Völker empfinden.
Erlauben Sie mir hier eine kurze Bemerkung über die Idee der

Demokratie. Ich verstehe Demokratie nicht hauptsächlich als einen Anspruch und ein Sichgleichstellen von *unten*, sondern als Güte, Gerechtigkeit und Sympathie von *oben*. Ich finde es nicht demokratisch, wenn Mr. Smith oder Little Mr. Johnson Beethoven auf die Schulter schlägt und ruft: »How are you, old man!« Das ist nicht Demokratie, sondern Taktlosigkeit und Mangel an Sinn für Distanz. Wenn aber Beethoven singt: »Seid umschlungen, Millionen, diesen Kuß der ganzen Welt!«, *das* ist Demokratie. Denn er könnte sagen: »Ich bin ein großer Genius und etwas ganz Besonderes, die Menschen aber sind mob; ich bin viel zu heikel, sie zu umarmen.« Statt dessen nennt er sie alle Brüder und Kinder eines Vaters im Himmel, der auch der seine ist. Das ist Demokratie in ihrer höchsten Form, die fern ist von Demagogie und schmeichlerischer Umwerbung der Massen. Von jeher habe ich es mit dieser Art von Demokratie gehalten; gerade darum aber empfinde ich tief, daß es nichts Abscheulicheres gibt als Massenbetrug und Verrat an den Völkern. Meine unglücklichsten Jahre waren die, in denen im Namen eines falschen Friedens, des appeasements, die Völker an den Faschismus verkauft wurden. Die Opferung des Tschechenvolkes durch die Münchener Konferenz war die schrecklichste und demütigendste politische Erfahrung meines Lebens, und sie war das nicht nur für mich allein, sondern für alle besser empfindenden Menschen auf der Welt.

Im März 1932, ein Jahr bevor ich Deutschland verließ, hielt ich anläßlich von Goethe's hundertstem Todestage in der Preußischen Akademie der Künste eine Ansprache, die mit den Worten schloß: »... der Kredit, den die Geschichte der bürgerlichen Republik heute noch gewährt, dieser nachgerade kurzfristige Kredit, beruht auf dem noch aufrechterhaltenen Glauben, daß die Demokratie, was ihre zur Macht drängenden Feinde zu können vorgeben, *auch kann*, nämlich ... Staat und Wirtschaft in eine neue Welt hinüberführen.« Man könnte diese Warnung, die damals der deutschen Mittelklasse galt, heute an die ganze bürgerliche Welt des Abendlandes richten. Findet sie nicht den Mut, sich in diesem Krieg und nachher auf die populären Kräfte zu stützen, wirklich einen people's war in ihm zu sehen und wirklich eine neuere, freiere, gerechtere Welt, die soziale Demokratie, zu wollen; verbindet sie sich statt dessen, ihrer eigenen revolutionären Tradition uneingedenk, mit den Mächten der alten Ordnung, einer nur noch so genannten Ordnung, nur um beileibe alles zu vermeiden, was sie ›Anarchie‹ nennt, alles Revolutionäre also, dann wird der Glaube der vom Faschismus vergewaltigten Völker Europas an

diese Befreier erschöpft sein, und alle, Deutschland voran, werden sich der Macht des Ostens zuwenden, in deren Sozialismus die Idee bürgerlicher Freiheit keine Stätte mehr findet.
Sie sehen, daß ich in einem Sozialismus, in dem die Idee der Gleichheit die der Freiheit vollkommen überwiegt, nicht das menschliche Ideal erblicke, und ich glaube, ich bin vor dem Verdacht geschützt, ein Vorkämpfer des Kommunismus zu sein. Trotzdem kann ich nicht umhin, in dem Schrecken der bürgerlichen Welt vor dem Wort Kommunismus, diesem Schrecken, von dem der Faschismus so lange gelebt hat, etwas Abergläubisches und Kindisches zu sehen, die Grundtorheit unserer Epoche. Dieses Wort gleicht tatsächlich einem Schreckgespenst für Kinder. Der Kommunismus ist der Gottseibeiuns der Bourgeoisie, genau so wie es um das Jahr 1880 bei uns in Deutschland die Sozialdemokratie war. Das war damals, unter Bismarck, der Inbegriff aller sansculottischen Zerstörung und Auflösung, des chaotischen Umsturzes. Ich höre noch unseren Schuldirektor, als einige böse Buben unter uns Tische und Bänke mit dem Messer zerschnitten hatten, uns anfahren: »Ihr habt Euch benommen wie die Sozialdemokraten!« Heute würde er sagen: Wie die Kommunisten!, denn der Sozialdemokrat, das ist unterdessen ein kreuzbraver Mann geworden, vor dem niemand sich fürchtet.
Verstehen Sie mich recht: Der Kommunismus ist ein scharf umschriebenes, politisch-ökonomisches Programm, gegründet auf die Diktatur einer Klasse, des Proletariats, geboren aus dem historischen Materialismus des neunzehnten Jahrhunderts, und in dieser Form stark zeitgebunden. Er ist aber als Vision zugleich viel älter und enthält auch wieder Elemente, die erst einer Zukunftswelt angehören. Älter ist er, weil schon die religiösen Volksbewegungen des ausgehenden Mittelalters einen eschatologisch-kommunistischen Charakter hatten: schon damals sollten Erde, Wasser, Luft, das Wild, die Fische und Vögel allen gemeinsam gehören, auch die Herren sollten um das tägliche Brot arbeiten, und alle Lasten und Steuern sollten aufgehoben sein. So ist der Kommunismus älter als Marx und das neunzehnte Jahrhundert. Der Zukunft aber gehört er an insofern, als die Welt, die nach uns kommt, in der unsere Kinder und Enkel leben werden und die langsam ihre Umrisse zu enthüllen beginnt, schwerlich ohne kommunistische Züge vorzustellen ist: das heißt, ohne die Grundidee des gemeinsamen Besitz- und Genußrechtes an den Gütern der Erde, ohne fortschreitende Einebnung der Klassenunterschiede, ohne das Recht auf Arbeit und die Pflicht zur Arbeit für alle.

Ein Land von der tapferen Fortgeschrittenheit der Vereinigten Staaten, die ihre Entstehung aus dem Geist des Pioniertums nie verleugnet haben, gibt durchaus schon den Vorgeschmack dieser kommenden Welt in ihrer Ausgeglichenheit und mit ihrer Arbeit, die niemanden schändet. Die Gemeinsamkeit der Genuß- und Bildungsmittel ist fast vollkommen. Alle Welt raucht die gleichen Zigaretten, ißt den gleichen ice cream, sieht die gleichen movies, hört im Radio die gleiche Musik, selbst die Unterschiede des Kostüms, der Kleidung, verschwinden mehr und mehr, und der Student, der sich durch seiner Hände Arbeit die Mittel für sein Studium verdient, was im bürgerlichen Europa tief unter seiner Klassen-Würde gewesen wäre, ist eine alltägliche Erscheinung.

Warum sage ich das alles? Weil ich finde, daß wir uns *nicht fürchten sollen*, nicht vor Wortgespenstern wie ›Kommunismus‹. Denn unsere Furcht ist die Quelle des Muts für unsere Feinde. Mit den sozialen Veränderungen geht es wie mit den Entwicklungen in der Musik, die immer zunächst vom Laienohr als wüste, gesetzwidrige Kakophonie und Auflösung aller Bande, als das ›Ende‹ empfunden und verschrieen wurden, bis das Ohr nachgekommen war und sich an das Neue gewöhnt hatte. Man glaubt es heute nicht, daß Mozart seinerzeit als allzu schwülstig und harmonisch überspannt, Verdi im Vergleich mit Donizetti als entsetzlich schwierig erschien, Beethoven als unerträglich bizarr, Wagner als verrückte Zukunftsmusik, Mahler als unverständlicher Lärm. Jedesmal ist das menschliche Ohr langsam nachgefolgt, denn Musik braucht es, und als Musik wird es empfinden, was die Musiker, nicht willkürlich, nicht aus Übermut, sondern weil sie müssen, weil Zeitgeist und geschichtliche Entwicklung es ihnen vorschreiben, hervorbringen.

Den Veränderungen des Ohres entspricht die Veränderung eines Organs, das man das *soziale Gewissen* nennen kann. Welche Umwandlungen und Veränderungen haben sich darin vollzogen, seit man Muränen mit Sklavenfleisch fütterte, und wieder seit dem Anfang der industriellen Epoche! Das private Eigentum ist wahrscheinlich etwas unzerstörbar Menschliches. Aber wie hat sich, selbst innerhalb unserer persönlichen Lebenszeit, der Eigentumsbegriff geändert, wie ist er abgeschwächt und bedingt, um nicht zu sagen, unterminiert worden durch die Limitationen des Erbrechtes, durch eine Steuergesetzgebung, die in manchen Fällen an Enteignung grenzt. Wie sehr hat sich die individualistische Freiheit, die mit dem Eigentumsbegriff eng zusammenhängt, der kollektiven Forderung anbequemen müssen und hat es *unmerklich*, im Wandel der Zeit, getan. Die Freiheitsidee, einst die

Revolution selbst, verwirklicht in der Souveränität der National-Staaten, ist in einem gewissen Abbau begriffen, das heißt ein neues Gleichgewicht wird gesucht zwischen den beiden Grundbegriffen der modernen Demokratie, Freiheit und Gleichheit. Jene wird durch diese allmählich stärker bedingt. Von der Souveränität des nationalen Staates werden gewisse Abdankungsopfer zugunsten des großen Ganzen, der Gemeinschaft gefordert.

Gemeinschaft, Kommunität, da haben Sie das Stammwort der Schreckensvokabel ›Kommunismus‹, mit der Hitler seine Eroberungen gemacht hat. Ich habe gar keinen Zweifel, daß Welt und Menschenleben sich nolens volens und unaufhaltsam in eine Lebensform hineinbewegen, für die das Epitheton ›kommunistisch‹ noch das zutreffendste ist, das heißt in eine Lebensform der Gemeinsamkeit, der gegenseitigen Abhängigkeit und Verantwortlichkeit, des gemeinsamen Anrechtes auf den Genuß der Güter dieser Erde, einfach infolge des Zusammenwachsens des Erdraumes, der technischen Verkleinerung und Intimisierung der Welt, in der alle Heimatrecht haben und deren Verwaltung alle angeht.
Glauben Sie nicht, daß ich mit all dem, was ich da vorzutragen versuche, nur dem Neuen und Unerprobten zugunsten reden will. Ich würde damit mein Künstlertum verleugnen, denn nie ist der Künstler nur der Fürsprecher und Ankündiger des Neuen, sondern auch Erbe und Vertrauter des Alten. Immer bringt er aus der Tradition das Neue hervor. Wie ich weit entfernt bin, die Werte der bürgerlichen Epoche zu verleugnen, der ja der größte Teil meines persönlichen Lebens angehört, so weiß ich auch, daß die Forderungen der Zeit und die Aufgaben des kommenden Friedens nicht nur revolutionärer, sondern auch rekonstruktiver, ja restaurativer Art sind. Noch immer ist auf einen historischen Tumult, wie wir ihn jetzt erleben, eine restaurative Bewegung gefolgt. Wiederherstellung ist auch ein Gebot der Stunde, das an Dringlichkeit nicht hinter dem der Erneuerung zurücksteht.
Was vor allem wiederherzustellen ist, das sind die von einer falschen Revolution mit Füßen getretenen Gebote des Christentums, und aus ihnen muß das Grundgesetz für das künftige Zusammenleben der Völker abgeleitet werden, vor dem alle sich werden beugen müssen. Keine wirkliche Befriedung der Welt, keine Zusammenarbeit der Völker für das gemeinsame Wohl und den menschlichen Fortschritt wird möglich sein ohne ein solches, bei aller nationalen Verschiedenheit und Freiheit, für alle gültiges, von allen anerkanntes Grundgesetz, eine Magna Charta des Men-

schenrechts, welche dem Individuum seine Rechtssicherheit, seine Unantastbarkeit, sein Recht auf Arbeit und Lebensgenuß garantiert, und für die die amerikanische Bill of Rights als Vorbild dienen mag.

Ich glaube, daß aus dem Leiden und Kämpfen unserer schweren Übergangszeit ein ganz neues, gefühlsbetontes Interesse am Menschen und seinem Los, seiner exzeptionellen Stellung zwischen den Reichen der Natur und des Geistes, seinem Geheimnis und seiner Bestimmung geboren werden wird, ein humanistischer Impuls, der heute schon überall in den besten, der Zukunft verbundensten Herzen und Geistern lebt und tätig ist. Dieser neue Humanismus wird sich von früheren, verwandten Bewegungen nach Färbung und Stimmung charakteristisch unterscheiden. Durch zu vieles wird er hindurchgegangen sein, um sich in schönrednerischer Naivität zu gefallen und das Menschenleben durch rosige Gläser zu sehen. Er wird unrhetorisch sein und um die Tragik alles menschlichen Daseins wissen, aber ohne daß durch sein Wissen sein Wille gebrochen würde. Er wird ein religiöses Gepräge nicht verleugnen, denn in der Idee der Menschenwürde, des Wertes der Einzelseele, transzendiert das Humane ins Religiöse, und Gedanken wie Freiheit, Wahrheit gehören einer überbiologischen Sphäre, der Sphäre des Absoluten, der religiösen Sphäre an. Optimismus und Pessimismus sind leere Worte vor diesem Humanismus; sie heben sich auf darin zu dem Entschluß, die Ehre des Menschen zu wahren, zu einem Pathos der Sympathie und der Pflicht. Ohne ein solches, allem Denken und Tun zugrunde liegendes Pathos scheint mir der Bau jener besseren, glücklicheren Welt und Völkergemeinschaft unmöglich, die aus dem gegenwärtigen Ringen hervorgehen soll. Die Vernunft gegen Blut und Instinkt verteidigen heißt nicht, ihre Schöpferkraft überschätzen. Schöpferisch allein ist das von ihr geleitete Gefühl, ist die handelnde Liebe.

[1944]

DEUTSCHE HÖRER!

Oktober 1940

Deutsche Hörer!
Ein deutscher Schriftsteller spricht zu euch, dessen Werk und Person von euren Machthabern verfemt sind und dessen Bücher, selbst wenn sie vom Deutschesten handeln, von Goethe zum Beispiel, nur noch zu fremden, freien Völkern in ihrer Sprache reden können, während sie euch stumm und unbekannt bleiben müssen. Mein Werk wird eines Tages zu euch zurückkehren, das weiß ich, wenn auch ich selbst es nicht mehr kann. Solange ich lebe aber, und selbst als Bürger der Neuen Welt, werde ich ein Deutscher sein und leide unter dem Schicksal Deutschlands und all dem, was es nach dem Willen verbrecherischer Gewaltmenschen seit sieben Jahren, moralisch und physisch, der Welt zugefügt hat. Die unerschütterliche Überzeugung, daß dies kein gutes Ende nehmen kann, hat mir in diesen Jahren immer wieder warnende Äußerungen eingegeben, von denen einzelne, wie ich glaube, zu euch gedrungen sind. Im Kriege jetzt gibt es für das geschriebene Wort keine Möglichkeit mehr, den Wall zu durchdringen, den die Tyrannei um euch errichtet hat. Darum ergreife ich gern die Gelegenheit, die die englische Behörde mir bietet, euch von Zeit zu Zeit über das zu berichten, was ich hier sehe, in Amerika, dem großen und freien Land, in dem ich eine Heimstatt gefunden habe.
Als vor fünf Monaten deutsche Truppen in Holland einfielen und in Rotterdam in wenigen Minuten Zehntausende von Menschen durch Bomben zugrunde gingen, schrieb der Herausgeber der amerikanischen Zeitschrift ›Life‹, einer illustrierten Zeitschrift, die sonst nie zu politischen Fragen Stellung nimmt und die jedermann liest: »Das ist die größte Herausforderung, die Amerika als ein Land der Freiheit in achtzig Jahren erfahren hat ... Mächtige, ruchlose Militärvölker haben das angegriffen, was unsere amerikanische Art zu leben ist ... Ob wir je mit der Waffe an der Seite Englands kämpfen müssen, wissen wir nicht; aber das wissen wir, daß der Kampf Englands zutiefst auch unser eigener ist.« So hieß es damals, nach dem zehnten Mai, und so heißt es heute noch. So denken die Arbeiter und die Geschäftsleute, die Republikaner und die Demokraten, die Anhänger Roosevelts und die Anhänger seines Gegners. Von dem alten Amerika, das glaubte, für sich leben zu können, ohne sich um die Welt jenseits des Ozeans zu kümmern, ist wenig übriggeblieben. Woher

kommt diese tiefe Wandlung? Ihr wißt es ganz gut. In diesem Lande leben hundertunddreißig Millionen gutwilliger, freundlicher Menschen. Sie wollen in Frieden arbeiten und bauen. An den großen Fragen, welche sie gemeinsam angehen, nehmen sie aktiv teil, so wie jeder es für recht hält. Krieg, Eroberungen fremder Länder, Allianzen, Achsen, heimliche Begegnungen, Vertragsbrüche erscheinen ihnen überflüssig und verrückt. Aber dann kommen nun ihre Zeitungen und Radioberichterstatter und erzählen ihnen, was in Europa vorgeht. Wie in Norwegen, in Holland, Belgien, Polen, Böhmen, wie überall das gleiche Bild ist, wie deutsche Truppen, die niemand gerufen hat, in diesen Ländern stehen, die ihnen nichts getan haben, und sie bedrücken und ausplündern. Und wie die als Verbrecher totgeschossen werden, die ihr Vaterland lieben und nicht für den fremden Eindringling Waffen schmieden wollen. Natürlich ist ein Amerikaner vor allem amerikanischer Bürger; aber es ist doch oft so, daß er oder sein Vater oder Großvater in Norwegen, in Holland, in Belgien, im beschützten Dänemark, im Generalgouvernement, im Protektorat geboren sind, daß er noch Verwandte in einem dieser Länder und gute Erinnerungen von ihm hat. Und selbst, wenn er das nicht hätte, und selbst dann und gerade dann, wenn seine Familie aus Deutschland stammt, so muß er doch als ein geradeaus denkender Mensch von all dem Unrecht, all der Gewalt empört sein, die er erfährt. Nein, ich habe keinen Unterschied gefunden zwischen Deutsch-Amerikanern und Anglo-Amerikanern und Italo-Amerikanern. Alle fühlen sie, daß das nicht der rechte Weg ist, Europa zu einigen, und daß soviel Verbrechen früher oder später seine Strafe finden muß.
So hat der amerikanische Bürger heute vor allem drei Hoffnungen. Die eine ist Amerika selbst, seine ungeheuere wirtschaftliche Kraft, seine guten und bewährten Führer. Die zweite ist England. Es mag sein, daß früher auch die Amerikaner mit etwas Spott auf die Engländer geblickt haben. Man hielt sie für müde, für überfeinert. Heute aber, angesichts der Verteidigung Londons, gibt es nur eine Stimme der Bewunderung. England trägt das Banner der Freiheit. Es spricht und kämpft für alle die leidenden, nur heimlich Widerstand leistenden Völker; darum ist hier der Wunsch, ihm zu helfen, so groß. Die dritte, leider nicht mehr sehr starke Hoffnung beruht noch immer auf dem deutschen Volk. Werden denn, so fragt man sich hier, die Deutschen nicht endlich erkennen, daß ihre Siege nur Schritte sind in einem endlosen Sumpf? Daß, wenn ihre Soldaten nun noch in drei Länder einfallen, ihre U-Boote noch drei Schiffe voller Flüchtlingskinder versenken, wenn sie

noch mehr Menschen in Elend, Verbannung und Selbstmord treiben und den Haß der Welt auf sich laden, sie doch dem erwünschten Ziel damit gar nicht näher kommen? Daß es viel bessere Wege gibt zu dem Ziel, das wir alle ersehnen: einen gerechten Frieden für alle Welt?

April 1941

Deutsche Hörer!

Die jüngste Rede des deutschen Staatsoberhauptes im Berliner Sportpalast hat in Amerika einen besonders widerwärtigen Eindruck gemacht, – nicht so sehr durch ihren Inhalt, der von letzter Armseligkeit war und nur die Unfähigkeit dieses schadhaften Gehirns bewies, zur Lösung der brennenden Fragen der Zeit irgendeinen brauchbaren Beitrag zu leisten, sondern vielmehr durch ihre Heiterkeit, die ungesunde Aufgeräumtheit, die daraus sprach und die wohl der Hauptgrund war, weshalb auch in England diese Rede als »paranoiac«, als verrückt empfunden wurde. »Hitler machte häufig Späße«, schrieb die amerikanische Presse. »Es gab mehr Lachsalven als gewöhnlich, wenn er eine Rede hält.« Welcher Art waren diese Schnurren? »Ein englischer Staatsmann hat ausgerechnet«, sagte der Eroberer, »daß ich im Jahre 1940 sieben Fehler gemacht hätte. Ich habe siebenhundertvierundzwanzig Fehler gemacht, aber meine Gegner vier Millionen dreihundertfünfundachtzigtausend.« – Unübertrefflich. Die Jahrhunderte werden diese humoristische Kostbarkeit, nebst den anderen, die das Freudengebrüll der den Sportpalast füllenden Myrmidonen entfesselten, einander weiterreichen, – vorausgesetzt nur, daß nicht etwa das menschliche Schamgefühl dies verhindert. Denn hat es nicht wirklich etwas das Schamgefühl unerträglich Verletzendes, etwas Idiotisch-Obszönes, unter Weltumständen wie den gegenwärtigen, als deren verantwortlicher Urheber Herr Hitler sich fühlen darf, so lustig zu sein? Wahrhaftig, es ist genau der richtige Augenblick, faule Witze zu machen! Jammer und Not, Menschenjagd, Heimatlosigkeit, Verzweiflung und Selbstmord, Blut und Tränen erfüllen die Erde. Nationen von stolzer Geschichte, denen die Menschheit Großes verdankt und die in Wohlstand lebten, liegen zerbrochen, geschändet und geplündert. Andere führen einen Kampf auf Leben und Tod, um dieses Schicksal von sich abzuwehren. Wieder andere sind gezwungen, ihre Freiheiten der Freiheit zum Opfer zu bringen und all ihre Hilfsquellen aufzubieten, um sich für denselben Kampf zu rüsten. Das deutsche Volk selbst, das seit acht Jahren im Kriege und in Schlimmerem lebt, blickt inmitten eines zerrütteten, vom Hungersnot und Seuchen bedrohten Kontinents

mit geheimem Grausen einer Zukunft entgegen, die ihm nur wieder Krieg, einen Krieg nach dem anderen, unabsehbaren Krieg, unabsehbare Glücksentbehrung und dabei den Haß und Fluch der Welt verheißt. Sein Führer aber reißt Possen dazu.
Das war das eine, wodurch die Rede hier so abscheulich anmutete. Ein weiteres Befremden gilt, seit langem schon, der läppischen Erfülltheit dieses Menschen von sich selbst, die ihn »Ich« und wieder »Ich« sagen läßt, ganz unberührt von der Frage, ob nicht dieses Hervorkehren der ersten Person gerade im Falle *seiner* Person einer unerträglichen ästhetischen und moralischen Takt- und Geschmacklosigkeit gleichkommt. Denn es ist unleidlich, wenn jemand, in dessen Haut niemand stecken möchte, beständig »Ich« sagt. Herr Hitler sieht das Stück Weltgeschichte, das er in die Wege leitete, indem er durch die Bündnisse mit Rußland und Japan die beiden Grundprinzipien seiner politischen Religion, den Antibolschewismus und die Rassen-Idee, als bloße Mittel zum Weltbetrug preisgab, – er sieht diese Geschichte offenbar unter einem höchst persönlichen Gesichtspunkt, dem Gesichtspunkt seiner Biographie, einer Schwindlerlaufbahn, die ihn ein Heldenleben dünkt und deren Abenteuerlichkeit ihm den schwachen Kopf berückt. Möchte er sich doch überzeugen lassen, daß das Individuum Hitler in seiner unergründlichen Verlogenheit, seiner schäbigen Grausamkeit und Rachsucht, mit seinem unaufhörlichen Haßgebrüll, seiner Verhunzung der deutschen Sprache, seinem minderwertigen Fanatismus, seiner feigen Askese und armseligen Unnatur, seiner ganzen defekten Menschlichkeit, die jeden kleinsten Zug von Großmut und höherem seelischem Leben vermissen läßt, die abstoßendste Figur ist, auf die je das Licht der Geschichte fiel. Allenfalls ist er ein Werkzeug, dessen sich der Weltwille zur Erreichung von Zwecken und Zielen bedient, die ganz außerhalb seines dumpfen Bewußtseins liegen. Sind sie erfüllt, so wird das nur zum Zerstören taugliche Werkzeug weggeworfen werden und rasch vergessen sein. Der Tag seines Falles aber, der Tag, an dem diese Stimme eines bösen Kettenhundes nicht mehr um das Erdrund schallen, diese zur Faust geballte Hysterikerklaue nicht mehr auf die Weltkarte schlagen wird, dieser Tag wird ein Tag tiefsten Aufatmens und der Erlösung sein für aber Millionen. Allenthalben werden die Menschen mit Freudentränen einander in die Arme sinken und mit Gläserklang die Befreiung von dieser Plage, von der Bedrückung durch einen infernalischen Schubiack feiern. Um wen es so steht, wer so zu seinem eignen und aller Welt Unheil geboren ist, der sollte, wenn er denn schon *sein* muß, wenigstens nicht von sich *reden.*

Herr Hitler forderte im Verlauf seiner fröhlichen Ansprache eine Kundgebung für seine Person heraus, indem er sagte, »irgendein Herr« möchte wohl kommen und versuchen, das deutsche Volk von ihm, seinem Führer zu trennen. Wer aber das unternähme, der kenne das deutsche Volk nicht. Nun, der Charakter des deutschen Volkes ist allbekannt, und Herr Hitler sagt uns nichts Neues damit, daß ein solcher Versuch vorderhand unnütz ist. Das deutsche Volk verfügt nicht über die politische Aufgewecktheit und Kritik der Italiener, die unverkennbare Unlust zeigen, für ihren Duce zu kämpfen, weil sie finden, daß Schurkerei wohl in den Kauf zu nehmen ist, daß man aber dabei nicht auch noch ein Dummkopf sein darf. Das deutsche Volk wird noch geraume Zeit stramm und treu marschieren – solange es nämlich glaubt, was man ihm sagt, daß es vernichtet werden soll, wenn es Hitlers Krieg nicht gewinnt. Sobald es dies als grobe Lüge erkennt, sobald es gewahr wird, daß Hitler und seine Bande das einzige Hindernis bilden für einen gerechten Frieden und eine glücklichere, es selbst bereitwillig einschließende soziale Völkerordnung, wird es ganz ohne Zureden den Hitler dahin fahren lassen, wohin er gehört.

August 1941

Deutsche Hörer!

Es ist ein Streit in der Welt, ob man zwischen dem deutschen Volk und den Gewalten, die es heute beherrschen, eigentlich einen Unterschied machen kann und ob Deutschland überhaupt fähig ist, sich der neuen, sozial verbesserten, auf Frieden und Gerechtigkeit gegründeten Völkerordnung, die aus diesem Kriege hervorgehen muß, ehrlich einzugliedern. Stellt man mich vor diese Fragen, so antworte ich so:

Ich gebe zu, daß, was man Nationalsozialismus nennt, lange Wurzeln im deutschen Leben hat. Es ist die virulente Entartungsform von Ideen, die den Keim mörderischer Verderbnis immer in sich trugen, aber schon dem alten, guten Deutschland der Kultur und Bildung keineswegs fremd waren. Sie lebten dort auf vornehmem Fuße, die hießen ›Romantik‹ und hatten viel Bezauberndes für die Welt. Man kann wohl sagen, daß sie auf den Hund gekommen sind und bestimmt waren, auf den Hund zu kommen, da sie auf den Hitler kommen sollten. Zusammen mit Deutschlands hervorragender Angepaßtheit an das technische Zeitalter bilden sie heute eine Sprengmischung, die die ganze Zivilisation bedroht. Ja, die Geschichte des deutschen Nationalismus und Rassismus, die in den Nationalsozialismus ausging, ist eine lange, schlimme Geschichte; sie reicht weit zurück, sie ist zuerst interessant und wird dann immer gemeiner und gräßlicher. Aber diese Geschichte mit der Geschichte des deutschen Geistes selbst zu verwechseln und sie in eins damit zu setzen, ist krasser Pessimismus und wäre ein Irrtum, der dem Frieden gefährlich werden könnte. Ich bin, so antworte ich den Fremden, gutgläubig und vaterlandsliebend genug, dem Deutschland, das sie lieben, dem Deutschland Dürers und Bachs und Goethe's und Beethovens, den längeren historischen Atem zuzutrauen. Dem anderen wird der Atem *ausgehen* – sehr bald: man darf sein heutiges Schnauben nicht als gewaltige Atemkraft mißverstehen. Es hat sich ausgelebt oder ist im Begriffe, sich auszuleben, sich wahrhaftig zu Ende und zu Tode zu leben, nämlich im ›Dritten Reich‹, das als Bloßstellung einer Idee durch ihre Verwirklichung etwas Unüberbietbares und durchaus Tödliches darstellt. – *Eben hierauf beruht alle Hoffnung.* Sie beruht auf der Tatsache, daß der Nationalsozialismus, diese politische Erfüllung von Ideen, die seit mindestens anderthalb Jahrhunderten im deutschen Volk und in der deutschen Intelligenz rumoren, etwas Äußerstes und physisch und moralisch vollkommen Extravagantes ist, ein Experiment letzterreichbarer Unmoral und Brutalität, das sich nicht übersteigern und nicht wiederholen läßt. Das Über-Bord-Werfen aller Menschlichkeit; der Amoklauf gegen alles, was Menschen bindet und sittigt; die desparate Vergewaltigung aller Werte und seelischen Güter, die sonst doch auch den Deutschen und nicht zuletzt ihnen am Herzen lagen; die Errichtung des totalen Kriegsstaates im Dienste des Rassen-Mythos und der Weltunterjochung – mehr kann man nicht tun, weiter kann man nicht gehen. Schlägt *dieses* Experiment fehl – und es *wird* fehlschlagen, da sich die Menschheit den endgültigen Triumph des schlechthin Bösen nicht bieten lassen kann –, so wird der deutsche Nationalismus, der gefährlichste, den es je gab, weil er technisierte Mystik ist, wirklich ausgebrannt sein, und Deutschland wird gezwungen – sagen wir lieber: es wird ihm erlaubt sein, sich in eine ganz andere Richtung zu werfen. Die Welt braucht Deutschland, aber Deutschland braucht auch die Welt, und da es sie nicht ›deutsch‹ machen konnte, wird es sie in sich aufnehmen müssen, wie Deutschland das immer mit Liebe und Sympathie zu tun gewohnt war. Es wird sich gehalten sehen, Überlieferungen wieder ans Licht zu ziehen, die heute tief in den Grund getreten, aber nicht weniger national sind als diejenigen, deren Verderblichkeit so offenbar geworden ist. Sie werden es ihm sehr leicht machen, sich mit einer Welt zu vereinigen, in der Freiheit und Gerechtigkeit so weit verwirklicht sind, wie es der Menschheit zu dieser ihrer Lebensstunde gegeben ist.

Das ist das eine. Das andere ist, daß Deutschland *nie glücklicher* gewesen sein wird – und dies auch im Grunde heute schon vorahnt – denn als Glied einer in Freiheit befriedeten und durch die Verflüchtigung nationalstaatlicher Eigenmächtigkeit entpolitisierten Einheitswelt. Für eine solche Welt ist Deutschland geradezu geboren, denn wenn je Macht-Politik ein Fluch und eine verzerrende Unnatur war für ein Volk, so war sie es für das wesentlich unpolitische Volk der Deutschen. Ein boshafter Franzose hat gesagt, wenn der Deutsche graziös sein wolle, so springe er zum Fenster hinaus. Das tut er auch, und zwar mit noch wilderer Entschlossenheit, wenn er politisch sein will. Macht-Politik, das heißt für den Deutschen *Entmenschung:* der Hitlerismus, dieser gräßliche Sprung aus dem Fenster, beweist es. Er ist der krampfige Überausgleich eines Mangels, auf den stolz zu sein der Deutsche nie stolz genug war.
Das Ende nationalstaatlicher Macht-Politik – für kein Volk wird das eine solche Erlösung, eine solche Begünstigung seiner besten, stärksten und edelsten Eigenschaften bedeuten wie für das deutsche, und gerade in *der Welt*, die es heute in verblendeter Anstrengung hintanzuhalten trachtet, werden diese großen Eigenschaften sich glücklich entfalten können.

Juni 1942

Deutsche Hörer!
In einer meiner früheren Sendungen habe ich mich einer bedauerlichen Abschwächung der Wahrheit schuldig gemacht. Ich sprach von Nazi-Schandtaten und erwähnte, daß vierhundert junge Holländer jüdischen Geblütes nach Deutschland geschafft worden seien, um dort mit Giftgas getötet zu werden. Jetzt höre ich auf indirektem Wege aus Holland, daß meine Angabe beinahe um die Hälfte zu niedrig war. Es waren nahezu achthundert Menschen, die damals verhaftet, nach Mauthausen gebracht und dort vergast wurden. Die genaue Ziffer ist unterdessen von der holländischen Regierung veröffentlicht worden, aber da ich nicht annehme, daß diese Meldung zu euch gedrungen ist, so tue ich gut, die privat empfangene Belehrung an euch weiterzugeben. Sie zeigt, daß immer die Nazi-Entmenschtheit alles überbietet, was man ihr nachsagt und zuschreibt: nie besteht da die Gefahr zu übertreiben; mit dem Schlimmsten bleibt man noch um die Hälfte hinter der Wahrheit zurück.
Und ist nicht der viehische Massenmord von Mauthausen nur eine unscheinbare Einzelheit im Gesamtbilde dieser Entmenschtheit? Verschwindet er nicht in dem Meer von Scheußlichkeit, das sich

über das ganze gefolterte Machtgebiet der Hitler-Infamie erstreckt? Seit dem gewaltsamen Tode des Heydrich, dem *natürlichsten* Tode also, den ein Bluthund wie er sterben kann, wütet überall der Terror krankhaft-hemmungsloser als je. Es ist absurd und läßt wieder einmal den Ekel hochsteigen vor der Mischung aus Brutalität und kreischender Wehleidigkeit, die von jeher für das Nazitum kennzeichnend war. Daß das Attentat und die Flucht der Attentäter ohne Wink und Nachhilfe von Naziseite selbst schwerlich hätte gelingen können, wollen wir beiseite lassen. Korruption ist ein bodenloser Sumpf: es ist ihr schlechterdings alles zuzutrauen. Aber hat je ein Mensch von der Art dieses Heydrich anders geendet? Ist nicht ein Tod, wie er ihn fand, das selbstverständlichste Ding von der Welt, ein einfaches Berufsrisiko und eine trockene Wahrscheinlichkeit, deren Erfüllung kein mit menschlicher Logik begabtes Wesen überraschen, geschweige denn außer sich bringen kann? Wohin dieser Mordknecht kam, floß das Blut in Strömen. Überall, auch in Deutschland, hieß er schlecht und recht ›der Henker‹. Sein Name war eine Unterschrift unter Todesurteile, nichts weiter. Vierunddreißig davon fertigte er noch rasch aus, bevor er von Prag nach Paris ging, zu einem kurzen, aber effektvollen Besuch, der einhundertdreiundfünfzig Geiselmorde in einer Woche zeitigte. Das war, noch ehe er als Protektor den Hradschin bezog, und da hat er das Tschechenvolk protegiert, daß es dem deutschen Namen nicht vergessen sein wird für hundert Jahr. Nun also, er ist ermordet worden. Und wie nehmen die Nazis das auf? Sie fallen in Krämpfe. Sie stellen sich buchstäblich an, als sei die unfaßlichste Missetat geschehen, der Menschheit Höchstes angetastet, die Krone, das Palladium entwendet. Jeder Anflug logischen Anstandes ist ihnen fremd, jeder leiseste Sinn für Gerechtigkeit ihnen versagt, sie haben nicht einen Funken Vernunft. Die Stimme versagt ihnen beim Racheschrei. Und dann legen sie los. Der gramgebeute Führer, der einen männlich geliebten Mordgesellen verlor, gibt seine in schlummerlosen Nächten ersonnenen Weisungen. Ein Metzeln und Abschießen geht an, ein Wüten gegen Wehrlosigkeit und Unschuld, so recht nach Nazilust. Tausend müssen sterben, Männer und Frauen. Eine ganze Ortschaft, die die Täter beherbergt haben soll, Lidice, wird ausgemordet und dem Erdboden gleichgemacht. Die am Leben gelassene Bevölkerung von Prag muß die Straßen säumen, während der Leichenkondukt des Heiligen vorüberzieht. Zu Hause wird ihm ein pomphaftes Staatsbegräbnis verordnet, und ein anderer Metzgermeister sagt ihm am Grabe nach, er sei eine reine Seele und ein Mensch von hohem Humanitätsgefühl gewesen.

Das alles ist verrückt. Es ist die Verrücktheit, die eine verwirrte Welt hat absolut werden lassen und die nun die Macht hat zu jeder Schändung des Wortes, der gesunden Vernunft, des Menschenanstandes. Der Verrücktheit ist die Macht alles: sie braucht sie unbedingt, um sich auszuleben. Kein vernünftiges Wesen ist angewiesen auf die Macht und giert nach ihr wie die Verrücktheit. Man braucht keine Macht, um die Wahrheit sagen zu können. Aber um sagen zu können: Heydrich war ein Edelmensch, dazu braucht man Macht, – die absolute Macht, zu bestimmen, was Wahrheit und was Blödsinn ist. Auch tut kein Vernünftiger alles, wozu er gerade die Macht hätte. Der Nazi dagegen sieht sich um, ob jemand da ist, der ihn stören, ihn hindern, ihn strafen könnte. Ist niemand da, ist der Rächer zu weit, so tut er's.
Geschichtsphilosophen haben die Macht an sich böse genannt. Ich glaube das nicht. Nur Entartete sehen in der Macht die Möglichkeit, ungestraft Böses zu tun. Möge dieser Krieg die Macht denen zuwenden, hinter deren Stirnen Vernunft, in deren Herzen Sympathie wohnt und denen Macht ein Mittel zum Guten ist!

24. Oktober 1942

Deutsche Hörer!
Der ›Europäische Jugend-Kongreß‹, der kürzlich von den Trägern und ›Schutzherren‹ der abendländischen Kultur, den Nazis, in Wien zusammengetrommelt wurde, war eigentlich als eine Siegesfeier gedacht, mit der die Eroberung von Stalingrad begangen werden sollte. Das schlug fehl. Aber als Aktion gegen die Ansprache des Präsidenten Roosevelt an die Jugend der Welt war die sinnige Veranstaltung immer noch zu brauchen. Jugendliche Abordnungen aus allen besetzten und verbündeten Ländern des Kontinents wurden herbeigenötigt, damit sie die Gründung einer europäischen Jugend-Organisation beschlössen, – unter Anleitung Baldur von Schirachs, eines poetasternden Fettknaben vorgeschrittenen Alters, der schon immer deutscher Jugendführer von Hitlers Gnaden war und nun also zum europäischen Jugendführer aufgerückt ist. Die Rede, die er dabei hielt, übertraf an blödsinniger Frechheit das meiste, was je aus Nazi-Mund gekommen ist. Wie das Wort ›Europa‹ in diesem Munde sich ausnimmt; wie es klingt, wenn blutige Kaffern sich auf Praxiteles, Michelangelo, Rembrandt und Dürer berufen, diese Namen für sich in Anspruch nehmen und sich mit dem Ruhm des von ihnen zertrampelten, geplünderten, gemarterten und geschändeten Kontinents brüsten, das hat die Welt wieder einmal mit ekelvollem

Gelächter erfahren. Der angejahrte Sonnenjüngling trumpfte auf, daß es eine Lust war. »Wo sind eure Praxiteles und Rembrandt?« rief er Amerika zu. »Woher nehmt ihr die Kühnheit, im Namen eines sterilen Erdteils die Waffen zu erheben gegen die göttlichen Inspirationen des europäischen Genius?« Genau so ist es. Amerika und die United Unions kämpfen gegen Praxiteles und Rembrandt, und zwar aus Neid. Sie wollen Europas Museumsschätze stehlen, in unerlaubter Nachahmung der Nazi-Bonzen. Aber man wird es ihnen zeigen. Er, Baldur, und seine verbündeten und unterworfenen Jungen sind die Erben des heiligen europäischen Kulturbodens, und sie werden ihn gegen General Motors und General Electric zu verteidigen wissen. Zwar gibt es auch General Göring und General I. G. Farben und General Siemens-Schukkert, aber sie sind Edelgewächse, dem kulturgeschwängerten europäischen Boden entblüht. Zwar haben wir Nazis gerade eben im Gogol-Museum und in Jasnaja Poljana alles kurz und klein geschlagen und im Tschaikowski-Museum auch; aber es wäre verfehlt, darum unser inniges Verhältnis zur Kultur zu bezweifeln. Zwar hat sich der Großteil lebendiger europäischer Kultur, Kunst und Wissenschaft vor uns aus Europa davongemacht und sich an die Gestade Englands und Amerikas geflüchtet. Aber Praxiteles und Rembrandt sind die unsern, sie sind die Renommier-Patrone des von Hitler geeinigten Europa und der Nazi-Kultur. Zwar liegt ganz Europa in Krämpfen verzweifelter Abwehr gegen die Art von Einigung, die wir ihm bringen, aber das tut es nur, weil der bolschewistisch-kapitalistisch-imperialistische Feindbund es dazu aufhetzt. Der ist in erbärmlich abgelebten Begriffen von Staatssouveränität befangen; wir haben die gewaltigste soziale Revolution der Weltgeschichte gemacht, die Revolution, die darin besteht, daß alle ihre Souveränität zu opfern haben, nur Deutschland nicht. Daß der absurdeste deutsche Nationalismus und Rassen-Größenwahn den Namen ›Europa‹ annimmt und ein monopolistisches Ausbeutungssystem errichtet, wie es so schamlos die ganze Geschichte des Imperialismus nie gesehen hat.

Deutsche Hörer, die Entdeckung Europas durch die Nazis ist nicht nur eine mißgeschaffene, sondern vor allem eine recht verspätete Entdeckung. Diese mörderischen Provinzler fangen an von Europa zu salbadern in dem Augenblick, wo diese Idee selbst schon einen deutlich provinziellen Geruch anzunehmen begonnen hat. Ich glaube, der, den Jugendführer Schirach »den kranken alten Mann im Weißen Hause« nennt, Roosevelt, weiß besser als er in Zeit und Welt Bescheid, wenn er sagt: »Der alte Ausdruck

›westliche Zivilisation‹ paßt nicht mehr. Die Weltereignisse und die gemeinsamen Notwendigkeiten der Menschheit sind im Begriff, die Kulturen Asiens, Europas und der beiden Amerika zu vereinigen und, zum ersten Mal, eine Welt-Zivilisation zu formen.«

27. Juni 1943

Deutsche Hörer!
Wir Europäer, selbst wenn wir im Begriff sind, die Bürgerpapiere der Neuen Welt zu nehmen, wollen stolz sein auf unser altes Europa. Es ist ein bewunderungswürdiger Erdteil. Wieviel leichter, bequemer hätten seine Völker es haben können, wenn sie Hitlers infame ›neue Ordnung‹ hingenommen, sich in die Sklaverei ergeben, mit Nazi-Deutschland, wie man es nennt, ›kollaboriert‹ hätten. Sie haben es nicht getan. Jahre, voll von brutalstem Terror, von Marter und Hinrichtungen, haben nicht genügt, ihren Widerstandswillen zu brechen. Im Gegenteil, sie haben ihn nur stärker gemacht, und das »von Hitler geeinigte Europa, das zur Verteidigung seiner heiligsten Güter gegen die Invasion der Fremden zusammensteht«, ist die erbärmlichste aller Nazi-Lügen. Die Fremden, gegen die es die heiligsten Güter zu verteidigen gilt, das sind sie, die Nazis, und sonst niemand. Nur eine dünne, korrupte Oberschicht, Verräterpack, dem nichts heilig ist als Geld und Vorteil, arbeitet mit ihnen zusammen. Die Völker weigern sich dessen, und je deutlicher sich der Sieg der Alliierten abzeichnet, desto mehr gewinnt selbstverständlich ihre Auflehnung gegen das Unerträgliche an Zuversicht. Sieben Millionen Menschen sind zur Zwangsarbeit deportiert, fast eine Million sind exekutiert oder ermordet worden, und Zehntausende hält die Hölle der Konzentrationslager. Es hilft nichts, der ungleiche, heroische Kampf geht weiter. Wißt ihr Deutschen, daß von eueren und den italienischen Truppen in den okkupierten Ländern gut und gern einhundertfünfzigtausend ums Leben gekommen sind, teils im Guerilla-Kriege, wie in Jugoslawien, Griechenland, Polen und Frankreich, teils durch Attentate, wie in Norwegen, Holland, Belgien und der Tschechoslowakei? Wißt ihr, daß mindestens zweihundertfünfzig Quislinge – das ist ja der Sammelname für die Eingeborenen, die den Nazis dienen – in den Ländern Europas den verdienten Tod gefunden haben? Durch Sabotage ist die Kriegsproduktion der Nazis in manchen Gegenden um dreißig Prozent gekürzt worden. Das ist das Werk der Untergrund-Organisationen, all dieser Menschen, die namenlos, ruhmlos, überall ihr Leben daransetzen,

um Gefangenen zur Flucht zu verhelfen, Kriegsmaterial zu zerstören und durch die Verbreitung illegaler Druckschriften den Geist des Widerstandes im Volk zu unterhalten, – Zeitungen, deren Auflagen bisweilen in die Hundertausende gehen.
Ich sage: Ehre den Völkern Europas! Und ich füge etwas hinzu, was im Augenblick manchem, der mich hört, befremdlich klingen mag: Ehre und Mitgefühl auch dem deutschen Volk! Die Lehre, daß man zwischen ihm und dem Nazitum nicht unterscheiden dürfe, daß deutsch und nationalsozialistisch ein und dasselbe seien, wird in den Ländern der Alliierten zuweilen, nicht ohne Geist, vertreten; aber sie ist unhaltbar und wird sich nicht durchsetzen. Zu viele Tatsachen sprechen dagegen. Deutschland hat sich gewehrt und fährt fort, sich zu wehren, so gut wie die anderen. Was sich jetzt in den unterjochten Ländern untergründlich abspielt, ist ja mehr oder weniger eine Wiederholung dessen, was vorher seit zehn Jahren in Deutschland geschah, und nutzt zum Teil die Erfahrungen der deutschen Illegalen. Wer nennt die Zahl derjenigen, die im Himmler-Staat ihren Idealismus, ihren unbeugsamen Glauben an Recht und Freiheit mit Marter und Tod bezahlt haben? Bei Kriegsausbruch gab es in Deutschland zweihunderttausend politische Häftlinge, und in der deutschen Presse läuft die Veröffentlichung von Todesurteilen und verhängten Freiheitsstrafen wegen Hochverrats, Sabotage et cetera ununterbrochen weiter, – wobei es sich doch nur um die Fälle handelt, deren man habhaft werden konnte und die man zugeben will. Das ist das hinter dem Führer geeinigte Deutschland!
Jetzt ist die Welt aufs tiefste bewegt von den Vorgängen an der Münchner Universität, wovon die Nachricht durch Schweizer und schwedische Blätter, erst ungenau, dann mit immer ergreifenderen Einzelheiten, zu uns gedrungen ist. Wir wissen nun von Hans Scholl, dem Überlebenden von Stalingrad, und seiner Schwester, von Christoph Probst, dem Professor Huber und all den anderen; von dem österlichen Aufstande der Studenten gegen die obszöne Ansprache eines Nazi-Bonzen im Auditorium maximum, von ihrem Märtyrertod unterm Beil, von der Flugschrift, die sie verteilt hatten und worin Worte stehen, die vieles gutmachen, was in gewissen unseligen Jahren an deutschen Universitäten gegen den Geist deutscher Freiheit gesündigt worden ist. Ja, sie war kummervoll, diese Anfälligkeit der deutschen Jugend – gerade der Jugend – für die nationalsozialistische Lügenrevolution. Jetzt sind ihre Augen geöffnet, und sie legen das junge Haupt auf den Block für ihre Erkenntnis und für Deutschlands Ehre, – legen ihn dorthin, nachdem sie vor Gericht dem Nazi-Präsidenten

ins Gesicht gesagt: »Bald werden Sie hier stehen, wo ich jetzt stehe«; nachdem sie im Angesicht des Todes bezeugt: »Ein neuer Glaube dämmert an Freiheit und Ehre.«
Brave, herrliche junge Leute! Ihr sollt nicht umsonst gestorben, sollt nicht vergessen sein. Die Nazis haben schmutzigen Rowdys, gemeinen Killern in Deutschland Denkmäler gesetzt – die deutsche Revolution, die wirkliche, wird sie niederreißen und an ihrer Stelle eure Namen verewigen, die ihr, als noch Nacht über Deutschland und Europa lag, wußtet und verkündet: »Es dämmert ein neuer Glaube an Freiheit und Ehre.«

28. März 1944

Deutsche Hörer!
In den freien Ländern ist der totale Krieg, sind die Bombardements deutscher Städte aus der Luft und der Jammer, den sie für die Zivilbevölkerung mit sich bringen, ein Problem des öffentlichen Gewissens. Weder in England noch in Amerika fehlt es an Stimmen, die diese grausame Art der Kriegführung laut und ungescheut – auch vollständig ungehindert – verurteilen und es bitter beklagen, daß man damit auf das ruchlose Niveau des Feindes herabsteige und die Humanität entwürdige, die man zu verteidigen vorgebe. Diese Proteste sind höchst ehrenwert, und das Gefühl, aus dem sie kommen, ist keinem gesitteten Menschen fremd. Was sich in Köln, Hamburg, Berlin und anderwärts abgespielt hat, *ist* grauenerregend, und es hilft wenig, sich zu sagen, daß man der äußersten Brutalität eben nur mit äußerster Brutalität begegnen kann; daß hier Nemesis waltet und es sich kaum um ein *Tun*, vielmehr um ein rächendes *Geschehen* handelt. Gewiß, das Kulturgezeter der Nazis ist verächtlich, ihre Propaganda gegen die ›Lufthunnen‹ totgeboren, moralisch ohnmächtig. Aber es handelt sich um das Gewissen der Freiheit, um die Tragik, daß sie tun muß, was ihr fremd und unnatürlich ist, was sie nach dem eigenen moralischen Gesetz nicht tun dürfte und dennoch durch die Proklamierung der Gewalt auf Erden zu tun gezwungen ist. Das Dilemma ist schwer, beunruhigend und belastend.
Und dann ist es doch wieder auf einmal kein Dilemma mehr. Ein einziges Wort, eine Nachricht aus Naziland hebt es auf, löst die Frage, bringt jeden Zweifel zum Schweigen, führt zu Gemüte, daß es eine letzte und teuflisch freche, eine unverbesserliche und unerträgliche, mit dem Menschendasein unvereinbare Infamie der Lüge gibt, die nach dem Schwefelregen nur so schreit, der nur mit

dem Schwefelregen zu helfen, auf die nur eine Antwort möglich ist: Vernichtung, Bomben.
Ich nehme ein Zeitungsblatt und lese: »In siebzehn Sprachen verkündet die Nazi-kontrollierte Presse des Kontinents ein *›Neues sozialistisches Europa‹!«*
Zweitausend Lufthunnen täglich über diesen Lügensumpf, – es gibt nichts anderes. Diese unmäßige Niedertracht, dieser revoltierende, den Magen umkehrende Betrug, diese schmutzige Schändung des Wortes und der Idee, dies überdimensionierte Lustmördertum an der Wahrheit muß vernichtet, muß ausgelöscht werden um jeden Preis und mit allen Mitteln; der Krieg dagegen ist ein Verzweiflungskampf der Menschheit, bei dem diese nicht fragen darf, ob sie selbst etwa im Kampfe Schaden leide.
Sozialismus! Vom deutschen und internationalen Finanzkapital sind Hitler und seine Bande ausgehalten und in die Macht geschoben worden. Von der blinden Angst der bürgerlichen Welt *vor* dem Sozialismus haben sie gelebt und hoffen sie immer noch zu leben; denn daß ›München‹ nicht tot ist, daß ihre heimlichen Freunde in den alliierten Ländern weiterarbeiten, daß doch noch die west-östliche Front zerfällt und man sie als Bundesgenossen *gegen* den Sozialismus annimmt, ist ihre einzige Hoffnung. Der Sozialismus der faschistischen Volksbetrüger, – was für eine schamlose Farce! In Italien fing es an, wo Aristokratie und Bürgertum sich dem Faschismus verkauften und das Volk in Krieg und Elend getrieben wurde. In Deutschland ist die Arbeiterklasse entrechtet und ihres Gewerkschaftsvermögens beraubt worden. Den Mittelstand hat das Dritte Reich auf den Hund gebracht. Aber wer blüht und gedeiht dortzulande, das sind die Plutokraten und Trustherren. Man spricht vom Staatskapitalismus. Es gibt keinen. Es gibt den Kapitalismus der Staatsbonzen neben dem der Geldmagnaten von vor der ›Revolution‹. Hitler als Hauptaktionär des Eher-Verlages übertrifft ganz persönlich an gedunsenem Reichtum die meisten amerikanischen Multimillionäre. Reichsmarschall Göring hat seit der Gründung seines Konzerns, und nun gar seit dieser Konzern durch Waffengewalt international wurde, so viel kapitalistisches Fett angesetzt, daß er mutmaßlich heute das reichste Individuum der Welt ist. Der Arbeiterplünderer Ley gebietet über fünfundsechzig Kapitalgesellschaften. Gauleiter Sauckel hat einen eigenen Trust von Waffenwerken und Munitionsfabriken aufgebaut, über den noch nie eine Bilanz veröffentlicht worden ist. War denn nicht der Grundtrieb alles Nazitums immer Neid, Habgier, die Lust zu plündern, der geile Drang, sich in Macht und Geld zu sielen? Begriffe und Ideen zu

stehlen ist nicht das letzte Gelüst dieses Abhubs. Das Wort ›Sozialismus‹ ist eine durch Raubmord erlangte Beute wie eine andere. Sie haben Europa unterworfen, sie gedachten die Welt zu unterwerfen, damit aus dem Elend der niedergetretenen Völker die Profite des deutschen Großkapitals wüchsen. Monopol und Ausbeutung im Riesenmaß – sie nennen das Sozialismus. Was sich in den eroberten Ländern zur Zusammenarbeit, zum Geschäftemachen mit diesen ›Revolutionären‹ hergibt, ist überall eine korrupte Oberschicht, es sind reaktionäre Großbürger, aristokratische Drohnen und allenfalls süchtige Schriftsteller, die von SS-Offizieren Morphium beziehen. Die Verzweiflung der *Völker* unterdessen macht sich in Attentaten Luft, die sich häufiger noch gegen diese Kollaborateure als gegen die ›sozialistische‹ Besatzungsmacht selber richten.

Deutsche Hörer, Europa *wird* sozialistisch sein, sobald es frei ist. Der *soziale Humanismus* war an der Tagesordnung, er war die Vision der Besten in dem Augenblick, als der Faschismus seine schielende Fratze über die Welt erhob. Er, der das wahrhaft Neue, Junge und Revolutionäre ist, wird Europa seine äußere und innere Gestalt geben, ist nur erst der Lügenschlange das Haupt zertreten.

14. Januar 1945

Deutsche Hörer!

Wäre nur dieser Krieg zu Ende! Wäre nur schon geschehen, was geschehen muß und einmal geschehen wird, wie es nun anfangs auch aussehen möge! Wären die grauenhaften Menschen erst beseitigt, die Deutschland hierhin gebracht haben, und könnte man anfangen, an einen Neubeginn des Lebens, an das Forträumen der Trümmer, der inneren und äußeren, an den allmählichen Wiederaufbau, an eine verständige Aussöhnung mit den anderen Völkern und ein würdiges Zusammenleben mit ihnen zu denken! – Ist es das, was ihr wünscht? Spreche ich damit eure Sehnsucht aus? Ich glaube es. Ihr seid des Todes, der Zerstörung, des Chaos übersatt, wie sehr euer Heimlichstes zeitweise danach verlangt haben möge. Ihr wollt Ordnung und Leben, eine neue Lebensordnung, wie düster und schwer sie sich für Jahre auch anlassen wird. Das ist mutig. Es ist sogar viel mutiger als der betörte Fanatismus, mit dem eure Jugend in Waffen heute noch den ›heiligen‹ – ach, den längst von Lüge und Verbrechen so völlig entheiligten und besudelten deutschen Boden verteidigen zu sollen glaubt. Aber *eins* tut not für den Neubeginn. Es gibt für die Aussöhnung mit der

Welt *eine* Vorbedingung, an deren Erfüllung jede moralische Verständigung mit anderen Völkern geknüpft ist und ohne deren Erfüllung ihr Deutschen nie begreifen werdet, was euch geschieht. Das ist die klare Einsicht in die Unsühnbarkeit dessen, was ein von schändlichen Lehrmeistern zur Bestialität geschultes Deutschland der Menschheit angetan hat; es ist die volle und rückhaltlose Kenntnisnahme entsetzlicher Verbrechen, von denen ihr tatsächlich heute noch das Wenigste wißt, teils weil man euch absperrte, euch gewaltsam in Dummheit und Dumpfheit bannte, teils weil ihr aus dem Instinkt der Selbstschonung das Wissen um dieses Grauen von eueren Gewissen fernhieltet. Es muß aber in euer Gewissen eindringen, wenn ihr verstehen und leben wollt, und ein gewaltiges Aufklärungswerk, das ihr nicht als Propaganda mißachten dürft, wird nötig sein, um euch zu Wissenden zu machen. Was eine Schandphilosophie vom schmutzigsten Dünkel eure Machthaber instand gesetzt hat zu tun, was sie durch eurer Söhne Hände, durch eure Hände getan haben, ist unglaubwürdig, aber es ist wahr. Weißt du, der mich jetzt hört, von Maidanek bei Lublin in Polen, Hitlers Vernichtungslager? Es war kein Konzentrationslager, sondern eine riesenhafte Mordanlage. Da steht ein großes Gebäude aus Stein mit einem Fabrikschlot, das größte Krematorium der Welt. Eure Leute hätten es gern rasch noch vernichtet, als die Russen kamen, aber größtenteils *steht* es, ein Denkmal, *das* Denkmal des Dritten Reiches. Mehr als eine halbe Million europäischer Menschen, Männer, Frauen und Kinder, sind dort in Gaskammern mit Chlor vergiftet und dann verbrannt worden, vierzehnhundert täglich. Tag und Nacht war die Todesfabrik in Betrieb, ihre Kamine rauchten immer. Schon war ein Erweiterungsbau begonnen ... Die Schweizer Flüchtlingshilfe weiß mehr. Ihre Vertrauensmänner sahen die Lager von Auschwitz und Birkenau. Sie sahen, was kein fühlender Mensch zu glauben bereit ist, der's nicht eben mit Augen gesehen: die Menschenknochen, Kalkfässer, Chlorgasröhren und die Verbrennungsanlage, dazu die Haufen von Kleidern und Schuhen, die man den Opfern ausgezogen, viele kleine Schuhe, Schuhe von Kindern, wenn du, deutscher Landsmann, du, deutsche Frau, es hören magst. Vom 15. April 1942 bis zum 15. April 1944 sind allein in diesen beiden deutschen Anstalten eine Million siebenhundertfünfzehntausend Juden ermordet worden. Woher die Zahl? Aber eure Leute haben Buch geführt, mit deutschem Ordnungssinn! Man hat die Registratur des Todes gefunden; dazu Hunderttausende von Pässen und Personalpapieren von nicht weniger als zweiundzwanzig Nationalitäten Europas. Buch geführt haben diese Verblödeten auch über das Knochenmehl, den aus diesem Betrieb gewonnenen Kunstdünger. Denn die Überreste der Verbrannten wurden gemahlen und pulverisiert, verpackt und nach Deutschland geschickt zur Fertilisierung des deutschen Bodens, – des heiligen Bodens, den deutsche Heere danach noch verteidigen zu müssen, verteidigen zu dürfen glauben gegen Entweihung durch den Feind!

Ich habe nur ein paar Beispiele gegeben von dem, was euch zu erfahren bevorsteht. Die Geiselerschießungen, der Gefangenenmord, die im besetzten Europa vorgefundenen Folterkammern der Gestapo, die Blutbäder unter der russischen Zivilbevölkerung, die teuflische Entvölkerungspolitik der Nazis in allen Ländern, damit die Herrenrasse immer die numerisch überlegene sei, das geplante, gewollte, herbeigeführte Kindersterben in Frankreich, Belgien, den Niederlanden, Griechenland und besonders in Polen: nicht einmal aufzählen kann man es in ein paar Minuten, was alles Nazi-Deutschland den Menschen, der Menschheit angetan. Deutsche, ihr sollt es wissen. Entsetzen, Scham und Reue ist das Erste, was not tut. Und nur *ein* Haß tut not: der auf die Schurken, die den deutschen Namen vor Gott und der ganzen Welt zum Greuel gemacht haben.

16. Januar 1945

Deutsche Hörer!

Zwölf Jahre Hitler. Der 30. Januar 1933. Nun gut, auch das ist ein Gedenktag. Er will begangen sein: in Freuden gewiß nicht und nicht mit Stolz, noch weniger in künstlich aufrechterhaltenem Trotz, aber auch nicht in furchtloser Verzweiflung und Selbstverachtung, sondern mit gefaßter Einsicht in einen furchtbaren Irrtum, der halb schuldhaft und halb Verhängnis war, dazu in der Hoffnung, der Gewißheit, daß es nun bald zu Ende ist, daß die Tage dieser gräßlichsten und schamvollsten Episode der deutschen Geschichte gezählt sind, ein Schreckenstraum ausgeträumt sein wird, von dem man nur wünschen möchte, er wäre nicht mehr als ein Traum gewesen.

Er war leider Wirklichkeit. Europa liegt in Trümmern und mit ihm Deutschland. Die Zerstörungen, die der Nationalsozialismus angerichtet, die physischen und die moralischen, sind ohne Beispiel. Was er an Blut und Gut gekostet durch seine Raub- und Mordwut, seine teuflische Entvölkerungspolitik, ist unermeßlich; grauenvoller fast noch das seelische Unheil, das er mit seinem

Terror gestiftet, die Schändung und Verderbnis, die menschliche Erniedrigung und Zerrüttung durch den Zwang zur Lüge und zum Doppeldasein, die Gewissensnötigung. Er hat, nach tausend Schandtaten in Deutschland selbst, den Krieg entfesselt, den er in sich trug, mit dem er gleichbedeutend war vom ersten Tage an. Schuld des deutschen Volkes, das in einem blutigen Popanz den Erlöser sah? Wir wollen von Schuld nicht reden. Es ist kein Name für die fatale Verkettung von Folgen einer unglücklichen Geschichte, und *ist* es Schuld, so ist sie verschränkt mit vieler Schuld der Welt. Aber Verantwortlichkeit ist etwas anderes als Schuld. Verantwortlich sind wir alle für das, was aus deutschem Wesen kam und von Deutschland als Ganzem geschichtlich verübt wurde. Es ist von anderen Völkern zuviel verlangt, daß sie zwischen Nazitum und dem deutschen Volk säuberlich unterscheiden. Gibt es das: Deutschland; gibt es das Volk als geschichtliche Gestalt, als eine kollektive Persönlichkeit mit Charakter und Schicksal, dann ist der Nationalsozialismus nichts anderes als die Form, in die ein Volk, das deutsche, sich vor zwölf Jahren gebracht hat, um den verwegensten, mit den umfassendsten, grausamsten und tückischsten Mitteln ins Werk gesetzten Versuch der Weltunterjochung und -versklavung zu unternehmen, den die Geschichte kennt, – einen Versuch, der um ein Haar geglückt wäre. So muß die Welt es sehen, wenn auch breite Massen des friedliebenden deutschen Volkes es nicht so empfinden können. Die Gegner Deutschlands, die alle schwer leiden, – auch das riesige und reiche Land, aus dem ich spreche, opfert und leidet schwer, – diese Gegner haben es seit dem ersten Tage des Krieges mit der ganzen deutschen Intelligenz, Erfindungsgabe, Tapferkeit, Gehorsamsliebe, militärischen Tüchtigkeit, kurz mit der gesamten deutschen Volkskraft zu tun, die als solche hinter dem Regime steht und seine Schlachten schlägt, – nicht mit Hitler und Himmler, die gar nichts wären, wenn nicht deutsche Manneskraft und blinde Mannentreue heute noch mit unseligem Löwenmut für diese Schurken stritte und fiele.
Nicht für sie, sagt ihr, sondern für den heiligen deutschen Boden? Freunde, der deutsche Boden ist durch eine Herrschaft, die Deutschland nie hätte über sich verhängen lassen dürfen, durch Lüge, Unrecht, Verbrechen längst so entheiligt und geschändet, daß seine Verteidigung für diesmal sinnlos geworden, verstockter Trotz ist und nicht rühmlicher Mut. Der Mut, der fortfährt, für das erwiesen Schlechte einzustehen, ist in Wahrheit Angst vor dem Ende und Neubeginn, eine Feigheit, die gerade dem Volk des »Stirb und Werde« schlecht zu Gesicht steht. Ein junger

Dichter in Deutschland hat, im Kriege, unter den Nazis, die Verse gewagt:

> Und unser Wort, so lang gewohnt zu lügen
> Es taugt nicht mehr zum heiligen Gesang.

Wie mit dem deutschen Wort, so ist es mit dem geschändeten deutschen Schwert. Ein Deutschland zu verteidigen, das uns allen heilig bleibt, taugt es längst nicht mehr. Werft es fort und macht ein Ende, damit ein neuer Anfang, ein neues Leben möglich sei!

DEUTSCHLAND UND DIE DEUTSCHEN

Meine Damen und Herren, wie ich hier vor Ihnen stehe, ein Siebzigjähriger, unwahrscheinlicherweise, amerikanischer Bürger seit einigen Monaten schon, englisch redend, oder doch bemüht, es zu tun, als Gast, nein, sogar als amtlich Zugehöriger eines amerikanischen Staatsinstituts, das Sie zusammengeladen hat, mich zu hören, – wie ich hier stehe, habe ich das Gefühl, daß das Leben aus dem Stoff ist, aus dem die Träume gemacht sind. Alles ist so seltsam, so wenig glaubhaft, so unerwartet. Erstens habe ich nie gedacht, es zu patriarchalischen Jahren zu bringen, obgleich ich es theoretisch schon früh für wünschenswert hielt. Ich dachte und sagte, wenn man schon einmal zur Welt geboren sei, wäre es gut und ehrenwert, lange darin auszuhalten, ein ganzes, kanonisches Leben zu führen und, als Künstler, auf allen Lebensstufen charakteristisch fruchtbar zu sein. Aber ich hatte geringes Vertrauen zu meiner eigenen biologischen Berufenheit und Tüchtigkeit, und die Ausdauer, die ich trotzdem bewährt habe, erscheint mir weniger als Beweis meiner eigenen vitalen Geduld, denn der Geduld, die der Genius des Lebens mit mir gehabt hat, als ein Hinzukommendes, als Gnade. Gnade aber ist immer erstaunlich und unerwartet. Wer sie erfährt, glaubt zu träumen.

Träumerisch mutet es mich an, daß ich bin und wo ich bin. Ich müßte kein Dichter sein, um es mir selbstverständlich vorkommen zu lassen. Nur ein wenig Phantasie gehört dazu, um das Leben phantastisch zu finden. Wie komme ich her? Welche Traumwelle verschlug mich aus dem entferntesten Winkel Deutschlands, wo ich geboren wurde und wohin ich doch schließlich gehöre, in diesen Saal, auf dieses Podium, daß ich hier als Amerikaner stehe, zu Amerikanern redend? Nicht als ob es mir unrichtig schiene. Im Gegenteil, es hat meine volle Zustimmung, – das Schicksal hat für diese Zustimmung gesorgt. Wie heute alles liegt, ist meine Art von Deutschtum in der gastfreien Kosmopolis, dem rassischen und nationalen Universum, das Amerika heißt, am passendsten aufgehoben. Bevor ich Amerikaner wurde, hatte man mir erlaubt, Tscheche zu sein; das war höchst liebenswürdig und dankenswert, aber es gab keinen Reim und Sinn. Ebenso brauche ich mir nur vorzustellen, daß ich zufällig Franzose oder Engländer oder Italiener geworden wäre, um mit Befriedigung wahrzunehmen, wieviel richtiger es ist, daß ich Amerikaner geworden bin. Alles andere hätte eine zu enge und bestimmte Verfremdung meiner Existenz bedeutet. Als Amerikaner bin ich Weltbürger, – was von Natur der Deutsche ist, ungeachtet der Weltscheu, die zugleich damit sein Teil ist, seiner Schüchternheit vor der Welt, von der schwer zu sagen ist, ob sie eigentlich auf Dünkel oder auf angeborenem Provinzialismus, einem völkergesellschaftlichen Minderwertigkeitsbewußtsein beruht. Wahrscheinlich auf beidem.

Über Deutschland und die Deutschen soll ich heute abend zu Ihnen sprechen – ein waghalsiges Unternehmen; nicht nur, weil der Gegenstand so verwickelt, so vielfältig, so unerschöpflich ist, sondern auch angesichts der Leidenschaft, die ihn heute umwittert. Sine ira et studio, rein psychologisch von ihm zu handeln, könnte fast unmoralisch scheinen angesichts des Unsäglichen, das dies unglückselige Volk der Welt angetan hat. Sollte man als Deutscher heute dies Thema meiden? Aber ich hätte kaum gewußt, welches denn sonst ich mir für diesen Abend hätte setzen sollen, ja, mehr noch, es ist heute kaum irgendein über das Private sich erhebendes Gespräch denkbar, das nicht fast unvermeidlich auf das deutsche Problem, das Rätsel im Charakter und Schicksal dieses Volkes verfiele, welches der Welt unleugbar so viel Schönes und Großes gegeben hat und ihr dabei immer wieder auf so verhängnisvolle Weise zur Last gefallen ist. Das grausige Schicksal Deutschlands, die ungeheuere Katastrophe, in die seine neuere Geschichte jetzt mündet, erzwingt Interesse, auch wenn dies Interesse sich des Mitleids weigert. Mitleid erregen zu wollen, Deutschland zu verteidigen und zu entschuldigen wäre gewiß für einen deutsch Geborenen heute kein schicklicher Vorsatz. Den Richter zu spielen aus Willfährigkeit gegen den unermeßlichen Haß, den sein Volk zu erregen gewußt hat, es zu verfluchen und zu verdammen und sich selbst als das ›gute Deutschland‹ zu empfehlen, ganz im Gegensatz zum bösen, schuldigen dort drüben, mit dem man gar nichts zu tun hat, das scheint mir einem solchen auch nicht sonderlich zu Gesichte zu stehen. Man *hat* zu tun mit dem deutschen Schicksal und deutscher Schuld, wenn man als Deutscher geboren ist. Die kritische Distanzierung davon sollte nicht als Untreue gedeutet werden. Wahrheiten, die man über sein Volk zu sagen versucht, können nur das Produkt der Selbstprüfung sein.

Schon bin ich, ohne recht zu wissen wie, in die komplexe Welt deutscher Psychologie hineingeglitten mit der Bemerkung über die Vereinigung von Weltbedürftigkeit und Weltscheu, von Kosmopolitismus und Provinzialismus im deutschen Wesen. Ich glaube das richtig zu sehen, glaube es von jung auf erfahren zu haben. Eine Reise etwa aus dem Reich über den Bodensee in die Schweiz war eine Fahrt aus dem Provinziellen in die Welt, – so sehr es befremden mag, daß die Schweiz, ein enges Ländchen im Vergleich mit dem weiten und mächtigen Deutschen Reich und seinen Riesenstädten, als ›Welt‹ empfunden werden konnte. Es hatte und hat aber damit seine Richtigkeit: Die Schweiz, neutral, mehrsprachig, französisch beeinflußt, von westlicher Luft durchweht, war tatsächlich, ihres winzigen Formats ungeachtet, weit mehr ›Welt‹, europäisches Parkett, als der politische Koloß im Norden, wo das Wort ›international‹ längst schon zum Schimpfwort geworden war und ein dünkelmütiger Provinzialismus die Atmosphäre verdorben und stockig gemacht hatte.

Das war die modern-nationalistische Form deutscher Weltfremdheit, deutscher Unweltlichkeit, eines tiefsinnigen Weltungeschicks, die in früheren Zeiten zusammen mit einer Art von spießbürgerlichem Universalismus, einem Kosmopolitismus in der Nachtmütze sozusagen, das deutsche Seelenbild abgegeben hatte. Diesem Seelenbild, dieser unweltlichen und provinziellen deutschen Weltbürgerlichkeit hat immer etwas Skurril-Spukhaftes und Heimlich-Unheimliches, etwas von stiller Dämonie angehaftet, das zu empfinden meine persönliche Herkunft mir ausnehmend behilflich gewesen sein mag. Ich denke zurück an den deutschen Weltwinkel, aus dem die Traumwelle des Lebens mich her verschlug und der den ersten Rahmen meines Daseins bildete: Es war das alte Lübeck, nahe dem Baltischen Meer, einst Vorort der Hansa, gegründet schon vor der Mitte des zwölften Jahrhunderts und von Barbarossa zur Freien Reichsstadt erhoben im dreizehnten. Das außerordentlich schöne Rathaus, in dem mein Vater als Senator aus und ein ging, war vollendet in dem Jahr, als Martin Luther seine Thesen anschlug ans Tor der Schloßkirche von Wittenberg, also bei Anbruch der neuen Zeit. Aber wie Luther, der Reformator, nach Denkungsweise und Seelenform zum guten Teil ein mittelalterlicher Mensch war und sich zeit seines Lebens mit dem Teufel herumschlug, so wandelte man auch in dem protestantischen Lübeck, sogar in dem Lübeck, das ein republikanisches Glied des Bismarck'schen Reiches geworden war, tief im gotischen Mittelalter, – und dabei denke ich nicht nur an das spitz getürmte Stadtbild mit Toren und Wällen, an die humoristisch-makabren Schauer, die von der Totentanz-Malerei in der Marienkirche ausgingen, die winkligen, verwunschen anmutenden Gassen, die oft noch nach alten Handwerkszünften, den Glockengießern, den

Fleischhauern, benannt waren, und an die pittoresken Bürgerhäuser. Nein, in der Atmosphäre selbst war etwas hängengeblieben von der Verfassung des Menschengemütes – sagen wir: in den letzten Jahrzehnten des fünfzehnten Jahrhunderts, Hysterie des ausgehenden Mittelalters, etwas von latenter seelischer Epidemie. Sonderbar zu sagen von einer verständig-nüchternen modernen Handelsstadt, aber man konnte sich denken, daß plötzlich hier eine Kinderzug-Bewegung, ein Sankt-Veits-Tanz, eine Kreuzwunder-Exzitation mit mystischem Herumziehen des Volkes oder dergleichen ausbräche, – kurzum, ein altertümlich-neurotischer Untergrund war spürbar, eine seelische Geheimdisposition, deren Ausdruck die vielen ›Originale‹ waren, die sich in solcher Stadt immer finden, Sonderlinge und harmlos Halb-Geisteskranke, die in ihren Mauern leben und gleichsam wie die alten Baulichkeiten zum Ortsbilde gehören: ein gewisser Typus von ›altem Weib‹ mit Triefaugen und Krückstock, im halb spaßhaften Geruch des Hexentums stehend; ein Kleinrentner mit purpurner Warzennase und irgendwelchem tic nerveux, lächerlichen Gewohnheiten, einem stereotyp und zwanghaft ausgestoßenen Vogelruf; eine Frauensperson mit närrischer Frisur, die in einem Schleppkleide verschollener Mode, begleitet von Möpsen und Katzen, in irrer Hochnäsigkeit die Stadt durchwandert. Und dazu gehören die Kinder, die Gassenjungen, die hinter diesen Figuren herziehen, sie verhöhnen und, wenn sie sich umwenden, in abergläubischer Panik vor ihnen davonrennen...

Ich weiß selbst nicht, warum ich heute und hier diese frühen Erinnerungen beschwöre. Ist es, weil ich ›Deutschland‹ zuerst, visuell und seelisch, in Gestalt dieses wunderlich-ehrwürdigen Stadtbildes erlebte und weil mir daran liegt, eine geheime Verbindung des deutschen Gemütes mit dem Dämonischen zu suggerieren, die allerdings eine Sache meiner inneren Erfahrung, aber nicht leicht zu vertreten ist? Unser größtes Gedicht, Goethe's ›Faust‹, hat zum Helden den Menschen an der Grenzscheide von Mittelalter und Humanismus, den Gottesmenschen, der sich aus vermessenem Erkenntnistriebe der Magie, dem Teufel ergibt. Wo der Hochmut des Intellektes sich mit seelischer Altertümlichkeit und Gebundenheit gattet, da ist der Teufel. Und der Teufel, Luthers Teufel, Faustens Teufel, will mir als eine sehr deutsche Figur erscheinen, das Bündnis mit ihm, die Teufelsverschreibung, um unter Drangabe des Seelenheils für eine Frist alle Schätze und Macht der Welt zu gewinnen, als etwas dem deutschen Wesen eigentümlich Naheliegendes. Ein einsamer Denker und Forscher, ein Theolog und Philosoph in seiner Klause, der aus

Verlangen nach Weltgenuß und Weltherrschaft seine Seele dem Teufel verschreibt, – ist es nicht ganz der rechte Augenblick, Deutschland in diesem Bilde zu sehen, heute, wo Deutschland buchstäblich der Teufel holt?

Es ist ein großer Fehler der Sage und des Gedichts, daß sie Faust nicht mit der *Musik* in Verbindung bringen. Er müßte musikalisch, müßte Musiker sein. Die Musik ist dämonisches Gebiet, – Sören Kierkegaard, ein großer Christ, hat das am überzeugendsten ausgeführt in seinem schmerzlich-enthusiastischen Aufsatz über Mozarts ›Don Juan‹. Sie ist christliche Kunst mit negativem Vorzeichen. Sie ist berechnetste Ordnung und chaosträchtige Wider-Vernunft zugleich, an beschwörenden, inkantativen Gesten reich, Zahlenzauber, die der Wirklichkeit fernste und zugleich die passionierteste der Künste, abstrakt und mystisch. Soll Faust der Repräsentant der deutschen Seele sein, so müßte er musikalisch sein; denn abstrakt und mystisch, das heißt musikalisch, ist das Verhältnis des Deutschen zur Welt, – das Verhältnis eines dämonisch angehauchten Professors, ungeschickt und dabei von dem hochmütigen Bewußtsein bestimmt, der Welt an ›Tiefe‹ überlegen zu sein.

Worin besteht diese Tiefe? Eben in der Musikalität der deutschen Seele, dem, was man ihre Innerlichkeit nennt, das heißt: dem Auseinanderfallen des spekulativen und des gesellschaftlich-politischen Elements menschlicher Energie und der völligen Prävalenz des ersten vor dem zweiten. Europa hat das immer gefühlt und auch das Monströse und Unglückliche davon empfunden. 1839 schrieb Balzac: »Les Allemands, s'ils ne savent pas jouer des grands instruments de la Liberté, savent jouer naturellement de tous les instruments de musique.« Das ist klar beobachtet und unterschieden, und es ist nicht die einzige treffende Bemerkung dieser Art, die der große Romancier gemacht hat. In ›Cousin Pons‹ sagt er von dem deutschen Musiker Schmucke, einer wundervollen Figur: »Schmucke, der wie alle Deutschen in der Harmonie sehr stark war, instrumentierte die Partituren, deren Singstimme Pons lieferte.« Richtig; die Deutschen sind ganz vorwiegend Musiker der Vertikale, nicht der Horizontale, größere Meister der Harmonie, in die Balzac die Kontrapunktik einschließt, als der Melodik, Instrumentalisten mehr als Verherrlicher der menschlichen Stimme, dem Gelehrten und Spirituellen in der Musik weit mehr zugewandt als dem Gesanghaft-Volksbeglückenden. Sie haben dem Abendland – ich will nicht sagen: seine schönste, gesellig verbindendste, aber seine tiefste, bedeutendste Musik gegeben, und es hat ihnen Dank und Ruhm dafür nicht vorenthalten.

Zugleich hat es gespürt und spürt es heute stärker als je, daß solche Musikalität der Seele sich in anderer Sphäre teuer bezahlt, – in der politischen, der Sphäre des menschlichen Zusammenlebens.
Martin Luther, eine riesenhafte Inkarnation deutschen Wesens, war außerordentlich musikalisch. Ich liebe ihn nicht, das gestehe ich offen. Das Deutsche in Reinkultur, das Separatistisch-Antirömische, Anti-Europäische befremdet und ängstigt mich, auch wenn es als evangelische Freiheit und geistliche Emanzipation erscheint, und das spezifisch Lutherische, das Cholerisch-Grobianische, das Schimpfen, Speien und Wüten, das fürchterlich Robuste, verbunden mit zarter Gemütstiefe und dem massivsten Aberglauben an Dämonen, Incubi und Kielkröpfe, erregt meine instinktive Abneigung. Ich hätte nicht Luthers Tischgast sein mögen, ich hätte mich wahrscheinlich bei ihm wie im trauten Heim eines Ogers gefühlt und bin überzeugt, daß ich mit Leo X., Giovanni de Medici, dem freundlichen Humanisten, den Luther »des Teufels Sau, der Babst« nannte, viel besser ausgekommen wäre. Auch erkenne ich den Gegensatz von Volkskraft und Gesittung, die Antithese von Luther und dem feinen Pedanten Erasmus gar nicht als notwendig an. Goethe ist über diesen Gegensatz hinaus und versöhnt ihn. Er ist die *gesittete* Voll- und Volkskraft, urbane Dämonie, Geist und Blut auf einmal, nämlich Kunst ... Mit ihm hat Deutschland in der menschlichen Kultur einen gewaltigen Schritt vorwärts getan – oder sollte ihn getan haben; denn in Wirklichkeit hat es sich immer näher zu Luther als zu Goethe gehalten. Und wer wollte leugnen, daß Luther ein ungeheuer großer Mann war, groß im deutschesten Stil, groß und deutsch auch in seiner Doppeldeutigkeit als befreiende und zugleich rückschlägige Kraft, ein konservativer Revolutionär. Er stellte ja nicht nur die Kirche wieder her; er rettete das Christentum. Man ist in Europa gewohnt, der deutschen Natur den Vorwurf der Unchristlichkeit, des Heidentums zu machen. Das ist sehr anfechtbar. Deutschland hat es mit dem Christentum am allerernstesten genommen. In dem Deutschen Luther nahm das Christentum sich kindlich und bäuerlich tiefernst zu einer Zeit, als es sich anderwärts nicht mehr ernst nahm. Luthers Revolution konservierte das Christentum – ungefähr wie der New Deal die kapitalistische Wirtschaftsform zu konservieren gemeint ist, – wenn auch der Kapitalismus das nicht verstehen will.
Nichts gegen die Größe Martin Luthers! Er hat nicht nur durch seine gewaltige Bibelübersetzung die deutsche Sprache erst recht geschaffen, die Goethe und Nietzsche dann zur Vollendung führten, er hat auch durch die Sprengung der scholastischen

Fesseln und die Erneuerung des Gewissens der Freiheit der Forschung, der Kritik, der philosophischen Spekulation gewaltigen Vorschub geleistet. Indem er die Unmittelbarkeit des Verhältnisses des Menschen zu seinem Gott herstellte, hat er die europäische Demokratie befördert, denn »Jedermann sein eigener Priester«, das ist Demokratie. Die deutsche idealistische Philosophie, die Verfeinerung der Psychologie durch die pietistische Gewissensprüfung, endlich die Selbstüberwindung der christlichen Moral aus Moral, aus äußerster Wahrheitsstrenge – denn das war die Tat (oder Untat) Nietzsche's –, dies alles kommt von Luther. Er war ein Freiheitsheld, – aber in deutschem Stil, denn er verstand nichts von Freiheit. Ich meine jetzt nicht die Freiheit des Christenmenschen, sondern die politische Freiheit, die Freiheit des Staatsbürgers – die ließ ihn nicht nur kalt, sondern ihre Regungen und Ansprüche waren ihm in tiefster Seele zuwider. Vierhundert Jahre nach ihm sprach der erste Präsident der Deutschen Republik, ein Sozialdemokrat, das Wort: »Ich hasse die Revolution wie die Sünde.« Das war echt lutherisch, echt deutsch. So haßte Luther den Bauernaufstand, der, evangelisch inspiriert, wie er war, wenn er gesiegt hätte, der ganzen deutschen Geschichte eine glücklichere Wendung, die Wendung zur Freiheit hätte geben können, in dem aber Luther nichts als eine wüste Kompromittierung seines Werkes, der geistlichen Befreiung sah und den er darum bespie und verfluchte, wie nur er es konnte. Wie tolle Hunde hieß er die Bauern totschlagen und rief den Fürsten zu, jetzt könne man mit Schlachten und Würgen von Bauernvieh sich das Himmelreich erwerben. Für den traurigen Ausgang dieses ersten Versuchs einer deutschen Revolution, den Sieg der Fürsten nebst allen seinen Konsequenzen, trägt Luther, der deutsche Volksmann, ein gut Teil Verantwortung.

Damals lebte in Deutschland ein Mann, dem meine ganze Sympathie gehört, Tilman Riemenschneider, ein frommer Kunstmeister, ein Bildhauer und Holzschnitzer, hochberühmt für die treue und ausdrucksvolle Gediegenheit seiner Werke, dieser figurenreichen Altarbilder und keuschen Plastiken, die, vielbegehrt, über ganz Deutschland hin die Andachtsstätten schmückten. Ein hohes menschliches und bürgerliches Ansehen hatte der Meister sich in seinem engeren Lebenskreise, der Stadt Würzburg, auch erworben und gehörte ihrem Rate an. Nie hatte er gedacht, sich in die hohe Politik, die Welthändel zu mischen, – es lag das seiner natürlichen Bescheidenheit, seiner Liebe zum freien und friedfertigen Schaffen ursprünglich ganz fern. Er hatte nichts vom Demagogen. Aber sein Herz, das für die Armen und Unterdrückten schlug, zwang ihn, für die Sache der Bauern, die er für die gerechte und gottgefällige erkannte, Partei zu nehmen gegen die Herren, die Bischöfe und Fürsten, deren humanistisches Wohlwollen er sich leicht hätte bewahren können; es zwang ihn, ergriffen von den großen und grundsätzlichen Gegensätzen der Zeit, herauszutreten aus seiner Sphäre rein geistiger und ästhetischer Kunstbürgerlichkeit und zum Kämpfer zu werden für Freiheit und Recht. Seine eigene Freiheit, die würdige Ruhe seiner Existenz gab er daran für diese Sache, die ihm über Kunst und Seelenfrieden ging. Sein Einfluß war es hauptsächlich, der die Stadt Würzburg bestimmte, der ›Burg‹, dem Fürstbischof die Heeresfolge gegen die Bauern zu verweigern und überhaupt eine revolutionäre Haltung gegen ihn einzunehmen. Er hatte furchtbar dafür zu büßen. Denn nach der Niederwerfung des Bauernaufstandes nahmen die siegreichen historischen Mächte, gegen die er sich gestellt, grausamste Rache an ihm; Gefängnis und Folter taten sie ihm an, und als gebrochener Mann, unfähig hinfort, aus Holz und Stein das Schöne zu erwecken, ging er daraus hervor.

Auch das gab es in Deutschland, auch das hat es immer gegeben. Aber das spezifisch und monumental Deutsche ist es nicht. Dieses stellt Luther dar, der musikalische Theolog. Er brachte es im Politischen nicht weiter, als daß er beiden Parteien, den Fürsten und den Bauern, unrecht gab, was nicht verfehlen konnte, ihn bald dahin zu führen, daß er nur noch und bis zur berserkerhaften Wut den Bauern unrecht gab. Seine Innerlichkeit hielt es ganz und gar mit dem Paulinischen »Sei untertan der Obrigkeit, die Gewalt über dich hat«. Aber das hatte sich ja auf die Autorität des römischen Weltreiches bezogen, das die Voraussetzung und der politische Raum war für die christliche Weltreligion, während es sich im Falle Luthers um die reaktionäre Winkelautorität der deutschen Fürsten handelte. Seine antipolitische Devotheit, dies Produkt musikalisch-deutscher Innerlichkeit und Unweltlichkeit, hat nicht nur für die Jahrhunderte die unterwürfige Haltung der Deutschen vor den Fürsten und aller staatlichen Obrigkeit geprägt; sie hat nicht nur den deutschen Dualismus von kühnster Spekulation und politischer Unmündigkeit teils begünstigt und teils geschaffen. Sie ist vor allem repräsentativ auf eine monumentale und trotzige Weise für das kerndeutsche Auseinanderfallen von *nationalem* Impuls und dem Ideal politischer *Freiheit.* Denn die Reformation, wie später die Erhebung gegen Napoleon, war eine *nationalistische* Freiheitsbewegung.

Lassen Sie uns doch einen Augenblick von der Freiheit reden: die eigentümliche Verkehrung, die dieser Begriff unter einem so bedeutenden Volk wie dem deutschen gefunden hat und bis zum heutigen Tage findet, gibt allen Grund zum Nachdenken. Wie war es möglich, daß sogar der nun in Schanden verendende Nationalsozialismus sich den Namen einer ›deutschen Freiheitsbewegung‹ beilegen konnte, – da doch nach allgemeinem Empfinden ein solcher Grund unmöglich etwas mit Freiheit zu tun haben kann? Es kam in dieser Benennung nicht nur herausfordernde Frechheit, es kam eine von Grund aus unglückselige Konzeption des Freiheitsbegriffes darin zum Ausdruck, ein psychologisches Gesetz, das sich in der deutschen Geschichte immer wieder geltend gemacht hat. Freiheit, politisch verstanden, ist vor allem ein moralisch-innerpolitischer Begriff. Ein Volk, das nicht innerlich frei und sich selbst verantwortlich ist, verdient nicht die äußere Freiheit; es kann über Freiheit nicht mitreden, und wenn es die klangvolle Vokabel gebraucht, so gebraucht es sie falsch. Der deutsche Freiheitsbegriff war immer nur nach außen gerichtet; er meinte das Recht, deutsch zu sein, nur deutsch und nichts anderes, nichts darüber hinaus, er war ein protestierender Begriff selbstzentrierter Abwehr gegen alles, was den völkischen Egoismus bedingen und einschränken, ihn zähmen und zum Dienst an der Gemeinschaft, zum Menschheitsdienst anhalten wollte. Ein vertrotzter Individualismus nach außen, im Verhältnis zur Welt, zu Europa, zur Zivilisation, vertrug er sich im Inneren mit einem befremdenden Maß von Unfreiheit, Unmündigkeit, dumpfer Untertänigkeit. Er war militanter Knechtssinn, und der Nationalsozialismus nun gar übersteigerte dies Mißverhältnis von äußerem und innerem Freiheitsbedürfnis zu dem Gedanken der Weltversklavung durch ein Volk, das zu Hause so unfrei war wie das deutsche.

Warum muß immer der deutsche Freiheitsdrang auf innere Unfreiheit hinauslaufen? Warum mußte er endlich gar zum Attentat auf die Freiheit aller anderen, auf die Freiheit selbst werden? Der Grund ist, daß Deutschland nie eine Revolution gehabt und gelernt hat, den Begriff der Nation mit dem der Freiheit zu vereinigen. Die ›Nation‹ wurde in der Französischen Revolution geboren, sie ist ein revolutionärer und freiheitlicher Begriff, der das Menschheitliche einschließt und innerpolitisch Freiheit, außenpolitisch Europa meint. Alles Gewinnende des französischen politischen Geistes beruht auf dieser glücklichen Einheit; alles Verengende und Deprimierende des deutschen patriotischen Enthusiasmus beruht darauf, daß diese Einheit sich niemals bilden konnte. Man kann sagen, daß der Begriff der ›Nation‹ selbst, in seiner geschichtlichen Verbundenheit mit dem der Freiheit, in

Deutschland landfremd ist. Man kann es fehlerhaft finden, die Deutschen eine Nation zu nennen, mögen nun sie selbst es tun oder andere. Es ist verfehlt, auf ihre vaterländische Leidenschaft das Wort ›Nationalismus‹ anzuwenden, – es heißt französieren und Mißverständnisse schaffen. Man soll nicht zwei verschiedene Dinge mit demselben Namen zu treffen suchen. Die deutsche Freiheitsidee ist völkisch-antieuropäisch, dem Barbarischen immer sehr nahe, wenn sie nicht geradezu in offene und erklärte Barbarei ausbricht wie in unseren Tagen. Aber das Ästhetisch-Abstoßende und Rüde, das schon ihren Trägern und Vorkämpfern zur Zeit der Freiheitskriege anhaftet, dem studentischen Burschenschaftswesen und solchen Typen wie Jahn und Maßmann, zeugt von ihrem unglücklichen Charakter. Goethe war wahrhaftig nicht fremd der Volkskultur und hatte nicht nur die klassizistische ›Iphigenie‹, sondern auch so kerndeutsche Dinge wie ›Faust I‹, ›Götz‹ und die ›Sprüche in Reimen‹ geschrieben. Dennoch war zur Erbitterung aller Patrioten sein Verhalten zum Kriege gegen Napoleon von vollkommener Kälte, – nicht nur aus Loyalität gegen seinen Pair, den großen Kaiser, sondern auch weil er das barbarisch-völkische Element in dieser Erhebung widerwärtig empfinden mußte. Die Vereinsamung dieses Großen, der jede Weite und Größe bejahte: das Übernationale, das Weltdeutschtum, die Weltliteratur, in dem patriotisch-›freiheitlich‹ aufgeregten Deutschland seiner Tage ist nicht peinvoll genug nachzuempfinden. Die entscheidenden und dominierenden Begriffe, um die sich für ihn alles drehte, waren Kultur und Barbarei, – und es war sein Los, einem Volk anzugehören, dem die Freiheitsidee, weil sie nur nach außen, gegen Europa und gegen die Kultur gerichtet ist, zur Barbarei wird.

Hier waltet ein Unsegen, ein Fluch, etwas fortwirkend Tragisches, das sich noch darin äußert, daß selbst die abweisende Haltung Goethe's gegen das politische Protestantentum, die völkische Rüpel-Demokratie, – daß selbst diese Haltung auf die Nation und besonders auf ihren geistig maßgebenden Teil, das deutsche Bürgertum, hauptsächlich die Wirkung einer Bestätigung und Vertiefung des lutherischen Dualismus von geistiger und politischer Freiheit geübt, daß sie den deutschen Bildungsbegriff gehindert hat, das politische Element in sich aufzunehmen. Es ist sehr schwer, zu bestimmen und zu unterscheiden, wie weit die großen Männer einem Volkscharakter ihr Gepräge aufdrükken, ihn vorbildlich formen – und wie weit sie selbst bereits seine Personifikation, sein Ausdruck sind. Gewiß ist, daß das Verhältnis des deutschen Gemütes zur Politik ein Unverhältnis, ein

Verhältnis der Unberufenheit ist. Es äußert sich das historisch darin, daß alle deutschen Revolutionen fehlschlugen: die von 1525, die von 1813, die 48er Revolution, die an der politischen Hilflosigkeit des deutschen Bürgertums scheiterte, und endlich die von 1918. Es äußert sich aber auch in dem plumpen und sinistren Mißverständnis, dem die Idee der Politik bei den Deutschen so leicht verfällt, wenn der Ehrgeiz sie antreibt, sich ihrer zu bemächtigen.

Man hat die Politik die ›Kunst des Möglichen‹ genannt, und tatsächlich ist sie eine kunstähnliche Sphäre, insofern sie, gleich der Kunst, eine schöpferisch vermittelnde Stellung einnimmt zwischen Geist und Leben, Idee und Wirklichkeit, dem Wünschenswerten und dem Notwendigen, Gewissen und Tat, Sittlichkeit und Macht. Sie schließt viel Hartes, Notwendiges, Amoralisches, viel von ›expediency‹ und Zugeständnis an die Materie, viel Allzumenschliches und dem Gemeinen Verhaftetes ein, und schwerlich hat es je einen Politiker, einen Staatsmann gegeben, der Großes erreichte und sich nicht danach hätte fragen müssen, ob er sich noch zu den anständigen Menschen zählen dürfe. Und dennoch, sowenig der Mensch nur dem Naturreich angehört, sowenig ist die Politik nur im Bösen beschlossen. Ohne ins Teuflische und Verderberische zu entarten, ohne zum Feind der Menschheit zu verfratzen und ihr oft zugeständnisvolles Schöpfertum in schändliche und verbrecherische Unfruchtbarkeit zu verkehren, kann sie sich ihres ideellen und geistigen Bestandteils niemals völlig entäußern, niemals ganz den sittlichen und menschenanständigen Teil ihrer Natur verleugnen und sich restlos aufs Unsittliche und Gemeine, auf Lüge, Mord, Betrug, Gewalt reduzieren. Das wäre nicht mehr Kunst und schöpferisch vermittelnde und verwirklichende Ironie, sondern blinder und entmenschter Unfug, welcher nichts Wirkliches stiften kann, sondern nur vorübergehend schreckhaft reüssiert, während er schon auf kürzere Dauer weltvernichtend, nihilistisch und auch selbstzerstörerisch wirkt; denn das vollkommen Unsittliche ist auch das Lebenswidrige.

Die zur Politik berufenen und geborenen Völker wissen denn auch instinktiv die politische Einheit von Gewissen und Tat, von Geist und Macht wenigstens subjektiv immer zu wahren; sie treiben Politik als eine Kunst des Lebens und der Macht, bei der es ohne den Einschlag von Lebensnützlich-Bösem und allzu Irdischem nicht abgeht, die aber das Höhere, die Idee, das Menschheitlich-Anständige und Sittliche nie ganz aus den Augen läßt: eben hierin empfinden sie ›politisch‹ und werden fertig mit der Welt und mit sich selbst auf diese Weise. Ein solches auf Kompromiß beruhendes Fertigwerden mit dem Leben erscheint dem Deutschen als Heuchelei. Er ist nicht dazu geboren, mit dem Leben fertig zu werden, und er erweist seine Unberufenheit zur Politik, indem er sie auf eine plump ehrliche Weise mißversteht. Von Natur durchaus nicht böse, sondern fürs Geistige und Ideelle angelegt, hält er die Politik für nichts als Lüge, Mord, Betrug und Gewalt, für etwas vollkommen einseitig Dreckhaftes und betreibt sie, wenn er aus weltlichem Ehrgeiz sich ihr verschreibt, nach dieser Philosophie. Der Deutsche, als Politiker, glaubt sich so benehmen zu müssen, daß der Menschheit Hören und Sehen vergeht – dies eben hält er für Politik. Sie ist ihm das Böse, – so meint er denn um ihretwillen recht zum Teufel werden zu sollen.

Wir haben es erlebt. Verbrechen sind geschehen, denen keine Psychologie zur Entschuldigung verhilft, und am wenigsten kann es ihnen zur Entschuldigung dienen, daß sie überflüssig waren. Denn das waren sie, zur Sache gehörten sie nicht, Deutschland hätte sie sich schenken können. Seine Macht- und Eroberungspläne hätte es verfolgen können ohne sie. In einer Welt, in der es Trusts und Ausbeutung gibt, war schließlich der Gedanke monopolistischer Exploitierung aller anderen Völker durch den Göring-Konzern nicht ganz und gar fremd. Das Peinliche an ihm war, daß er das herrschende System durch plumpe Übertreibung allzusehr kompromittierte. Überdies aber kam er, als Gedanke, freilich verspätet – heute, wo überall die Menschheit der ökonomischen Demokratie zustrebt, um eine höhere Stufe ihrer sozialen Reife ringt. Die Deutschen kommen immer zu spät. Sie sind spät wie die Musik, die immer von allen Künsten die letzte ist, einen Weltzustand auszudrücken – wenn dieser Weltzustand schon im Vergehen begriffen ist. Sie sind auch abstrakt und mystisch wie diese ihnen teuerste Kunst – beides bis zum Verbrechen. Ihre Verbrechen, sagte ich, gehörten nicht notwendig zu ihrem verspäteten Ausbeutungsunternehmen; sie waren ein Hinzukommendes, ein Luxus, den sie sich leisteten aus theoretischer Anlage, zu Ehren einer Ideologie, des Rassenphantasmas. Klänge es nicht wie abscheuliche Beschönigung, so möchte man sagen, sie hätten ihre Verbrechen aus weltfremdem Idealismus begangen. –

Zuweilen, und nicht zuletzt bei Betrachtung der deutschen Geschichte, hat man den Eindruck, daß die Welt nicht die alleinige Schöpfung Gottes, sondern ein Gemeinschaftswerk ist mit jemandem anders. Man möchte die gnadenvolle Tatsache, daß aus dem Bösen das Gute kommen kann, Gott zuschreiben. Daß aus dem Guten so oft das Böse kommt, ist offenbar der Beitrag des anderen.

Die Deutschen könnten wohl fragen, warum gerade ihnen all ihr Gutes zum Bösen ausschlägt, ihnen unter den Händen zu Bösem wird. Nehmen Sie ihren ursprünglichen Universalismus und Kosmopolitismus, ihre innere Grenzenlosigkeit, die als seelisches Zubehör ihres alten übernationalen Reiches, des Heiligen Römischen Reiches Deutscher Nation, zu verstehen sein mag. Eine höchst positiv zu wertende Anlage, die aber durch eine Art von dialektischem Umschlag sich ins Böse verkehrte. Die Deutschen ließen sich verführen, auf ihren eingeborenen Kosmopolitismus den Anspruch auf europäische Hegemonie, ja auf Weltherrschaft zu gründen, wodurch er zu seinem strikten Gegenteil, zum anmaßlichsten und bedrohlichsten Nationalismus und Imperialismus wurde. Dabei merkten sie selbst, daß sie mit dem Nationalismus wieder einmal zu spät kamen, daß dieser sich bereits überlebt hatte. Darum setzten sie etwas Moderneres dafür ein: die Rassenparole – die sie denn prompt zu ungeheuerlichen Missetaten vermocht und sie ins tiefste Unglück gestürzt hat.
Oder nehmen Sie die vielleicht berühmteste Eigenschaft der Deutschen, diejenige, die man mit dem sehr schwer übersetzbaren Wort ›Innerlichkeit‹ bezeichnet: Zartheit, der Tiefsinn des Herzens, unweltliche Versponnenheit, Naturfrömmigkeit, reinster Ernst des Gedankens und des Gewissens, kurz alle Wesenszüge hoher Lyrik mischen sich darin, und was die Welt dieser deutschen Innerlichkeit verdankt, kann sie selbst heute nicht vergessen: Die deutsche Metaphysik, die deutsche Musik, insonderheit das Wunder des deutschen Liedes, etwas national völlig Einmaliges und Unvergleichliches, waren ihre Früchte. Die große Geschichtstat der deutschen Innerlichkeit war Luthers Reformation – wir haben sie eine mächtige Befreiungstat genannt, und also war sie doch etwas Gutes. Daß aber der Teufel dabei seine Hand im Spiel hatte, ist offensichtlich. Die Reformation brachte die religiöse Spaltung des Abendlandes, ein ausgemachtes Unglück, und sie brachte für Deutschland den Dreißigjährigen Krieg, der es entvölkerte, es verhängnisvoll in der Kultur zurückwarf und durch Unzucht und Seuchen aus dem deutschen Blut wahrscheinlich etwas anderes und Schlechteres gemacht hat, als es im Mittelalter gewesen sein mag. Erasmus von Rotterdam, der das ›Lob der Torheit‹ schrieb, ein skeptischer Humanist von wenig Innerlichkeit, sah wohl, wovon die Reformation trächtig war. »Wenn du furchtbare Wirrnisse in der Welt wirst entstehen sehen«, sagte er, »dann denke daran, daß Erasmus sie vorausgesagt hat.« Aber der gewaltig innerliche Grobian von Wittenberg war kein Pazifist; er war voll deutscher Bejahung tragischen Schicksals und erklärte

sich bereit, das Blut, das da fließen würde, »auf seinen Hals zu nehmen«. –
Die deutsche *Romantik*, was ist sie anderes als ein Ausdruck jener schönsten deutschen Eigenschaft, der deutschen Innerlichkeit? Viel Sehnsüchtig-Verträumtes, Phantastisch-Geisterhaftes und Tief-Skurriles, auch ein hohes artistisches Raffinement, eine alles überschwebende Ironie verbindet sich mit dem Begriff der Romantik. Aber nicht dies ist es eigentlich, woran ich denke, wenn ich von deutscher Romantik spreche. Es ist vielmehr eine gewisse dunkle Mächtigkeit und Frömmigkeit, man könnte auch sagen: Altertümlichkeit der Seele, welche sich den chthonischen, irrationalen und dämonischen Kräften des Lebens, das will sagen: den eigentlichen Quellen des Lebens nahe fühlt und einer nur vernünftigen Weltbetrachtung und Weltbehandlung die Widersetzlichkeit tieferen Wissens, tieferer Verbundenheit mit dem Heiligen bietet. Die Deutschen sind ein Volk der romantischen Gegenrevolution gegen den philosophischen Intellektualismus und Rationalismus der Aufklärung – eines Aufstandes der Musik gegen die Literatur, der Mystik gegen die Klarheit. Die Romantik ist nichts weniger als schwächliche Schwärmerei; sie ist die Tiefe, welche sich zugleich als Kraft, als Fülle empfindet; ein Pessimismus der Ehrlichkeit, der es mit dem Seienden, Wirklichen, Geschichtlichen gegen Kritik und Meliorismus, kurz mit der Macht gegen den Geist hält und äußerst gering denkt von aller rhetorischen Tugendhaftigkeit und idealistischen Weltbeschönigung. Hier ist die Verbindung der Romantik mit jenem Realismus und Machiavellismus, der in Bismarck, dem einzigen politischen Genie, das Deutschland hervorgebracht hat, seine Siege über Europa feierte. Der deutsche Drang zur Einigung und zum Reich, von Bismarck in preußische Bahnen gelenkt, war mißverstanden, wenn man nach gewohntem Muster eine Einigungsbewegung national-demokratischen Gepräges in ihm sah. Er hatte das, um das Jahr 1848, einmal zu sein versucht, obgleich schon die großdeutschen Diskussionen des Paulskirchenparlamentes von mittelalterlichem Imperialismus, Erinnerungen ans Heilige Römische Reich angeflogen gewesen waren. Aber es erwies sich, daß der europa-übliche national-demokratische Weg zur Einigung der deutsche Weg nicht war. Bismarcks Reich hatte im tiefsten nichts mit Demokratie und also auch nichts mit Nation im demokratischen Sinn dieses Wortes zu tun. Es war ein reines Machtgebilde mit dem Sinn der europäischen Hegemonie, und unbeschadet aller Modernität, aller nüchternen Tüchtigkeit knüpfte das Kaisertum von 1871 an mittelalterliche Ruhmeserinnerungen, die Zeit der sächsi-

schen und schwäbischen Herrscher an. Dies eben war das Charakteristische und Bedrohliche: die Mischung von robuster Zeitgemäßheit, leistungsfähiger Fortgeschrittenheit und Vergangenheitstraum, der hochtechnisierte Romantizismus. Durch Kriege entstanden, konnte das unheilige Deutsche Reich preußischer Nation immer nur ein Kriegsreich sein. Als solches hat es, ein Pfahl im Fleische der Welt, gelebt, und als solches geht es zugrunde.
Die geistesgeschichtlichen Verdienste der deutschen romantischen Gegenrevolution sind unschätzbar. Hegel selbst hatte großartigsten Anteil daran, indem seine dialektische Philosophie den Abgrund überbrückte, den die rationalistische Aufklärung und die Französische Revolution zwischen Vernunft und Geschichte aufgerissen hatten. Seine Versöhnung des Vernünftigen mit dem Wirklichen brachte dem geschichtlichen Denken einen mächtigen Auftrieb und schuf geradezu die Wissenschaft von der Geschichte, die es bis dahin kaum gegeben hatte. Romantik ist wesentlich Versenkung, besonders Versenkung in die Vergangenheit; sie ist die Sehnsucht nach dieser und zugleich der realistisch anerkennende Sinn für alles wirklich Gewesene in seinem Eigenrecht, mit seiner Lokalfarbe und Atmosphäre – kein Wunder, daß sie der Geschichtsschreibung außerordentlich zustatten kam, sie in ihrer modernen Form eigentlich erst inaugurierte.
Reich und faszinierend sind die Verdienste des Romantizismus um die Welt des Schönen, auch als Wissenschaft, als ästhetische Lehre. Was Poesie ist, weiß der Positivismus, weiß die intellektualistische Aufklärung überhaupt nicht; erst die Romantik lehrte es eine Welt, die im tugendhaften Akademismus vor Langerweile umkam. Die Romantik poetisierte die Ethik, indem sie das Recht der Individualität und der spontanen Leidenschaft verkündete. Märchen- und Liederschätze hob sie aus den Tiefen völkischer Vergangenheit und war überhaupt die geistvolle Schutzherrin der Folkloristik, die in ihrem farbigen Lichte als eine Abart des Exotismus erscheint. Das Vorrecht vor der Vernunft, das sie dem Emotionellen, auch in seinen entlegenen Formen als mystischer Ekstase und dionysischem Rausch einräumte, bringt sie in eine besondere und psychologisch ungeheuer fruchtbare Beziehung zur Krankheit, – wie denn noch der Spätromantiker Nietzsche, ein selbst durch Krankheit ins Tödlich-Geniale emporgetriebener Geist, nicht genug den Wert der Krankheit für die Erkenntnis feiern konnte. In diesem Sinn ist selbst noch die Psychoanalyse, die einen tiefen Vorstoß des Wissens vom Menschen von der Seite der Krankheit her bedeutete, ein Ausläufer der Romantik.

Goethe hat die lakonische Definition gegeben, das Klassische sei das Gesunde und das Romantische das Kranke. Eine schmerzliche Aufstellung für den, der die Romantik liebt bis in ihre Sünden und Laster hinein. Aber es ist nicht zu leugnen, daß sie noch in ihren holdesten, ätherischsten, zugleich volkstümlichen und sublimen Erscheinungen den Krankheitskeim in sich trägt, wie die Rose den Wurm, daß sie ihrem innersten Wesen nach Verführung ist, und zwar Verführung zum Tode. Dies ist ihr verwirrendes Paradox, daß sie, die die irrationalen Lebenskräfte revolutionär gegen die abstrakte Vernunft, den flachen Humanitarismus vertritt, eben durch ihre Hingabe an das Irrationale und die Vergangenheit, eine tiefe Affinität zum Tode besitzt. Sie hat in Deutschland, ihrem eigentlichen Heimatland, diese irisierende Doppeldeutigkeit, als Verherrlichung des Vitalen gegen das bloß Moralische und zugleich als Todesverwandtschaft, am stärksten und unheimlichsten bewährt. Sie hat als deutscher Geist, als romantische Gegenrevolution dem europäischen Denken tiefe und belebende Impulse gegeben, aber ihrerseits hat ihr Lebens- und Todesstolz es verschmäht, von Europa, vom Geist der europäischen Menschheitsreligion, des europäischen Demokratismus, irgendwelche korrigierenden Belehrungen anzunehmen. In ihrer realistisch-machtpolitischen Gestalt, als Bismarckismus, als deutscher Sieg über Frankreich, über die Zivilisation und durch die Errichtung des scheinbar in robustester Gesundheit prangenden deutschen Machtreiches hat sie der Welt zwar Staunen abgenötigt, sie aber auch verwirrt, deprimiert und sie, sobald nicht mehr das Genie selbst diesem Reiche vorstand, in beständiger Unruhe gehalten.
Eine kulturelle Enttäuschung war das geeinte Machtreich außerdem. Nichts geistig Großes kam mehr aus Deutschland, das einst der Lehrer der Welt gewesen war. Es war nur noch stark. Aber in dieser Stärke und unter aller organisierten Leistungstüchtigkeit dauerte und wirkte fort der romantische Krankheits- und Todeskeim. Geschichtliches Unglück, die Leiden und Demütigungen eines verlorenen Krieges nährten ihn. Und, heruntergekommen auf ein klägliches Massenniveau, das Niveau eines Hitler, brach der deutsche Romantismus aus in hysterische Barbarei, in einen Rausch und Krampf von Überheblichkeit und Verbrechen, der nun in der nationalen Katastrophe, einem physischen und psychischen Kollaps ohnegleichen, sein schauerliches Ende findet. –
Was ich Ihnen in abgerissener Kürze erzählte, meine Damen und Herren, ist die Geschichte der deutschen ›Innerlichkeit‹. Es ist eine melancholische Geschichte – ich nenne sie so und spreche nicht von ›Tragik‹, weil das Unglück nicht prahlen soll. Eines mag

diese Geschichte uns zu Gemüte führen: daß es nicht zwei Deutschland gibt, ein böses und ein gutes, sondern nur eines, dem sein Bestes durch Teufelslist zum Bösen ausschlug. Das böse Deutschland, das ist das fehlgegangene gute, das gute im Unglück, in Schuld und Untergang. Darum ist es für einen deutsch geborenen Geist auch so unmöglich, das böse, schuldbeladene Deutschland ganz zu verleugnen und zu erklären: »Ich bin das gute, das edle, das gerechte Deutschland im weißen Kleid, das böse überlasse ich euch zur Ausrottung.« Nichts von dem, was ich Ihnen über Deutschland zu sagen oder flüchtig anzudeuten versuchte, kam aus fremdem, kühlem, unbeteiligtem Wissen; ich habe es auch in mir, ich habe es alles am eigenen Leibe erfahren.

Mit anderen Worten: was ich hier, gedrängt von der Zeit, zu geben versuchte, war ein Stück deutscher Selbstkritik – und wahrhaftig, ich hätte deutscher Tradition nicht treuer folgen können als eben hiermit. Der Hang zur Selbstkritik, der oft bis zum Selbstekel, zur Selbstverfluchung ging, ist kerndeutsch, und ewig unbegreiflich wird bleiben, wie ein so zur Selbsterkenntnis angelegtes Volk zugleich den Gedanken der Weltherrschaft fassen konnte. Zur Weltherrschaft gehört vor allem Naivität, eine glückliche Beschränktheit und sogar Vorsatzlosigkeit, nicht aber ein extremes Seelenleben wie das deutsche, worin sich der Hochmut mit der Zerknirschung paart. Den Unerbittlichkeiten, die große Deutsche, Hölderlin, Goethe, Nietzsche, über Deutschland geäußert haben, ist nichts an die Seite zu stellen, was je ein Franzose, ein Engländer, auch ein Amerikaner seinem Volk ins Gesicht gesagt hat. Goethe ging, wenigstens in mündlicher Unterhaltung, so weit, die deutsche Diaspora herbeizuwünschen. »Verpflanzt«, sagte er, »und zerstreut wie die Juden in alle Welt müssen die Deutschen werden!« Und er fügte hinzu: » – um die Masse des Guten, die in ihnen liegt, ganz und zum Heile der Nation zu entwickeln.«

Die Masse des Guten – sie ist da, und in der hergebrachten Form des nationalen Staates konnte sie sich nicht erfüllen. Der Zerstreuung über die Welt, die Goethe seinen Deutschen wünschte und zu der sie nach diesem Kriege wohl eine starke Neigung spüren werden, wird die Immigrationsgesetzgebung der anderen Staaten einen eisernen Riegel vorschieben. Aber bleibt nicht, trotz aller drastischen Abmahnung von übertriebenen Erwartungen, die uns die Machtpolitik zuteil werden läßt, die Hoffnung bestehen, daß zwangsläufig und notgedrungen nach dieser Katastrophe die ersten, versuchenden Schritte geschehen werden in der Richtung auf einen Weltzustand, in dem der nationale Individualismus des neunzehnten Jahrhunderts sich lösen, ja schließlich vergehen wird und welcher der im deutschen Wesen beschlossenen »Masse des Guten« glücklichere Bewährungsmöglichkeiten bieten mag als der unhaltbar gewordene alte? Es könnte ja sein, daß die Liquidierung des Nazismus den Weg freigemacht hat zu einer sozialen Weltreform, die gerade Deutschlands innersten Anlagen und Bedürfnissen die größten Glücksmöglichkeiten bietet. Weltökonomie, die Bedeutungsminderung politischer Grenzen, eine gewisse Entpolitisierung des Staatenlebens überhaupt, das Erwachen der Menschheit zum Bewußtsein ihrer praktischen Einheit, ihr erstes Ins-Auge-Fassen des Weltstaates – wie sollte all dieser über die bürgerliche Demokratie hinausgehende soziale Humanismus, um den das große Ringen geht, dem deutschen Wesen fremd und zuwider sein? In seiner Weltscheu war immer so viel Weltverlangen, auf dem Grunde der Einsamkeit, die es böse machte, ist, wer wüßte es nicht! der Wunsch, zu lieben, der Wunsch, geliebt zu sein. Zuletzt ist das deutsche Unglück nur das Paradigma der Tragik des Menschseins überhaupt. Der Gnade, deren Deutschland so dringend bedarf, bedürfen wir alle.

[1945]

DIE LAGER

Es tut wohl, zu wissen, daß die überlebenden Insassen der deutschen Konzentrationslager, diese erbarmungswürdigen Reste von Massen unschuldiger Menschen, Männer, Frauen und vieler, vieler Kinder, die an den Schandstätten oft noch im letzten Augenblick, bevor der Retter kam, von der Hand vertierter Zöglinge des Nationalsozialismus einen gräßlichen Tod erlitten haben und deren ausgemergelte Leichname und verkohlte Gebeine man gefunden hat nebst den ingeniösen Vorrichtungen, die zu ihrer Hinmachung dienten, es tut wohl, sag' ich, zu wissen, daß sie der Gewalt ihrer Quäler entrissen, den Gesetzen der Menschlichkeit zurückgegeben sind.

Aber ganz andere Empfindungen noch mischen sich für den Deutschen in das Gefühl der Genugtuung.

Der dickwandige Folterkeller, zu dem der Hitlerismus Deutschland gemacht hat, ist aufgebrochen, und offen liegt unsere Schmach vor den Augen der Welt, den fremden Kommissionen, denen diese unglaubwürdigen Bilder nun vorgeführt werden und die zu Hause melden, dies übertreffe an Scheußlichkeit alles, was Menschen sich vorstellen können. »Unsere Schmach«, deutscher Leser und Hörer! Denn alles Deutsche, alles was deutsch spricht, deutsch schreibt, auf deutsch gelebt hat, ist von dieser entehrenden Bloßstellung mitbetroffen. Es war nicht eine kleine Zahl von Verbrechern, es waren Hunderttausende einer sogenannten deutschen Elite, Männer, Jungen und entmenschte Weiber, die unter dem Einfluß verrückter Lehren in kranker Lust diese Untaten begangen haben.

Man nenne es finstere Möglichkeiten der Menschennatur überhaupt, die da enthüllt werden – deutsche Menschen, Hunderttausende sind es nun einmal, die sie vor den Augen der Welt enthüllt haben. Die Menschheit schaudert sich vor Deutschland! Ja, vor Deutschland. Denn dieses hat das fürchterliche Beispiel gegeben, und auch der Deutsche, der sich beizeiten aus dem Bereich nationalsozialistischer Menschenführung davongemacht hatte, der nicht, wie ihr, in der Nachbarschaft dieser Greuelstätten lebte, in scheinbaren Ehren seinen Geschäften nachging und nichts zu wissen versuchte, obgleich der Wind ihm den Gestank verbrannten Menschenfleisches von dorther in die Nase blies, auch ein solcher fühlt sich in tiefster Seele beschämt von dem, was im Land seiner Väter und Meister möglich geworden, freilich nur durch das Hitlerregime möglich geworden war, erschüttert von einer menschlichen Degradierung, die nur durch diese eine, die Naziherrschaft, in einem von Hause aus guten, Recht und Gesittung liebenden Volk angerichtet werden konnte.

Einer der letzten Kommentatoren des Goebbels-Radio, ein Mensch namens Fritzsche, hat ins Mikrophon gerufen, nichts komme gegen die Tatsache auf, daß der Nationalsozialismus die dem deutschen Volk einzig angemessene Verfassung sei, daß Deutschland für dieses Regime geschaffen sei. Das wagt er dem Volk ins Gesicht zu sagen, das zwölf Jahre mit schlechtem Gewissen und düsteren Gedanken unter diesem Regime gelebt hat und nun vor den Trümmern seines Reiches, vor einer Katastrophe steht, wie weder seine Geschichte noch die Geschichte überhaupt sie je gekannt hat. Das dem deutschen Volk »einzig zukömmliche Regime« hat es nach wenigen Jahren nicht nur in die furchtbarste, sondern auch in eine schändliche Niederlage geführt, so daß Deutschland heute dasteht als Abscheu der Menschheit und Beispiel des Bösen.

Das Recht erstickt und die Wahrheit; die Lüge das Wort führend ganz allein; die Freiheit zertrampelt; der Charakter, jede Anständigkeit zermalmt und eine Korruption von oben bis unten, die zum Himmel stank; die Menschen, gedrillt von Kind auf in einem lästerlichen Wahn von Rassensuperiorität, Erwähltheit und Recht auf Gewalt, erzogen zu nichts als Begehrlichkeit, Raub und Plünderung: das war der Nationalsozialismus, und das soll deutsch, soll die der deutschen Natur einzig angemessene Verfassung sein!

Meine Leser und Hörer in Deutschland! Ihr konntet euch von dieser Herrschaft aus eigener Kraft nicht befreien; es war wohl nicht möglich! Die Befreier mußten von außen kommen, sie haben das zerbrochene Land besetzt und müssen es auf Jahre hinaus noch verwalten. Betrachtet sie nun wenigstens nicht, wie der Bischof Galen es euch vormacht, als eure »Feinde«! Fühlt euch selbst nicht, wie dieser unbelehrbare Geistliche, »in erster Linie als Deutsche«, sondern als Menschen, der Menschheit zurückgegeben, die nach zwölf Jahren Hitler wieder Menschen sein wollen. Denn keinen anderen Wunsch kann man haben, nach solchen Jahren wie diesen. Die Macht ist verspielt. Aber Macht ist nicht alles, sie ist nicht einmal die Hauptsache, und deutsche Größe war nie eine Sache der Macht. Deutsch war es einmal, und möge es wieder sein: Der Macht Achtung abzugewinnen durch den menschlichen Beitrag zum freien Geist. [1945]

WARUM ICH NICHT NACH DEUTSCHLAND ZURÜCKGEHE

Lieber Herr von Molo!
Ich habe Ihnen zu danken für einen sehr freundlichen Geburtstagsgruß, dazu für den Offenen Brief an mich, den Sie der deutschen Presse übergaben und der auszugsweise auch in die amerikanische gelangt ist. Darin kommt noch stärker und dringlicher als in dem privaten Schreiben der Wunsch, ja die verpflichtende Forderung zum Ausdruck, ich möchte nach Deutschland zurückkehren und wieder dort leben: »zu Rat und Tat«. Sie sind nicht der einzige, der diesen Ruf an mich richtet; das russisch kontrollierte Berliner Radio und das Organ der vereinigten demokratischen Parteien Deutschlands haben ihn auch erhoben, wie man mir berichtet, mit der stark aufgetragenen Begründung, ich hätte »ein historisches Werk zu leisten in Deutschland«.
Nun muß es mich ja freuen, daß Deutschland mich wiederhaben will – nicht nur meine Bücher, sondern mich selbst als Mensch und Person. Aber etwas Beunruhigendes, Bedrückendes haben diese Appelle doch auch für mich, und etwas Unlogisches, sogar Ungerechtes, nicht Wohlüberlegtes spricht mich daraus an. Sie wissen nur zu gut, lieber Herr von Molo, wie teuer »Rat und Tat« heute in Deutschland sind, bei der fast heillosen Lage, in die unser unglückliches Volk sich gebracht hat, und ob ein schon alter Mann, an dessen Herzmuskel die abenteuerliche Zeit doch auch ihre Anforderungen gestellt hat, direkt, persönlich, im Fleische noch viel dazu beitragen kann, die Menschen, die Sie so ergreifend schildern, dort aus ihrer tiefen Gebeugtheit aufzurichten, scheint mir recht zweifelhaft. Dies nur nebenbei. Nicht recht überlegt aber scheinen mir bei jenen Aufforderungen auch die technischen, bürgerlichen, seelischen Schwierigkeiten, die meiner ›Rückwanderung‹ entgegenstehen.
Sind diese zwölf Jahre und ihre Ergebnisse denn von der Tafel zu wischen und kann man tun, als seien sie nicht gewesen? Schwer genug, atembeklemmend genug war, Anno dreiunddreißig, der Choc des Verlustes der gewohnten Lebensbasis, von Haus und Land, Büchern, Andenken und Vermögen, begleitet von kläglichen Aktionen daheim, Ausbootungen, Absagen. Nie vergesse ich die analphabetische und mörderische Radio- und Pressehetze gegen meinen Wagner-Aufsatz, die man in München veranstaltete

und die mich erst recht begreifen ließ, daß mir die Rückkehr abgeschnitten sei; das Ringen nach Worten, die Versuche, zu schreiben, zu antworten, mich zu erklären, die »Briefe in die Nacht«, wie René Schickele, einer der vielen dahingegangenen Freunde, diese erstickten Monologe nannte. Schwer genug war, was dann folgte, das Wanderleben von Land zu Land, die Paßsorgen, das Hoteldasein, während die Ohren klangen von den Schandgeschichten, die täglich aus dem verlorenen, verwildernden, wildfremd gewordenen Lande herüberdrangen. Das haben Sie alle, die Sie dem »charismatischen Führer« (entsetzlich, entsetzlich, die betrunkene Bildung!) Treue schworen und unter Goebbels Kultur betrieben, nicht durchgemacht. Ich vergesse nicht, daß Sie später viel Schlimmeres durchgemacht haben, dem ich entging; aber das haben Sie nicht gekannt: das Herzasthma des Exils, die Entwurzelung, die nervösen Schrecken der Heimatlosigkeit.

Zuweilen empörte ich mich gegen die Vorteile, deren Ihr genosset. Ich sah darin eine Verleugnung der Solidarität. Wenn damals die deutsche Intelligenz, alles, was Namen und Weltnamen hatte, Ärzte, Musiker, Lehrer, Schriftsteller, Künstler, sich wie ein Mann gegen die Schande erhoben, den Generalstreik erklärt, manches hätte anders kommen können, als es kam. Der einzelne, wenn er zufällig kein Jude war, fand sich immer der Frage ausgesetzt: »Warum eigentlich? Die anderen tun doch mit. Es kann doch so gefährlich nicht sein.«

Ich sage: zuweilen empörte ich mich. Aber ich habe Euch, die Ihr dort drinnen saßet, nie beneidet, auch in Euren größten Tagen nicht. Dazu wußte ich zu gut, daß diese großen Tage nichts als blutiger Schaum waren und rasch zergehen würden. Beneidet habe ich Hermann Hesse, in dessen Umgang ich während jener ersten Wochen und Monate Trost und Stärkung fand – ihn beneidet, weil er längst frei war, sich beizeiten abgelöst hatte mit der nur zu treffenden Begründung: »Ein großes, bedeutendes Volk, die Deutschen, wer leugnet es? Das Salz der Erde vielleicht. Aber als politische Nation – unmöglich! Ich will, ein für allemal, mit ihnen als solcher nichts mehr zu tun haben.« Und wohnte in schöner Sicherheit in seinem Hause zu Montagnola, in dessen Garten er Boccia spielte mit dem Verstörten.

Langsam, langsam setzten und ordneten sich dann die Dinge. Erste Häuslichkeiten fanden sich, in Frankreich, dann in der Schweiz; eine relative Beruhigung, Seßhaftigkeit, Zugehörigkeit stellte sich aus der Verlorenheit her, man nahm die aus den Händen gefallene Arbeit, die einem schon zerstört hatte scheinen wollen, wieder auf. Die Schweiz, gastlich aus Tradition, aber unter dem Druck bedrohlich mächtiger Nachbarschaft lebend und zur Neutralität verpflichtet bis ins Moralische hinein, ließ verständlicherweise doch immer eine leise Verlegenheit, Beklommenheit merken durch die Anwesenheit des Gastes ohne Papiere, der so schlecht mit seiner Regierung stand, und verlangte »Takt«. Dann kam der Ruf an die amerikanische Universität, und auf einmal, in dem riesigen freien Land, war nicht mehr die Rede von »Takt«, es gab nichts als offene, unverschüchterte, deklarierte Freundwilligkeit, freudig, rückhaltlos, unter dem stehenden Motto: »Thank you, Mr. Hitler!« Ich habe einigen Grund, lieber Herr von Molo, diesem Lande dankbar zu sein, und Grund, mich ihm dankbar zu erweisen.

Heute bin ich amerikanischer Bürger, und lange vor Deutschlands schrecklicher Niederlage habe ich öffentlich und privat erklärt, daß ich nicht die Absicht hätte, Amerika je wieder den Rücken zu kehren. Meine Kinder, von denen zwei Söhne noch heute im amerikanischen Heere dienen, sind eingewurzelt in diesem Lande, englisch sprechende Enkel wachsen um mich auf. Ich selbst, mannigfach verankert auch schon in diesem Boden, da und dort ehrenhalber gebunden, in Washington, an den Hauptuniversitäten der Staaten, die mir ihre Honorary Degrees verliehen, habe ich mir an dieser herrlichen, zukunftatmenden Küste mein Haus errichtet, in dessen Schutz ich mein Lebenswerk zu Ende führen möchte – teilhaft einer Atmosphäre von Macht, Vernunft, Überfluß und Frieden. Geradeheraus: ich sehe nicht, warum ich die Vorteile meines seltsamen Loses nicht genießen sollte, nachdem ich seine Nachteile bis zur Hefe gekostet. Ich sehe das namentlich darum nicht, weil ich den Dienst nicht sehe, den ich dem deutschen Volke leisten – und den ich ihm nicht auch vom Lande California aus leisten könnte.

Daß alles kam, wie es gekommen ist, ist nicht meine Veranstaltung. Wie ganz und gar nicht ist es das! Es ist ein Ergebnis des Charakters und Schicksals des deutschen Volkes – eines Volkes, merkwürdig genug, tragisch-interessant genug, daß man manches von ihm hinnimmt, sich manches von ihm gefallen läßt. Aber dann soll man die Resultate auch anerkennen und nicht das Ganze in ein banales ›Kehre zurück, alles ist vergeben!‹ ausgehen lassen wollen.

Fern sei mir Selbstgerechtigkeit! Wir draußen hatten gut tugendhaft sein und Hitlern die Meinung sagen. Ich hebe keinen Stein auf, gegen niemanden. Ich bin nur scheu und ›fremdle‹, wie man von kleinen Kindern sagt. Ja, Deutschland ist mir in all diesen Jahren doch recht fremd geworden. Es ist, das müssen Sie zugeben, ein beängstigendes Land. Ich gestehe, daß ich mich vor den deutschen Trümmern fürchte – den steinernen und den menschlichen. Und ich fürchte, daß die Verständigung zwischen einem, der den Hexensabbat von außen erlebte, und Euch, die Ihr mitgetanzt und Herrn Urian aufgewartet habt, immerhin schwierig wäre. Wie sollte ich unempfindlich sein gegen die Briefergüsse voll lange verschwiegener Anhänglichkeit, die jetzt aus Deutschland zu mir kommen! Es sind wahre Abenteurer des Herzens für mich, rührende. Aber nicht nur wird meine Freude daran etwas eingeengt durch den Gedanken, daß keiner davon je wäre geschrieben worden, wenn Hitler gesiegt hätte, sondern auch durch eine gewisse Ahnungslosigkeit, Gefühllosigkeit, die daraus spricht, sogar schon durch die naive Unmittelbarkeit des Wiederanknüpfens, so, als seien diese zwölf Jahre gar nicht gewesen. Auch. Bücher sind es wohl einmal, die kommen. Soll ich bekennen, daß ich sie nicht gern gesehen und bald weggestellt habe? Es mag Aberglaube sein, aber in meinen Augen sind Bücher, die von 1933 bis 1945 in Deutschland überhaupt gedruckt werden konnten, weniger als wertlos und nicht gut in die Hand zu nehmen. Ein Geruch von Blut und Schande haftet ihnen an; sie sollten alle eingestampft werden.

Es war nicht erlaubt, es war unmöglich, ›Kultur‹ zu machen in Deutschland, während rings um einen herum das geschah, wovon wir wissen. Es hieß die Verkommenheit beschönigen, das Verbrechen schmücken. Zu den Qualen, die wir litten, gehörte der Anblick, wie deutscher Geist, deutsche Kunst sich beständig zum Schild und Vorspann des absolut Scheusäligen hergaben. Daß eine ehrbarere Beschäftigung denkbar war, als für Hitler-Bayreuth Wagner-Dekorationen zu entwerfen – sonderbar, es scheint dafür an jedem Gefühl zu fehlen. Mit Goebbels'scher Permission nach Ungarn oder sonst einem deutsch-europäischen Land zu fahren und mit gescheiten Vorträgen Kulturpropaganda zu machen fürs Dritte Reich – ich sage nicht, daß es schimpflich war, ich sage nur, daß ich es nicht verstehe und daß ich Scheu trage vor manchem Wiedersehen.

Ein Kapellmeister, der, von Hitler entsandt, in Zürich, Paris oder Budapest Beethoven dirigierte, machte sich einer obszönen Lüge schuldig – unter dem Vorwande, er sei ein Musiker und mache Musik, das sei alles. Lüge aber vor allem schon war diese Musik auch zu Hause. Wie durfte denn Beethovens ›Fidelio‹, diese geborene Festoper für den Tag der deutschen Selbstbefreiung, im Deutschland der zwölf Jahre *nicht* verboten sein? Es war ein

Skandal, daß er nicht verboten war, sondern daß es hochkultivierte Aufführungen davon gab, daß sich Sänger fanden, ihn zu singen, Musiker, ihn zu spielen, ein Publikum, ihm zu lauschen. Denn welchen Stumpfsinn brauchte es, in Himmlers Deutschland den ›Fidelio‹ zu hören, ohne das Gesicht mit den Händen zu bedecken und aus dem Saal zu stürzen!

Ja, so mancher Brief kommt nun aus der fremden, unheimlichen Heimat, vermittelt durch amerikanische Sergeants und Lieutenants – nicht nur von bedeutenden Männern, sondern auch von jungen und einfachen Leuten, und merkwürdig: von denen mag keiner mir raten, so bald nach Deutschland zu kommen. »Bleiben Sie, wo Sie sind!« sagen sie schlicht. »Verbringen Sie Ihren Lebensabend in Ihrer neuen, glücklicheren Heimat! Hier ist es zu traurig...« Traurig? Wäre es nur das – und nicht unvermeidlich auch fortdauernd böse und feindselig. Als eine Art von Trophäe bekam ich kürzlich von amerikanischer Seite ein altes Heft einer deutschen Zeitschrift zugeschickt: ›Volk im Werden‹, März 1937 (Hanseatische Verlagsanstalt Hamburg), herausgegeben von einem hochgestellten Nazi-Professor und Dr. h. c. Er hieß nicht gerade Krieg, sondern Krieck, mit ck. Es war eine bange Lektüre. Unter Leuten, sagte ich mir, die zwölf Jahre lang mit diesen Drogen gefüttert worden sind, kann nicht gut leben sein. Du hättest, sagte ich mir, zweifellos viele gute und treue Freunde dort, alte und junge; aber auch viele lauernde Feinde – geschlagene Feinde wohl, aber das sind die schlimmsten und giftigsten. – –

Und doch, lieber Herr von Molo, ist dies alles nur eine Seite der Sache; die andere will auch ihr Recht – ihr Recht auf das Wort. Die tiefe Neugier und Erregung, mit der ich jede Kunde aus Deutschland, mittelbar oder unmittelbar, empfange, die Entschiedenheit, mit der ich sie jeder Nachricht aus der großen Welt vorziehe, wie sie sich jetzt, sehr kühl gegen Deutschlands nebensächliches Schicksal, neu gestaltet, lassen mich täglich aufs neue gewahr werden, welche unzerreißbaren Bande mich denn doch mit dem Lande verknüpfen, das mich ›ausbürgerte‹. Ein amerikanischer Weltbürger – ganz gut. Aber wie verleugnen, daß meine Wurzeln dort liegen, daß ich trotz aller fruchtbaren Bewunderung des Fremden in deutscher Tradition lebe und webe, möge die Zeit meinem Werk auch nicht gestattet haben, etwas anderes zu sein als ein morbider und schon halb parodistischer Nachhall großen Deutschtums.

Nie werde ich aufhören, mich als deutschen Schriftsteller zu fühlen, und bin auch in den Jahren, als meine Bücher nur auf englisch ihr Leben fristeten, der deutschen Sprache treu geblieben

– nicht nur, weil ich zu alt war, um mich noch sprachlich umzustellen, sondern auch in dem Bewußtsein, daß mein Werk in deutscher Sprachgeschichte seinen bescheidenen Platz hat. Der Goethe-Roman, der, geschrieben in Deutschlands dunkelsten Tagen, in ein paar Exemplaren zu Euch hineingeschmuggelt wurde, ist nicht gerade ein Dokument des Vergessens und der Abkehr. Auch brauche ich nicht zu sagen: »Doch schäm ich mich der Ruhestunden, mit euch zu leiden war Gewinn.« Deutschland hat mir nie Ruhe gelassen. Ich habe »mit euch gelitten«, und es war keine Übertreibung, als ich in dem Brief nach Bonn von einer Sorge und Qual, einer »Seelen- und Gedankennot« sprach, »von der seit vier Jahren nicht eine Stunde meines Lebens frei gewesen ist und gegen die ich meine künstlerische Arbeit tagtäglich durchzusetzen hatte«. Oft genug habe ich gar nicht versucht, sie dagegen durchzusetzen. Das Halbhundert Radiobotschaften nach Deutschland (oder sind es mehr?), die jetzt in Schweden gedruckt wurden – diese immer sich wiederholenden Beschwörungen mögen bezeugen, daß oft genug anderes mir vordringlicher schien als ›Kunst‹.
Vor einigen Wochen habe ich in der Library of Congress in Washington einen Vortrag gehalten über das Thema: ›Germany and the Germans‹. Ich habe ihn deutsch geschrieben, und er soll im nächsten Heft der Juni 1945 wiedererstandenen ›Neuen Rundschau‹ abgedruckt werden. Es war ein psychologischer Versuch, einem gebildeten amerikanischen Publikum zu erklären, wie doch in Deutschland alles so kommen konnte, und ich hatte die ruhige Bereitwilligkeit zu bewundern, mit der, so knapp nach dem Ende eines fürchterlichen Krieges, dies Publikum meine Erläuterungen aufnahm. Meinen Weg zu finden zwischen unstatthafter Apologie – und einer Verleugnung, die mir ebenfalls schlecht zu Gesicht gestanden hätte, war natürlich nicht leicht. Aber ungefähr ging es. Ich sprach von der gnadenvollen Tatsache, daß oft auf Erden aus dem Bösen das Gute kommt – und von der teuflischen, daß oft das Böse kommt aus dem Guten. Ich erzählte in Kürze die Geschichte der deutschen ›Innerlichkeit‹. Die Theorie von den beiden Deutschland, einem guten und einem bösen, lehnte ich ab. Das böse Deutschland, erklärte ich, das ist das fehlgegangene gute, das gute im Unglück, in Schuld und Untergang. Ich stände hier nicht, um mich, nach schlechter Gepflogenheit, der Welt als das gute, das edle, das gerechte Deutschland im weißen Kleid zu empfehlen. Nichts von dem, was ich meinen Zuhörern über Deutschland zu sagen versucht hätte, sei aus fremdem, kühlem, unbeteiligtem Wissen gekommen; ich hätte es alles auch in mir; ich hätte es alles am eigenen Leibe erfahren.

Das war ja wohl, was man eine Solidaritätserklärung nennt – im gewagtesten Augenblick. Nicht gerade mit dem Nationalsozialismus, das nicht. Aber mit Deutschland, das ihm schließlich verfiel und einen Pakt mit dem Teufel schloß. Der Teufelspakt ist eine tief-altdeutsche Versuchung, und ein deutscher Roman, der eingegeben wäre von den Leiden der letzten Jahre, vom Leiden an Deutschland, müßte wohl eben dies grause Versprechen zum Gegenstand haben. Aber sogar um Faustens Einzelseele ist, in unserem größten Gedicht, der Böse ja schließlich betrogen, und fern sei uns die Vorstellung, als habe Deutschland nun endgültig der Teufel geholt. Die Gnade ist höher als jeder Blutsbrief. Ich glaube an sie, und ich glaube an Deutschlands Zukunft, wie verzweifelt auch immer seine Gegenwart sich ausnehmen, wie hoffnungslos die Zerstörung erscheinen möge. Man höre doch auf, vom Ende der deutschen Geschichte zu reden! Deutschland ist nicht identisch mit der kurzen und finsteren geschichtlichen Episode, die Hitlers Namen trägt. Es ist auch nicht identisch mit der selbst nur kurzen Bismarck'schen Ära des Preußisch-Deutschen Reiches. Es ist nicht einmal identisch mit dem auch nur zwei Jahrhunderte umfassenden Abschnitt seiner Geschichte, den man auf den Namen Friedrichs des Großen taufen kann. Es ist im Begriffe, eine neue Gestalt anzunehmen, in einen neuen Lebenszustand überzugehen, der vielleicht nach den ersten Schmerzen der Wandlung und des Überganges mehr Glück und echte Würde verspricht, den eigensten Anlagen und Bedürfnissen der Nation günstiger sein mag als der alte.
Ist denn die Weltgeschichte zu Ende? Sie ist sogar in sehr lebhaftem Gange, und Deutschlands Geschichte ist in ihr beschlossen. Zwar fährt die Machtpolitik fort, uns drastische Abmahnungen von übertriebenen Erwartungen zu erteilen; aber bleibt nicht die Hoffnung bestehen, daß zwangsläufig und notgedrungen die ersten versuchenden Schritte geschehen werden in der Richtung auf einen Weltzustand, in dem der nationale Individualismus des neunzehnten Jahrhunderts sich lösen, ja schließlich vergehen wird? Weltökonomie, die Bedeutungsminderung politischer Grenzen, eine gewisse Entpolitisierung des Staatenlebens überhaupt, das Erwachen der Menschheit zum Bewußtsein ihrer praktischen Einheit, ihr erstes Ins-Auge-Fassen des Weltstaates – wie sollte all dieser über die bürgerliche Demokratie weit hinausgehende *soziale Humanismus*, um den das große Ringen geht, dem deutschen Wesen fremd und zuwider sein? In seiner Weltscheu war immer so viel Weltverlangen; auf dem Grunde der Einsamkeit, die es böse machte, ist, wer wüßte es nicht, der Wunsch, zu

lieben, der Wunsch, geliebt zu sein. Deutschland treibe Dünkel und Haß aus seinem Blut, es entdecke seine Liebe wieder, und es wird geliebt werden. Es bleibt, trotz allem, ein Land voll gewaltiger Werte, das auf die Tüchtigkeit seiner Menschen sowohl wie auf die Hilfe der Welt zählen kann und dem, ist nur erst das Schwerste vorüber, ein neues, an Leistungen und Ansehen reiches Leben vorbehalten ist.
Ich habe mich weit führen lassen in meiner Erwiderung, lieber Herr von Molo. Verzeihen Sie! In einem Brief nach Deutschland wollte allerlei untergebracht sein. Auch dies noch: der Traum, den Boden des alten Kontinents noch einmal unter meinen Füßen zu fühlen, ist, der großen Verwöhnung zum Trotz, die Amerika heißt, weder meinen Tagen, noch meinen Nächten fremd, und wenn die Stunde kommt, wenn ich lebe und die Transportverhältnisse sowohl wie eine löbliche Behörde es erlauben, so will ich hinüberfahren. Bin ich aber einmal dort, so ahnt mir, daß Scheu und Verfremdung, diese Produkte bloßer zwölf Jahre, nicht standhalten werden gegen eine Anziehungskraft, die längere Erinnerungen, tausendjährige, auf ihrer Seite hat. Auf Wiedersehen also, so Gott will.

[1945]

[AN DAVID McCOY]

Vice-Chairman of ›Students for Federal World Government‹

Ich habe Ihnen und Ihren Freunden und Mitarbeitern erklären müssen, daß meine nach schwerer Krankheit noch schonungsbedürftige Gesundheit mich hindern wird, zu dem von Ihnen vorbereiteten peace rally on Thanksgiving Day nach Chicago zu kommen und dort für Ihre gute Sache zu sprechen. Nicht leichten Herzens habe ich eine Absage gegeben, die mir als Trägheit, Egoismus, Mangel an Pflichtgefühl und an Einsicht in den bedrohlichen Ernst der Situation ausgelegt werden könnte. Die Deutung, Gott weiß es, wäre falsch, und es ist nur ein Versuch, sie zu verhüten, wenn ich Ihnen, als Notbehelf, diesen Brief schreibe, – ohne uneingeschränkte Kundgebung meines Glaubens nicht nur an die Schönheit und Hochherzigkeit, sondern an die brennende, praktische, reale Notwendigkeit Ihrer Bestrebungen; meiner Überzeugung, daß diese Bestrebungen übereinstimmen mit den Forderungen der Weltstunde, und daß es der gute Genius der Menschheit ist, der Ihnen den Mut, den heißen und heiligen Eifer verleiht, darin auszuharren.
Es gibt heute nichts Tröstlicheres und Erhebenderes in der Welt, nichts, was einer Ehrenrettung der Vernunft und der Menschlichkeit näher käme, als die Tatsache, daß in einigen zwanzig Städten der Vereinigten Staaten und in nicht weniger als sechzehn auswärtigen Ländern Gruppen junger Menschen sich gebildet haben, die in völlig uneigennütziger Hingabe ihr Leben – jeden Tag ihres Lebens – der Arbeit für den Frieden gewidmet haben, allerorten, in garage offices, backrooms, classrooms für die Idee des Friedens werben, wirken, Proselyten machen, die Apathie, den Fatalismus bekämpfen, den trüben Wahn von der Unvermeidlichkeit eines neuen Weltkrieges zu zerstreuen suchen – eines Krieges, der, wie sie wissen, mit den seit dem vorigen erfundenen Zerstörungsmitteln geführt, physische und moralische Verwüstungen ohnegleichen hinterlassen und tatsächlich die Menschheit ins Viehische, Untermenschlich-Verächtliche degradieren, sie sich selbst zum Ekel machen würde.
Diese jungen Kämpfer nennen sich »Students for Federal World Government«, indem sie in ihre Befehdung des Falschen, des

Selbstmörderischen, des Wahnsinnigen die positive Idee, den Gedanken der Zeit aufnehmen: die Schaffung einer mit wirksamen Machtmitteln ausgestatteten internationalen Gewalt, eines Überstaates, an welchen die Nationalstaaten, groß und klein, einen Teil ihrer Souveränität, ihrer »Freiheit« abzutreten haben, einer höchsten den Frieden garantierenden moralischen und politischen Autorität. Sie machen zu ihrer Sache also, mit den Realisten zu reden, eine Utopie. Aber die historische Stunde der Menschheit bringt es mit sich, daß die Begriffe des Realistischen und des Utopischen sehr unsicher geworden sind, daß sie angefangen haben, ihren Sinn zu tauschen. Wird die Verwirklichung der Utopie zur Lebensnotwendigkeit, so darf man es realistisch nennen, sie zu bejahen und für sie zu kämpfen, – während es utopisch wird, und zwar in einem bösen und frevelhaften Sinn des Wortes, durchaus und um jeden Preis, auch um den gräßlichsten, das Alte, Abgelebte und Lebenswidrige bewahren und an der Macht erhalten zu wollen.
Es ist nicht mehr als natürlich, daß immer der Geist der Wirklichkeit voran ist, daß die Materie in ihrer Schwere ihm nur träg und widerspenstig folgt. Läßt aber der Mensch die Spannung zwischen Wahrheit und Wirklichkeit, zwischen dem im Geist längst Erreichten, Vollzogenen und dem, was sich immer noch Wirklichkeit zu nennen erlaubt, zu groß werden, läßt er sie ins Krankhafte wachsen, so ist Unheil im Verzuge, so drohen Wetterentladungen und Katastrophen, die immer als Strafe für bewiesenen Ungehorsam, für die Verstocktheit gegen Gottes Willen zu verstehen sind. Und die intelligente, man kann sagen: in einem religiösen Sinn intelligente Jugend der Welt empfindet heute, daß es zu einer solchen gefahrdrohenden, alle Zivilisation und das Leben selbst bedrohenden Spannung zwischen dem Wahren und dem Wirklichen gekommen ist; sie empfindet das politisch-ökonomische Leben der Erdenvölker, wie es heute noch fortbesteht, als internationale Anarchie; sie fühlt und sieht, daß die Tage des souveränen Nationalstaates und seines »Free Enterprise« zu Ende und mehr als zu Ende sind, daß vom bloß Nationalen her kein Problem, überhaupt keines mehr zu lösen ist, und daß es gilt, die neue Wahrheit gegenseitiger Abhängigkeit, der Einheit des Menschengeschicks, ins Wirkliche zu überführen.
Mit anderen Worten: diese Jugend anerkennt mit Herz und Sinn das Gebot, die Freiheit durch soziale Verantwortlichkeit zu bedingen, die Demokratie vom Nationalen zu emanzipieren und sie weltweit, universell zu machen, den Frieden auf eine kollektivistische Freiheit zu gründen, deren Ausdruck und Garant der den

Nationalregierungen übergeordnete Weltstaat wäre. Die Vorbedingung dafür, jeder weiß es, ist die Verständigung unserer westlichen Welt mit Rußland, die Begegnung des bürgerlich-demokratischen und des sozialistischen Prinzips in der Anerkennung gemeinsamer menschheitlicher Ziele.
Ist eine solche Verständigung und Begegnung möglich? Die »Realisten« verneinen die Frage. Ihre Antwort ist Krieg. Ich zweifle, ob sie wissen, was sie sagen, ob sie, ganz wörtlich gesprochen, bei Verstande sind, indem sie so antworten. Ihr Sinn ist dick umnebelt vom Interesse, dem erbitterten und zu allem fähigen Interesse an der integralen und zugeständnislosen Erhaltung der »Freiheit«, die sie meinen, der kapitalistischen Wirtschaftsform in ihrer veraltetsten, unangepaßtesten Gestalt. Diese Verstocktheit impliziert den Unglauben an die Entwicklungsfähigkeit anderer Mächte und Systeme, zum Beispiel an diejenige der russischen Revolution, deren radikaler und tyrannischer Kollektivismus der humanen Überlieferung des Westens ein für allemal als der Erz- und Todfeind gegenüberstehen, und deren totalitärer Zwang sich von dem faschistisch-nationalsozialistischen in nichts unterscheiden soll. Wenn kein Unterschied besteht zwischen dem Totalitätscharakter des russischen Sozialismus und des Faschismus, – woher dann, so kann man fragen, die einhellige Entschiedenheit, mit welcher überall die kapitalistische Welt dem faschistischen Schrecken vor dem kommunistischen den Vorzug gibt, ihr offenkundiger Entschluß, lieber den einen anzunehmen als den anderen? – Die russische Revolution ist, wie einst die große Französische, ein historischer Prozeß, der sich in Phasen abspielt, von denen die letzte kaum schon gekommen ist. Es ist so unvernünftig, eine dieser Phasen unter Hohngeschrei mit der anderen erschlagen zu wollen, wie es unvernünftig ist, zu glauben, der Stalinismus bilde die unveränderliche Endform des revolutionären Prozesses. Den russischen Kommunismus mit dem Nazi-Faschismus auf die gleiche moralische Stufe zu stellen, weil beide totalitär seien, ist besten Falles Oberflächlichkeit, im schlimmeren Falle ist es – Faschismus. Wer auf dieser Gleichstellung beharrt, mag sich als Demokrat vorkommen, – in Wahrheit und im Herzensgrund ist er damit bereits Faschist und wird mit Sicherheit den Faschismus nur unaufrichtig und zum Schein, mit vollem Haß aber allein den Kommunismus bekämpfen.
Die Unterschiede im Verhältnis des russischen Sozialismus und des Faschismus zur Humanität, zur Idee des Menschen und seiner Zukunft sind unermeßlich. Der unteilbare Friede; konstruktive Arbeit und gerechter Lohn; ein allgemeiner Genuß der Güter

dieser Erde; mehr Glück, weniger vermeidbares und nur vom Menschen verschuldetes Leid hienieden; die geistige Hebung des Volkes durch Erziehung, durch Wissen, durch Bildung – das alles sind Ziele, die denjenigen faschistischer Misanthropie, faschistischen Nihilismus, faschistischer Erniedrigungslust und Verdummungspädagogik diametral entgegengesetzt sind. Der Kommunismus, wie die russische Revolution ihn unter besonderen menschlichen Gegebenheiten zu verwirklichen sucht, ist, trotz aller blutigen Zeichen, die daran irre machen könnten, im Kern – und sehr im Gegensatz zum Faschismus – eine humanitäre und eine demokratische Bewegung. Tyrannei? Er ist es. Aber eine Tyrannei, die das Analphabetentum ausmerzt, kann, ob sie es weiß oder nicht, im Herzen nicht gewillt sein, Tyrannei zu bleiben. Vor einigen sechzig Jahren verspottete Nietzsche, ein sehr großer, nur allzu vieldeutiger Denker, die Volksbildung, indem er ausrief: »Will man Sklaven, so ist man ein Narr, wenn man sich Herren erzieht!« Der russische Sozialismus will offenbar keine Sklaven, denn er erzieht sich denkende Menschen. Damit ist er, beinahe unweigerlich, auf dem Wege zur Freiheit.

Und Amerika? Wir Flüchtlinge aus dem faschistischen Europa fanden es, als wir vor zwölf Jahren hier landeten, auf dem entgegengesetzten, dem entgegenkommenden Wege, dem Wege der Begegnung. Unter einem großen Präsidenten schien es im Begriff, die Formal-Demokratie des bürgerlichen Zeitalters durch friedliche Revolution in einen demokratischen Sozialismus überzuführen. Amerikas geistiges Ansehen war ungeheuer, es hielt die Spitze der Weltentwicklung, der Krieg gegen den europäischen Faschismus, ein Krieg, der ohne die Hilfsquellen der Vereinigten Staaten nicht zu gewinnen gewesen wäre, schien dieses Land in seiner Sendung zu bestätigen, den Völkern der Erde voranzugehen in der ökonomischen Erfüllung der Demokratie, sie mit einer neuen Synthese von Freiheit und Gleichheit zu beschenken. Sein Beispiel wäre vom glücklichsten Einfluß gewesen auch dort, wo die Rechte des Individuums sich noch in mangelhaftem Gleichgewicht befinden mit den Ansprüchen der Gemeinschaft, und niemand bezweifelt, daß, wenn Roosevelts Leben gedauert hätte, die Welt-Entzweiung hätte vermieden werden können, von der jetzt der Friede, die Zivilisation, die Zukunft der menschlichen Rasse selbst bedroht ist.

Es ist nicht zu leugnen, daß dieses große, materiell so begünstigte Land, dessen innere Entwicklung entscheidend geworden ist für das Schicksal der Menschheit, seinen Bewunderern seit dem Ende des Krieges manche Enttäuschung bereitet hat. Nach gewaltigen

Leistungen in einem Kampf, den diese Bewunderer als einen Kampf für die Freiheit, als einen Krieg gegen den Welt-Faschismus verstanden, nach dem größten militärischen Siege der Weltgeschichte scheint es von einer tiefen Lähmung seiner moralischen Schwungkraft befallen, einer geistigen Mißlaune, die es bestimmt, der Führerschaft abzuschwören und seine Aufgabe darin zu sehen, als Riesen-Hemmschuh für den Fortschritt zu wirken. Jedenfalls hat ein Mann, dem man Respekt schuldet, wenn auch nur, weil er auch einmal Präsident der Vereinigten Staaten gewesen ist, das Ergebnis der jüngsten Wahlen dahin erläutert, es bedeute weit mehr als die übliche Ablösung einer Partei-Majorität durch die andere; sein wahrer Sinn sei, daß Amerika sich endgültig als die große konservative Macht etabliert habe, welche das Banner der Freiheit hochhalte in einer Welt, die, tief beeindruckt von seinem Beispiel, dem Bolschewismus und der geplanten Wirtschaft abschwören werde.

Ist diese Auslegung richtig? Man könnte erwidern, daß der republikanische Stimmensieg mehr der Verärgerung zu danken ist durch das Ermatten einer langjährigen, ihres Genius beraubten Herrschaft, durch den Anblick persönlicher Unzulänglichkeit und das peinliche Gefühl schleifender Zügel, als dem wirklich gefolgschaftsfreudigen Glauben an das, was man zur Abwechslung wählte. Es wäre dann ein Wort des Erstaunens hinzuzufügen darüber, wie doch die Erinnerung an alles, was die demokratische Partei in vierzehn Jahren für das Land geleistet hat, für seine Rettung aus schwerster wirtschaftlicher Kalamität und für seine gegenwärtige politische Machtstellung, so ganz hinter diese Verärgerung und hinter das bloße Verlangen nach etwas »anderem« zurücktreten konnte. »Sick and tired« zu sein, ist am Ende kein zureichender Grund, Leib und Seele des Landes Mächten zu überliefern, unter deren Herrschaft die Gefahr einer heillosen Vertiefung des Gegensatzes von Ost und West, die Gefahr einer Weltkonflagration unzweifelhaft größer ist als unter einer demokratischen.

Mr. Hoover hat sicher unrecht mit seiner Annahme, die konservative Kundgebung Amerikas werde der Entwicklung zum Sozialismus Einhalt tun, in welcher die Welt begriffen ist. Wenn er aber von dem tiefen Eindruck spricht, den diese Kundgebung überall machen werde, so hat er recht – insofern, als tatsächlich durch sie in den Augen der Völker das Bild Amerikas als einer aufhaltenden, geistig rückwärts gewandten, den Haupttendenzen der Zeit feindlich gesinnten, einer verstimmten und depressiven Macht sich befestigt. Er hat recht, insofern der republikanische Erfolg das

Erstarken eines neuen Isolationismus bedeutet, oder zu bedeuten scheint, der nicht besser, sondern schlimmer ist als der alte, weil er imperialistische Züge trägt. Die ehemaligen Isolationisten, diejenigen, die Roosevelt die Mittel zur Verteidigung der Demokratie verweigerten, sind ja die heutigen Imperialisten, Rüstungsenthusiasten und war-mongers. Mr. Byrnes hat gut versichern, der Systemwechsel vom 5. November ändere nichts an der amerikanischen Außenpolitik. Diese Außenpolitik war ja längst nicht mehr von demokratischem Geiste bestimmt, und durch den Ausgang der Wahl wird sie, scheinbar wenigstens, national bestätigt.

Man kann den Gram einer politisch geweckten Jugend darüber verstehen, mehr noch, als Europäer mit einiger Erfahrung darin, wie es zugeht bei dem Abgleiten eines Landes in Faschismus und Krieg, *teilt* man, wenigstens dann und wann, ihre Befürchtungen. Es hat etwas Unheimliches, den ehrwürdigen Herrn Hoover von Freiheit reden zu hören, wenn man sich dabei der alten Prophezeiung erinnert (ich habe sie vor zehn Jahren gemacht, und heute ist sie verständlicher als damals), daß, wenn je in Amerika der Faschismus kommen sollte, er im Namen der Freiheit kommen werde. Wenn nun die siegreiche Partei sich außerstande erweist, ihre Versprechungen zu erfüllen; wenn sich zeigt, daß man nicht die Zeit und ihre Krise normalisiert, indem man die Wirtschaft für normalisiert erklärt; wenn sich herausstellt (was sich herausstellen muß), daß niemand sich ungestraft von einer halb schon vollendeten Weltrevolution isoliert und sich gegen notwendige Veränderungen im Alten verschanzt; wenn dies dahin führt (und es muß unvermeidlich dahin führen), daß man bald nicht mehr aus und ein weiß, – kann da nicht die Versuchung überwältigend werden, unlösbaren Problemen durch die Flucht in den Krieg – den für den Augenblick immer alle Probleme lösenden – zu entkommen? Wie weit geht die Bereitschaft einer von Interesse getriebenen Schicht zur pia fraus, zur Herbeiführung eines Krieges, den sie für geboten und unvermeidlich hält, und den der Gegner niemals beginnen wird? Ich habe darüber junge Amerikaner sich so pessimistisch äußern hören, daß ich gezwungen war, sie zur Mäßigung zu ermahnen – ohne überzeugende Wirkung, wie ich befürchte.

Noch einmal, als gebranntes Kind Europas begreift man die Ängste dieser Jugend und teilt sie in gewissen Augenblicken – um sie dann doch wieder als ungerechtfertigt oder als nur halb, nur scheinbar gerechtfertigt zu verwerfen. Muß notwendig hierzulande das übel vertraute, trostlose Stück durchgespielt werden, die fatale Abfolge von wilder Inflation, Verarmung der die Demokratie tragenden Mittelklassen, Auflösung derselben in verbitterte, irrationale, jeder Demagogie zugängliche Massen, Faschismus also und also Krieg, sich blind, mechanisch und verhängnishaft wiederholen, als gäbe es kein Volk, das aus den Erfahrungen anderer zu lernen vermöchte, als sei die menschliche Torheit überall die gleiche? Sie möge die gleiche sein überall. Aber die natürlichen Bedingungen sind verschieden, und es ist wohl möglich, daß die Dimensionen, der Reichtum dieses Landes ihm erlauben, sich Fehler zu leisten und Fehlgänge zu wiederholen, die anderen zum Verderben wurden. Europäische Maßstäbe mögen versagen und düstere Prophezeiungen beschämt werden durch eine Wirklichkeit, deren geistig-moralische Voraussetzungen und Grundlagen sich nicht weniger als ihre materiellen von denen unterscheiden, mit welchen etwa ein Deutscher zu rechnen gewohnt ist. Eine glückliche, in ihren Anfängen gleich von der Sonne humanitärer Ideen erhellte und erwärmte Geschichte; ein tief wurzelnder, nie ganz zu entwurzelnder Glaube an Demokratie, der Menschheitsglaube ist und Glaube an den Fortschritt, das heißt an eine diesseitige Bestimmung des Menschen, an seine Berufung zu persönlicher und sozialer Selbstvervollkommnung: dies Wesentliche ist es, worauf der Glaube an Amerika sich gründet, und was vor einer allzu fatalistischen Beurteilung seiner Lage warnt.

Ich halte die augenblickliche Verdunkelung der moralischen Stimmung des Landes für vorübergehend und kann nicht zweifeln, daß es sehr bald in seinen natürlichen Geisteszustand zurückfinden wird, der pionierhaft ist und zukunftsgläubig, im Tiefsten fremd aller reaktionären Melancholie. Wie viele Gegenkräfte guten und frohen Willens sind doch auch heute hier lebendig, nur tätiger gemacht durch berechtigte Sorge! Wie kommt es denn, daß nirgends in der Welt dem Ziel, das Sie, die »Students for Federal World Government« verfolgen, mehr organisiertes Nachdenken gewidmet wird als in Amerika? Wie kommt es, daß mitten im Lande, in der Stadt Ihrer eigenen Tagung, der Universität Chicago verbunden, ein Comité von Gelehrten, Staatsrechtlern, Wirtschaftlern, Philosophen emsig damit beschäftigt ist, eine genaue, praktikable Verfassung des zukünftigen Weltstaates bis in jedes technische Detail auszuarbeiten? The readiness is all. Amerika wird bereit sein mit Kopf und Herz für den Tag des großen peace rally, den Tag, der denen, die nach uns kommen, zum Thanksgiving Day der Menschheit werden soll.

[1945]

ICH STELLE FEST...

Während der letzten Wochen sind in diesem Lande wiederholt und öffentlich die irrigsten Anklagen gegen mich erhoben worden. Die Kampagne begann am 26. März mit einem Aufsatz von Eugene Tillinger in einem Magazin, das ›The Freeman‹ heißt und sich in der Tat große Freiheiten nimmt. Bedauerlicherweise hat am 29. März die United Press von Mr. Tillingers ›Enthüllungen‹ Gebrauch gemacht und ihnen so eine Verbreitung gesichert, wie der ›Freeman‹ sie weder verdient noch genießt. Am 30. März sandte die UP einen Teil meiner Berichtigung aus. Da aber, erstens, ›Dementis‹ erfahrungsgemäß von nur etwa zehn Prozent der Publikationen ›gebracht‹ werden, in denen das zu Dementierende erschien, während, zweitens, die UP-Version meiner Erwiderung mir überhaupt ungenügend scheint, möchte ich für die Leser des ›Aufbau‹ den wahren Sachverhalt in Kürze klarlegen.

Mr. Lyle C. Wilson, Chef des UP-Bureaus in Washington, kommentiert am 29. März die »communist front activities«, deren ich mich – dem ›Freeman‹ zufolge – schuldig gemacht und von denen ich nicht ablasse, selbst wenn ich in gewissen Einzelfällen derlei »activities« lügnerisch in Abrede gestellt. »Without making use of the ugly word itself«, schreibt Mr. Wilson, »the magazine (der ›Freeman‹) says Mann lied on at least two occasions in denying specific communist activity.«

Ich mußte fünfundsiebzig Jahre alt werden und in einer Fremde leben, die mir zur Heimat geworden ist, um mich öffentlich der Lüge bezichtigt zu sehen, von Hexenverbrennern, die – und das ist das Bestürzende – niemandem glauben oder auch nur zuhören als ihren ›Hexen‹.

Mr. Tillinger, um ein Beispiel zu geben, weiß noch am 26. März nichts davon, daß ich am 12. Februar und in aller Öffentlichkeit (durch die UP) meinen Austritt erklärt habe aus einer Organisation – der ›American Peace Crusade‹ –, der ich wenige Tage lang angehörte. Und so besteht denn, was ihn betrifft, eine meiner wichtigsten »front activities« in meinem Festhalten an einer Gruppe, die übrigens, neben mehreren als kommunistisch verschrienen Sponsoren, eine große Reihe guter, liberaler Amerikaner zu ihren Mitgliedern zählt. – Der ›Freeman‹ *hört nicht zu.* Bis zur Benommenheit fasziniert von den Propagandareden seiner

›witches‹, produziert er zwei ›Beweise‹ dafür, daß ich zweimal die Unwahrheit gesagt.
Zum ersten gibt es da eine photostatische Vervielfältigung der sogenannten Stockholmer Friedens-Deklaration in französischer Fassung, die meine Unterschrift trägt. Dies ›Dokument‹ war mir nicht neu. Monate nach seinem Erscheinen und Wochen nach meiner Rückkehr aus Europa kam es mir zu Gesicht, als Teil einer *Photomontage*, die mich selber zeigt, wie ich, angeblich, im Frühling 1950 und zu Paris, den Stockholmer Aufruf unterschreibe. Ich trage bei dieser Gelegenheit einen Anzug, den ich zwar im Sommer 1949, nicht aber im Jahre 1950 mit nach Europa genommen. Auch die schwarze Trauer-Krawatte, die im Mai 1949 mir zuzulegen ich tragischen Anlaß hatte, sieht man im Bilde. Wie dieses zustande kam, ist mir weder erfindlich noch interessant. Was ich aber weiß, und was ich der Wahrheit gemäß gesagt habe, ist, daß ich meinen Namen *nicht* unter den Stockholmer Aufruf gesetzt.
Als zweite ›Dokumentation‹ meiner Lügenhaftigkeit dient Mr. Tillinger ein Ausschnitt aus ›l'Humanité‹ (dem Blatt der kommunistischen Partei Frankreichs), worin ein paar Sätze wiedergegeben sind, die ich im Spätherbst 1950 an M. Joliot-Curie gerichtet. Enthalten in einem Privatbrief an den großen französischen Gelehrten, dienten diese Sätze dem Zweck, der *Absage*, die ich M. Joliot-Curie erteilen zu sollen glaubte, von ihrer mir menschlich widerstehenden Schroffheit etwas zu nehmen. Keinesfalls – so schrieb ich ihm – könnte ich mich irgend an dem von ihm einberufenen zweiten Kongreß für den Weltfrieden beteiligen. Meine persönlichen Bemühungen um den Frieden, der auch mir als das dringlichste Anliegen der Menschheit gelte, hätten den geringsten praktischen Sinn nur dann, wenn sie unabhängig blieben von einer »propaganda displeasing to this country«.
M. Joliot-Curie war nicht autorisiert, meinen Brief zur Gänze, oder gar zu irreführenden Teilen der Öffentlichkeit zu übergeben. Daß er es dennoch getan hat, war nicht gut.
Jedenfalls aber: Ich bin *an jenem Kongreß in keiner Weise* und *in keinem Sinne beteiligt gewesen*, habe öffentlich (durch die Associated Press diesmal) gegenteilige Nachrichten dementiert und werde als Lügner beschimpft, nur weil Mr. Tillinger ausschließlich seinen ›Hexen‹ glaubt.
Ich habe ihm und dem ›Freeman‹ erwidert und darf damit rechnen, daß meine Antwort an Ort und Stelle zum Abdruck gebracht werden wird. Doch bleibt dies Ganze eine symptomatische Schande sowohl wie eine finstere Lächerlichkeit. Exkommunisti-

sche Renegaten und frühere Sowjet-Spione – gelernte Verräter durch die Bank! – werfen sich auf und werden akzeptiert als Hauptverteidiger der Demokratie. Leute, die Schwarz nicht von Weiß unterscheiden können und – angeblich zumindest – die primitivsten Tricks der kommunistischen Propaganda für bessere Münze halten als das Wort eines Mannes von bisher unbestrittener Integrität, sind auf dem Posten zur Verteidigung des Anstandes und der Freiheit.

Ich bin kein Kommunist und bin nie einer gewesen. Auch ein Reisekamerad bin ich weder, noch könnte ich je einer sein, wo die Reise ins Totalitäre geht. Daß aber für dieses Land, dessen Bürger zu werden mir eine Ehre und Freude war, der hysterische, irrationale und blinde Kommunistenhaß eine Gefahr darstellt, weit schrecklicher als der einheimische Kommunismus; ja, daß der Verfolgungswahnsinn und die Verfolgungswut, in die man verfallen und der sich mit Haut und Haar zu überlassen man im Begriffe scheint – daß all dies nicht nur zu nichts Gutem führen kann, sondern zum Schlimmsten führen wird, wenn man sich nicht schleunigst besinnt, wollte bei dieser Gelegenheit ausgesprochen sein.

[1951]

[GEGEN DIE WIEDERAUFRÜSTUNG DEUTSCHLANDS]

Ihren Brief zu beantworten, fällt mir nicht leicht. Schwerer fiele mir nur, ihn nicht zu beantworten, weshalb ich den Versuch einer Antwort unternehme.
Sie zitieren einen Abschnitt aus einer »message«, die ich im Juli 1945 in das ruinierte Deutschland geschickt. Er lautet wie folgt: »C'en est fini de la puissance. Mais la puissance n'est pas tout, elle n'est même pas l'essentiel, la grandeur de l'Allemagne n'a jamais été une affaire de puissance. Puisse l'idéal allemand redevenir un jour ce qu'il a été autrefois: gagner la consideration des puissants en travaillant à la libération de l'esprit humain.«
Anschließend fragen Sie: »Neuf ans aprés, où en sommes nous? Quels progrés a accompli l'Allemagne sur la voie que vous lui traciez? Et, puisque votre appel était (re)publié dans le journal du ›Comité de l'Allemagne Libre‹, paraissant en France, quelles sont, au milieu des malentendus de la CED et des preparatifs de rearmément, les chances et les difficultés d'une véritable reconciliation franco-allemande?«
Nun ist ja unleugbar, daß von den Hoffnungen des Jahres 1945 kaum eine sich erfüllt hat. Kraft einer unseligen und unheildrohenden Weltkonstellation, deren Ursachen zu analysieren hier nicht der Ort ist, sehen wir eine Menschheit, deren moralischem Status durch die Kriege von gestern und vorgestern schon schwerer Abbruch geschehen ist, in zwei Lager zerrissen, deren furchtbar gespanntes Verhältnis mit einer Katastrophe solchen Ausmaßes droht, daß sie der Zivilisation den Rest geben würde.
Daß zwischen den Lagern die wichtigste Grenze quer durch ein Land, das unglückliche Deutschland, verläuft, rückt die Unhaltbarkeit der Gesamtsituation in ein um so grelleres Licht.
Doch nicht vom »Ganzen« soll hier vornehmlich die Rede sein –, vielmehr von der Lage und politischen Temperatur in Deutschland, und zwar in dem Teil des einstigen Reichs, der heute »DBR« heißt. Denn nicht nur liegen dort, im Westen, die Quellen jeder deutschen Macht, nicht nur liegt dort die deutsche Schwerindustrie; ausschließlich der Westen ist es vorläufig, dessen Beitrag zur kriegerischen Hochrüstung der »freien Welt«, das heißt natürlich zur Sicherung des Friedens, – an den man jedoch nicht glaubt –, das Problem des Tages bildet. Das kleindeutsche Bonner Staats-

gebilde ist es also, das uns im vorliegenden Zusammenhang zu interessieren hat.
Vor allem werde hier möglichen Mißverständnissen vorgebeugt. Ich bin ein Sohn Deutschlands, zunächst, Europas, dann des Westens schließlich und, meiner Nationalität nach, Amerikaner. Meine natürliche Sorge gilt daher Deutschland so gut wie Europa, wie dem Westen, wie den Vereinigten Staaten. Daß sie darüber hinaus der Menschheit gilt, bedarf der Erwähnung nicht. Wenn ich aber in der Folge Überzeugungen vertrete, die von der Regierung des großen, in tiefster Seele freundlichen Volkes überm Meer nicht geteilt werden, so geschieht dies keineswegs in feindlicher Absicht. Sehr im Gegenteil bin ich sicher, den wohlverstandenen Interessen auch Amerikas zu dienen, indem ich, dem dort augenblicklich üblichen Konformismus zum Trotz, ausdrücklich abweiche von der Denkungsart, die drüben vorherrscht.
Nun denn, ich frage mich: Wollen die Deutschen der DBR die Wiederaufrüstung, und könnten sie gar verblendet genug sein, den Krieg zu wollen? Das können sie nicht –, könnten es so wenig wie Frankreich und aus denselben zwingenden Gründen. Da sie es aber nicht können, muß – als großer Schritt in Richtung des Krieges – auch die Wiederaufrüstung ihnen – wie Frankreich – zutiefst verdächtig und unerwünscht sein.
Ich sage »sie« und »ihnen« und meine natürlich nicht alle Bürger der Bundesrepublik. Wir wissen, daß in den vergangenen Jahren, akzeleriert, seit dem Jahre 1949, in dem das »deutsche Wirtschaftswunder« sich zu manifestieren begann, Personen und Interessen dort neuerdings an Macht gewannen, die rechtens und de facto »abgewirtschaftet« hatten mit dem Zusammenbruch des Hitler-Regimes. Wenn aber diesmal Schlechtes nach oben kam, so waren es nicht fanatisierte Massen breiter Volksschichten, von denen es getragen war. Und nicht, wie in den Jahren vor 1933, etablierte das Übel sich aus eigener Kraft und gegen den – übrigens schon damals geteilten und teilweise gelähmten – Willen der demokratischen Welt, die sich außerstande wähnte, irgend zu intervenieren. Vielmehr waren es diesmal mächtige Repräsentanten ebendieser Welt, die, zur schockhaften Verwirrung der nunmehr friedwilligen westdeutschen Majorität, dem Todfeind von gestern den Rücken stärkten, in der Irrmeinung, er tauge zum Kron-Alliierten gegen den designierten Todfeind von morgen. Und wie, wenn der Gestrige nun seine wiederhochgepäppelten Kräfte alsbald einer Allianz zur Verfügung stellte, von der allein er sich die Zurückgewinnung verlorenen Besitzes erhoffen könnte –, es sei denn, daß er es vorzöge, Gewalt anzuwenden und so einen

Krieg zu entfesseln, den »präventiv« zu nennen, dem Verblendetsten nicht mehr beifallen würde? – Gleichviel: festzustellen war, daß, anders als vor 33, Einflüsse von außen wirkten und fortwirken. Auch nahm ja die »Unterwanderung« des politischen Lebens in der DBR möglichst versteckte Wege und wurde dem Gros der Bevölkerung erst deutlich, als sie – in ihren Grenzen – bereits vollzogen war.
Die Erklärung eines bedenklichen Phänomens nähme freilich diesem nichts von seiner Bedenklichkeit, bliebe sie auf sich beschränkt und außer Zusammenhang mit Symptomen entgegengesetzten und also »guten«, Gutes verheißenden Charakters.
Während nämlich das »deutsche Wirtschaftswunder« seinen Namen nur sehr bedingt verdient, hat in der DBR etwas stattgefunden, das, angesichts der ungemeinen Seltenheit seines Auftretens in der Geschichte, wirklich etwas vom Wunder hat: ich meine die Entwicklung der deutschen Sozialdemokratie, einer Partei, die buchstäblich aus der Geschichte und aus dem eigenen Versagen in ihr gelernt hat und klüger und entschlossener daraus hervorgegangen ist; einer Partei, die nicht nur offenbar weiß, was sie will, sondern deren artikulierter Wille immer spürbarer wird.
Die Wahlen in Schleswig-Holstein sind ein in seiner Bedeutung nicht zu unterschätzendes Zeichen. Wie bekannt, verlor in diesen Wahlen die CDU ein Drittel ihrer Stimmen, während die SPD mit einer freilich noch geringen Mehrheit zur stärksten Partei des Bundesstaates wurde. Worauf gründet sich dies Resultat?
Vor mir liegt ein Dokument, das sich »Essener Vorschlag« nennt, im vergangenen Juli von einer Gruppe von Sozialdemokraten und sozialistischen Wissenschaftlern ausgearbeitet wurde und, wie die Einführung mitteilt, »... die Haltung der ... Partei zu den wichtigsten Gegenwartsfragen entwickelt ...«
Es scheint mir lohnend, aus der »Grundsatzerklärung« des Manifestes ein paar einschlägige Stellen hier wiederzugeben:
»Angesichts dieser tödlichen Gefahr (eines neuen Weltkrieges)«, heißt es da, »muß die Erhaltung des Friedens oberstes Gebot unseres politischen Tuns sein. Das beste Mittel zu seiner Erfüllung erkennen wir in einer Politik der Freundschaft und Verständigung gegenüber allen Völkern der Erde, unabhängig von ihrer jeweiligen Staats- und Gesellschaftsordnung. Von der Gefährlichkeit und Verderbnis des Militarismus und von der Sinnlosigkeit aller Gewaltanwendung im zwischenstaatlichen Zusammenleben der Völker überzeugt, leisten wir feierlich VERZICHT AUF MACHTPOLITIK. (Fettdruck in Majuskeln authentisch).«
Der »Grundsatzerklärung« folgt ein »Plan zur Schaffung der

Einheit Deutschlands«, den hier auch nur summarisch wiederzugeben weder möglich noch nötig ist. Auch setze man nicht voraus, der »Plan« finde in allen Punkten meine Zustimmung. Immerhin scheint folgendes mir hörenswert:
»Wir Sozialdemokraten«, bekennen seine Urheber, »haben 1945 den Siegermächten aus innerster Überzeugung das Recht zugestanden, eine Kontrolle über unser Land auszuüben, um das Wiederaufleben des deutschen Militarismus und die damit zwangsläufig verbundene neuerliche Bedrohung des Weltfriedens zu verhindern. Nachdem diese Mächte jedoch das ihnen allein zur Erfüllung dieser Aufgabe zustehende Recht... dazu benutzt haben, den deutschen Militarismus psychologisch und materiell zu fördern und zu stützen, haben sie die völkerrechtliche Voraussetzung für eine weitere Aufrechterhaltung der Besetzung Deutschlands verwirkt. Nachdem sie ihre Stellung als Besatzungsmächte außerdem dazu mißbraucht haben, einer neuen Völkerverhetzung Vorschub zu leisten ..., haben sie ihrem weiteren Verbleiben ... auch moralisch den Boden entzogen.«
Es folgt die Aufforderung zur sofortigen Räumung Gesamtdeutschlands von allen fremden Truppen, und mir scheint, ihre Motivierung bliebe gut, auch wenn ihr aus einer Reihe von praktischen Gründen nicht gleich Gehör geschenkt werden kann. Was übrigens weiter folgt, sucht, nicht unwirksam, von diesen Gegengründen einige zu entkräften, und ist wichtig in sich selbst:
»Wir verzichten«, erklärt das Manifest, »auf den Aufbau einer deutschen Wehrmacht. Sie widerspricht unserem Grundsatz der Abkehr von jeder Machtpolitik und würde – je nach der augenblicklichen Ausrichtung der deutschen Außenpolitik – eine ständige Bedrohung Europas darstellen. Dagegen erleichtert die Ablehnung jeder deutschen Wiederaufrüstung die Herbeiführung eines gemeinsamen Beschlusses der Siegermächte über die Räumung Deutschlands von allen fremden Truppen, indem sie einerseits den berechtigten Sicherheitswünschen unserer Nachbarn Rechnung trägt und zugleich alle Sonderhoffnungen einzelner Besatzungsmächte auf Stärkung der eigenen Position durch deutsche Heere endgültig zunichte macht. Zur Aufrechterhaltung der inneren Sicherheit unseres Landes ist eine starke Polizei ausreichend. Unser Verzicht auf Machtpolitik schließt den Verzicht auf die Herstellung von Massen-Vernichtungsmitteln ein. Wissenschaft, Technik und Industrie unseres Landes dienen allein der Verbesserung der Lebenshaltung unseres Volkes und jener Völker, die in ständigem gegenseitigen Geben und Nehmen unsere geistige und materielle Kultur mit uns entwickeln. Es ist unser

Wunsch, daß zu diesen Völkern die Völker des Ostens in Zukunft ebenso gehören wie die Völker des Westens. Unser Wille zu dauerhafter Freundschaft mit der UdSSR, Indien und China ist deshalb nicht weniger ernst als unser Wunsch nach freundschaftlicher Verbundenheit mit Frankreich, England und den USA.«

So, also, lautet, nach dem »Essener Vorschlag«, das außenpolitische Programm der SPD. Und wenn es sich versteht, daß ihm fürs Innere der Plan eines demokratisch gelenkten Sozialismus entspricht und daß dieser der organisierten Arbeiterschaft gewiß besonders am Herzen liegt, so meine ich, daß dennoch die Partei ihre zunehmende Popularität vor allem ihrer Friedenspolitik verdankt, wie es nicht zuletzt die Außenpolitik der Bundesregierung sein dürfte, die ihre Partei in Schleswig-Holstein um ein rundes Drittel ihrer Stimmen gebracht hat.

Unter den Westmächten aber, mit denen – nach dem »Essener Vorschlag« – ein geeinigtes Deutschland in »freundschaftlicher Verbundenheit« zu leben wünscht, steht Frankreich an erster Stelle. Warum steht es dort? Weil es Deutschland geographisch am nächsten liegt? Vielleicht. Doch grenzen auch andere Länder aneinander, ohne daß ihr gegenseitiges Vertrauen eine conditio sine qua non des Friedens in Europa darstellte. Frankreich und Deutschland, die benachbarten Kernländer, das Doppelherz des Kontinents –, sobald und solange sie in Zwietracht leben, ist der Erdteil bedroht; und um ein Vielfaches näher fände er sich seiner Rettung, sobald und solange Freundschaft herrschte zwischen den beiden.

Daß Frankreich die Verständigung wünscht, unterliegt mir keinem Zweifel; noch steht das Recht der geprüften Nation mir außer Frage, sich der deutschen Aufrüstung fürs nächste zu widersetzen. Daß es aber auch in Deutschland an gutem Willen und guter Widersetzlichkeit nicht fehlt, bewiese die Haltung der SPD, auch wenn im übrigen die Zeichen schlimmer stünden als sie stehen.

Sie könnten viel schlechter stehen. Die westdeutsche Publizistik, soviel ich sehe, ist ziemlich einig in dem Axiom, daß bei der Ordnung der europäischen Angelegenheiten nichts ohne Frankreich, geschweige gegen Frankreich geschehen darf. Die kulturelle Anziehungskraft, welche Ihr Land ausübt auf die jüngste deutsche Intelligenz, ist sehr stark –, obgleich doch seine Kulturpropaganda an Eifer und Lautstärke weit zurücksteht hinter der amerikanischen. Man bewundert, nicht ohne Neid, die ungebrochene Kontinuität, die Traditionssicherheit des französischen Geistes, die sich mit jeder Kühnheit des Experimentes und des Avantgardismus so wohl zu vereinigen weiß. Der Blick unserer Künstler, der

jungen gerade, ist mit erwartender und empfänglicher Sympathie nach Paris gerichtet, in dem Gefühl, daß von dort noch immer die feinsten und reifsten Ergebnisse des ästhetischen Laborierens Europas kommen. Deutsche Musik-Veranstaltungen zeigen, daß Pierre Boulez stärker das Bild der Produktion bestimmt als Schönberg und Strawinsky. Gide's versucherisches Werk bleibt ein erregender Gegenstand literarischer Erörterung. Unsere Theater spielen Giraudoux, Cocteau, Anouilh, und keine deutsche Bühne von geistigem Anspruch hat sich die grotesken Melancholien von ›En attendant Godot‹ entgehen lassen, die man als französisches Kulturgut betrachtet, so gut wie Picasso's fortwirkendes Werk. Sartre fasziniert als Dramatiker, Romancier und Essayist –, wie denn das »existenzialistische« Weltgefühl, philosophisch zuerst in Deutschland ausgearbeitet, in literarisch-artistischer Apparatur über Frankreich zu uns zurückgekehrt ist.
Soviel von dieser Sphäre. Und die kompakte Masse des Volkes? Mir scheint, die letzten Reste des Mythos vom »Erbfeind im Westen« sind abgestorben. Schon Hitlers Schwindel-Eroberung Galliens vor vierzehn Jahren hat nicht entfernt den Stolz, das nationale Hochgefühl ausgelöst wie der Sukzeß von 1870/71. Heute ist eher eine gewisse Gêne zu beobachten über den Siegesplunder von 1940, ein Achselzucken über den Waffenruhm, mit dem man so äußerst ernüchternde Erfahrungen gemacht hat. Dies Volk, seiner großen Mehrheit nach, will nichts wissen von Krieg und Kriegsgeschrei. Es will leben, arbeiten, aufbauen – und sich ohne »Machtpolitik« das Maß von Macht wieder zuwachsen lassen, welches das natürliche und legitime Ergebnis der Aktivität, des Fleißes und ehrlicher Tüchtigkeit ist. Es ersehnt sich Zeit und ist nicht ohne berechtigte Hoffnung, daß sie ihm und der Welt gewährt sein möge. Die Hydrogenbombe sollte den Frieden sichern –, was ihn in Wahrheit fristet, ist die Tatsache, daß Rußland sie auch hat, und ich müßte mich ganz und gar irren, wenn nicht verbreitete Befriedigung über diesen Sachverhalt unter den Deutschen herrschte.
Als ich fünfundsiebzig wurde, vor bald fünf Jahren, habe ich in einer Rede der Zeit ein kleines Loblied gesungen. Sie arbeitet, sagte ich, für uns alle, wenn wir sie gewähren lassen bei ihrem Werk des Ausgleichs und der Aufhebung von Gegensätzen zu höherer Einheit, und wenn wir sie, der Einzelne und die Völker, erfüllen mit der Arbeit an uns selbst. Die Zeit ist ein kostbares Geschenk, uns gegeben, damit wir in ihr klüger, besser, reifer, vollkommener werden. Sie ist der Friede selbst, und Krieg ist

nichts als das wilde Verschmähen der Zeit, das Ausbrechen aus ihr in sinnloser Ungeduld.
Der Himmel gewähre uns Zeit! In ihr wird sich dem Letzten noch der bloße Gedanke an einen dritten Krieg als der selbstmörderische und kriminelle Wahnsinn erweisen, der er ist. Daß glühender Patriotismus die Fähigkeit und den Willen nicht ausschließt, einzulenken und gültig auszuhandeln, was durch Mord und Totschlag nicht beizulegen war, Frankreich, in der Person seines großen Premiers Pierre Mendès-France, hat es neuerdings demonstriert. Frankreich hat einen Mann. Möge ihm Zeit gewährt sein! Sein Fall würde das Land in die alte politische Instabilität zurückwerfen, an der ganz Europa teilhätte.
Nichts, wie die Dinge liegen, ist durch Mord und Totschlag noch beizulegen, unwiderstehlich wird die Zeit zu dieser Einsicht überreden. Ihr Wirken ist still und mächtig; sie kann die Selbstgerechtigkeit dämpfen, Verkrampfungen lösen und, indem sie die widersprüchlichen Elemente der Demokratie, Freiheit und Gleichheit, zu neuer Synthese erhebt, die Menschheit in einem humanen Sozialismus versöhnen.
Der Himmel schenke uns Zeit!

[1954]

DER KÜNSTLER UND DIE GESELLSCHAFT

›Der Künstler und die Gesellschaft‹ – ich frage mich, ob man sich klar darüber ist, vor welches heikle Thema ich da gestellt bin. Man weiß es, glaube ich, ganz gut und gibt sich nur die Miene der Unschuld. Warum heißt es nicht gleich: ›Der Künstler und die Politik‹, – da sich hinter dem Wort ›Gesellschaft‹ doch das Politische verbirgt? Es verbirgt sich sehr schlecht dahinter, denn der Künstler als Gesellschaftskritiker, das ist ja schon der politisierte, der politisierende Künstler – oder, um alles zu sagen: der moralisierende. Auf seinen vollen Namen gebracht, müßte das Thema lauten: ›Der Künstler und die *Moral*‹, – eine sehr boshafte Problemstellung! Denn man weiß ganz gut, daß der Künstler kein ursprünglich moralisches Wesen, sondern ein ästhetisches ist, daß sein Grundtrieb das Spiel ist und nicht die Tugend, ja, daß er sich in aller Naivität herausnimmt, mit den Fragestellungen und Antinomien der Moral auch nur dialektisch zu spielen...

Ich will ihn nicht herabsetzen, den Künstler, indem ich sein loses Verhältnis zur Moral – und damit zur Politik – und damit zum Gesellschaftsproblem feststelle. Unmöglich könnte ich den Künstler schelten, der erklärte, Weltverbesserung im moralischen Sinn sei nicht die Sache von seinesgleichen. Der Künstler ›verbessere‹ die Welt auf eine ganz andere Weise als durch moralische Lehre, nämlich indem er sein Leben – und auf eine stellvertretende Weise das Leben überhaupt – im Wort, im Bild, im Gedanken befestige, ihm Sinn und Form verleihe und die Erscheinung durchsichtig mache für das, was Goethe »des Lebens Leben« nannte: den Geist. Unmöglich könnte ich ihm widersprechen, wenn er darauf bestände, *Belebung* in jedem Sinn, das sei die Aufgabe der Kunst – und sonst nichts. Bei Goethe, den ich so gern zitiere, weil er über die meisten Dinge der Welt das Richtige aufs anmutigste gesagt hat, liest man klipp und klar: »Es ist wohl möglich, daß ein Kunstwerk moralische Folgen habe, aber vom Künstler moralische Absichten und Zwecke zu verlangen, heißt, ihm sein Handwerk verderben.« – Das Wort »Handwerk« hat einen eigentümlich bescheidenen Klang, und daß bei der Scheu des Künstlers vor dem Moralisieren Bescheidenheit im Spiele ist, geht aus einem anderen Worte Goethe's noch deutlicher hervor. Er sagte nämlich im Alter: »Es war nie meine Art, gegen Institute zu eifern, *das schien mir stets Überhebung*, und es mag sein, daß ich zu

früh höflich wurde. Kurz, es war nicht meine Art, und ich habe deshalb immer nur ein entferntes Ende der Stange leise berührt.«
Damit ist deutlich genug der moralische, politische, gesellschaftliche Kritizismus des Künstlers als ein Überschreiten seiner Grenzen, als ein Verstoß gegen die Bescheidenheit gekennzeichnet. Und sollte die ihm nicht natürlich sein?

Sie ist ihm von Grund aus natürlich – nicht nur in seinem Verhältnis zur Wirklichkeit und ihren »Instituten«, sondern auch zur Kunst selbst, vor welcher der einzelne Künstler sich meistens sehr klein vorkommt – klein bis zum Unglauben daran, daß er überhaupt etwas mit ihr zu tun und irgendwie teilhat an ihrer Würde. Man bedenke doch! Die Kunst ist ja eine Sache von ernstester Wichtigkeit, ein feierliches Anliegen der menschlichen Kultur, welchem selbst Staaten und Regierungen amtliche Reverenz erweisen. Im Bewußtsein der Menschheit nimmt sie den gleichen Rang ein wie die Wissenschaft, ja wie die Religion, kurzum, sie ist gleichgeordnet ihren höchsten, geistigsten Interessen. Die Philosophie ist gelegentlich so weit gegangen, den ästhetischen Zustand, den produktiven sowohl wie den rezeptiven, für den höchsten menschlichen Zustand überhaupt zu erklären, insofern als er die lautere Anschauung der Idee in der Erscheinung bedeute und die Erlösung des Willens durch die selige Kontemplation, so daß denn der Künstler der größte Wohltäter der Menschheit und seine Schöpfung die eigentlich und einzig geniale sei! – Das alles könnte denjenigen, in dem die Kunst sich manifestiert, ihren Träger, den Künstler, mit dem höchsten und anmaßendsten Selbstbewußtsein erfüllen, ihn im Verhältnis zu sich selbst aller Nüchternheit entheben und den rauschhaftesten Stolz sein Teil sein lassen. Aber die Wahrheit sieht ganz anders aus.

Die Wahrheit ist, daß die Kunst in ihren individuellen Verwirklichungen und Ausprägungen jedesmal gleichsam von vorn anfängt und, verkappt mit Naivität, ihrer selbst unbewußt, ohne sich selbst zu erkennen, oder richtiger gesagt, sich wiederzuerkennen, ganz aufs neue und auf erst- und einmaliges Geratewohl ins Leben tritt. Jeder ihrer Erscheinungsfälle ist ein höchst spezieller und persönlich ganz besonders bestimmter Sonderfall, welchen der großen und allgemeinen Idee der Kunst zu subsumieren demjenigen, der ihn vorstellt, sehr schwer gemacht ist, – ja, es kommt ihm vorderhand gar nicht in den Sinn, das zu tun. Als Illustration will ich Ihnen eine kleine Geschichte erzählen.

Im Winter 1929, in Stockholm, saß ich bei einem Lunch im Hause des Verlegers Bonnier neben Selma Lagerlöf, der großen Erzählerin, Trägerin des Nobel-Preises für Literatur und Mitglied der

Schwedischen Akademie. Eine schlichte Frau, ein wenig ernst gestimmt durch ihre Arbeit, aber freundlichen Wesens und ohne jedes physiognomische Stigma des Genies, ohne Großartigkeit des Profils und irgendwelchen Anspruch der Allüre. Wir kamen auf ihr populärstes Werk, die weltberühmte Gösta Berling-Saga zu sprechen und auf seine erstaunliche Laufbahn durch alle Sprachen und über alle Grenzen hin. »Mein Gott, ja«, sagte sie. »Das ist so gekommen, aber Sie müssen nicht glauben, daß ich mir viel dabei gedacht habe, als ich es machte. Ich schrieb es für meine kleinen Nichten und Neffen. Es war eine Unterhaltung wie eine andere. Wir dachten, es wäre etwas zum Lachen.« – Ich war entzückt von dieser Äußerung, denn genau so war es mir – und ich sagte es meiner Nachbarin – mit dem Buch gegangen, das in meinem Schriftstellerleben ungefähr dieselbe Rolle spielte, wie die Gösta Berling-Saga in ihrem: den ›Buddenbrooks‹. Auch sie waren ursprünglich eine Familienangelegenheit und -unterhaltung gewesen, die beinahe juxhafte Schreiberei eines etwas irregulären Zwanzigjährigen, die ich den Meinen vorlas und über die wir Tränen lachten. Daß die Welt etwas damit werde anzufangen wissen, daß dieser Roman – oder was es nun war – kurz gesagt zum Anlaß werden würde, daß ich nun hier in Stockholm zur Seite der Verfasserin von ›Gösta Berling‹ saß, – solche Möglichkeiten hatte damals beim Lachen niemand von uns in Betracht gezogen.

Ich erzählte es Selma Lagerlöf im Austausch, und ich erzähle Ihnen diese beiden Fälle als Beispiele dafür, daß die berühmte Kunst sich in ihren individuellen Erscheinungen keineswegs wiedererkennt, sondern sich mehr oder weniger für einen neuerfundenen, privaten und absonderlichen Spaß hält, der zu jener hochangesehenen Menschheitssache in keinerlei Beziehung zu bringen und für den die Anteilnahme und Hochachtung der Welt in keiner Weise zu erwarten ist. Der Urheber solcher Späße hat unbedingt nicht das Gefühl, einer besonders achtenswerten Beschäftigung obzuliegen. Nach seiner Auffassung – mit der er ja auch noch längere Zeit nicht allein stehen wird – treibt er Allotria, mit denen er dem Ernst des Lebens auf recht abseitige und unerlaubte Weise ein Schnippchen schlägt, und sein Gewissen als Mitglied der menschlichen Gesellschaft, deren Ansprüche bei so unseriösen Neigungen zu kurz zu kommen pflegen, ist denn auch nicht das beste. Ich beschreibe da die Boheme-Stimmung des Künstlers, denn Boheme, psychologisch gesehen, ist ja nichts anderes als soziale Unordentlichkeit, das in Leichtsinn, Humor und Selbstironie aufgelöste schlechte Gewissen im Verhältnis zur bürgerlichen Gesellschaft und ihren Anforderungen.

Der Boheme-Zustand des Künstlers, den er gänzlich niemals verläßt, wäre jedoch nicht vollständig bestimmt, wenn man ihm nicht einen Einschlag von geistigem *und selbst moralischem* Überlegenheitsgefühl über die zürnende bürgerliche Gesellschaft zuspräche, der ihn zu einem Übergangszustand macht zwischen der ersten, individuell spielenden Unbewußtheit der Kunst und dem Gewahrwerden ihrer überpersönlichen Würde, an welcher das Individuum teilzunehmen sich getraut, so daß denn die Boheme-Ironie mindestens doppelseitigen Charakter gewinnt und sowohl Selbstironie wie auch Ironie gegen die bürgerliche Gesellschaft ist. Die erstere aber überwiegt, wird vielleicht lange, vielleicht für immer überwiegen und zwar aus guten Gründen.
Es ist in dem Künstler, der dank unwillkürlicher Leistungen persönlich teilzunehmen beginnt an der überpersönlichen Würde der Kunst, eine instinktive und spöttische Abwehr gegen das, was Erfolg heißt, gegen die weltlichen Ehren und Vorteile des Erfolges, – eine Abwehr aus Anhänglichkeit an den noch ganz individuellen, ganz nutzlosen und frei-spielerischen Früh-Zustand der Kunst, da Kunst noch nicht wußte, daß sie ›Kunst‹ sei und über sich selber lachte. Im Grunde möchte der Künstler sie dabei festhalten, sie sollte, findet er, nie aufhören, über sich selbst zu lachen, und er selbst jedenfalls möchte das immer tun, statt mit feierlichem Gesicht Ehren und Würden entgegenzunehmen, in Untreue gegen seine wilde, einsame Jugend. Er hegt eine tiefe Scheu vor der Verwürdigung seines Daseins, – eine schamhafte Scheu, denn zuerst und vor allem ist sie die Scham des Künstlers vor der Kunst.
Die ist nur zu verständlich. Es ist sehr zweierlei: der Künstler und die Kunst. Ein großer Unterschied ist zwischen ihr und dem wunderlich-einmalig-unzulänglichen und fast unkenntlichen Erscheinungsfall ihres Wesens, den man selber darstellt, und ich möchte den Künstler sehen, der das plötzliche Erröten nicht kennt vor dem Meisterhaften neben und vor ihm: es rührt eben daher, daß jede Kunstübung eine neue und ihrerseits schon sehr kunstvolle Anpassung des persönlich und individuell Bedingten an die Kunst überhaupt bedeutet und der einzelne, selbst nach anerkannten, geglückten Leistungen, beim Vergleich mit fremder Meisterschaft sich fragen kann: »Wie ist es möglich, mein persönliches Arrangement mit jenen Dingen überhaupt in einem Atem zu nennen?« – »Wie ist es möglich?« Das ist die Frage nüchterner Bescheidenheit des Künstlers vor der Kunst. Und wie sollte sie aussetzen, diese natürliche Bescheidenheit, wenn es nicht sein

eigenstes Gebiet, die Kunst, sondern die Wirklichkeit, das menschliche Zusammenleben, die bürgerliche Gesellschaft gilt? Es ist notwendig, die eigentümliche Verbundenheit von Kunst und *Kritik* hier mit zwei Worten zu streifen. Man beobachtet, daß sehr viele Künstler zugleich Kunst*richter*, Kunstkritiker sind, – sich dazu aufwerfen, möchte man fast sagen, angesichts des Widerspruchs, der darin zu liegen scheint, daß jemand, der sich selbst klein fühlt vor der Kunst, dennoch keinen Anstand nimmt, sich als ihr urteilender Sachwalter zu gebärden. Tatsächlich aber ist aller Kunst ein kritisches Element eingeboren, – unentbehrlich jeder disziplinierten Produktivität und zunächst also eine Sache der Selbstzucht, aber sehr oft doch auch geneigt, sich nach außen zu wenden und kritisch zu ästhetisieren, ästhetisierend zu untersuchen und zu werten. Merkwürdigerweise findet man in der Sphäre des Dichterischen, der literarischen Kunst, diese Neigung am häufigsten und am stärksten ausgebildet bei ihrer scheinbar zartesten und scheuesten Seinsform, der *Lyrik*. Auffallend viel stärker als Drama und erzählende Kunst ist die Lyrik der Kritik verbunden, und das mag mit ihrer Subjektivität, mit der Undistanziertheit ihrer Aussage, der Direktheit zusammenhängen, mit der im lyrischen Gedicht das Wort für das Gefühl, die Stimmung, die Lebensschau eingesetzt wird.
Das Wort! Ist es denn nicht Kritik in sich selbst, – vom Bogen des Apoll ein Pfeil, der schwirrt und *trifft* und bebend im Schwarzen sitzt? Noch als Gesang, ja gerade als Gesang, ist es Kritik, – Kritik des Lebens, und als solche der Welt nie recht bequem. Man wird es verstehen, wenn ich, dem Verhältnis des Künstlers zur Gesellschaft nachhängend, in erster Linie an den Künstler des Wortes, den Künstler in Gestalt des Dichters, des Schriftstellers denke, – und da ist denn festzustellen, daß von der Existenz des dichtenden Künstlers, eben weil er dem Worte verschworen ist, eine gewisse Oppositionsstellung gegen Wirklichkeit, Leben, Gesellschaft untrennbar ist. Es ist die Stellung des geistigen Menschen gegen ein obstinates, dumm-schlechtes Menschenwesen, die allezeit das Schicksal des Dichter-Schriftstellers ausgemacht, seine Lebensstimmung weitgehendst bestimmt hat. »Von der Vernunfthöhe herunter«, heißt es einmal bei Goethe, »sieht das ganze Leben wie eine böse Krankheit und die Welt einem Tollhaus gleich.« Das ist ein rechtes Schriftstellerwort, ein Wort leidender Ungeduld mit der Menschenwelt, sehr typisch für die spezifische Reizbarkeit und Vereinsamungsneigung, die ich hier meine. Welche Prinzipien sind es denn, die die Existenz des Dichters, des Schriftstellers definieren, es sind Erkenntnis und Form – beide zugleich und auf

einmal. Das Besondere ist, daß dieses beides für ihn eine organische Einheit bildet, worin eines das andere bedingt, fordert, hervorbringt. Diese Einheit ist ihm Geist, Schönheit, Freiheit – alles. Wo sie fehlt, da ist Dummheit, die alltägliche Menschendummheit, die sich zugleich als Form- und als Erkenntnislosigkeit äußert, – und er weiß nicht, was ihm mehr auf die Nerven geht, das eine oder das andere.

Hier also, wenn irgendwo, liegt der Grund für das geistige und – wie ich sagte – selbst moralische Überlegenheitsgefühl über die bürgerliche Gesellschaft, das der Künstler bei aller Selbstironie früh entwickelt. Daß es über das Ästhetische hinaus sogar moralische Qualität für sich in Anspruch nimmt, mag am alleranstößigsten und unbescheidensten wirken. Und doch ist es wahr, daß dem eingeborenen Kritizismus der Kunst etwas Moralisches anhaftet, das sich offenbar von der in der Welt des Ästhetischen und des Sittlichen gleicherweise beheimateten Idee des ›Guten‹ herleitet. Der dankbare Laie und Genießer des Kunstwerks braucht zu dessen Lob und Preis das Wort ›schön‹. Aber der Künstler, der Mann vom Bau, sagt gar nicht ›schön‹, er sagt ›gut‹. Er bevorzugt dies Wort, weil das fachlich Lobenswerte, das technisch Gekonnte sich besser und nüchterner darin ausdrückt. Aber damit hat es nicht sein Bewenden. Tatsächlich schwebt alle Kunst in der Doppeldeutigkeit dieses Wortes ›gut‹, in dem das Ästhetische und Moralische sich treffen, vermischen, ununterscheidbar werden, dessen Sinn übers bloß Ästhetische hinausreicht ins überhaupt Zustimmungswürdige und hinauf bis zur höchsten, gebietenden Idee der Vollendung.

Gut und böse – gut und schlecht: Nietzsche hat viel psychologischen Federlesens gemacht von diesem Gegensatzpaar, aber es fragt sich, ob schlecht und böse wirklich so verschiedene Dinge sind, wie er wahrhaben wollte. In der ästhetischen Welt, das ist wahr, braucht das Böse, das höhnisch Menschenfeindliche und Grausame nicht das Schlechte zu sein. Es habe nur Qualität, so ist es ›gut‹. In der Welt des Lebens und der menschlichen Gesellschaft aber ist das Schlechte, Dumme und Falsche auch das Böse, nämlich das Menschenunwürdige und Verderbliche, und sobald der Kritizismus der Kunst sich nach außen wendet, sobald er gesellschaftlich wird, wird er moralisch, wird der Künstler zum sozialen Moralisten.

Wir kennen ihn längst in dieser Eigenschaft. Die heute vorherrschende Gattung und Form der literarischen Kunst ist der Roman, und beinahe von Natur, beinahe eo ipso ist er Gesellschaftsroman, Gesellschaftskritik. Er war und ist es überall, wo er zur Blüte gelangt, in England, Frankreich, Rußland, auch in Italien, auch in den skandinavischen Ländern. Mit Deutschland – das ist etwas anderes. Was der Deutsche seine ›Innerlichkeit‹ nennt, macht ihn dem Gesellschaftlichen abhold, und neben den europäischen Gesellschaftsroman hat Deutschland, wie man weiß, das introspektive Genre des Bildungs- und Entwicklungsromans gestellt. Bis zu welchem Grade aber auch dieser, als Sublimierung des naiven Abenteuerromans, Gesellschaftsschilderung ist, lehrt am besten sein klassisches Beispiel, Goethe's ›Wilhelm Meister‹; wie leicht und unversehens sich die Idee persönlich-abenteuernder Selbstausbildung ins Erzieherische wandelt und gleichsam wider Willen ins Soziale, ja Politische mündet, zeigt gerade dieses große Werk. Goethe hatte keine Lust an der Politik und wollte es dem Künstler als Überheblichkeit anrechnen, an sozialen Institutionen Kritik zu üben. Wo er es einmal getan hatte, wie in der wilden, niemals in Verse gegossenen Prosa-Szene des ›Faust‹, worin er die Grausamkeit der Gesellschaft gegen das gefallene Mädchen in zum Himmel schreiender Verzweiflung geißelt, da unterdrückte er es gern. Aber ihm gesellschaftlichen Instinkt, soziale Anteilnahme, ja das tiefste Wissen um gesellschaftliche Schicksale abzusprechen, – ihm, der in den ›Wanderjahren‹ mit einem Scharf- und Weitblick, der seherisch anmutet, die ganze gesellschaftlich-ökonomische Entwicklung des neunzehnten Jahrhunderts: die Industrialisierung der alten Kultur- und Agrarländer, die Herrschaft der Maschine, den Aufstieg der organisierten Arbeiterschaft, die Klassenkonflikte, die Demokratie, den Sozialismus, den Amerikanismus selbst, nebst sämtlichen aus diesen Veränderungen erwachsenden geistigen und erzieherischen Konsequenzen vorweggenommen hat, – ist nicht gut möglich. Und was die Politik betrifft...

Was die Politik betrifft, so war auch er, wie sehr er auch den Künstler vor ihr warnte, ganz außerstande, das Unlösliche zu lösen und die Verbindung aufzuheben, die zwischen Kunst und Politik, Geist und Politik unweigerlich besteht. Hier wirkt einfach die Totalität des Menschlichen, die sich auf keine Weise verleugnen läßt. Goethe's Streitbarkeit gegen die Romantik, gegen Vaterländerei, katholisierende Launen, Kult des Mittelalters, poetische Tartüfferie und raffinierten Obskurantismus aller Art, – was war sie anderes als Politik, – ästhetisch-literarisch verkleidet wohl, aber im Grunde doch Politik pur sang, – schon weil der Gegenstand seiner Abneigung, der Romantizismus, selbst Politik war, nämlich Gegenrevolution? Man suche sich herauszuwinden, indem man von Kulturpolitik, Geistespolitik spricht, in vorgeblichem Gegensatz zur ›eigentlichen‹, zur Politik im ›engeren‹ Sinn. Man wird dadurch nur die Unteilbarkeit des Problems der Humanität bestätigen, das nie und nirgends einen ›engeren Sinn‹ hat, sondern alle Sphären in sich schließt. Das Ästhetische, das Moralische, das Politisch-Gesellschaftliche sind eines in ihm.

Und nun werden wir gerade durch diese Einheit einer bestürzenden Un-Einheit gewahr: der Uneinheitlichkeit und Widersprüchlichkeit des Geistes und seines Verhaltens zum Problem der Humanität. Denn der Geist ist vielspältig, und *jedes* Verhalten zur Frage des Menschen ist ihm möglich, auch das der Inhumanität und Antihumanität. Der Geist ist nicht monolithisch, er bildet keine geschlossene Macht, gewillt, Welt, Leben, Gesellschaft nach ihrem Bilde zu formen. Man hat wohl die Solidarität aller Geistigen zu proklamieren versucht, – ein ganz unmögliches Unternehmen. Es gibt keine tiefere Fremdheit, keine verachtungs- und haßvollere wechselseitige Ablehnung, als die zwischen den Darstellern der verschiedenen Geistesformen und geistigen Willensmeinungen. Die Vorstellung hat etwas Unwillkürliches, daß der Geist seiner Natur nach – um mich des politisch-gesellschaftlichen Terminus zu bedienen – ›links‹ stehe, daß er also den Ideen der Freiheit, des Fortschritts, der Humanität wesentlich verbunden bleibt. Das ist ein oft widerlegtes Vorurteil. Er kann ebensowohl ›rechts‹ stehen – und zwar in größter Brillanz. Von dem genialen Reaktionär Joseph de Maistre, dem Verfasser des Buches ›Du Pape‹, hat Sainte-Beuve gesagt, er habe »vom Schriftsteller nur das Talent« gehabt, – ein sehr hübscher Satz, worin jene vorgefaßte Meinung, Literatur und Fortschrittlichkeit seien identisch, sich zugleich mit dem Zugeständnis ausspricht, daß man mit dem größten Talent, mit dem erdenklichsten Witz und Glanz den Lobredner der Inhumanität, des Henkers, des Scheiterhaufens, der Inquisition, kurz dessen machen könne, was Fortschritt und Liberalismus das Reich der Finsternis nennen.

Setzen wir ein politisch-gesellschaftliches Ereignis wie die Französische Revolution als Kriterium: welche Unterschiede klaffen zwischen dem Verhalten eines Michelet zu diesem Phänomen und dem eines Taine, mit seiner nur zu treffenden Kritik des Jakobinertums, oder auch eines Edmund Burke, des Verfassers der ›Reflections on the Revolution in France‹, die von dem politischen Romantiker Friedrich von Gentz ins Deutsche übersetzt wurden und ungeheueren Einfluß übten – so weithin in der Zeit, daß ich selbst noch in einer konservativ-nationalistischen und antidemokratischen Stimmungsperiode meines Lebens, zur Zeit des ersten Weltkrieges, mit Begeisterung daraus zitiert habe. Tatsächlich ist es ein Buch ersten Ranges, und wenn es ein Beweis für die Güte einer Sache ist, daß in ihrem Namen gut geschrieben wird, so war Burke's Sache sehr gut.

Vergessen wir auch nicht, daß die Gesellschaftskritik eines solchen epischen Schöpfers wie Balzac ganz vorwiegend von ›rechts‹ her geübt wurde, – wie denn ja ein Produkt der bürgerlich-kapitalistischen Gesellschaft wie der Baron de Nucingen ebenso von rechts wie ganz links kritisiert werden kann. In unseren eigenen Tagen haben wir einen faszinierenden Fall konservativer, oder wenn man will, reaktionärer Gesellschaftskritik, bei verfeinertster künstlerischer Fortgeschrittenheit, in dem jüngst verstorbenen Knut Hamsun, – einem von Dostojewski und Nietzsche gebildeten Apostaten des Liberalismus, voller Haß auf die Zivilisation, das städtische Leben, Industrialismus, Intellektualismus und all das, vor allen Dingen leidenschaftlich anti-englisch und so deutschfreundlich, daß er sich, als Hitler kam, dem Nationalsozialismus in aktiver Begeisterung verschrieb und zum Landesverräter wurde. Niemand, der sein Werk – das Werk eines großen Dichters – wirklich kannte, durfte überrascht sein von diesem geistigen Wege und persönlichen Schicksal. Man brauchte sich nur zu erinnern, wie amüsant, mit wie bissigem Witz er schon in seinen frühesten Büchern historische Typen des Liberalismus, Victor Hugo etwa und Gladstone, verhöhnt hatte. Was aber 1895 eine interessante ästhetische Haltung, Paradoxie und Schöne Literatur gewesen war, das wurde 1933 akute Politik und verdunkelte schwer und schmerzlich einen dichterischen Weltruhm.

Verwandt der Erscheinung Hamsuns ist diejenige Ezra Pounds, – ein anderes erregendes Beispiel für die tiefe Gespaltenheit des Geistes im Verhältnis zum gesellschaftlichen Problem. Ein kühner Künstler und lyrischer Avantgardist, warf er auch sich dem Faschismus in die Arme, propagierte ihn während des zweiten Weltkrieges als politischer Aktivist und verlor sein Spiel durch den militärischen Sieg der Demokratie. Dem Verurteilten, als Verräter Eingesperrten verlieh eine Jury distinguierter angloamerikanischer Schriftsteller eine sehr angesehene literarische Auszeichnung, den Bollinger-Preis – und bekundete damit einen hohen Grad von Unabhängigkeit des ästhetischen Urteils von der Politik. Oder war die Politik diesem Urteil doch nicht so fern, wie es schien? Gewiß bin ich nicht der einzige, der wohl wissen möchte, ob die distinguierte Jury Ezra Pound auch dann den Bollinger-Preis zugesprochen hätte, wenn er zufällig nicht Faschist, sondern Kommunist gewesen wäre.

Schon eine Bemerkung wie diese genügt heute zweifellos, um den,

der sie macht, in den Verdacht des Kommunismus zu bringen. Mit diesem Verdacht geschähe mir Unrecht – oder, wenn man will, zu viel Ehre. Den Kommunisten abzugeben, bin ich sehr schlecht ausgestattet, – meine Schriften sind ja voll von allen vom Kommunismus perhorreszierten Lastern, wie Formalismus, Psychologismus, dekadente Neigungen und was man will, den Humor und eine gewisse Schwäche für die Wahrheit nicht zu vergessen, – denn Liebe zur Wahrheit ist Schwäche in den Augen unbedingter Parteilichkeit. Und doch gilt es hier zu unterscheiden. Der Kommunismus ist eine Idee, deren Wurzeln tiefer reichen als Marxismus und Stalinismus und deren reine Verwirklichung sich der Menschheit immer wieder als Forderung und Aufgabe stellen wird. Der Faschismus aber ist überhaupt keine Idee, sondern eine Schlechtigkeit, der hoffentlich kein Volk, klein oder groß, sich je wieder ergeben wird. Er war es, der mich durch seine Siege und seine nicht recht erwünschte Niederlage mehr und mehr auf die linke Seite der Gesellschaftsphilosophie getrieben und mich tatsächlich zeitweise zu einer Art von Wanderredner der Demokratie gemacht hat, – eine Rolle, für deren Komik ich, selbst zur Zeit meines leidenschaftlichsten Verlangens nach Hitlers Untergang, nie ohne Blick war.
Unleugbar hat ja das politische Moralisieren eines Künstlers etwas Komisches, und die Propagierung humanitärer Ideale bringt ihn fast unwiderruflich in die Nähe – und nicht nur in die Nähe – der Platitüde. Das habe ich erfahren, und wenn ich vorhin gesellschaftlich reaktionäre Neigungen eines Schriftstellers als ein Paradoxon hinstellte, gewissermaßen als einen Widerspruch zwischen seinem Beruf und seiner Art, ihn auszuüben, – so war ich mir wohl bewußt, daß diese Paradoxie und dieser Widerspruch hohen geistigen Reiz besitzen können, daß sie geistig dankbarer sind und einen unvergleichlich besseren Schutz vor dem Banalen bilden als die politische Gutmütigkeit. Es ist sehr die Frage, vielmehr es ist kaum die Frage, wer der geistig interessantere politische Schriftsteller war, Joseph de Maistre oder Victor Hugo. Aber wenn das keine Frage ist, so tritt dafür die andere ein, ob es in politischen Dingen, im Umgang mit menschlicher Bedürftigkeit, so sehr auf Interessantheit ankommt und nicht vielmehr auf Güte.
»Almost too good to be true« hat ein englischer Kritiker, Philip Toynbee, die politische Haltung genannt, die ich seit dreißig Jahren einnehme. Er tat es in einem ›Observer‹-Artikel, ›The Isolated World Citizen‹, – bloßen siebenhundert Worten, die das Richtigste sind, was in England – und vielleicht irgendwo – über meine Existenz gesagt worden ist. Der junge Toynbee hat recht: es

steht leise fragwürdig um diese Haltung, um alles, was Optimismus, Demokratismus, Menschheitsgläubigkeit an ihr ist – und sogar um meine ›World Citizenship‹. Denn meine Bücher sind verzweifelt deutsch, und was je an Einmischung in gesellschaftlich-politische Fragen darin vorkam, war nicht nur natürlicher Bescheidenheit abzugewinnen, sondern auch dem Pessimismus eines durch Schopenhauers Schule gegangenen Geistes, der zur generös-humanitären Gestik im Grunde wenig geschickt ist. Geradeheraus: ich habe nicht viel Glauben, glaube aber auch nicht sehr an den Glauben, sondern weit mehr an die Güte, die ohne Glauben bestehen und geradezu das Produkt des Zweifels sein kann.

Lessing sagte von seinem Drama ›Nathan der Weise‹: »Es wird nichts weniger als ein satirisches Stück, um den Kampfplatz mit Hohngelächter zu verlassen. Es wird ein so rührendes Stück als ich nur immer gemacht habe.« Statt »satirisch« hätte er »nihilistisch« gesagt, wenn das Wort schon zur Hand gewesen wäre, und statt »rührend« hätte er »gütig« sagen können, um Verwahrung gegen die Auffassung einzulegen, weil er ein Zweifler sei, sei er ein schnöder Nihilist. Die Kunst, so bittere Anklage sie sei, so tief ihre Klage um die Verderbnis der Schöpfung, so weit sie gehe in der Ironisierung der Wirklichkeit und sogar ihrer selbst, – es liegt nicht in ihrer Art, »den Kampfplatz mit Hohngelächter zu verlassen«. Sie streckt nicht dem Leben, zu dessen geistiger Belebung sie geschaffen ist, die kalte Teufelsfaust entgegen. Sie ist dem Guten verbunden, und auf ihrem Grunde ist Güte, der Weisheit verwandt, noch näher der Liebe. Bringt sie gern die Menschen zum Lachen, so ist es kein Hohngelächter, das sie bringt, sondern eine Heiterkeit, in der Haß und Dummheit sich lösen, die befreit und vereinigt. Aus Einsamkeit immer aufs neue geboren, ist ihre Wirkung vereinigend. Sie ist die letzte, sich Illusionen zu machen über ihren Einfluß aufs Menschengeschick. Verächterin des Schlechten, hat sie nie den Sieg des Bösen aufzuhalten vermocht; auf Sinngebung bedacht, nie den blutigsten Unsinn verhindert. Sie ist keine Macht, sie ist nur ein Trost. Und doch – ein Spiel tiefsten Ernstes, Paradigma allen Strebens nach Vollendung, ist sie der Menschheit zur Begleiterin gegeben von Anfang an, und diese wird von ihrer Unschuld nie ganz das schuldgetrübte Auge wenden können.

[1952]

Editionshinweise mit Sekundärliteratur

Neben dem detaillierten Nachweis der historischen und biographischen Hintergründe der einzelnen Texte legen die Erläuterungen einen besonderen Akzent auf die genaue Ermittlung von Thomas Manns Quellen und Vorlagen. Vor allem waren die Originalfundorte der vielen Zitate zu ermitteln. Dadurch erst profilieren sich seine Reden und Schriften als Teile eines vielfältig gestuften Traditions- und Argumentationszusammenhangs und verlieren den auf den ersten Blick etwas hohlen Charakter manifestartiger Statements. Namen und Quellen zu verschweigen gehörte geradezu zu den Prinzipien der politischen Rhetorik Thomas Manns. Mochte das seinen Grund in einer Art von Vornehmheit haben, die nicht Personen diffamieren, sondern geistige Positionen erörtern wollte, oder einfach in einer nachlässigen Arbeitsweise, die sich gern der Überprüfung entzieht –, auf jeden Fall macht erst die Aufdeckung dieser Hintergründe die Feinziselierung dieser Texte deutlich, den Verlauf der Parteigrenzen, die kleinen Ironien, Bosheiten und Liebenswürdigkeiten, das persönliche Moment, das dem politischen Grobraster den Reiz der Nuance hinzufügt.

Es waren allerdings nicht alle Zitate auffindbar. Zur Schließung der Lücken bedarf es der Mitarbeit des Lesers, der mich für jede Nachricht dankbar finden wird. Manche beziehen sich nur auf offenbar aus dem Kopf zitierte Bonmots und geflügelte Worte, bei denen die Kenntnis der Originalquellen kaum Verständnishilfen für Thomas Manns Text erwarten läßt. Andere beziehen sich auf Zitate, die der Dichter offensichtlich der Tagespresse entnahm. Hier wird in der Regel ebenfalls, zumindest im Verhältnis zu der äußerst aufwendigen Sucharbeit, der analytische Ertrag gering sein. Bei wieder anderen sind Manns Hinweise so spärlich, daß nur der Zufall zur Ermittlung der Quelle führen kann.

Zur Herstellung der Erläuterungen wurden hauptsächlich folgende Werke benützt:

Hans Bürgin/Hans-Otto Mayer: *Thomas Mann. Eine Chronik seines Lebens.* Frankfurt 1965, ²1974.

Hans Bürgin: *Das Werk Thomas Manns. Eine Bibliographie.* Frankfurt 1959.

Klaus W. Jonas: *Die Thomas-Mann-Literatur.* Band I: *Bibliographie der Kritik 1896–1955.* Berlin 1972.

Harry Matter: *Die Literatur über Thomas Mann. Eine Bibliographie 1896–1969.* Berlin/Weimar 1972.

Erika Mann (Hrsg.): *Thomas Mann: Briefe I–III,* Frankfurt 1961–65.

Hans Wysling: *Thomas Mann – Heinrich Mann: Briefwechsel 1900–1949.* Frankfurt 1968, ²1975.

Herbert Wegener (Hrsg.): *Thomas Mann. Briefe an Paul Amann 1915–1952.* Lübeck 1959.

Inge Jens (Hrsg.): *Thomas Mann an Ernst Bertram.* Pfullingen 1960.
Peter de Mendelssohn (Hrsg.): *Thomas Mann. Briefwechsel mit seinem Verleger Gottfried Bermann Fischer 1932–1955.* Frankfurt 1973, [2]1975.
Hans Wysling/Marianne Fischer (Hrsg.): *Dichter über ihre Dichtungen: Thomas Mann.* Zürich/Frankfurt 1975 (Teil I).
Klaus Schröter (Hrsg.): *Thomas Mann im Urteil seiner Zeit. Dokumente 1891–1955.* Hamburg 1969.
Paul E. Hübinger: *Thomas Mann, die Universität Bonn und die Zeitgeschichte. Drei Kapitel deutscher Vergangenheit aus dem Leben des Dichters 1905–1955.* München/Wien 1974.
Kurt Sontheimer: *Thomas Mann und die Deutschen.* München 1961 u. ö.
Peter de Mendelssohn: *Der Zauberer. Das Leben des deutschen Schriftstellers Thomas Mann. Erster Teil: 1875–1918.* Frankfurt 1975.
Winfried Hellmann: *Das Geschichtsdenken des frühen Thomas Mann (1906–1918).* Tübingen 1972.
Herbert Lehnert: *Bert Brecht und Thomas Mann im Streit über Deutschland.* In: John M. Spalek/Joseph P. Strelka (Hrsg.): *Deutsche Exilliteratur seit 1933. Kalifornien.* Bern/München 1976, Band I, S. 62–88.
Hermann Kurzke: *Thomas-Mann-Forschung 1969–1976. Ein kritischer Bericht.* Frankfurt 1977.

Diese Bücher sind jeweils nur mit Verfasser- bzw. Herausgebernamen oder Kurztitel zitiert.
Im übrigen wird Nietzsche in der Regel nach der von Karl Schlechta besorgten Ausgabe zitiert *(Werke,* 3 Bände, München [6]1969), Ausnahmen sind angegeben.
Goethe wird stets nach der Artemis-Ausgabe nachgewiesen *(Gedenkausgabe der Werke, Briefe und Gespräche,* hrsg. v. E. Beutler, Zürich/Stuttgart 1953 u. ö.).
Thomas Mann wird zitiert nach *Gesammelte Werke in 13 Bänden.* Frankfurt 1974, S. Fischer Verlag.
Weitere Ermittlungen werden die geplante Edition der Tagebücher Thomas Manns, die Regestausgabe des Briefwerks (Bürgin/Mayer: *Die Briefe Thomas Manns. Regesten und Register.* Frankfurt 1977–1978), der zweite Band der Bibliographie von Jonas (Berlin 1977) und die Fortsetzung der Mendelssohnschen Biographie (2. Band voraussichtlich 1978) möglich machen.

In eckige Klammern gesetzte Textüberschriften und Jahreszahlen stammen nicht von Thomas Mann.

Für freundliche Hilfestellung bei einigen Ermittlungen danke ich Frau Marianne Fischer vom Thomas Mann Archiv in Zürich und Herrn Wolfgang Herwig von der Arbeitsstelle des Goethe-Wörterbuchs in Tübingen.

Texterläuterungen

GEDANKEN IM KRIEGE

Entstehung: August – September 1914. Erstdruck: *Die neue Rundschau* 25, 1914, Band 2, S. 1471–1484.
GW XIII, 527–545.

Thomas Mann, der sich in politischen Fragen bis dahin nie öffentlich zu Wort gemeldet hatte, schlug sich, für Freunde und Feinde gleich überraschend, 1914 spontan auf die Seite der nationalkonservativen Apologeten des Krieges. Seine *Gedanken im Kriege* trugen zu jener geistigen Mobilmachung bei, die die imperialistischen Kriegsziele zum Kampf nationaler Mythologien und geistiger Prinzipien verklärte (z. B. »Kultur« gegen »Zivilisation«). Seine kriegsbegeisterten Mitstreiter waren Oskar Bie, Moritz Heimann, Richard Dehmel, Gerhart Hauptmann, Hermann Stehr, Friedrich Meinecke (alle mit einschlägigen Beiträgen in der *Neuen Rundschau* von 1914 vertreten), Max Scheler (*Krieg und Aufbau,* 1915), R. M. Rilke (*Fünf Gesänge,* 1914), Werner Sombart (*Händler und Helden,* 1914), H. St. Chamberlain (*Kriegsaufsätze,* 1915) und viele andere. Die pazifistischen und demokratischen Schriftsteller waren zunächst eine kleine Minderheit: Heinrich Mann (die *Gedanken im Kriege* führten zur Trennung der Brüder von 1914–1922), Wilhelm Herzog (Herausgeber der Zeitschrift *Das Forum,* in deren Dezemberheft 1914 eine Kritik der *Gedanken im Kriege* erscheint, Teilabdruck bei Schröter S. 67–69), Kurt Hiller (Herausgeber der *Ziel*-Jahrbücher), René Schickele (Herausgeber der *Weißen Blätter*) und, mit größter internationaler Wirkung, Romain Rolland (*Au dessus de la mêlée,* 1915).

24 *Turgenjew:* russischer Erzähler (*Väter und Söhne,* 1862). Zitat nicht ermittelt.
24 *Helmholtz:* Hermann von Helmholtz, Physiker und Physiologe 1821–1894. Vgl. *Über Goethe's naturwissenschaftliche Arbeiten,* in: Helmholtz, *Populäre wissenschaftliche Vorträge,* Braunschweig 1865 u. ö.
24 *Erdbeben von Messina:* im Jahre 1783.
25 *»Ich fühle mich wie neu geboren«:* nicht ermittelt.
26 *einen radikalen Literaten:* nicht ermittelt.
26 *ein neuer Wille:* latentes Selbstzitat aus der Erzählung *Der Tod in Venedig* (»Die Wucht des Wortes, mit welcher hier das Verworfene verworfen wurde, verkündete die Abkehr von allem moralischen Zweifelsinn, von jeder Sympathie mit dem Abgrund«. – VIII, 455).
27 *»Da wir umringt sind«:* nicht ermittelt.
27 *Friedrich:* Angespielt wird auf den Siebenjährigen Krieg 1756–1763, als Preußen gegen Österreich, Rußland und Frankreich kämpfte.
27 *der russische Thronwechsel:* 1762 starb die Kaiserin Elisabeth von Rußland. Sie wurde von Zar Peter III. abgelöst, der sogleich mit Friedrich dem Großen Frieden schloß. Nach Peters Ermordung 1762 hielt seine Nachfolgerin Katharina II. den Frieden aufrecht.
28 *Voltaire,* 1694–1778, lebte von 1750–1752 am preußischen Hofe.

28 *über den Krieg:* Gemeint ist der Artikel »Krieg« in Voltaires *Questions sur l'encyclopédie* (1770–73), der Fortsetzung des *Dictionnaire philosophique*.

29 *»in diesem Kriege gilt«:* Anspielung auf Kleists Aufsatz *Was gilt es in diesem Kriege?* (1809).

30 *Asquith:* Herbert Henry Earl of Oxford and Asquith, britischer Liberaler, Premierminister 1908–1916.

31 *Caillaux-Sache:* Die Frau des französischen Finanzministers Joseph Caillaux erschoß 1914 den Direktor des *Figaro,* der Caillaux scharf attackiert hatte.

31 *Denn der Mensch verkümmert im Frieden:* Friedrich Schiller, *Die Braut von Messina* (Chor).

32 *ein Blatt, welches auf den Namen der Menschheit:* die kommunistische Zeitung *L'Humanité*.

33 *an der Aisne ums Letzte:* Nach Überschreitung der Aisne-Linie begann am 4. 9. 1914 die Marne-Schlacht, die mit der Zementierung der Frontlinie im Westen endete. Am 10. 9. 1914 müssen sich die deutschen Truppen von der Marne zur Aisne-Linie zurückziehen.

33 *Clemenceau:* Georges Clemenceau, französischer Staatsmann, national und republikanisch, 1914 nicht in der Regierung.

33 *Reims:* Dom und Stadt wurden von den deutschen Truppen im September 1914 weitgehend zerstört.

34 *Bernard Shaw:* Shaw hatte sich in der Tagespresse mehrfach über den Krieg geäußert. Entweder kennt Thomas Mann nur den isolierten Satz ohne Kontext, oder er entstellt bewußt Shaws Position, die nämlich keineswegs nur den Deutschen, sondern allen Nationen »Potsdam«, also den Militarismus abgewöhnen will. Shaw schreibt im November 1914, »that we just simply want to put an end to Potsdamnation, both at home and abroad« und befürchtet, England wolle nur seinen Militarismus an die Stelle des preußischen setzen (*Common Sense about the War,* London 1914, S. 10).

34 *Robert Dell:* liberaler Publizist. Zitate nicht ermittelt.

35 *Tannenberg:* Ende August 1914 wurde die russische Narew-Armee bei Tannenberg in Ostpreußen von der deutschen 8. Armee unter Hindenburg und Ludendorff vernichtend geschlagen.

35 *French:* John French of Ypres and of High Lake, Führer der britischen Truppen in Frankreich bis 1915.

35 *Ponsonby:* Arthur Ponsonby of Shulbrede, damals liberaler Abgeordneter im britischen Parlament.

36 *Bergson:* Henri Bergson, 1859–1941, französischer Philosoph.

36 *Maeterlinck:* Maurice Maeterlinck, 1862–1949, symbolistischer Dichter.

36 *Rolland:* Romain Rolland, 1866–1944, französischer Schriftsteller, führend in der pazifistischen Bewegung, antwortete mit dem Artikel *Les Idoles* auf die *Gedanken im Kriege* (in seinem berühmten Antikriegsbuch *Au dessus de la mêlée*).

36 *Richepin:* Jean Richepin, 1849–1926, französischer Dichter.

36 *Deschanel:* Paul Deschanel, republikanischer Abgeordneter, 1914 Kammerpräsident.

36 *Pichon:* Stephen Pichon, 1857–1933, französischer Politiker.

36 *Churchill:* Sir Winston Churchill, 1874–1965, damals Erster Lord der britischen Admiralität.

36 *cant:* englisch »Scheinheiligkeit«, hier offenbar im Sinne von Max Schelers Artikel *Zur Psychologie des englischen Ethos und des cant* als englische Nationaleigenschaft: »... *cant* ist die zu einem seelischen Habi-

tus gewordene Kunst, alle Vorteile einzuheimsen, die eine Verletzung sittlicher und moralischer Grundsätze zuweilen mit sich bringen kann, ohne doch dem peinigenden und die Tatkraft hemmenden Gefühle zu unterliegen, daß man diese Grundsätze verletzte« (*Der Genius des Krieges und der Deutsche Krieg*, Leipzig 1915, S. 388).

WELTFRIEDEN?

Erstdruck: Berliner Tageblatt 27. 12. 1917.
GW XIII, 560–563.

Der Artikel setzt sich, wie alle Kriegsschriften Thomas Manns, von der demokratisch-revolutionären Tradition (»Rousseau-Lehre«) ab und versucht, gegen die internationalistische Friedenskonzeption der Pazifisten eine betont nationale zu entwickeln, deren schlichte Menschlichkeit von der grotesken Barbarei moderner Großstadtzivilisation Abstand nehmen soll (eine Kritik des Expressionismus als Lebensstil). Von den Passagen über Bruderliebe fühlte sich Heinrich Mann angesprochen. Er versuchte eine briefliche Versöhnung, die jedoch von seinem Bruder zurückgewiesen wurde (*Thomas Mann – Heinrich Mann – Briefwechsel*, Briefe vom 30. 12. 17, 3. 1. 18 und 5. 1. 18, in der Edition von H. Wysling S. 110–118). Diese Briefe formulieren mit schmerzlich-bitterer Exaktheit die politischen und persönlichen Gründe des Bruderzwists.

38 *Scheidemann:* Philipp Scheidemann (1865–1939), damals Fraktionsführer der Sozialdemokraten im Reichstag.
38 *Rousseau-Lehre:* Rousseaus Meinung, der von der Gesellschaft nicht verbildete, unzivilisierte Mensch sei von Natur aus gut, hat die Französische Revolution inspiriert, indem sie die revolutionäre Abschaffung des Ancien Regime als Herstellung eines neuen Naturzustands zu verstehen erlaubte.
38 *Dostojewski und Schiller:* Dostojewski z. B. in *Die Brüder Karamasow*, Schiller z. B. in *Über die ästhetische Erziehung des Menschen in einer Reihe von Briefen.*
38 *Richard Dehmels Drama: Die Menschenfreunde* (1917). Das Zitat findet sich im dritten Akt. Statt »Menschlichkeit« steht bei Dehmel »Menschheit« (*Die Menschenfreunde*, Berlin 1917, S. 77).
39 *Ich liebe Gott:* 1 Jo 4,20 (also nicht Johannesevangelium, sondern erster Johannesbrief).
39 *Goethe:* am 25. 10. 1823 zu Eckermann über Raupachs *Erdennacht*, Werke 24,57.
39 *Anthropophagenplastik:* Menschenfresserplastik, wohl Anspielung auf afrikanische Kulturimporte.
40 *Heimatskünstler:* Anspielung auf die Heimatkunstbewegung, deren Autoren oft einem völkischen Nationalismus huldigten (z. B. Friedrich Lienhard oder Adolf Bartels).

IRONIE UND RADIKALISMUS

Erstdruck: Als letztes Kapitel in *Betrachtungen eines Unpolitischen* (1918).
GW XII, 568–589.

Thomas Manns *Betrachtungen eines Unpolitischen* sind trotz ihrer nicht allzu breiten Nachwirkung ein Hauptwerk des literarischen Konservatismus im 20. Jahrhundert, das gegen die unaufhaltsame Moderne, die es als Demokratisierung, Rationalisierung, Zivilisierung, Normierung, Vermassung, in einem Wort als Politisierung versteht, noch einmal das romantische Ideal einer auf die individuelle Vielfalt von Persönlichkeiten gebauten, gewachsenen (nicht gemachten), als Monarchie verfaßten unpolitischen Volksgemeinschaft beschwört. Das abgedruckte Kapitel enthält eine differenzierte Ortsbestimmung des Künstlers Thomas Mann, die im Begriff der Ironie eine Gemeinsamkeit zwischen Dichtung und konservativer Politik herstellt. Diese Ortsbestimmung profiliert sich aus einer verdeckten Debatte mit dem Aktivismus insbesondere Heinrich Manns (dessen Essay *Zola* für viele Passagen der *Betrachtungen* den Anstoß gab) und Kurt Hillers (*Philosophie des Ziels,* 1915). Hiller hatte Thomas Mann bereits nach einem Vorabdruck von Gedankengut der *Betrachtungen (Der Taugenichts, Neue Rundschau* 1916) scharf angegriffen und sein Ideal des Deutschen als des ironisch-unpolitischen Eichendorffschen Taugenichts als »Pogrom gegen den Geist« bezeichnet (*Taugenichts – Tätiger Geist – Thomas Mann,* Berlin 1917, Teilabdruck bei Schröter S. 72–74).

41 *»die Bejahung«:* Das Wort stammt aus dem Buch *Die Rolle der Erotik in der männlichen Gesellschaft* von Hans Blüher (Jena 1917, Band I, S. 226). Zu Blüher Siehe S. 349.
41 *den ich einmal bei einem Aktivisten las:* Der Satz stammt aus Kurt Hillers Aufsatz *Philosophie des Ziels:* »Das Paradies, sehr ernsthaft gesprochen, ist diejenige Lebensordnung, unter der die Menschheit Geist nicht mehr nötig hat. Sie zu verwirklichen – dazu ist ein ungeheurer Aufwand an Geist nötig.« (*Das Ziel. Aufrufe zu tätigem Geist,* München/Berlin [2]1916, S. 198).
41 *Die Wendung kannte ich:* Thomas Mann spielt auf sein eigenes dichterisches Werk an, z. B. auf die Liebe des Geistes zum Leben in *Tonio Kröger* oder *Der Tod in Venedig.*
42 *sie müsse zielstrebig sein:* Anspielung auf Hiller.
42 *sentimentalisch:* ein Begriff aus Schillers Abhandlung *Über naive und sentimentalische Dichtung,* der die reflektierende Distanz zu Natur und Leben im Gegensatz zur naiven Natureinheit beschreibt.
42 *von seiten einer skeptischen Psychologie:* Hinweis auf Nietzsche.
44 *Ein großer Neurologe:* Sigmund Freud, *Zeitgemäßes über Krieg und Tod* (1915): »(...) unser Gewissen ist nicht der unbeugsame Richter, für den die Ethiker es ausgeben, es ist in seinem Ursprung ›soziale Angst‹ und nichts anderes.« (Studienausgabe Band IX, Frankfurt 1974, S. 40). Ein bisher fast unbeachteter Beleg für Manns frühe Freud-Kenntnisse.
44 *Luthers einsame Nöte:* Luther war bis zum Thesenanschlag 1517 Augustinermönch.
45 *»zwei Seelen«:* Goethe, *Faust I,* Werke 5,177.
45 *»göttlich und sichtbar«:* nicht ermittelt.
45 *in einer Erzählung: Der Tod in Venedig* (1912).
45 *einen autobiographischen Abriß:* unter dem Titel *Im Spiegel* in *Literarisches Echo,* 15. 12. 1907, GW XI, 329–333.
46 *Kritik der neudeutschen Mittelschule: Buddenbrooks,* GW I, 700–746.
48 *Wahlrecht, womöglich das neue preußische:* Im April 1917 versprach Wilhelm II. für Preußen die Beseitigung des bis dahin gültigen Dreiklas-

senwahlrechts zugunsten der allgemeinen gleichen Wahl, sie wurde jedoch erst von der Novemberrevolution 1918 durchgesetzt.

48 *Gabriele d'Annunzio:* 1863–1938, italienischer Dichter und Politiker, im Ersten Weltkrieg leidenschaftlich zum Krieg gegen Deutschland aufrufend. Als Dichter von R. Wagner und vom Fin-de-siècle-Ästhetizismus abhängig.

48 *»Kennt er die Zeit«:* nicht ermittelt.

48 *»an alle Glocken«:* nicht ermittelt.

49 *»aus dem Himmel des Vaterlandes«:* nicht ermittelt.

50 *Bismarck und Dostojewski:* Diese Einschätzung Dostojewskis bezog Mann wahrscheinlich aus N.N. Strachows Einleitung zu Dostojewskis Sämtlichen Werken, 2. Abteilung, 12. Band (*Literarische Schriften,* hrsg. v. A. Moeller van den Bruck), München/Leipzig o.J., dort über Nihilismus S. 50–54).

50 *›Der Geistige handle‹:* Die Wendung stammt aus Heinrich Manns *Zola:* »Geist ist Tat, die für den Menschen geschieht; – und so sei der Politiker Geist, und der Geistige handle!« (*Essays,* Hamburg 1960, S. 212).

50 *»Der Handelnde«, sagt Goethe: Maximen und Reflexionen,* Werke 9,522.

51 *Die Lustspielszene:* vermutlich fiktiv.

52 *Kant:* Hinweis auf die Erkenntniskritik in der *Kritik der reinen Vernunft* und den Aufbau einer nicht mehr auf metaphysische Dogmen, sondern auf praktische Postulate gegründeten Pflichtethik in der *Kritik der praktischen Vernunft.*

52 *»der alte Lampe«:* Heine, *Zur Geschichte der Religion und Philosophie in Deutschland,* Sämtliche Werke (hrsg. von E. Elster) Leipzig/Wien o.J., Band 4, S. 259. Die gesamte Passage über Kant hat Mann im wesentlichen von Heine übernommen (vgl. V. Hansen, *Thomas Manns Heine-Rezeption,* Hamburg 1975, S. 182).

52 *Nietzsche und Ibsen:* bei Nietzsche passim, z. B. im *Willen zur Macht,* Ibsens Komödie: *Die Wildente.*

52 *Adam Müller:* 1779–1829, konservativer Staatsphilosoph. Hauptwerke *Die Lehre vom Gegensatze* (1804), *Elemente der Staatskunst* (1810), *Von der Notwendigkeit einer theologischen Grundlage der gesamten Staatswissenschaften* (1820). Zitate wörtlich nicht ermittelt. Die von Mann angeführten Problemfelder werden behandelt in den *Elementen der Staatskunst,* 1., 3., 6. und 7. Vorlesung.

53 *Friedrich von Gentz:* 1764–1832, konservativer Staatsmann und Publizist im Dienste Metternichs. Das Zitat, das man vielerorts aus Manns *Betrachtungen* nachzitiert findet, steht im Originalzusammenhang in einem Brief an Amalie von Helvig vom Oktober 1827, abgedruckt in Gustav Schlesier (Hrsg.): *Ungedruckte Denkschriften, Tagebücher und Briefe von Friedrich von Gentz,* Mannheim 1840, S. 319 und S. 322. (Die Pünktchen in der Zitatmitte markieren eine seitenlange Auslassung. Hervorhebungen von Th. Mann).

54 *Jacob Burckhardt:* 1818–1897, Kunst- und Kulturhistoriker (*Weltgeschichtliche Betrachtungen,* 1905). Burckhardt war in den Jahren vor dem Schweizer Sonderbundskrieg politischer Redakteur der konservativen *Basler Zeitung.*

54 *Strachow – Dostojewski:* N. Strachow, a.a.O. S. 36 und S. 24f.

56 *»Das Reich der Kunst«:* GW VIII, 303.

56 *Ich schließe diese Aufzeichnungen:* Am 3. 12. 1917 begannen in Brest-Litowsk die Waffenstillstandsverhandlungen mit Rußland. Bis März 1918 schrieb Thomas Mann danach noch die *Vorrede.*

56 *›trois pays libres‹:* England, Frankreich, Italien.

57 *Bruderzwist in Habsburg:* Trauerspiel von Franz Grillparzer (1872), das Zitat im 5. Aufzug.

57 *Wieland:* Die Zitate, die Mann erst bei der Fahnenkorrektur des Werks einfügte, sind aus Christoph Martin Wieland, *Aufsätze, welche sich auf die Französische Revolution von 1789 beziehen, oder durch dieselbe veranlaßt wurden,* Sämtliche Werke Band 31, Leipzig 1840, S. 323f und S. 319 (Januar 1793). Die Hervorhebungen stammen von Thomas Mann.

VON DEUTSCHER REPUBLIK

Vortrag 15. 10. 1922 in Berlin. Erstdruck in *Die Neue Rundschau* 1922. GW XI, 809–852.

Im Kreise der Rechten hatte Thomas Mann trotz seiner *Betrachtungen* nicht wirklich Fuß gefaßt. Den Völkischen war das Buch viel zu intellektuell, und nur bei den mehr oder weniger versprengten Jungkonservativen fand es Anerkennung. Die Ermordung Walther Rathenaus wurde für Thomas Mann zum Anstoß, sich von dieser Seite zu distanzieren, indem er sein hier abgedrucktes Bekenntnis zur Republik abgab. Seine »Wandlung« ist nicht konsequent; wie Tröltsch, Meinecke oder Stresemann bleibt er »Herzensmonarchist« auch als »Vernunftrepublikaner« und begründet darum die Republik auch nicht aus der aufklärerischen bürgerlich-revolutionären Tradition, sondern aus der Romantik, nicht aus der Novemberrevolution von 1918, sondern aus der irrationalistischen Volkseinheit beim Kriegsausbruch 1914. Die Rede, der die Versöhnung mit Heinrich Mann bereits vorausgegangen war, verschaffte ihm Heimatrecht bei den Sozialdemokraten, während er für die Konservativen, die teils erschüttert, teils höhnisch reagierten, von da an abgeschrieben war (vgl. Schröter S. 99–105, Hübinger S. 83–100, T. J. Reed, *Thomas Mann,* London 1974, S. 289–298).

59 *›Überläuferei‹:* Vgl. die konservativen Kritiken der Republikrede von F. Hussong *(Saulus Mann)* und O. Werner *(Mann über Bord),* abgedruckt bei Schröter S. 99–105.

59 *nur der Betrachtende:* Siehe S. 341 (»Der Handelnde«).

60 *Da wurde gemeldet:* Das Presseecho der Rede ist dokumentiert bei Jonas S. 80–84.

61 *Bekenntnis und Erziehung:* Ansprache am 11. 3. 1922, GW XIII, 251–259.

61 *daß sie scharrt:* Nach Hussong, *Saulus Mann,* sind die in den Vortrag eingearbeiteten Publikumsäußerungen rein fiktiver Natur und in Wirklichkeit nicht vorgefallen.

61 *Vater Ebert:* Friedrich Ebert, sozialdemokratischer Reichspräsident 1919–1925.

61 *Lohengrin:* in Richard Wagners gleichnamiger Oper, das Zitat in der 3. Szene des 3. Aufzugs.

62 *kein König ohne Republik:* Novalis, *Glauben und Liebe oder Der König und die Königin,* in: *Schriften* (hrsg. v. R. Samuel), Darmstadt 1965, Band II, S. 490. Thomas Mann hat die zahlreichen Novalis-Zitate beim Einfügen in seinen Kontext Veränderungen unterworfen, die hier im einzelnen nicht vermerkt werden.

62 *Schwanken Ihrer Stellung:* Da Hauptmann sich bereits im November 1918 öffentlich zur Republik bekannte, kann von einem Schwanken eigentlich keine Rede sein.

62 *›ungeistig‹:* Vgl. zu diesem Urteil P. de Mendelssohn, *Von deutscher Repräsentanz,* München 1972, S. 170–238 (»Hauptmann fühlte alles, verstand gar nichts«, S. 192).
62 *›Weber‹ – ›Hannele‹:* Hauptmanns naturalistische Sozialdramen *Die Weber* (1893) und *Hanneles Himmelfahrt* (1893).
62 *»echte Popularität«:* Novalis, *Blütenstaub,* a.a.O. Band II, S. 438.
62 *Ibsen:* naturalistischer Dramatiker.
62 *Zola:* naturalistischer Romancier.
62 *die großen Russen:* v. a. Dostojewski, Tolstoi, Turgenjew, Gogol, die seit dem Naturalismus in Deutschland weite Verbreitung gefunden hatten.
63 *Stefan George:* 1868–1933. Thomas Mann spielt auf den Ästhetizismus des jungen George an (*Blätter für die Kunst,* 1900–1902), der vom französischen l'art pour l'art inspiriert war (Baudelaire, Mallarmé, »Parnasse Contemporain«). Er kritisiert damit die »Propheten«, d. h. die betont nationalistischen und antidemokratischen George-Schüler Bertram, Klages, Wolfskehl u. a., die sich auf die später in dem Band *Das neue Reich* gesammelten Dichtungen beriefen und als Gegner der Republik von einer »nationalen Wiedergeburt« träumten.
63 *Zürich:* Zürich war während des Ersten Weltkrieges das Zentrum der pazifistischen, demokratischen, anarchistischen und kommunistischen Opposition.
63 *Grenzgebiete des Reichs:* Am 16. 7. 1921 hielt Hauptmann in Berlin eine Rede *Für ein deutsches Oberschlesien.*
64 *»eine besondere Verbindung«:* nicht ermittelt.
64 *»Alles Nationale«:* Novalis, a.a.O. Band II, S. 616.
65 *Vernunft-Thersites:* Der Grieche Thersites in der *Ilias* ist boshaft und geschwätzig.
65 *Gänsefüßchen-Hohnes:* Siehe Brief an P. Amann Ostern 1916 (Wegener S. 44).
65 *der männlichste selbst:* Stefan George.
65 *›Der Toten Zurückkunft‹ – »Die Hehren, die Helden«:* George, *Das neue Reich.* Berlin 1928 (= Gesamtausgabe Band 9), S. 114.
65 *»nur viele Untergänge« – »Des Schöpfers Hand«:* George, *Der Krieg,* in: *Das neue Reich,* a.a.O. S. 27–34.
66 *ein republikanischer Bundesstaat:* die Freie Hansestadt Lübeck war ein souveräner Bundesstaat des deutschen Reichs mit altrepublikanischer Verfassung seit 1669.
66 *Verrina-Stamm:* Verrina ist ein führender Republikaner in Schillers Trauerspiel *Die Verschwörung des Fiesco zu Genua.*
66 *»Diejenigen«, sagte und sage ich:* Novalis, *Glauben und Liebe,* a.a.O. Band II, S. 490f.
66 *Terror – Mordtaten:* Der rechtsradikale Terror gegen die Novemberrevolution gipfelte in der Ermordung Matthias Erzbergers (1921) und Walther Rathenaus (1922).
67 *Waffen geliefert:* mit den *Betrachtungen eines Unpolitischen.*
67 *»Republik«, schrieb Novalis:* a.a.O. Band II, S. 501.
67 *Es gab Zeiten:* Anspielung auf die ursprünglich demokratische Tradition der Burschenschaften im frühen 19. Jahrhundert.
67 *Demagogenverfolgungen:* Während der Restaurationsepoche von 1815–1848 wurden die Demokraten vielerorts als Radikale verfolgt. Die rechtliche Basis der Demagogenverfolgungen bildeten die Karlsbader Beschlüsse von 1819.
68 *in historischen Analogien zu denken:* Das ist nicht nur eine Kritik an den jungen Republikfeinden, sondern auch eine Selbstkritik Thomas Manns,

der ja in *Gedanken im Kriege* den Ersten Weltkrieg im Bilde des Siebenjährigen Krieges gesehen hatte.

68 *geheime militärische Wiederherstellung Preußens:* Es handelt sich um die von Scharnhorst und Gneisenau durchgeführte Heeresreform nach der Niederlage von Jena 1806 und dem Frieden von Tilsit 1807, die als historische Analogie zur geheimen Aufrüstung der Reichswehr in den zwanziger Jahren herhalten mußte.

68 *»Was ist eigentlich Alt?«* Novalis, a.a.O. Band III, S. 258.

68 *verlassenen Thron:* Wilhelm II. hatte 1918 abgedankt.

69 *amor fati:* Diese Wendung hat Thomas Mann von Nietzsche, der somit auch zur geistigen Begründung der Republik herangezogen wird.

69 *Ein russischer Schriftsteller:* nicht ermittelt.

70 *»Wir sind nicht die Republik«:* Novalis, a.a.O. Band III, S. 577.

70 *»alles dadurch adeln«:* Novalis, a.a.O. Band III, S. 271.

71 *der Stunde begeistert todbereiten Aufbruchs:* Mann will die Republik als innere Tatsache in der Kriegsbegeisterung von 1914 begründen.

71 *»Heiliges Heimatland«:* Aus Hauptmanns Gedicht *O mein Vaterland,* in: *Die neue Rundschau* 25, 1914, S. 1264–1266.

71 *das zarte, kluge Haupt:* Walther Rathenau.

71 *›Meistersinger‹: Die Meistersinger von Nürnberg,* Oper von Wagner.

71 *Nietzsche äußert:* Nachlaß-Notiz aus den Vorarbeiten zu *Richard Wagner in Bayreuth* (1875/76). Werke Band X, Leipzig 1903, S. 455.

71 *Shakespeares ›Coriolan‹:* Der Aristokrat Coriolan steht in Shakespeares Tragödie gegen die Plebejer Roms.

72 *Erlaß zum Verfassungstage:* Am 11. 8. 1922 zur Feier des dritten Jahrestags der Weimarer Verfassung. Der mit großen Freiheiten zitierte Text findet sich z. B. in *Schulthess' Europäischer Geschichtskalender* 63 (1922). München 1927, S. 102.

73 *dem verwichenen Großherrn:* Wilhelm II.

74 *Gerede vom ›ideologischen Überbau‹:* Gegen die vulgärmarxistische Reduktion des Kulturbegriffs auf ein Epiphänomen der ökonomischen Basisverhältnisse hatten schon Manns *Betrachtungen* die Selbständigkeit des Kulturellen verteidigt.

74 *Et nos mutamur in illis:* Tempora mutantur et nos mutamur in illis.

75 *»So nötig es vielleicht ist«:* Novalis, *Glauben und Liebe,* a.a.O. Band II, S. 490.

75 *Fieberzustand:* ebd.

75 *»Beide Teile«:* Novalis, *Die Christenheit oder Europa,* a.a.O. Band III, S. 522.

76 *»Vereinigung«:* ebd.

76 *Weltliche Mächte:* ebd.

76 *Ich habe Kunde gegeben:* Vgl. *Bekenntnis und Erziehung.* XIII, 251–259.

77 *Whitman – Reisiger: Walt Whitmans Werk,* ausgewählt, übersetzt und eingeleitet von Hans Reisiger, Berlin 1922. Die Zitate werden im folgenden nach der 2. Auflage (Hamburg 1956) nachgewiesen.

77 *in einem Offenen Brief: Hans Reisigers Whitman-Werk,* X, 626–627.

77 *den göttlichen Namen von Weimar:* Goethe.

77 *des Donnerers von Manhattan:* Whitman.

77 *»Für dich dies von mir«:* Whitman, a.a.O. S. 186.

77 *»Es ist nicht nur nicht genug«:* Whitman, a.a.O. S. 366.

78 *»Der Staat wird zu wenig«:* Novalis, a.a.O. Band III, S. 576.

78 *»Ein großer Fehler«:* Novalis, *Glauben und Liebe,* a.a.O. Band II, S. 489.

78 *»Nur wer nicht im Staate lebt«:* Novalis, a.a.O. Band III, S. 313.

78 *Die Geburt, erklärt er:* Novalis, *Glauben und Liebe,* a.a.O. Band II, S. 487f. Manns Auslegung spielt wieder auf Wilhelm II. an.
79 *»aus Ökonomie«:* Novalis, a.a.O. Band III, S. 474.
79 *»höchsten Charakter der Republik«:* Novalis, a.a.O. Band III, S. 284.
79 *»Die Idee des vollkommenen Individualismus«:* Whitman, a.a.O. S. 374.
79 *»Das individuelle Kolorit«:* Novalis, a.a.O. Band II, S. 616.
79 *»Denn wir begünstigen«:* Whitman, a.a.O. S. 374.
79 *freundschaftliche Verhandlungen:* Proteste Bayerns gegen das Gesetz zum Schutz der Republik vom 18. 7. 1922 wurde in Verhandlungen mit der Reichsregierung vom 9.–11. 8. 1922 gütlich beigelegt.
80 *»Willst du das göttliche«:* Whitman, a.a.O. S. 380.
80 *»Für hochstrebende Seelen«:* ebd.
80 *»Das Ideal der Sittlichkeit«:* Novalis, a.a.O. Band II, S. 576, eine Passage, die sinngemäß auch bei Nietzsche möglich wäre.
80 *»den einen unsterblichen Schandfleck«:* Nietzsche, *Der Antichrist,* Werke II, 1235.
81 *»Absolute Abstraktion«:* Novalis, a.a.O. Band III, S. 469 und S. 651.
81 *Tolstoi!:* Hinweis auf den christlichen Sozialismus des späten Tolstoi.
81 *im Herzen der Demokratie:* Whitman, a.a.O. S. 380.
81 *menschliche Unsterblichkeit »en masse«:* Novalis, a.a.O. Band III, S. 571.
81 *Pluralität, sagt er:* wörtlich nicht ermittelt, sinngleich Novalis Band III, S. 250.
81 *Symphilosophie:* Novalis, a.a.O. Band II, S. 558 (das Fragment trug in älteren Ausgaben den Titel »Symphilosophie«).
81 *»Gemeinschaft, Pluralism«:* Novalis, a.a.O. Band III, S. 571.
82 *»Kein Staat ist mehr als Fabrik«:* Novalis, *Glauben und Liebe,* a.a.O. Band II, S. 494f.
82 *»Dies ist freilich besser«:* Novalis, a.a.O. Band III, S. 653.
83 *»Der Sitz der eigentlichen Kunst«:* Novalis, a.a.O. Band II, S. 641.
83 *Schiller: Über naive und sentimentalische Dichtung.*
83 *Mereschkowski:* Dmitri Sergejewitsch Mereschkowski, von Nietzsche beeinflußter russischer Schriftsteller, dessen *Tolstoi und Dostojewski* (Leipzig 1903) den jungen Thomas Mann sehr beeindruckt hatte. Die zitierte Stelle stammt aus Mereschkowskis *Gogol. Sein Werk, sein Leben und seine Religion.* München 1914, S. 139.
83 *»nicht den geringsten«:* Whitman, a.a.O. S. 371.
83 *»Der Handelsgeist«:* Novalis, a.a.O. Band III, S. 464.
83 *Die Natur solle moralisch werden:* Novalis, a.a.O. Band III, S. 252.
83 *»Die Natur kann nicht«:* Novalis, a.a.O. Band III, S. 601.
84 *jener Natur- und Geschichtslehre:* Oswald Spengler, *Der Untergang des Abendlandes.* München 1918. Heute ist die beträchtlich veränderte Auflage von 1922 in Gebrauch.
84 *»Sollten die unabänderlichen Gesetze«:* Novalis, a.a.O. Band III, S. 601.
84 *wie wir anfänglich glaubten:* Thomas Mann hatte Spenglers Werk zunächst enthusiastisch begrüßt (1919) und erst in den Jahren 1920–1922 zu einer kritischen Position gefunden.
85 *»Das Gesetz«:* Whitman, a.a.O. S. 380.
85 *Mahlers ›Lied‹:* Spätwerk des spätromantischen Komponisten Gustav Mahler (1860–1911).
85 *»der höhere Sinn«:* Novalis, a.a.O. Band II, S. 565.
86 *»Wie«, ruft er:* Novalis, *Die Christenheit oder Europa,* a.a.O. Band III, S. 522.
86 *»Das Völkerrecht«:* Novalis, a.a.O. Band III, S. 273.
86 *»Die Staaten«:* Novalis, a.a.O. Band III, S. 623.

86 *Ritters der blauen Blume:* Die Suche nach der blauen Blume in Novalis' Roman *Heinrich von Ofterdingen* galt als Symbol für den irrationalistischen Romantikbegriff, gegen den Mann hier polemisiert.
86 *»Das Point d'honneur«:* nicht ermittelt.
87 *»Kommt, ich will euch hinabführen«:* Whitman, a.a.O. S. 189.
87 *»Es ist etwas im Nahesein«:* Whitman, a.a.O. S. 167.
87 *»Tanz, Essen, Sprechen«:* Novalis, a.a.O. Band III, S. 425.
87 *Anschauen sei bereits:* nicht ermittelt.
87 *»durchaus animalisch«:* nicht ermittelt.
88 *»Sollt' es ein versteckter Appetit«:* Novalis, *Sämtliche Werke,* hrsg. v. E. Kamnitzer, München 1924, Band 4, S. 44 (Nr. 1264).
88 *»Es gibt nur einen Tempel«:* Novalis, a.a.O. Band III, S. 565f.
88 *»Die seltsame Sympathie«:* Whitman, a.a.O. S. 172.
88 *»Auf eine sonderbare Weise«:* Goethe, *Wilhelm Meisters Wanderjahre,* Werke 8,347.
89 *»Oh, ich sage«:* Whitman, a.a.O. S. 172.
89 *»Zweifelt jemand«:* nicht ermittelt.
89 *das Dritte Reich:* traditionsreiche Formel einer mystischen und meist eschatologischen Utopie der Vereinigung des Leiblichen und Geistigen, von Thomas Mann in verschiedenen Zusammenhängen gebraucht, z. B. als »Synthese... von Aufklärung und Glauben, von Freiheit und Gebundenheit, von Geist und Fleisch, ›Gott‹ und ›Welt‹..., von Sinnlichkeit und Kritizismus..., von Konservatismus und Revolution« (1921, X, 598). Vgl. auch hier S. 134.
89 *Goethe:* frei zitiert nach einem Gespräch mit F. v. Müller am 7. 4. 1830, Werke 23,686.
90 *Schopenhauer:* im Anhang zum Kapitel *Metaphysik der Geschlechtsliebe.* Sämtliche Werke (hrsg. v. Löhneysen), Band II, Darmstadt 1961, S. 718–727.
90 *den merkwürdigen Gegenstand:* Die staatenbildende Kraft der Homoerotik hatte damals Hans Blüher, der Theoretiker der Wandervogelbewegung *(Die deutsche Wandervogel-Bewegung als erotisches Phänomen.* Berlin 1912), in seinem Werk *Die Rolle der Erotik in der männlichen Gesellschaft* (2 Bände, Jena 1917 und 1919) zum Fundament einer neukonservativ-vitalistischen, antisemitischen und anti-aufklärerischen Staatstheorie gemacht.
90 *Harmodios und Aristogeiton:* befreundete athenische Jünglinge, die 514 vor Christus Hipparchos, den Sohn des Tyrannen Peisistratos, ermordeten und dafür von den demokratischen Athenern gefeiert wurden.
90 *»Entschlossen, keine andern Lieder«:* Whitman, a.a.O. S. 182.
90 *»den Kontinent unzertrennlich«:* Whitman, a.a.O. S. 186.
90 *noch in unsern Tagen:* Hans Blühers *Rolle der Erotik* hat Thomas Mann durchaus gefesselt (vgl. Briefe I, S. 177).
90 *»ohne Bauwerke, Regeln, Verwalter«:* Whitman, a.a.O. S. 193.
91 *»Sophienliebe«:* Novalis hatte sich 1795 mit der dreizehnjährigen Sophie von Kühn verlobt, die 1797 an Lungenschwindsucht starb. Das Erlebnis dieses Todes wirkt poetisch weiter in den *Hymnen an die Nacht,* wenngleich Mann die Bindung der *Hymnen* an Sophie zu eng sieht.
91 *Goethe's Bestimmung:* »Das Klassische nenne ich das Gesunde und das Romantische das Kranke« (im Gespräch mit Eckermann am 2. 4. 1829, Werke 24,332).
91 *›Sympathie mit dem Tode‹:* Das Wort taucht zuerst im Brief an P. Amann vom 3. 8. 1915, dann in den *Betrachtungen* auf (XII, 40, 423 ff), bevor es

zum Schlüsselwort des Romans *Der Zauberberg* wird, der damals bis zum 6. Kapitel gediehen war (vgl. III, 906).

91 *der junge Flaubert:* wörtlich nicht ermittelt. Ähnliches in Flauberts *Erinnerungen eines Narren,* die Thomas Mann in der Ausgabe Leipzig 1907 besaß.

91 *»Death, Death«:* Whitman, a.a.O. S. 267.

92 *»So gib mir deinen Ton an«:* Whitman, a.a.O. S. 183f.

92 *»Was in der Tat«:* ebd.

Platens ›Tristan‹-Gedicht: Tristan (1823) von August Graf von Platen beginnt mit den Zeilen:

> Wer die Schönheit angeschaut mit Augen,
> Ist dem Tode schon anheimgegeben,
> Wird für keinen Dienst auf Erden taugen (...)

(Werke, hrg. v. Wolff/Schweizer, Leipzig/Wien 1895, Band 1, S. 61).

92 *Gegenstand eines Bildungsromans:* Hinweis auf den gleichzeitig entstehenden *Zauberberg,* in dem die Überwindung der Sympathie mit dem Tode durch den Entschluß zum Lebensdienst zur Debatte steht.

92 *»Der Trieb unsrer Elemente«:* Novalis, a.a.O. Band III, S. 687.

93 *Maurice Barrès:* französischer Schriftsteller 1862–1923, in seiner Frühzeit autistischer Ästhetizist *(Le Culte du Moi,* 1888–1891), später nationalistisch und betont lothringisch orientiert. »Den ungestümen Liebhaber des Rheinlandes« nennt Mann ihn wegen seiner Schrift *Le Génie du Rhin* (1921), die einen autonomen Rheinstaat vorschlug. Dazu erschien eine Entgegnung von Thomas Mann (XII, 624–626) und von seinem Freund Ernst Bertram *(Rheingenius und Génie du Rhin,* 1922). *Du sang, de la volupté, de la mort* erschien 1894 (deutsch 1907), *La mort de Venise* ist der Titel des ersten Teils von *Amori et dolori sacrum* (1902). Als »Schriftsteller des Krieges« konnte Barrès wegen seiner vielbändigen *Chronique de la Grande Guerre* (1920–24) bezeichnet werden.

KULTUR UND SOZIALISMUS

Erstdruck: Preußische Jahrbücher 212, 1928, H. 1.
GW XII, 639–649.

Thomas Mann hatte 1921 in *Goethe und Tolstoi* und in *Russische Anthologie* in vagen Andeutungen für einen revolutionären Konservatismus plädiert, in dem ein unpolitischer Kulturbegriff sich mit dem Sozialismus verbünden sollte. Schon damals mußte sich diese auch in den radikalkonservativen Gruppierungen weitverbreitete Idee eines »nationalen Sozialismus« vom heraufkommenden Faschismus distanzieren (s. XI, 169), aber erst Ende der zwanziger Jahre führt diese Distanzierung dazu, daß Thomas Mann den Begriff Sozialismus nicht mehr als abstrakte konservative Utopie, sondern als konkrete Parteinahme für die Sozialdemokratie versteht. Der Kulturbegriff wird jedoch noch immer im alten Sinne bestimmt, so daß der bezeichnende Zwiespalt der Republikrede auch hier erhalten bleibt: »nur ethisch-willentlich, nicht seinem vielleicht romantisch-todverbundenen Wesen nach« bekennt sich der Dichter zum Sozialismus.

Der Aufsatz entstand als Replik im Zusammenhang einer Polemik mit konservativen Kritikern, die Thomas Mann wegen der Kürzungen in der zweiten Auflage der *Betrachtungen eines Unpolitischen* angegriffen hatten (vgl. Schröter S. 155–158 und S. 495f, Sontheimer S. 65–68).

94 *politische Philologen:* Arthur Hübscher hatte in einem Offenen Brief an Thomas Mann (*Süddeutsche Monatshefte* 25, 1928, S. 697–706) die Kürzungen der *Betrachtungen* in der 2. Auflage von 1922 als demokratisierende Anpassung angegriffen.

95 *jene väterliche Ermunterung: Von deutscher Republik* (1922).

95 *»Sympathie mit dem Tode«*: Siehe S. 349.

96 *»Man unterschätzt«*: *Pariser Rechenschaft* (XI, 90).

97 *›im Felde unbesiegt‹*: Das damals allgemein verbreitete Wort spielt auf die »Dolchstoßlegende« an: nicht der äußere, sondern der innere Feind im Rücken der Front (Novemberrevolution) habe die Niederlage verursacht.

98 *›Meistersingern‹*: R. Wagners Oper *Die Meistersinger von Nürnberg*.

98 *Nietzsche schrieb*: Siehe S. 347.

98 *»Der religiöse Mensch«*: Nietzsche, *Der Antichrist*, Werke II, 1234.

98 *Gemeinschaft – Gesellschaft*: Anspielung auf das Buch *Gemeinschaft und Gesellschaft* (1887) des Soziologen Ferdinand Tönnies, der mit diesen Begriffen eine irrational-emotionale und eine rational-politische Form der Sozialisation unterscheiden will.

99 *im mediterranen Ausland*: Thomas Mann lebte von Oktober 1896 bis April 1898 in Italien, meistens in Rom.

99 *Institution des Theaters*: Die kultische und antidemokratische Theaterdefinition des folgenden Abschnitts hatte Mann schon 1908 in seinem *Versuch über das Theater* entwickelt (X, 23–62, besonders S. 54).

99 *deutschnational*: gemeint ist die Deutschnationale Volkspartei (DNVP), mit den Völkischen die NSDAP und verwandte Gruppierungen.

99 *Konstantin Frantz:* 1817–1891, konservativer Politiker und Publizist, vertrat einen partiell antikapitalistischen Sozialfeudalismus.

99 *Bogumil Goltz*: Schriftsteller (1801–1870), sozialpsychologische und ethnographische Themen. Mann kannte u. a. sein Werk *Zur Charakteristik und Naturgeschichte des deutschen Genius* (1864, zuerst 1860 unter dem Titel *Die Deutschen*).

100 *jüdischen Gesellschaftstheoretikers:* Karl Marx.

100 *an anderer Stelle*: in Thomas Manns *Neujahrswunsch an die Menschheit* (1928, X, 897).

101 *Stefan George*: Siehe S. 345.

101 *›Parnaß‹*: ästhetizistische französische Dichterschule des 19. Jahrhunderts, benannt nach der Anthologie *Parnasse contemporain* (1866).

102 *schon einmal habe ich*: in *Goethe und Tolstoi* (IX, 170).

102 *Friedrich Hölderlin*: Dem Kenntnisstand seiner Zeit entsprechend war Hölderlin für Thomas Mann der Prototyp des unpolitisch-innerlichen Dichters (»konservative Kulturidee«). Die erst in den letzten Jahren diskutierten jakobinischen Züge spielen also in diesem Zusammenhang keine Rolle.

GEGEN DIE ›BERLINER NACHTAUSGABE‹

Erstdruck: *Die literarische Welt* 4, Berlin 1928, Nr. 8.
GW XI, 766–773.

Der Artikel ist ein Beispiel für die Streitigkeiten mit rechtsradikalen Blättern, in die Thomas Mann gegen Ende der Weimarer Republik zunehmend verwickelt wurde. Er zeigt einmal nicht den distinguierten Analytiker, sondern den brillanten Polemiker Thomas Mann. Er nimmt Bezug auf einen

Artikel der Berliner Nachtausgabe vom 6. 2. 1928 mit dem Titel *Thomas Manns Kotau vor Paris* und auf ein in der Pariser Zeitung *Comedia* am 31. 1. 1928 von Louis Durieux unter dem Titel *Un entretien avec Thomas Mann* veröffentlichtes Gespräch.

103 *Haas*: Willy Haas, Herausgeber der *Literarischen Welt.*
103 *Scherl*: August Scherl, Verleger der *Nachtausgabe.*
103 *K.*: So zeichnet der Autor des Nachtausgabe-Artikels.
104 *Valéry, Gide, Romains*: zeitgenössische französische Schriftsteller.
104 *Erfolg, der meinem Bruder*: Heinrich Manns Rede zur Jahrhundertfeier Victor Hugos im Palais du Trocadéro in Paris 1927.
104 *meinen Vortrag*: *Die geistigen Tendenzen des heutigen Deutschlands*, gehalten am 20. 1. 1926 in den Räumen der *Dotation Carnegie pour la Paix Internationale*, Paris (XIII, 581–593).
105 *»Frankreich und Deutschland«*: *Betrachtungen eines Unpolitischen*, XII, 405.
105 *Claudels ›Verkündigung‹*: Das Schauspiel *L'Annonce faite à Marie* von Paul Claudel (1912).
Horty: Nikolaus Horthy, ungarischer Reichsverweser 1920–1944 mit faschistischen Neigungen.
105 *Mussolini*: Benito Mussolini, seit 1922 (»Marsch auf Rom«) italienischer Ministerpräsident, seit 1925 faschistischer Diktator.
105 *Barrès*: Siehe S. 350.
106 *»Denn hinter diesem wesenlosen Scheine«*: ein entstelltes Zitat aus Goethes *Epilog zur Glocke*, dessen Reimvers die von Thomas Mann angesprochene blinzelnde Unterstellung enthält: »Denn unter uns, in wesenlosem Scheine/Liegt, was uns alle bändigt, das Gemeine« (Werke 2,97).
107 *Schillers gebratene Äpfel:* Schiller soll den Geruch faulender Äpfel geliebt haben.
107 *Hölz*: Max Hölz, kommunistischer Politiker, 1921 zu lebenslänglicher Zuchthausstrafe verurteilt, 1928 amnestiert.
107 *Hatvany*: Ludwig von Hatvany, ungarischer Emigrant, war wegen angeblicher Schmähung seines Vaterlandes verurteilt worden. Thomas Mann setzte sich in einem Brief an seinen Verteidiger für ihn ein (XI, 773–775). Er kannte Hatvanys Ungarn-Buch *Das verwundete Land.*
107 *Sacco und Vanzetti*: Nicola Sacco und Bartolomeo Vanzetti, wegen Mordes 1927 nach einem aufsehenerregenden Prozeß hingerichtet, 1977 teilweise rehabilitiert. Nacht-K. scheint Mann mit Erich Mühsam zu verwechseln, der sowohl für Hölz (*Gerechtigkeit für Max Hölz.* 1926) als auch für Sacco und Vanzetti (in seinem Drama *Staatsraison.* 1928) eingetreten war.
107 *Schlesinger*: nicht ermittelt.
108 *»Pinkas!«*: ein erniedrigendes Pseudonym Hatvanys (K. schreibt, Mann sei eingetreten »für Herrn Pinkas alias Deutsch-Hatvany alias Baron Ludwig Hatvany«), das die Assoziation Jude und Parvenü heraufbeschwören soll.

DEUTSCHE ANSPRACHE. EIN APPELL AN DIE VERNUNFT

Vortrag 17. 10. 1930 in Berlin. Erstdruck *Berliner Tageblatt* 18. 10. 1930. GW XI, 870–890.

Der Wahlerfolg der NSDAP im September 1930 führte zu Manns *Appell an die Vernunft*, der erstmals nicht auf großen geistesgeschichtlichen Konstruktionen, sondern auf einer genauen Analyse der tagespolitischen Konstellation beruht. Er nimmt klar Stellung: gegen DNVP und NSDAP und für die SPD. Sein Adressat ist das Bürgertum, dessen kulturellen Irrationalismus er als politisch gefährlichen romantischen Archaismus brandmarkt und dem er seinen politischen Platz »an der Seite der Sozialdemokratie« anweist.
Der Vortrag war von SA-Tumulten begleitet, die einer der Beteiligten, Arnolt Bronnen, mit fatalem Humor beschreibt (*Arnolt Bronnen gibt zu Protokoll.* Hamburg 1954, S. 252–253, Abdruck bei Schröter S. 498).

109 *den neuen Fichte*: Anspielung auf die *Reden an die deutsche Nation*, mit denen Johann Gottlieb Fichte 1808 im französisch besetzten Berlin auftrat.

109 *individualistischen Müßiggang*: s. u. S. 364 (*gewisser Sozialintellektueller*).

109 *das »reine Spiel«*: in Schillers *Briefen über die ästhetische Erziehung*. 15. Brief.

110 *Tributpolitik*: die hohen Reparationsleistungen Deutschlands als Folge des Friedensvertrags von Versailles (1919).

110 *Finanzreformplan*: Heinrich Brüning, Zentrumspolitiker, von 1930–1932 Reichspräsident, hatte 1930 eine Vorlage zur Sanierung der Finanzen eingebracht, deren Ablehnung zur Auflösung des Reichstags und zu den Wahlen vom 14. 9. 1930 führte. Die Vorlage sollte erst am 1. 4. 1931 in Kraft treten, sagte also über den bevorstehenden Winter nichts aus.

111 *Reichstagswahlen*: Am 14. 9. 1930 hatten die Mittelparteien auf Kosten der KPD und besonders der NSDAP, die die Zahl ihrer Mandate von 12 auf 107 erhöhte, verloren.

113 *Minderheitenfrage:* Aufgrund der im Versailler Vertrag geforderten Volksabstimmungen mußten Deutschland und Österreich einige Gebiete mit deutschen Minderheiten abtreten, so in Nordschleswig, Oberschlesien und Südtirol. Ohne Abstimmung abgetreten wurden u. a. Elsaß-Lothringen und Westpreußen.

113 *Problem des Saargebiets*: Der Versailler Vertrag bestimmte, daß im Saargebiet erst nach 15 Jahren unter Völkerbundverwaltung eine Volksabstimmung über die Zugehörigkeit zu Deutschland oder Frankreich stattfinden sollte.

114 *der ost- und der südeuropäische*: die kommunistische Revolution in Rußland und der italienische Faschismus unter Mussolini.

114 *aus geistigen Quellen ein Sukkurs*: Thomas Mann denkt hier an die irrationalistische Lebensphilosophie, wie sie in der Weimarer Republik z. B. von Ernst und Friedrich Georg Jünger, Ludwig Klages, Ernst Baeumler, Oswald Spengler u. a. vertreten wurde.

115 *Moloch-Baal-Astarte-Dienstes*: Kulte vorjahwistischer Gottheiten im Vorderen Orient im 2. und 1. Jahrtausend vor Christus. Die Anspielung stammt aus dem Zusammenhang des damaligen dichterischen Hauptgeschäfts *Joseph und seine Brüder*. Mann denkt bei diesem »philosophischen Rückschlag« wahrscheinlich besonders an den intellektuellen Archaismus von Oskar Goldbergs Buch *Die Wirklichkeit der Hebräer* (1925), das die ursprüngliche Vitalität der alten Kulte dem vergeistigten Jahwismus vorzog.

115 *Philologen-Ideologie*: Die Universitätsgermanistik trug mit Arbeiten von Emil Ermatinger, Herbert Cysarz, Richard Benz, Julius Petersen, Fritz Strich, Josef Nadler u. a. zur geistigen Vorbereitung des Nationalsozialis-

mus bei. Thomas Mann dachte sicher auch ein wenig an seinen Freund Ernst Bertram.

116 *In Polen*: Verhaftung des Oppositionsführers Korfanty am 26. 9. 1930, vor den Wahlen vom November 1930, bei denen der Regierungsblock Pilsudskis wieder siegt.

116 *in Finnland*: Mitte Juni 1930 organisiert sich unter dem Namen »Lappobewegung« eine aktivistische antikommunistische Front. Am 18. 7. 1930 entführen Lappo-Männer Degner Hakkila, den früheren Justizminister des sozialistischen Kabinetts Tanner, damals Bürgermeister von Tammerfors.

116 *in Rußland*: Stalins Säuberungsaktionen gegen Trotzkisten und Rechtsoppositionelle.

116 *Südtirol nationalisiert*: Seit 1919 war Südtirol italienisch. Unter Mussolini setzte eine massive Italianisierungspolitik ein: Unterdrückung der deutschen Sprache, systematische Zuwanderung von Italienern u. a. m.

117 *Goethe*: *Epilog zu Schillers ›Glocke‹*, Werke 2,97.

119 *Stresemann*: Gustav Stresemann war von 1923 bis zu seinem Tod 1929 Außenminister einer wesentlich vom Zentrum, der DVP und der SPD getragenen Koalition (»Zusammenwirken von Bürgertum und Sozialismus«).

120 *Ich sprach einmal*: Siehe S. 351.

121 *jungen Reichswehroffiziere*: Hitlers Versuch, die Reichswehr für die NSDAP zu gewinnen, hatte drei Leutnants der Ulmer Garnison veranlaßt, trotz des Verbots politischer Betätigung im Heer für die Nationalsozialisten zu werben. In einem Prozeß vom 23. 9.–4. 10. 1930 wurden sie vom Reichsgericht in Leipzig verurteilt.

121 *am Rhein*: Im Zusammenhang mit der Besetzung des Ruhrgebiets durch französische Truppen 1923 gab es separatistische Abtrennungsversuche (Rheinische, Pfälzische Republik).

121 *diese herrenlosen Zügel aufgenommen*: Die Sozialdemokraten bildeten 1919 unter Friedrich Ebert die erste Regierung der Weimarer Republik.

121 *›Novemberverbrecher‹*: rechtsradikales Schlagwort für die sozialistischen und kommunistischen Revolutionäre, die im November 1918 die Republik ausriefen.

121 *Auf seine eigene Partei*: Stresemann gehörte der Deutschen Volkspartei an.

122 *Lord d'Abernon*: britischer Diplomat, von 1920–26 Botschafter in Berlin, einer der Urheber des Locarnopakts. Seine Tagebücher erschienen unter dem Titel *Viscount d'Abernon, ein Botschafter der Zeitwende* 1929–30 in Leipzig. Dort Band III, S. 19–32 über Stresemann.

122 *Locarno*: Verständigung mit Frankreich im Vertrag von Locarno 1925, führte u. a. zur Freigabe des Ruhrgebiets.

122 *in der großen Versammlung in Genf*: Völkerbund.

122 *der alte Briand*: Aristide Briand, damals französischer Außenminister, der für eine Verständigung mit Deutschland eintrat (Locarnopakt).

122 *der alte Apponyi*: Albert Georg Graf Apponyi (1846–1933), ungarischer Delegierter beim Völkerbund.

123 *Clemenceau*: Georges Clemenceau war während der Friedensvertragsverhandlungen von Versailles französischer Ministerpräsident und einer der mächtigsten Verfechter eines harten, Deutschland dauerhaft schwächenden Vertrags.

123 *»Stresemann«, schrieb Lord d'Abernon*: a. a. O. Band III, S. 31.

123 *wie Lord d'Abernon sagt*: ebd. S. 31.

125 *des Reichsanwalts in Leipzig*: im oben erwähnten Reichswehr-Prozeß.

WAS WIR VERLANGEN MÜSSEN

Erstdruck: *Berliner Tageblatt* 8. 8. 1932.
GW XIII, 623–626.

Thomas Mann greift in diesen Jahren sehr häufig in aktuelle politische Debatten ein, so mit diesem gegen den Terror der SA-Schlägertrupps und gegen die Schwäche der Reichsregierung unter Papen gegenüber der NSDAP gerichteten Artikel.

126 *die blutigen Schandtaten*: Am 1. August 1932 hatte die SA in Königsberg eine Reihe gezielter Terroraktionen gegen ihre politischen Gegner durchgeführt.
126 *ihrer Ämter enthoben*: Franz von Papen, seit Juni 1932 Reichskanzler, hatte am 20. Juli 1932 die sozialdemokratisch geführte Landesregierung in Preußen abgesetzt (»Preußenschlag«).
126 *Aufhebung des Uniformverbots*: Am 14. 6. 1932 hebt die Reichsregierung Papen das SA-, SS-, Uniform- und Demonstrationsverbot auf. Diese Maßnahme ermöglichte ein offenes Auftreten der nationalsozialistischen Organisationen und führte zu bürgerkriegsähnlichen Zuständen in Deutschland.
126 *Novemberverbrecher*: Siehe S. 355.
127 *der falsche Messias*: Adolf Hitler.
127 *den Plan verfolgt*: Papens Minderheitsregierung stützte sich auf die Deutschnationalen, die sich seit 1931 mit Hitler verständigt hatten (»Harzburger Front«). Viele Deutschnationale hofften, mit Hitlers Hilfe die Republik beseitigen zu können, sich dann aber seiner zugunsten einer konservativen Regierungsform, z. B. einer Wiedererrichtung der Hohenzollernmonarchie, zu entledigen.
127 *Ergebnis der Wahlen*: Am 31. 7. 1932 erhielten die Nationalsozialisten 230 von 608 Mandaten.
128 *wesentlich anderes*: Die Überparteilichkeit der Regierung Papen strebte letztlich die Abschaffung der Demokratie, nicht die Herstellung der sozialen Republik an.

REDE VOR ARBEITERN IN WIEN

Gehalten am 22. 10. 1932. Erstdruck in Auszügen in *Arbeiter-Zeitung*, Wien, 23. 10. 1932.
GW XI, 890–910.

Textverwandt mit *Kultur und Sozialismus* und *Deutsche Ansprache* ist die *Rede vor Arbeitern in Wien* die dritte große politische Grundsatzbestimmung Thomas Manns im Horizont des heraufziehenden Faschismus. Sie enthält eine deutliche Abgrenzung gegenüber dem Marxismus und gegenüber dem Gedanken einer eigenständigen proletarischen Kultur und bestimmt ihren Begriff des Sozialismus statt dessen aus der Tradition des bürgerlichen Humanismus. Eine Kritik der konservativen, nationalistischen und faschistischen Bewegungen als rückwärtsgerichteter und unzeitgemäßer Kräfte, als »Naturrevolution gegen das Geistige« und als anachronistischer Rückfall aus vernünftiger Geschichte in einen neuen Irrationalismus beschließt die Rede.
Über die Rezeption ist wenig bekannt. Der betont bürgerliche Habitus der

Rede mit ihren zum Teil recht komplizierten intellektuellen Verstiegenheiten macht eine breitere Wirkung in der Arbeiterschaft unwahrscheinlich (vgl. dazu Mörchen, *Schriftsteller in der Massengesellschaft.* Stuttgart 1973, S. 39–41).

129 *in einer Rede ermahnt: Deutsche Ansprache.*
129 *Dementi*: Fundort nicht ermittelt (nicht bei Bürgin).
130 *eine sogenannte proletarische entgegenzustellen*: Dies beabsichtigte z. B. der »Bund proletarisch-revolutionärer Schriftsteller« in seiner Anfangsphase von 1928–1930, während später die proletarische Linie Brechts und Ottwalts von der Lukács-Linie der Anerkennung des bürgerlichen Erbes in den Hintergrund gedrängt wurde.
131 *»Der religiöse Mensch«*: Siehe S. 351. Die gesamte Passage ist aus *Kultur und Sozialismus* übernommen (vgl. S. 98).
133 *Termitenglück*: Anspielung auf Spenglers Kritik des modernen Massenmenschen als des »neuen Nomadentums der Weltstädte« und des vierten Standes als eines Standes nihilistischer Geschichtslosigkeit (*Der Untergang des Abendlandes.* München 1972, S. 1004).
133 *als Raubtier*: Die Passage wendet sich gegen das damals eben erschienene Buch *Der Mensch und die Technik* von Oswald Spengler (München 1931), in dem der Mensch als ein Raubtier definiert ist, das infolge der Eigendynamik der von ihm ins Leben gerufenen technischen Entwicklung dem Untergang geweiht ist. Auf einige Sätze wird fast wörtlich angespielt (»Denn der Mensch ist ein Raubtier«, S. 14; »Optimismus ist Feigheit«, S. 88 u. a. m.).
133 *in der Genesis*: Gen 3,22.
134 *›Dritte Reich‹*: Siehe S. 349.
134 *»Mit Menschlichem«*: ungenau zitiert aus Nietzsches Nachlaß, Gesammelte Werke XIV, München 1925 (Musarionausgabe), S. 123.
134 *»Des Lebens Leben«*: Goethe, *Der west-östliche Divan*, Buch Suleika: »Denn das Leben ist die Liebe, / Und des Lebens Leben Geist« (Werke 3,356).
135 *»An der Erde zu freveln«*: Nietzsche, *Also sprach Zarathustra,* Werke II, 280 und 338 (leicht verändert).
136 *zu Weimar*: gemeint ist die Verfassung der Weimarer Republik.
136 *Das französische Volk hat so gewählt:* Die Wahlen am 1. und 8. Mai 1932 brachten einen deutlichen Erfolg der Linken (vor allem für die Radikalsozialisten und die Sozialisten, nicht für die Kommunisten).
137 *die frömmelnde ... Restauration*: die deutschnationale Regierung des Zentrumsabgeordneten Franz von Papen, in der von einigen eine Wiedererrichtung der Hohenzollernmonarchie angestrebt wurde.
137 *›Kulturbolschewismus‹*: rechtsradikales Schlagwort für die avantgardistische kritische Intelligenz in Kunst und Wissenschaft.
138 *eine gewisse kulturpolitische Kritik*: Auch Thomas Mann wurde von den Völkischen als volksfremder Kulturbolschewist beurteilt (Beispiele bei Schröter Nr. 60, 62, 63, 71, 72, 76).
139 *gegen die liberalen Ideen*: Der konservative Irrationalismus der Zeit verstand unter den liberalen Ideen einerseits abstrakte Vernunftprinzipien (z. B. Freiheit und Gleichheit), die der konkreten individuellen Vielfalt des Lebens nicht gerecht würden, andererseits einen utilitaristischen Materialismus, dessen gesellschaftliche Gestalt ein die Volkseinheit zerstörender Konkurrenzkapitalismus sei.
139 *in der modernen Anthropologie*: Hinweis auf Freud.
139 *von den Mächten der Vergangenheit*: Gemeint sind im folgenden haupt-

sächlich die in der Harzburger Front zusammengeschlossenen Gruppierungen (NSDAP, DNVP und diverse rechtsradikale Bünde).

140 *in Spanien zum Beispiel*: Im August 1932 wurde ein monarchistischer Aufstand gegen die Republik erfolgreich niedergeschlagen, im September das katalonische Autonomiestatut und eine Agrarreform durchgesetzt.

140 *dänische und schwedische Wahlsiege*: Die Wahlen vom 16. 11. (Dänemark) und 18. 9. 32 (Schweden) bestätigten sozialistische Regierungen.

140 *in Belgien*: Sieg der Sozialisten bei den Gemeindewahlen am 9. 10. 32.

141 *Marinetti*: Filippo Tommaso Marinetti, 1876–1944, Haupt der futuristischen Bewegung (*Manifest des Futurismus.* 1909), später überzeugter Faschist. Das Zitat ist in der Werkausgabe *Teoria e invenzione futurista* (Verona 1968) nicht enthalten.

141 *vor zwanzig Jahren*: im Wahlaufruf der Futuristen vom 11. 10. 1913 (abgedruckt bei C. Baumgarth, *Geschichte des Futurismus.* Hamburg 1966, S. 156, italienisch in Marinetti, a. a. O. S. 290f).

141 *Vittorio Veneto:* Stadt in Oberitalien, wo 1918 Italien das österreichisch-ungarische Heer entscheidend schlug. Dieses Kriegserlebnis wird bei Marinetti zu einer Art Ursprungsmythos der faschistischen Bewegung hochstilisiert.

141 *Tarvis*: heute Tarvisio, Kleinstadt bei Udine, kam nach dem Ersten Weltkrieg von Kärnten nach Italien.

142 *ein literarischer Wortführer*: nicht ermittelt (vielleicht Hanns Johst).

143 *Landwirtschaft*: Die Rechte sah im Gegensatz zur Dekadenz und Entwurzelung des Großstadtmenschen im Bauerntum die gesunde Volkskraft am Werk (»Blut und Boden« = Literatur von Friedrich Griese, Josefa Berens-Totenohl, Hermann Stehr oder Hans Friedrich Blunck).

AN DAS REICHSMINISTERIUM DES INNERN, BERLIN

Geschrieben am 23. 4. 1934 (zur Datierung siehe Hübinger S. 419).
GW XIII, 96–106 (textkritische Edition mit leichten Abweichungen von GW bei Hübinger S. 420–428).

Thomas Mann war im Februar 1933 von einer Vortragsreise nicht nach Deutschland zurückgekehrt. Sein Haus in München und sein Vermögen wurden von der Bayerischen Politischen Polizei beschlagnahmt. Der Brief an den Innenminister ersucht vordergründig um die Freigabe der Habe und die Verlängerung des Reisepasses, äußert sich aber anläßlich dessen auch grundsätzlich über Deutschland und den Nationalsozialismus.
1947 hatte Manfred Hausmann, ein Dichter der inneren Emigration, behauptet, Mann habe in diesem Brief um die Erlaubnis zur Rückkehr nach Deutschland ersucht. Der in keinem Punkt kriecherisch-anbiedernde Text widerlegt dies eindeutig (Abdruck wichtiger Teile dieser Debatte bei Schröter S. 351f und S. 520–522, Manns Dementi in *Briefe II*, S. 537–538). Detaillierte Materialien zu diesem Brief, der seinen Zweck fast erreicht hätte, finden sich bei Hübinger S. 154–160 und S. 419–428.

145 *Ausgang der Wahlen*: DNVP und NSDAP hatten zusammen am 5. 3. 1933 340 von 647 Mandaten gewonnen. Hitler war seit 30. 1. 1933 Reichskanzler.

145 *die neue nationale Regierung*: »Gleichschaltung« Bayerns am 9. 3. 1933.

145 *in herzlichen Feiern*: am 6. 6. 1925 offizieller Festakt zum 50. Geburtstag

im Alten Rathaussaal in München, am 23. 12. 1929 Festessen mit dem Oberbürgermeister anläßlich der Nobelpreisverleihung.

146 *Protest der Wagnerstadt München*: Manns Vortrag *Leiden und Größe Richard Wagners*, gehalten am 10. 2. 1933 in München, führte zu dem von zahlreichen Persönlichkeiten des Münchener Kulturlebens unterzeichneten nationalsozialistisch inspirierten *Protest der Richard-Wagner-Stadt München* (*Münchener Neueste Nachrichten* 16./17. 4. 1933, abgedruckt bei Schröter S. 199–200).

146 *mir scheinbar wohlgesinnte*: Bei den Unterzeichnern fanden sich z. B. Hans Pfitzner, Olaf Gulbransson und Hans Knappertsbusch.

146 *Leiden und Größe Richard Wagners*: GW IX, 363–426.

147 *keineswegs mit reiner Genugtuung*: Knappertsbusch soll seinen Schritt bereut haben, vgl. *Briefe III*, S. 470.

147 *Reichsfluchtsteuer*: Thomas Mann bezahlte wahrscheinlich rund 100 000 Reichsmark (s. Hübinger S. 418).

149 *»marxistischer Schriftsteller«*: Im Ausbürgerungsantrag des Bayerischen Innenministeriums lautet der erste Satz der Begründung: »Mann ist der typische intellektuelle Marxist und Pazifist, der durch sein Verhalten gegen die Pflicht zur Treue gegen Reich und Volk seit Jahren verstoßen hat« (Hübinger S. 399, dort der gesamte Text des erschreckenden Dokuments).

149 *Familienroman: Buddenbrooks* (1901).

151 *im Jahre 1848*: Im Februar und März 1848 kämpften liberale Bürger und sozialistische Arbeiter in einer allerdings bald zerbrechenden Koalition gegen die konservativen Regierungen in Paris, Wien und Berlin.

151 *Austritt aus der Preußischen Akademie*: Am 17. 3. 1933 trat Mann aus der Sektion Dichtkunst der Preußischen Akademie der Künste aus. Die Austrittserklärung ist abgedruckt bei Inge Jens, *Dichter zwischen rechts und links*. München 1971, S. 197.

152 *von meinem innerdeutschen Publikum nicht trennen zu lassen*: Manns Bücher konnten von 1933 bis 1936 noch in Deutschland verkauft werden.

152 *auf meine neue epische Arbeit*: der Roman *Joseph und seine Brüder*, von dem 1933 der erste und 1934 der zweite Band bei S. Fischer erschienen war.

LITERATURE AND HITLER

Erstdruck: *The Modern Thinker and Author's Review* 5, August 1934, Heft 2. Das deutsche Original ist nicht erhalten.
GW XIII, 321–325.

Um die Publikationsmöglichkeit in Deutschland nicht zu verlieren, hatte Thomas Mann sich zunächst entschlossen, auf öffentliche Kritik des Dritten Reichs zu verzichten. Dieser Kompromiß erschwerte die Solidarität mit der Gesamtemigration erheblich. Er gibt auch den wenigen, meist fremdsprachig und an entlegener Stelle erschienenen politischen Publikationen einen unsicheren Tonfall voller Wenn und Aber, der von der markanten Schärfe der Reden vor 1933 deutlich absticht.

155 *Gerhart Hauptmann's apostasy*: Gerhart Hauptmann, der aufgrund seines naturalistischen Frühwerks zum kulturellen Repräsentanten der sozialdemokratisch geführten Weimarer Republik avanciert war, hatte am 11. 11. 1933 Deutschlands Austritt aus dem Völkerbund öffentlich

begrüßt, was allgemein als Anerkennung der neuen Machthaber aufgefaßt wurde. Trotz einer gewissen Distanz wurden Hauptmann im Dritten Reich keine Schwierigkeiten gemacht, sein 80. Geburtstag 1942 wurde offiziell gefeiert (Hitler-Glückwunsch).

156 *An appeal has been made*: Heinrich Mann, *An die deutschen Schriftsteller im Exil* (1933), Teilneudruck in H. M., *Geist und Tat. Ein Brevier.* Berlin/DDR 1953.

156 *Goering*: Hermann Göring (1893–1946), enger Vertrauter Hitlers, Reichsminister in verschiedenen Ressorts, Oberbefehlshaber der Luftwaffe, 1940 »Reichsmarschall«, zeitweise designierter Nachfolger Hitlers, Gründer der Hermann-Göring-Stahlwerke, einem mit Unterstützung von Krupp und Röchling ins Leben gerufenen Stahlkonzern.

156 *Goebbels*: Joseph Goebbels (1897–1945), Reichsminister für Volksaufklärung und Propaganda.

156 *recent interview:* vermutlich mit der *New York Times*, mit deren Herausgebern Mann am 6. 6. 1934 in New York speiste.

ACHTUNG, EUROPA!

Erstdruck: französisch unter dem Titel *La Formation de l'Homme moderne* (1935). Erste deutsche Veröffentlichung als Titelaufsatz in *Achtung, Europa!* Stockholm 1938.
GW XII, 766–779.

Die Verzweiflung über den Siegeszug des Faschismus und über die Schwäche der westlichen Demokratien prägt diesen Aufruf, der sich trotz eines abgründigen Pessimismus (der mit Hilfe der Massenpsychologie Ortegas formuliert ist) und einer stellenweise fast zynischen Bitterkeit zu der Forderung eines militanten Humanismus aufschwingt, auf den er allerdings zu diesem Zeitpunkt nur geringe Hoffnung setzt.
Obgleich die nationalsozialistischen Behörden Manns publizistische Resonanz im Ausland aufmerksam verfolgten, um Argumente für die geplante Ausbürgerung zu finden, wurde ihnen dieser Text nicht bekannt.

162 *»Ein toter Bettelmann«*: nicht ermittelt.

162 *daß er die Jugend herzlich liebe*: nicht ermittelt.

163 *»Wenn man sieht«*: Brief an Zelter vom 3. 12. 1812 (Werke 19, 681).

163 *»Das junge Volk hört nicht mehr«*: Tagebuchnotiz 1. 4. 1831 (Artemis-Ausgabe Ergänzungsband S. 557). Goethe war damals 81 Jahre alt, also kein »Sechziger«; mißglückte Goethe-Imitatio, denn 60 war Thomas Mann.

163 *»Wo ist einer«*: Goethe, *Auf den Kauf* (1814), Werke 1,554.

164 *»Eines zu sein«*: Hölderlin, *Hyperion*, 1. Band, 1. Buch.

164 *»Mit diesen Worten«*: ebd.

165 *José Ortega y Gasset*: 1883–1955, von Nietzsche und Dilthey beeinflußter spanischer Philosoph. *La rebelión de las masas* erschien zuerst 1929, in deutscher Sprache 1931. Das Buch diagnostiziert die Vermassungserscheinungen des 20. Jahrhunderts vom Standpunkt eines elitären Kulturindividualismus aus. In der von mir benützten Ausgabe (*Der Aufstand der Massen.* Stuttgart 1949) finden sich die von Mann im folgenden indirekt zitierten Stellen vor allem S. 63, S. 87, S. 89 und S. 94 (im 6., 9. und 10. Kapitel).

165 *Ibsens ›Wildente‹*: *Die Wildente* (1884), naturalistisches Gesellschaftsdrama von Henrik Ibsen.
166 *Die Gewalt*: sinngemäß nach Ortega, a.a.O.S. 79 (8. Kapitel).
167 *›Lebenslüge‹*: Stichwort aus Ibsens *Wildente.*
167 *mit Pascal mehr Ähnlichkeit*: Pascal steht hier als Prototyp des christlichen Ethikers, Borgia oder Machiavell als der einer moralisch bedenkenlosen Machtpolitik, wie sie sich im Faschismus von Nietzsches Moralkritik her philosophisch legitimiert glaubte.
167 *Marx*: z. B. Marx/Engels: *Die deutsche Ideologie* (MEW III), eine umfassende Kritik des nachhegelianischen Idealismus.
169 *der räsonierende Massenmensch:* sinngemäß nach Ortega, a.a.O., S74 f.
170 *›Mythus‹:* Ein antiaufklärerischer Mythosbegriff wird propagiert von Alfred Rosenbergs Buch *Der Mythus des 20. Jahrhunderts* (München 1930).
170 *Was ist Wahrheit?* Frage des Pilatus an Jesus, Jo 18,38.
170 *»Nur das Lebensfördernde«:* wahrscheinlich kein Zitat, sondern eigene Kontraktion Thomas Manns für die Lehre Nietzsches, der den Wahrheitsbegriff entmetaphysiziert und auf seine Funktion für das Leben reduziert hatte. »›Wahrheit‹ . . . ist ein Wort für den ›Willen zur Macht‹« (Werke III, 541).
171 *räumt sie Position für Position:* Thomas Mann konnte z. B. die Wiedereinführung der allgemeinen Wehrpflicht im März 1935 oder das deutsch-englische Flottenabkommen vom 18. Juni 1935 im Auge haben, das die deutsche Wiederbewaffnung praktisch sanktionierte.

AN EDUARD KORRODI

Erstdruck: *Neue Zürcher Zeitung* 3. 2. 1936.
GW XI, 788–793.

In dem Pariser Emigrantenblatt *Das Neue Tage-Buch* hatte Leopold Schwarzschild im Januar 1936 den S. Fischer Verlag der Kollaboration mit dem nationalsozialistischen Regime bezichtigt. Thomas Mann, Hermann Hesse und Annette Kolb erhoben in einer Erklärung dagegen Einspruch. Es folgte Schwarzschilds *Antwort an Thomas Mann*, in der die zunehmend zwielichtigere öffentliche Wirkung der ungeklärten Stellung des Dichters zum Dritten Reich deutlich wurde. Gegen solche Vorwürfe meinte der Feuilletonredakteur der Neuen Zürcher Zeitung, Eduard Korrodi, Thomas Mann verteidigen zu müssen, indem er behauptete, die große deutsche Literatur sei keineswegs mehrheitlich emigriert und noch immer im Reiche zu finden, und damit zwischen dem noch in Deutschland publizierenden Thomas Mann und der Emigrationsliteratur einen Trennungsstrich zog. Dieser Beifall von der falschen Seite führte zu Manns offenem Brief an Korrodi als der ersten öffentlichen Solidaritätserklärung mit der Emigration.
Für die nationalsozialistischen Behörden stand damit die Ausbürgerung fest, obgleich sie mit Rücksicht auf die öffentliche Meinung des Auslands und die Olympiade in Berlin 1936 noch bis zum Jahresende hinausgezögert wurde. (Dokumente und Materialien zu diesen Vorgängen bei Schröter S. 259–267 und S. 508–510, bei Hübinger S. 166–173 und S. 504–509).

173 *Ihr Artikel:* NZZ 26. 1. 1936, abgedruckt bei Schröter S. 266–267.
173 *mit der Erklärung*: GW XI, 787.

173 *»ins Ausland transferiert«*: Schwarzschild, *Antwort an Thomas Mann*, Schröter S. 261.

173 *einige der innerdeutschen Autorennamen*: Korrodi nannte H. Carossa, R. A. Schröder, M. Mell, K. H. Waggerl, J. Schaffner, E. Strauß, E. Wiechert, F. G. und E. Jünger, R. Huch und G. von Le Fort (Schröter S. 267).

174 *zum Beispiel Berufsgenossen*: Der folgende Passus bezieht sich auf Thomas Mann selbst.

174 *Hermann Hesse*: lebte damals in Montagnola.

174 *Franz Werfel*: Lyriker und Romancier 1890–1945.

174 *Heinrich*: Heinrich Mann, damals einer der aktivsten antifaschistischen Schriftsteller, emigrierte 1933 nach Frankreich, später nach Kalifornien.

174 *Leonhard Frank*: 1882–1961, demokratischer und antifaschistischer Romancier, Exil in der Schweiz, in Frankreich und in USA.

174 *René Schickele*: 1883–1940, Dichter und Publizist, 1914–1920 Herausgeber der pazifistischen Zeitschrift *Die weißen Blätter*, als Emigrant in Südfrankreich.

175 *Fritz von Unruh*: 1885–1970, expressionistischer Dramatiker, preußischer Offizier bis 1911, Pazifist im 1. Weltkrieg, Exil in Frankreich und USA.

175 *Oskar Maria Graf*: 1894–1967, volkstümlicher Erzähler, Bohemien, Pazifist, Teilnehmer an der Novemberrevolution 1918. 1933 Aufforderung an die nationalsozialistischen Bücherverbrenner *»Verbrennt mich«*, daraufhin Exil in Tschechoslowakei und USA.

175 *Annette Kolb*: 1875–1967, Schriftstellerin, im 1. Weltkrieg Pazifistin, 1931 antifaschistische Artikel (»Alle Männer in Europa haben versagt!!«), Exil in Frankreich und USA.

175 *A. M. Frey*: Alexander Moritz Frey, 1881–1957, expressionistischer Schriftsteller (Antikriegsroman *Die Pflasterkästen*. 1929), Exil in Österreich und der Schweiz.

175 *Gustav Regler*: 1898–1963, kommunistischer Journalist und Schriftsteller, im Exil in Frankreich und Mexiko.

175 *Bernhard von Brentano*: 1901–1964, Romancier (bürgerliche Selbstkritik), Exil in der Schweiz.

175 *Ernst Gläser*: recte Glaeser, 1902–1963, Pazifist, zeitweise Kommunist, 1933 Schweizer Exil, 1939 jedoch Rückkehr nach Deutschland.

175 *Bert Brecht*: 1898–1956, damals im Exil in Dänemark.

175 *Johannes R. Becher*: 1891–1958, sozialistischer Schriftsteller und Kulturpolitiker, Expressionist, Mitbegründer des Bundes proletarisch-revolutionärer Schriftsteller (Zeitschrift *Die Linkskurve*), als Emigrant in der UdSSR, später Kulturminister der DDR.

175 *Else Lasker-Schüler*: 1869–1945, jüdische Dichterin des Expressionismus, emigrierte nach Jerusalem.

175 *»und ein paar wirkliche Könner«*: Zitat bei Schröter S. 267.

176 *der Karlweis'schen Wassermann-Biographie*: Marta Karlweis (die zweite Frau des Romanciers), *Jakob Wassermann. Bild, Kampf und Werk. Mit einem Geleitwort von Thomas Mann.* Amsterdam 1935. Zitiert wird vermutlich eine Besprechung in der NZZ.

176 *der Tropfen Latinität*: Manns Mutter Julia, eine geborene da Silva-Bruhns, hatte eine brasilianische Mutter.

176 *und Schweizertum*: Manns Großvater Johann Siegmund Mann heiratete 1837 Elisabeth Marty, deren Familie aus der Schweiz stammte.

177 *Austritt aus dem Völkerbund*: Oktober 1933.

177 *mein Deutschtum abzusprechen*: Der Aberkennung der deutschen Staats-

bürgerschaft am 2. 12. 1936 ging eine drei Jahre währende Auseinandersetzung mit den nationalsozialistischen Behörden voraus (Details s. Hübinger).

177 *eines wahrhaft adeligen deutschen Dichters*: August Graf von Platen, 1796–1835; die folgenden Verse aus dem Sonett *Es sehnt sich ewig dieser Geist ins Weite* (Sämtliche Werke, hrsg. v. Koch/Petzet, Leipzig o. J., Band 3, S. 208).

BRIEFWECHSEL MIT BONN

Erstdruck: Zürich 1937 (vgl. dazu Hübinger S. 563 Anm. 1).
GW XII, 785–793.

Thomas Mann war 1919 im Hinblick auf seine *Betrachtungen* der Ehrendoktorgrad der Philosophischen Fakultät der Universität Bonn verliehen worden. Die Aberkennung des Ehrendoktorgrads am 19. 12. 1936 war eine Folge der Ausbürgerung. Der Text erreichte eine überaus weite Verbreitung im Reich (in getarnten Ausgaben) und im Ausland. Von jetzt an wird Thomas Mann allgemein als einer der Wortführer der antifaschistischen Emigration anerkannt. (Erschöpfende Dokumentation der Vor- und Nachgeschichte bei Hübinger.)

178 *unleserlich*: Dekan war der Germanist Karl Justus Obenauer.
178 *die Harvard-Universität*: am 20. 6. 1935.
179 *›Ausbürgerung‹*: am 2. 12. 1936.
182 *falschheilige Sagennot:* Anspielung auf die pseudomythische Identifizierung Deutschlands mit »der Nibelungen Not«.

›MASS UND WERT‹

Erstdruck: *Maß und Wert* 1, Zürich 1937, H.1.
GW XII, 798–812.

Thomas Manns aktive Literaturpolitik als Emigrant beginnt mit der Herausgabe der Kulturzeitschrift *Maß und Wert*. Ihr politischer Standort ist bestimmt durch den Versuch, nach dem Scheitern der Volksfrontblätter *Die Sammlung* und *Neue deutsche Blätter* (deren Nachfolge *Das Wort*, hrsg. v. Bredel, Brecht und Feuchtwanger, antrat) eine rechts und links integrierende kulturelle Plattform aufzubauen. Unter der Leitformel der »konservativen Revolution« waren jedoch nur wenige Schriftsteller zu wirken bereit, so daß die Zeitschrift nur wenig Anziehungskraft entwickelte. Sie wurde bereits 1940 eingestellt. (Materialien hierzu bei Volker Riedel, *Maß und Wert Zürich 1937–1940. Bibliographie einer Zeitschrift*. Mit einem Vorwort von Klaus Hermsdorf, Berlin/Weimar 1973.)

185 *»Zug von Verwegenheit«*: Goethe, *Maximen und Reflexionen*, Werke 9,504 (nicht ganz wörtlich).
186 *»Heute«, sagt Goethe*: im Gespräch mit Eckermann am 23. 10. 1828, Werke 24, 699 (ungenau zitiert).
186 *gewisser Sozial-Intellektueller*: Mann referiert eine Meinung, die in den Debatten der Linken in den zwanziger Jahren eine Rolle gespielt hat, z. B. bei Tucholsky oder bei Brecht, der Mann als den erfolgreichsten »Typ des

bourgeoisen Herstellers künstlicher, eitler und unnützlicher Bücher« bezeichnete (*Gesammelte Werke*, Frankfurt 1967, Band 18, S. 49). Vgl. auch Manns Schilderung einer Diskussion mit einem Linksintellektuellen in *Die geistige Situation des Schriftstellers in unserer Zeit*, GW X, 300–302).

187 *»Der Künstler«, sagt Goethe*: in einem Gespräch mit F. Förster am 4. 8. 1831, Werke 23,761.

187 *»Entzieht euch«*: Goethe, *Zahme Xenien* (»Dreihundert Jahre sind vorbei...«), Werke 1,628.

187 *»Ich statuiere«*: am 4. 11. 1823 nach Mitteilung von F. v. Müller, Werke 23,315 (Hervorhebungen von Thomas Mann).

187 *von Geistigen und Künstlermenschen*: Thomas Mann hat die ursprünglich von Dostojewski stammende Formel »konservative Revolution« in Deutschland wahrscheinlich als erster öffentlich verwendet (1921 in *Russische Anthologie*, X, 598), sie wurde jedoch erst durch Hofmannsthals Rede *Das Schrifttum als geistiger Raum der Nation* (1927) allgemein bekannt.

188 *»Alle Gesetze und Sittenregeln«*: Goethe im Gespräch mit F.v. Müller am 28. 3. 1819, Werke 23,49 (nicht wörtlich).

189 *»Recht ist, was dem Volke nützt«*: Vom Nationalsozialismus vielverwendete Parole, gebildet aus dem englischen »Right or wrong, my country«.

189 *»Ich ziehe die schädliche Wahrheit«*: Goethe am 8. 6. 1787 in einem Brief an Charlotte von Stein, Werke 19,83 (leicht verändert).

189 *»Der Patriotismus«*: Goethe im Juli 1817, berichtet von Riemer (Werke 23,9).

189 *»Wenn der Deutsche graziös sein will«*: vermutlich ein Wort Balzacs.

190 *Goethe's eisige Vereinsamung*: Goethe schätzte Napoleon und erwartete nichts Gutes vom deutschen Sieg 1813 (vgl. sein Gespräch mit Luden am 13. 12. 1813, Werke 22,709–716).

190 *Nietzsche's verzweifelte Vermaledeiung*: In seinen *Unzeitgemäßen Betrachtungen* spricht Nietzsche z. B. angesichts des deutschen Sieges von 1871 von der »Niederlage, ja Exstirpation des deutschen Geistes zugunsten des ›deutschen Reiches‹« (Werke I, 137).

190 *George's bitteres und unerbittliches »Nein«*: Stefan George, dessen Werk zur geistigen Vorbereitung des Nationalsozialismus einen unabsichtlichen Beitrag geleistet hatte (*Das neue Reich*, 1928) und der daher von den Nationalsozialisten umworben wurde, sollte, als Nachfolger von Heinrich Mann, Präsident der gesäuberten Sektion Dichtkunst der Preußischen Akademie der Künste werden, entzog sich dem aber durch eine überraschend schnelle Emigration in die Schweiz, wo er am 14. 12. 1933 starb.

190 *»unter ihr fortstehlen«*: nicht ermittelt.

191 *»das Christentum zu überwinden«*: von Nietzsche beeinflußte nationalsozialistische Parole.

191 *»Über die Höhe und sittliche Kultur«*: Goethe zu Eckermann am 11. 3. 1832, Werke 24,771f.

192 *»wie unser einer«*: Gen 3,22.

194 *»An der Erde zu freveln«*: Siehe S. 357.

196 *»Ich freue mich zu fühlen«*: Goethe April 1804 zu Robinson, Werke 22,352.

VOM KOMMENDEN SIEG DER DEMOKRATIE

Vortrag Frühjahr 1938 USA. Deutscher Erstdruck Zürich 1938.
GW XI, 910–941.

Eine der großen Reden Thomas Manns, gehalten in fünfzehn Städten der USA, die seine Stellung zu Demokratie, Faschismus, Kapitalismus und Sozialismus definiert und in der sozialen Demokratie Rooseveltscher Prägung eine Vermittlung zwischen bürgerlicher Demokratie und einem ethisch-idealistisch gedachten Sozialismus versucht. Der optimistische Tenor des Titels ist einem Pessimismus abgerungen, der sowohl anthropologisch in der Schlechtigkeit der Menschen als auch tagespolitisch in der Schwäche der Demokratien gegenüber dem sich weiter ausbreitenden Faschismus verankert ist.

197 *›Eulen nach Athen‹*: Das Wort stammt aus der Komödie *Die Vögel* des Aristophanes.
197 *Lincoln*: Abraham Lincoln, republikanischer Präsident der USA von 1860–1865 (während des Bürgerkriegs gegen die Südstaaten), proklamierte 1862 die Aufhebung der Sklaverei.
197 *Whitman:* Siehe S. 365.
198 *novarum rerum cupidi*: Caesar, *De bello gallico* I, 18,3 (über den Aeduer Dumnorix).
199 *Knut Hamsun*: 1859–1952, norwegischer Schriftsteller, Nobelpreisträger 1920, trat 1935 der nationalsozialistischen Partei Norwegens unter Quisling bei.
199 *den Pazifisten Ossietzky*: Carl von Ossietzky, Redakteur der *Weltbühne*, Träger des Friedensnobelpreises 1936, 1933 inhaftiert, 1938 im Gefängnis gestorben.
200 *nicht erst die ultima, sondern die prima ratio*: indirektes Zitat aus Ortega, *Der Aufstand der Massen*. Stuttgart 1949, S. 79.
202 *Sakralwort*: Gen 6,5 und 8,21.
202 *»de cette race maudite«*: nicht ermittelt.
202 *die Engel im Himmel*: Einen Prolog im Himmel vor der Erschaffung des Menschen kennt das Alte Testament nicht. Es handelt sich um eine Vorstellung aus dem Bereich der spätjüdischen und frühchristlichen Theologie, die Thomas Mann für den Josephsroman studiert hatte und dort in breitem Umfang verwendete (vgl. V, 1279–1291).
204 *wissen, was Gut und Böse ist:* Gen 3,5.
204 *der gelbe Flecken*: der Judenstern.
205 *Bergson*: Siehe S. 340. Zitat nicht ermittelt.
206 *Isolierung des Geistes vom Leben:* eine geheime Selbstkritik Thomas Manns, der in den *Betrachtungen* Denken und Handeln ausdrücklich getrennt sehen wollte: niemals werde es die Aufgabe Deutschlands sein, »Ideen politisch zu verwirklichen« (XII, 36f).
206 *Goethe hat gesagt:* Siehe S. 343. Ein und dieselbe Stelle wird hier einer gegenteiligen Argumentation dienstbar gemacht.
206 *ersten Präsidenten der tschechoslowakischen Republik*: Thomas Masaryk (1850–1937), Gründer der tschechoslowakischen Republik, Präsident von 1918–1935.
206 *Denker und Staatsmann*: s. Manns Nachruf XII, 820–824.
206 *Forderung Plato's*: daß entweder die Philosophen Könige oder die Könige Philosophen werden (*Politeia* 5. Buch, Kapitel 18, Sämtliche Werke hrsg. v. Otto/Grassi/Plamböck, Hamburg 1958 u. ö., Band 3, S. 193).

206 *Descartes*: René Descartes (1596–1650), sein bekanntestes Werk ist *Discours de la méthode pour bien conduire sa raison et chercher la vérité dans les sciences* (1637).

207 *Roosevelt*: Franklin D. Roosevelt, von 1933 bis zu seinem Tod am 12. 4. 1945 Präsident der USA, mit Thomas Mann persönlich bekannt. Versuchte mit seinem Sozialprogramm »New Deal« Amerika vom schrankenlosen Liberalkapitalismus in Richtung auf einen demokratischen Sozialismus zu führen.

207 *Léon Blum*: französischer Sozialistenführer, 1936/37 Ministerpräsident, 1937/38 stellvertretender Ministerpräsident der Volksfrontregierung in Frankreich. 1940 verhaftet, 1946/47 wieder Ministerpräsident einer sozialistischen Minderheitsregierung.

208 *sogenannten Kulturreden*: Hitler hatte am 19. 7. 1937 zur Eröffnung des Münchener Hauses der Kunst und anläßlich der Ausstellung *Entartete Kunst* eine Rede gehalten, die einen »unerbittlichen Säuberungskrieg« ankündigte (Teilabdruck bei M. Domarus, *Hitler. Reden und Proklamationen.* Würzburg 1962, Band I, S. 705–710).

208 *Corinth, Kokoschka...*: expressionistische Maler, alle in *Entartete Kunst* ausgestellt (vgl. J. Wulf, *Die Bildenden Künste im Dritten Reich.* Reinbek [2]1966, S. 357–373).

208 *»herrlichen Zeiten«*: Wilhelm II. in einer Rede am 24. 2. 1892.

208 *Das Volk, sagt der Kulturredner*: Zitat bei Domarus, a.a.O. nicht mit abgedruckt. Erstdruck der Rede: *Völkischer Beobachter* Nr. 200 vom 19. 7. 1937.

209 *des Herrn Thyssen*: Fritz Thyssen, 1873–1951, Leiter des Montankonzerns Thyssen & Co. KG, unterstützte die NSDAP, wurde jedoch später Regimegegner (Emigration 1939 in die Schweiz, 1941–45 im Konzentrationslager). 1941 erschien sein selbstkritischer Bericht *I paid Hitler.*

210 *In Nürnberg:* Reichsparteitagsgelände, erbaut unter der Leitung von Albert Speer.

210 *Berliner und Münchener*: Mann denkt wohl vor allem an das Berliner Olympiastadion und in München an das Haus der Kunst und den Königsplatz.

210 *dem römischen Kolosseum gleicht*: Der Entwurf für die Nürnberger Kongreßhalle ist bei Wulf abgebildet (a.a.O. Abb. 25).

212 *have-nots*: vielleicht eine Anspielung auf den 1937 erschienenen Roman *To have and have not* von Ernest Hemingway.

213 *der schatzbehütende Lindwurm*: Fafnir aus dem Nibelungenmythos.

214 *Abessinien*: Mussolinis Abessinienkrieg 1935/36 endete mit der Eroberung des Kaiserreichs Äthiopien (»Italienisch-Ostafrika«). 1941 durch britische Truppen befreit, wurde das Land wieder selbständig.

315 *Volk keinen Raum*: Anspielung auf die nationalsozialistische Parole vom »Volk ohne Raum«, die zuerst Hans Grimm mit seinem gleichnamigen Roman aus dem Jahre 1926 populär gemacht hatte.

216 *Dynamismus*: Das Wort und die Passage sind inspiriert von Hermann Rauschnings Buch *Die Revolution des Nihilismus* (Zürich/New York 1938, S. 84–89), dessen Faschismustheorie Thomas Mann vorübergehend beeinflußte.

217 *zur Probe auf entlegenen Schauplätzen*: das deutsche und italienische Engagement im Spanischen Bürgerkrieg und der italienische Abessinienkrieg.

218 *ein deutscher Oberpolizist*: nicht ermittelt (vermutlich der »Reichsführer SS« Heinrich Himmler).

219 *von keines Gedankens Blässe*: Shakespeare, *Hamlet* (Monolog III,1).

220 *Franco... sozialistische Versprechungen*: Franco, seit Januar 1938 Ministerpräsident des von der Falange beherrschten Teils Spaniens, hatte für die Zeit nach dem Bürgerkrieg sozialpolitische Maßnahmen zur Hebung des Lebensstandards der Arbeiter angekündigt.

220 *französischen Volksfront:* Seit 13. 3. 1938 regierte in Paris eine Volksfrontregierung (Sozialisten und Radikalsozialisten mit Unterstützung der Kommunisten) unter Léon Blum. Konservativ nennt Mann ihr Programm, sofern es auf die kämpferische Erhaltung und auf die soziale Erneuerung der Demokratie ausgerichtet war und nicht auf ihre Abschaffung. Die Ablehnung ihres Finanzprogramms führte schon am 8. 4. 1938 zum Rücktritt des Kabinetts Blum.

220 *Le Grand-Maison*: offenbar ein Zentrumsabgeordneter mit christlich-sozialistischen Neigungen. Zitatfundort nicht ermittelt.

221 *Vandervelde*: Emile Vandervelde, 1866–1938, Führer der belgischen Sozialdemokratie. Zitatfundort nicht ermittelt.

221 *Condottiere des Palazzo Venezia*: Mussolini, der im römischen Palazzo Venezia residierte.

EIN BRUDER

Erstdruck unter dem Titel *Bruder Hitler* in *Das Neue Tagebuch* 7, Paris 1939, H. 13.
GW XII, 845–852.

Wie wenig die Politisierung Manns den ironisch-antipolitischen Ästhetizismus des Frühwerks zerstört hat, zeigt dieser paradoxe Text, der das Phänomen Hitler vom künstlerischen Standpunkt aus interessant findet. Dieser Künstlerstandpunkt steht freilich der tagespolitisch geforderten und als ethische Notwendigkeit anerkannten antifaschistischen Parteilichkeit im Wege und tritt daher nur in diesem vereinzelten Dokument zutage. Die Skizze war ursprünglich für den Essayband *Achtung, Europa!* vorgesehen, wurde aber aus politischen Gründen unterdrückt (Münchener Abkommen, Reichskristallnacht – vgl. Briefwechsel mit Bermann Fischer S. 183–195).

223 *Dauer-Asylisten:* Anspielung auf Hitlers frühe Jahre als Maler und Hilfsarbeiter in Wien, als er oft arbeitslos war und in Herbergen nächtigte. Die Wiener Malerakademie hatte sein Aufnahmegesuch abgelehnt.

223 *die Politik erlernte:* vgl. Hitler, *Mein Kampf* (1925): Urteile über Marxisten, Juden und Sozialdemokraten, die die Niederlage Deutschlands und die Novemberrevolution verursacht hätten, führen zu Hitlers »Ich aber beschloß, Politiker zu werden« (Ausgabe München 1939, S. 206).

224 *Dornröschen... Brünnhilden-Lohe... Siegfriedhelden:* eine Kontamination des bei Grimm erzählten Volksmärchens *Dornröschen* mit der Nibelungensage in Wagners Fassung. Vgl. dazu XII, 763 (»Eine pädagogische Zeitschrift, die ›führende‹ nationalsozialistischer Richtung, vergleicht Deutschland mit Dornröschen. Dieses sei die ›schlafende Volksseele‹, Hitler aber der Prinz, der durch die Dornen gedrungen sei und die Seele mit seinem Kuß erweckt habe. – Brr.«).

224 *›Jude im Dorn‹:* eine Anspielung auf das Grimmsche Märchen *Der Jude im Dorn* und vermutlich auch auf die Gestalt des »Merkers« Beckmesser in Wagners Meistersingeroper. Beckmesser, dessen »Beckmesserei« in

nationalistischen Aufführungen als Charakteristikum des Jüdischen aufgefaßt wurde, wird von dem deutschen Ritter Walther von Stolzing verspottet (I,3 – »In einer Dornenhecken...«, vgl. Briefe III,114).

224 *Verehrung:* Hitlers Wagnerverehrung, schon in *Mein Kampf*, a.a.O. S. 25, belegt.

224 *»Friseur und Charlatan«:* G. Keller im Brief vom 30. 4. 1857 an Freiligrath, in: Keller, *Gesammelte Briefe*, Bern 1950, Band 1, S. 262.

225 *»Greuel«:* Gemeint ist der Götzendienst, der für Jahwe ein Greuel und eine Narrheit ist (z. B. Dt 7,25f). Der Irrationalismus wird also mit dem Rückfall aus dem israelitischen Monotheismus in den archaischen Polytheismus der Kanaaniter verglichen.

226 *›Fiorenza‹:* Manns Drama *Fiorenza* aus dem Jahre 1905 läßt den Mönch Savonarola gegen den hedonistischen Ästheten Lorenzo de Medici antreten.

226 *»das Wunder der wiedergeborenen Unbefangenheit«:* VIII, 1064.

226 *Absage an den Psychologismus: Der Tod in Venedig*, VIII, 455.

226 *auf eine gewisse Hauptstadt:* Wien, gemeint ist die Eingliederung Österreichs ins Deutsche Reich (1938).

226 *dem alten Analytiker:* Sigmund Freud, der bis 1938 in Wien lebte und vor den Nationalsozialisten nach London fliehen mußte, wo er 1939 starb.

226 *Verrücktheit... Genie:* Die Quelle dieser Kombination ist das Werk *Genio e Follia* (Genie und Wahnsinn) von Cesare Lombroso (1864), das über Nietzsche und Freud auch auf Thomas Mann wirkte.

227 *»Weltgeist zu Pferde«*: aus einem Brief Hegels an Niethammer vom 13. 10. 1806, Sämtliche Werke (hrsg. v. Lasson/Hoffmeister) Band XXVII, S. 120 (nicht wörtlich).

227 *beflügelt-hermetisch-mondverwandtes Mittlertum:* Der griechisch-römische Gott Hermes (Merkur), flügelbeschuhter Gott der Schrift, des Traumes (»mondverwandt«), des Handels und der Diebe, Führer der Toten ins Jenseits, wird von Thomas Mann oft als Symbolgestalt für den Künstler verwendet.

DAS PROBLEM DER FREIHEIT

Rede in Stockholm September 1939. Erstdruck Stockholm 1939.
GW XI, 952–972.

Aus einer Betrachtung über die französische Julirevolution von 1830 und die Schriften des Saint-Simonismus entwickelt Mann hier seine Idee eines christlichen Sozialismus, in dem allein die widersprüchlichen Forderungen der bürgerlichen Revolution nach Freiheit und nach Gleichheit versöhnt werden können.

228 *Benjamin Constant:* 1767–1830, Politiker, Philosoph und Schriftsteller des Liberalismus, Verfasser des teilweise autobiographischen psychologischen Romans *Adolphe*. Das Zitat stammt aus einer mir nicht vorliegenden Übersetzung der Schrift *De l'esprit de Conquête et de l'Usurpation* (1814). 1. Teil, 2. Kapitel.

228 *zwischen Moskau und Waterloo:* zwischen Napoleons verunglücktem Rußlandfeldzug 1812 und seiner endgültigen Niederlage bei Waterloo 1815.

228 *ein anderer französischer Gesellschaftskritiker:* nicht ermittelt.
229 *Heinrich Heine:* aus *Französische Zustände.* Sämtliche Werke (hrsg. v. E. Elster) Band 5, Leipzig/Wien o.J., S. 102.
230 *»Amerika, du hast es besser«:* Goethe, *Zahme Xenien.* Werke 2,405.
230 *Panama:* Alle folgenden Zitate sind aus dem Gespräch Goethes mit Eckermann am 21. 2. 1827, Werke 24,599f.
230 *Trockenlegung eines Sumpfes: Faust II,* 5. Akt, Werke 5,508f.
230 *»Freihandel der Begriffe und Gefühle«:* nicht ermittelt.
230 *Weltliteratur:* Goethe zu Eckermann am 31. 1. 1827, Werke 24,229.
231 *»Ich mag nun also«:* nicht ermittelt.
231 *L'âge d'or:* Motto der Zeitschrift *Le Producteur* (1825–1826) und von Saint-Simons *Opinions littéraires, philosophiques et industriels* (1825).
232 *Daß nach dem Ableben:* Zitat aus Heine, *Französische Zustände,* a.a.O. S. 160.
232 *Saint-Simon*: 1760–1825, französischer Sozialphilosoph, der Industrie und Wissenschaft als Grundlage der bürgerlichen Gesellschaft sah. Er nahm damit das antifeudale Element der bürgerlichen Revolution auf und verschaffte den Prinzipien von Produktivität und Rationalität ihre bis heute grundlegende Bedeutung. Sein rational-technokratisches Konzept wurde von seinen Schülern Bazard und Enfantin zur wissenschaftlichen Theokratie weiterentwickelt (»Religion Saint-Simonienne«), die sich in der weiteren Entwicklung immer wieder als dritter Weg zwischen Kapitalismus und Sozialismus empfahl (wie auch für Thomas Mann), ohne doch den Klassencharakter der entstehenden kapitalistischen Gesellschaft auf eine mehr als moralische Weise aufheben zu können.
232 *Dunoyer:* Barthélémy Charles Dunoyer, 1786–1862, freisinniger Nationalökonom. Sein Buch heißt *L'industrie et la morale considerées dans leur rapports avec la societé* (1825).
232 *»Association universelle«:* ein Begriff von Bazard.
232 *Auguste Comte:* 1798–1857, französischer Soziologe, von 1817–22 Sekretär Saint-Simons.
233 *Geist der Pädagogischen Provinz:* Goethe, *Wilhelm Meisters Wanderjahre.* 2. Buch.
233 *Plato: Politeia.* 5. Buch.
234 *»Die Religion«:* Saint-Simon, *Nouveau Christianisme* (1825). Vgl. Lorenz von Stein, *Geschichte der sozialen Bewegung in Frankreich von 1789 bis auf unsere Tage* (1849). München 1921, Band II, S. 177.
234 *Im antiken Rom:* nicht ermittelt.
237 *»Verwirrende Lehre«:* am 17. 3. 1832, Werke 21, 1043.
237 *seine Wurst hineinwickle:* Heine, Preface zu *Lutetia,* Sämtliche Werke a.a.O. Band 6, S. 572: »En effet, ce n'est qu'avec horreur et effroi que je pense à l'époque où ces sombres iconoclastes parviendront la domination: de leurs mains calleuses ils briseront sans merci toutes les statues de marbres de la beauté, si chère à mon coeur (...), mon Livre des Chants servira à l'épicier pour en faire des cornets (...). Et pourtant, je l'avoue avec franchise, ce même communisme, si hostile à tous mes interêts et mes penchants, exerce sur mon âme un charme dont je ne puis me défendre (...)«. Über Manns mutmaßlichen Zugang zu dieser Stelle vgl. Hansen, *Thomas Manns Heine-Rezeption.* Hamburg 1975, S. 238.
240 *der deutsche Pogrom:* die »Reichskristallnacht« am 9./10. 11. 1938, als über 7000 jüdische Geschäfte zerstört wurden. 30 000 Juden wurden verhaftet, 91 starben. Die Aktion leitete die gewaltsame Verdrängung und spätere Vernichtung der Juden ein.
240 *Revolution der leeren Gewalt:* Die Passage verrät den Einfluß des 1938

erschienenen Buchs *Die Revolution des Nihilismus* von H. Rauschning.

241 *ecclesia militans – ecclesia triumphans:* Thomas Mann bezieht das Begriffspaar anscheinend auf die verfolgte junge Kirche und ihre staatliche Anerkennung seit Konstantin; es handelt sich jedoch im strengen Sinn nicht um eine religionsgeschichtliche, sondern um eine heilsgeschichtliche Unterscheidung zwischen der streitenden irdischen Kirche und der erst eschatologisch triumphierenden Kirche.

SCHICKSAL UND AUFGABE

Erstdruck in englischer Sprache unter dem Titel *What is German?* in *Atlantic Monthly*, New York, Band 173, 1944, Nr. 5. Bearbeitete Fassung des 1943 in Washington und anderen Städten der USA gehaltenen Vortrags *The War and the Future*.
GW XII, 918–939.

Die Frage dieses Aufsatzes, wie weit das Volk in seiner Gesamtheit für die Untaten der Nazis verantwortlich sei, bezieht sich auf eine latente Auseinandersetzung Thomas Manns mit Bertolt Brecht und anderen linken Emigranten. Brecht ging davon aus, daß eine kleine faschistische Oberschicht die Mehrheit des deutschen Volkes gewaltsam unterdrücke und nur diese, nicht das leidende Volk zu bestrafen sei, während Mann in verschiedenen Äußerungen dem gesamten deutschen Volk eine Mitschuld gab, sich damit also der Kollektivschuldthese Lord Vansittarts und des Morgenthau-Plans näherte. In *Schicksal und Aufgabe* macht Mann die innerhalb seines Werks weitestgehenden Zugeständnisse an die marxistische Faschismustheorie: so wenn er das »Bündnis von Junkertum, Generalität und Schwerindustrie« zur Rechenschaft zieht, wenn er die bürgerliche Kommunistenfurcht geißelt und den Faschismus als Krisenform des Kapitalismus zur Verhinderung sozialistischer Veränderungen begreift, wenn er schließlich die Existenz einer nach Millionen zählenden inneren Emigration anerkennt. Zugleich aber weigert er sich, den marxistischen Ansatz mit allen Konsequenzen zu übernehmen. Die Fundamente seiner Argumentation sind vielmehr nationalpsychologisch (Leitfrage »Was ist deutsch?«), bürgerlich (Freiheit wichtiger als Gleichheit), idealistisch (Begründung der Demokratie von Beethoven her) und religiös (die soziale Demokratie als realer christlicher Humanismus). Mit seiner Mühe um Vermittlung zwischen Bürgertum und Sozialismus setzte sich Mann allerdings auch in den USA zwischen alle Stühle.
Zum Ganzen vgl. H. Lehnert, *Bert Brecht und Thomas Mann*.

245 *high-brow:* hier Stichwort für einen sozial verantwortungslosen Intellektualismus.

245 *Briand:* s. o. S. 355. Die Gesprächsnotiz gibt möglicherweise nur eine als Zitat verkleidete geistige Stimmung wieder, nicht eine individualisierbare Äußerung.

246 *›Graeculi‹:* Anspielung auf die politische Übermacht Roms über Griechenland in der Spätantike.

248 *die Parteiführer in Mailand:* nicht ermittelt.

248 *Romain Rolland:* s. o. S. 340. Die Nachricht, Rolland sei 1943 in einem deutschen KZ gestorben, beruht auf einer subversiven Falschmeldung der Résistance. Rolland lebte, trotz einiger Auseinandersetzungen mit den Vichy-Behörden, ziemlich unbehelligt in Frankreich, wo er 1944 starb.

250 *›Ring des Nibelungen‹:* Wagners Operntetralogie *Der Ring des Nibelungen* richtet sich mit der Heraufbeschwörung der heroischen germanischen Vorzeit gegen das moderne bürgerliche Zeitalter.

250 *Wagalaweia:* ironisches Beispiel für die archaisierenden Stabreime in Wagners *Ring.*

250 *große soziale Romandichtung:* z. B. Charles Dickens, *Oliver Twist* (1838); William Thackeray, *Vanity Fair* (1847); Honoré de Balzac, *La Comédie Humaine* (1829–54); Emile Zola, *Les Rougon-Macquart* (1871–93).

251 *»Deutschland ist Hamlet«:* Anfangszeile des Gedichts *Hamlet* von Ferdinand Freiligrath (1844). Mann kannte vermutlich nur diese Zeile, denn im Ganzen spricht das Gedicht nicht für, sondern massiv gegen den deutschen Idealismus, der den Deutschen, wie Hamlet, reich im Denken, aber jämmerlich im Handeln gemacht habe.

251 *»Tatenlos und gedankenreich«:* richtig »Tatenarm und gedankenvoll«, aus Hölderlins Ode *An die Deutschen* (1798). Sämtliche Werke Band 1, Stuttgart 1946, S. 256.

251 *»Deutschland, Deutschland«:* wörtlich nicht aufgefunden, wahrscheinlich Gedächtniszitat aus *Zur Genealogie der Moral,* wo Nietzsche als Grund für die »Verödung des deutschen Geistes« unter anderem auch »das starke, aber enge Prinzip ›Deutschland, Deutschland über alles‹« nennt (Werke II, 896) oder aus den Nachlaßnotizen (Musarion-Ausgabe XVI,368–370). Hoffmann von Fallerslebens Gedicht wurde seit 1871 als Nationalhymne verwendet.

252 *Kardinal Manning:* Henry E. Manning, 1808–1892, katholischer Erzbischof von Westminster, führend in der katholischen Sozialbewegung unter Papst Leo XIII. Zitat nicht ermittelt.

252 *»Wenn der Deutsche«:* Siehe S. 365.

253 *Vorgänge an der Universität München:* Gemeint ist die Tätigkeit der Widerstandsgruppe »Weiße Rose«, die 1943 von der Gestapo zerschlagen wurde.

254 *hätte vorbeugen können:* Die unrealistische Härte des Versailler Friedensvertrags wird hier für die Genese des Faschismus mit verantwortlich gemacht.

254 *›purges‹ vom Juni 1934:* Gemeint sind die »Säuberungen« in der NSDAP, die nach dem sogenannten Röhm-Putsch am 30. Juni 1934 einsetzten und in denen viele Vertreter eines Sozialismus nationaler, konservativer, ständischer, völkischer oder romantischer Prägung hingerichtet oder entmachtet wurden (z. B. Gregor Strasser, Ernst Röhm u. a. m.).

255 *Comité des Forges:* Interessenvertretung der französischen Stahl- und Eisenindustrie.

255 *Faubourg St. Germain:* Pariser Stadtteil, in dem sich Amtsgebäude der höheren Verwaltung (Außen-, Verteidigungs- und Handelsministerium), des diplomatischen Diensts und der militärischen Führung sowie Wohnsitze des Adels befanden (vgl. XI, 66).

255 *Feldmarschall Göring:* s. o. S.360. Als »sehr umfangreich« bezeichnet Mann ihn doppelsinnig im Hinblick auf seine massive Statur.

255 *miles gloriosus:* Titel einer Komödie von Plautus, danach sprichwörtlich ruhmrediger Kriegsheld.

255 *Sturz der Republik:* Die Kriegserklärung Frankreichs an Deutschland führte zur Niederlage vom Juni 1940, die der dritten Republik ein Ende machte. Frankreich wurde zum Teil von deutschen Truppen besetzt, zum anderen Teil von einer autoritären Regierung unter Pétain und Laval beherrscht, die mit Hitler zusammenarbeitete (Sitz in Vichy).

257 *Seid umschlungen, Millionen:* Schillers Gedicht *An die Freude* im Schlußchor von Beethovens Neunter Symphonie.
257 *des appeasements:* Bezeichnung für die nachgiebige Politik besonders Englands gegenüber Hitler von 1933–39, die im Münchener Abkommen von 1938 gipfelte (kampflose Überlassung des Sudetenlandes an Deutschland, von Hitler zur Besetzung eines großen Teils der Tschechoslowakei mißbraucht). Mann kritisierte das Münchener Abkommen mit größter Schärfe in *Dieser Friede* (GW XII, 829–845).
257 *Im März 1932:* Es handelt sich um die am 18. 3. 1932 und öfter gehaltene Rede *Goethe als Repräsentant des bürgerlichen Zeitalters* (XI, 297–332).
257 *»...der Kredit«:* XI, 332 (letzte Zeile leicht verändert).
261 *Bill of Rights:* Erklärung der Grundrechte in der Verfassung der USA.

DEUTSCHE HÖRER!

Nach diversen Teildrucken erster Gesamtdruck unter dem Titel *Deutsche Hörer – Fünfundfünfzig Radiosendungen nach Deutschland.* Stockholm 1945. GW XI, 983–1123. Hier wird eine Auswahl von 9 Ansprachen vorgelegt.

Von 1940–1945 versuchte Thomas Mann, in monatlichen Radioansprachen über BBC den Deutschen im Reich ins Gewissen zu reden. Er appelliert an die Tradition des guten, nicht faschistischen Deutschland und ruft es zum Widerstand auf. Hitlers Herrschaft wird mit ganzen Kanonaden von Schimpfwörtern belegt, die die Überzeugungskraft der Ansprachen eher mindern. Soweit sich die Rezeption ermitteln läßt, war sie wahrscheinlich eher von Abwehr gekennzeichnet. Die Deutschen im Reich empfanden Thomas Manns Mahnungen als anmaßende Worte eines völlig Fremden und Außenstehenden, der ihre seelische Lage nicht verstand. (Vgl. Sontheimer S. 125–134.)

Oktober 1940

262 *von Goethe zum Beispiel:* Anspielung auf Manns Goethe-Roman *Lotte in Weimar*, der Ende 1939 in Stockholm erschienen war.
262 *die englische Behörde:* Manns Ansprachen wurden in Los Angeles auf eine Platte gesprochen und dann von der BBC in London auf Langwelle gesendet, so daß sie im Reich empfangen werden konnten.
262 *in Rotterdam:* 12.–14. Mai 1940 vernichtender Luftkrieg.
262 *»Das ist die größte Herausforderung«:* nicht ermittelt.
262 *10. Mai:* deutscher Einmarsch in die Beneluxstaaten.
262 *Roosevelt:* Siehe S. 366.
263 *in Norwegen, in Holland ...:* April bis Juni 1940 Feldzug in Norwegen (Schlacht um Narvik), Mai 1940 Kapitulation Hollands und Belgiens, Juni 1940 Kapitulation Frankreichs. Die Tschechoslowakei war bereits 1938, Polen 1939 besetzt worden.
263 *im beschützten Dänemark:* Am 9. 4. 1940 hatte die deutsche Wehrmacht den »Schutz« des neutralen Dänemark übernommen. Die Besetzung wurde von der dänischen Regierung unter Protest hingenommen, die Bevölkerung zur Wahrung der Ruhe aufgefordert.
263 *im Generalgouvernement:* Das besetzte Polen trug die offizielle Bezeichnung »Generalgouvernement«.
263 *im Protektorat:* Hitler errichtete 1939 in den besetzten Teilen der Tschechoslowakei das »Protektorat Böhmen und Mähren«.

263 *Verteidigung Londons:* Die seit 7. 9. 1940 währenden Luftangriffe auf London hatten schwere Opfer gekostet. Dennoch verkündete König Georg am 23. 9. 1940 die Entschlossenheit Englands, weiterzukämpfen, auch wenn London in Trümmer gelegt werde.

April 1941

264 *die jüngste Rede:* Hitlers Rede vom 29. 4. 1941 (Kurzinhalt bei Domarus, *Hitler. Reden und Proklamationen.* Würzburg 1963, Band 2, S. 1694–1695. Zitate nicht ermittelt).
264 *Myrmidonen:* römische Gladiatorentruppe. Anspielung auf das aus 9000 Offiziersanwärtern bestehende Publikum.
265 *Bündnisse mit Rußland und Japan:* Am 24. 8. 1939 schloß Deutschland einen Nichtangriffsvertrag mit der Sowjetunion, am 27. 9. 1940 den Dreimächtepakt mit Italien und Japan.
266 *Kritik der Italiener:* Im italienisch-griechischen Krieg 1940/41 begegnete Mussolini starkem Widerstand aus Kreisen des italienischen Heeres.

August 1941

266 *Es ist ein Streit:* Siehe S. 371.
266 *im ›Dritten Reich‹:* Siehe S. 349.
268 *Ein boshafter Franzose:* Siehe S. 365.

Juni 1942

268 *früheren Sendungen:* Januar 1942 (XI, 1025, hier nicht abgedruckt).
268 *auf indirektem Wege:* nicht ermittelt.
268 *Mauthausen:* nationalsozialistisches Vernichtungslager in Österreich.
269 *Heydrich:* Reinhard Heydrich, Chef des Sicherheitsdiensts der SS seit 1934, Gestapochef seit 1936, »Stellvertretender Reichsprotektor in Böhmen und Mähren« 1942, am 27. 5. 1942 von tschechischen Widerstandskämpfern getötet.
269 *Lidice:* tschechisches Dorf, in dem am 10. 6. 1942 alle 167 männlichen Einwohner von der SS als Rache für den Mord an Heydrich erschossen wurden.
269 *ein anderer Metzgermeister:* Die Grabrede hielt Heinrich Himmler.
270 *Macht an sich böse:* ein Wort des Historikers Jacob Burckhardt: »Und nun ist die Macht an sich böse, gleichviel wer sie ausübe. Sie ist kein Beharren, sondern eine Gier und eo ipso unerfüllbar, daher in sich unglücklich und muß andere unglücklich machen.« (*Weltgeschichtliche Betrachtungen.* Leipzig o.J., S. 97).

24. Oktober 1942

270 *›Europäische Jugend-Kongreß‹:* Am 14. 9. 1942 wurde ein »Europatreffen« in Wien einberufen, an dem faschistische Jugendorganisationen aus ganz Europa den »Europäischen Jugendbund« gründeten.
270 *Stalingrad:* Im August 1942 hatte die deutsche 6. Armee Stalingrad teilweise besetzt, konnte jedoch das Gebiet nicht halten. Da Hitler den Rückzug verbot, wurde die 6. Armee eingeschlossen und mußte nach einer katastrophalen und kriegsentscheidenden Vernichtungsschlacht am 31. 1. 1943 kapitulieren.
270 *Ansprache des Präsidenten Roosevelt:* nicht ermittelt.

270 *Baldur von Schirach:* »Reichsjugendführer« der NSDAP, seit 1940 Reichsstatthalter in Wien, Begründer der »Hitler-Jugend«. Zitate nicht ermittelt.

271 *Museumsschätze stehlen:* Unter dem »Nazi-Bonzen« war es vor allem Hermann Göring, der sich zahlreiche Kunstschätze aus den eroberten Gebieten aneignete.

271 *in Jasnaja Poljana:* Wohn- und Sterbeort Tolstois, mit einem Nationalmuseum.

271 *aus Europa davongemacht:* Die meisten der ca. 1500 Schriftsteller, die Hitlers Herrschaft zur Emigration zwang, lebten zunächst in den europäischen Nachbarländern (v. a. Frankreich, Schweiz, Dänemark, Tschechoslowakei) und flohen seit 1938 weiter nach USA, Mexiko, England, Schweden und UdSSR.

27. Juni 1943

272 *die Bürgerpapiere:* Nach Abwicklung längerer bürokratischer Formalitäten wurde Thomas Mann am 23. 6. 1944 die amerikanische Staatsbürgerschaft verliehen.

273 *deutsch und nationalsozialistisch ein und dasselbe:* Bekannt wurden vor allem die Äußerungen des englischen Diplomaten Robert Lord Vansittart, der die Unterscheidung zwischen einem guten und einem bösen Deutschland als sentimentale Germanophilie bezeichnete. In seinen Büchern *Black Record: Germans Past and Present* (London 1941) und *Lessons of my Life* (New York 1943) zitiert er für diese Auffassung mehrmals Thomas Mann als Zeugen. (Vgl. Lehnert, *Bert Brecht und Thomas Mann*, v. a. S. 62–65).

273 *Himmler:* Heinrich Himmler, 1900–1945, »Reichsführer SS«, Chef der Gestapo, seit 1943 Innenminister, wichtigster Organisator der Judenvernichtung.

273 *Münchner Universität:* Die studentische Widerstandsgruppe »Weiße Rose« hatte 1942–43 mit Flugblättern gegen die NS-Herrschaft protestiert. Hans und Sophie Scholl, Christoph Probst, Kurt Huber und Alexander Schmorell wurden 1943 hingerichtet. Die Flugblätter und andere Dokumente sind abgedruckt in C. Petry, *Studenten aufs Schafott. Die Weiße Rose und ihr Scheitern.* München 1968.

28. März 1944

274 *in Köln, Hamburg, Berlin:* systematischer Bombenkrieg der Alliierten auch gegen die Zivilbevölkerung.

275 *›München‹:* Siehe S. 373. (appeasement)

275 *Eher-Verlag:* Zentralverlag der NSDAP, Franz Eher Nachf. München, hatte im Dritten Reich eine beherrschende Stellung im Buchmarkt inne. Quelle der folgenden ökonomischen Einzelheiten ist ein im Thomas Mann Archiv Zürich aufbewahrter Zeitungsartikel *Das dritte Reich der Reichen* von Albert Norden (in: *The German American*, September 1942), dessen Informationen Mann ohne weitere Prüfung übernimmt.

275 *Göring:* Siehe S. 368.

275 *Ley:* Robert Ley, 1890–1945, zerschlug 1933 die Gewerkschaften und gründete die Deutsche Arbeitsfront.

275 *Sauckel:* Fritz Sauckel, 1894–1946, Gauleiter in Thüringen, seit 1942 »Generalbevollmächtigter für den Arbeitseinsatz« (Massendeportationen).

14. Januar 1945

277 *Maidanek, Auschwitz, Birkenau:* nationalsozialistische Vernichtungslager in Polen.

16. Januar 1945

278 *30. Januar 1933:* Ernennung Hitlers zum Reichskanzler.
279 *»Stirb und Werde«:* aus Goethes Gedicht *Selige Sehnsucht* (Werke 3,299), Anspielung an den Mißbrauch des Worts für die »nationale Wiedergeburt« von 1933.
280 *»Und unser Wort«:* nicht ermittelt.

DEUTSCHLAND UND DIE DEUTSCHEN

Vortrag am 29. 5. 1945 in Washington. Erstdruck *Die Neue Rundschau*, Oktober 1945.
GW XI, 1126–1148.

Der Vortrag entwickelt eine kulturhistorische und nationalpsychologische Theorie des deutschen Faschismus, den er als eine pervertierte Erscheinungsform des deutschen Wesens und als Folge der mißglückten sozialen und demokratischen Revolutionen der deutschen Geschichte versteht. Die Formel, es gebe nicht zwei Deutschland, ein gutes und ein schlechtes, sondern nur eines, dem sein Bestes durch Teufelslist zum Bösen ausschlug, erklärt die Faszination des Nationalsozialismus durch seine innere Beziehung zu den Träumen und Utopien der deutschen Geistesgeschichte. Sie will die Entschuldigung, es sei alles unter Zwang und Befehlsnotstand geschehen, nicht gelten lassen und distanziert sich auch von der marxistischen Faschismustheorie, die im Volk nur Unterdrückte, nicht gläubige Anhänger sah.
Wesentliche Gedankengänge der Rede (v. a. die Komplexe Luther, Musik, Teufelspakt) stammen aus dem geistigen Zusammenhang des damals entstehenden Romans *Doktor Faustus.*

281 *amerikanischer Bürger:* Siehe S. 375.
281 *eines amerikanischen Staatsinstituts:* Thomas Mann war »Consultant in Germanic Literature« der gastgebenden Library of Congress.
281 *Tscheche zu sein:* Thomas Mann war am 19. 11. 1936 die tschechische Staatsangehörigkeit verliehen worden, kurz vor seiner Ausbürgerung aus Deutschland am 2. 12. 1936.
285 *Sören Kierkegaard:* Die angeführten Mozart-Interpretationen finden sich in Kierkegaards *Entweder/Oder* (1843), Gesammelte Werke, 1. Band, Regensburg 1964, S. 47–145.
285 *Balzac: »Les Allemands«: Le Cousin Pons,* in: *Oeuvres Complètes.* Paris 1947, Band 18, S. 26.
285 *Schmucke:* ebd. S. 25.
286 *Incubi und Kielkröpfe:* Ein Incubus ist ein dämonischer Geist, der des Nachts Frauen geschlechtlich heimsucht, ein Kielkropf ein vom Teufel untergeschobenes Kind (»Wechselbalg«).
286 *Oger:* märchenhafter menschenfressender Riese.
286 *Giovanni de Medici:* Sohn des Lorenzo de Medici (»Il Magnifico«), war 1513–1521 Papst Leo X., verantwortlich u. a. für den Ablaßhandel

zugunsten der Peterskirche in Rom, der einer der auslösenden Faktoren für Luthers Thesenanschlag war.

286 *»des Teufels Sau, der Babst«:* Seit der Verbrennung der Bannbulle von 1520 war der Papst für Luther der Antichrist schlechthin.

286 *Erasmus:* Der Humanist Erasmus von Rotterdam (1469–1536) schrieb gegen Luther seine *Diatribe de libero arbitrio* (1524), auf die Luther mit *De servo arbitrio* (1525) antwortete.

286 *New Deal:* Roosevelts Sozial- und Finanzreformprogramm von 1933–38, das gegenüber dem reinen Kapitalismus das Sozialstaatprinzip durchzusetzen versuchte.

287 *Jedermann sein eigener Priester:* Luthers Schrift *An den christlichen Adel deutscher Nation* (1520) kritisiert den katholischen Klerus und fordert das allgemeine Priestertum (»Dan alle Christen/sein warhafftig geystlichs stands.«)

287 *Nietzsche:* Vgl. z. B. *Jenseits von Gut und Böse* oder Zur *Genealogie der Moral.*

287 *Freiheit des Christenmenschen:* Anspielung auf Luthers Schrift *Von der Freiheit eines Christenmenschen* (1520).

287 *»Ich hasse die Revolution«:* Friedrich Ebert 1918.

287 *Bauernaufstand:* Im Bauernkrieg 1524/25 hatten sich die Aufständischen auf Luther berufen. Die 12 Artikel der deutschen Bauernschaft von 1525 fordern z. B. die freie Wahl des Pfarrers und die Verkündigung des reinen Evangeliums ohne alle Zusätze. Luther wandte sich nach anfänglicher Sympathie von ihnen ab und forderte in einer Schrift *Wider die räuberischen und mörderischen Rotten der Bauern* (1525), sie totzuschlagen, »gleich als wenn man eynen tollen Hund todschlahen mus« (ähnlich auch in Luthers Brief an Rühel vom 30. 5. 1525, in Thomas Manns Exemplar – *Martin Luthers Briefe.* Hrsg. Buchwald, Leipzig 1909, Band 2, S. 24 – angestrichen). Im Mai und Juni 1525 wurde der Aufstand blutig niedergeschlagen. Luther, der inzwischen den Glauben an die sich selbst regierende Christengemeinde verloren hatte, baute seitdem auf die Landesfürsten und die reichsstädtischen Magistrate, so daß statt einer Kirche des Volkes eine Obrigkeitskirche entstand.

287 *Tilman Riemenschneider:* Maler und Bildschnitzer, ca. 1460–1531, von 1520–1524 Bürgermeister von Würzburg, stellte sich auf die Seite der aufständischen Bauern gegen den Fürstbischof von Würzburg, wurde nach der Niederlage abgesetzt und eingekerkert.

288 *›Burg‹:* Der Fürstbischof von Würzburg residierte der Stadt gegenüber auf der Marienburg.

288 *»Sei untertan«:* Röm 13,1, zitiert in Luthers Schrift gegen die Bauern.

290 *Jahn:* Der sogenannte »Turnvater« Friedrich Jahn, 1778–1852, propagierte die nationale Ertüchtigung durch Turnen, während der Befreiungskriege schriftstellernder Offizier. Einfluß auf die Gründung der Burschenschaften, 1819 als Demagoge verhaftet. Als Abgeordneter der Deutschen Nationalversammlung von 1848 hielt er sich zur äußersten Rechten.

290 *Maßmann:* Hans Ferdinand Maßmann, 1797–1874, nationalistischer Germanist, Mitbegründer des Turnwesens, Burschenschaftler, später Professor in München und Berlin.

291 *›expediency‹:* eine Zweckmäßigkeit, die in der Wahl ihrer Mittel wenig Rücksicht nimmt.

292 *Göring-Konzern:* Siehe S. 360.

293 *›Lob der Torheit‹: Morias Enkomion seu Laus stultitiae* (1511), satirische Schrift des Erasmus. Zitat nicht ermittelt.

293 *»auf seinen Hals«:* Luther über die unnachsichtige Verfolgung der aufständischen Bauern.

294 *Paulskirchenparlament:* Die Mehrheit der als Folge der Revolution von 1848 in Frankfurt gebildeten Deutschen Nationalversammlung war zuerst für die großdeutsche Lösung, d. h. die Bildung eines deutschen Reiches unter Einbeziehung Österreichs. Bismarck bereitete im Krieg von 1866 gegen Österreich und die süddeutschen Staaten die kleindeutsche Lösung unter Führung Preußens vor, die sich im Krieg gegen Frankreich 1870/71 befestigte und in der Gründung des zweiten Kaiserreichs am 18. 1. 1871 besiegelt wurde.

294 *Zeit der sächsischen und schwäbischen Herrscher:* 10./11. Jahrhundert.

295 *Versöhnung des Vernünftigen mit dem Wirklichen:* Hegels Satz »Was vernünftig ist, das ist wirklich; und was wirklich ist, das ist vernünftig« (Vorrede zur Rechtsphilosophie, *Sämtliche Werke*, hrsg. v. Glockner, Stuttgart 1964, Band 7, S. 33) war von der Hegelschen Rechten als Bestätigung des Bestehenden als historisch gewachsener Vernunft, von der Linken als Aufforderung, das Vernünftige erst wirklich zu *machen*, interpretiert worden. Mann kennt nur die konservative Variante.

295 *schuf geradezu die Wissenschaft von der Geschichte:* Die großen Historiker des 19. Jahrhunderts (Leo, Droysen, Ranke, Burckhardt, Treitschke u. a.) bildeten allerdings ihre Position vielfach aus dem Gegensatz zur Geschichtsphilosophie Hegels, die Mann hier in eine kaum haltbare Nähe zur Romantik rückt.

295 *Nietzsche:* über Krankheit und Erkenntnis z. B. in *Menschliches Allzumenschliches*, Werke I,440f.

295 *Psychoanalyse:* Der Zuordnung der Psychoanalyse zur Romantik, die Mann schon im *Zauberberg* vornahm (Krokowski), widersprechen die Freud-Reden von 1929 und 1936, die die Psychoanalyse nach differenzierten Erwägungen schließlich doch zur Aufklärung rechnen (z. B. X, 280).

295 *Goethe:* Siehe S. 349.

296 *wie die Rose den Wurm:* Anspielung auf das Gedicht *The sick Rose* des englischen Lyrikers William Blake (1757–1827), das Thomas Mann für einen ähnlichen Zusammenhang im *Doktor Faustus* verwendet (VI,220).

297 *Hölderlin, Goethe, Nietzsche:* Mann denkt z. B. an den Passus über die Deutschen in Hölderlins *Hyperion*, an Goethes Xenien (»Deutschland? Aber wo liegt es? Ich weiß das Land nicht zu finden, / Wo das gelehrte beginnt, hört das politische auf.«, Werke 2,455), an einige der *Maximen und Reflexionen* und eine große Zahl verstreuter kritischer Äußerungen (zu Eckermann am 3. 5. 1827: »es können noch ein paar Jahrhunderte hingehen, ehe... man von ihnen wird sagen können, es sei lange her, daß sie Barbaren gewesen«, 24,632) und an Nietzsches harte Urteile über die Geistlosigkeit der Deutschen (z. B. I,137ff; II,926 – »Gehorsam und lange Beine«).

297 *»Verpflanzt«, sagte er:* Goethe am 14. 12. 1808 zu F. v. Müller, Werke 22,527.

DIE LAGER

Rundfunkbotschaft 8. 5. 1945. Erstdruck unter dem Titel *Thomas Mann über die deutsche Schuld* in *Bayerische Landeszeitung*, München 18. 5. 1945. GW XII, 951–953.

Die Bedeutung des Texts liegt vor allem darin, daß Mann mit ihm erstmals wieder breite Kreise des deutschen Volkes erreichte. Die Resonanz war jedoch vorwiegend negativ: der pauschale Schuldvorwurf löste eine Reihe bitterer Stellungnahmen aus.

300 *Fritzsche:* Hans Fritzsche, führender nationalsozialistischer Journalist, seit 1942 Leiter der Rundfunkabteilung des Propagandaministeriums, beliebter Kommentator (wöchentliche Sendung »Hans Fritzsche spricht«), 1947 vom Nürnberger Militärtribunal freigesprochen.
300 *Bischof Galen:* Clemens August Kardinal von Galen, Bischof von Münster, während des Dritten Reichs Regimekritiker, hatte am 9. April 1945 gegen den Vorwurf der Kollaboration mit den Alliierten erklärt, daß er als deutscher Bischof mit seinem deutschen Volke fühle. Auf Manns Angriff soll er »mit großmütigem Lächeln« geantwortet haben, der Fall erledige sich von selbst, wenn der große Herr jenseits des Atlantik so fortfahre, würde das deutsche Volk ihm die Antwort nicht schuldig bleiben (nach H. Portmann, *Kardinal von Galen.* Münster 1948, [10]1962, S. 244f). Galen trat im weiteren Verlauf mehrfach als Sachwalter der Interessen der Bevölkerung gegenüber den Besatzungsmächten auf.

WARUM ICH NICHT NACH DEUTSCHLAND ZURÜCKGEHE

Offener Brief an Walter von Molo am 7. 9. 1945. Erstdruck *Aufbau* 11, New York 1945, Nr. 39.
GW XII, 953–962.

Der Schriftsteller Walter von Molo hatte Thomas Mann gebeten, nach Deutschland zurückzukehren. Manns hier abgedruckte Antwort, die mit ihrer pauschalen Verwerfung der in Deutschland von 1933–1945 verfaßten Literatur in der Tat nicht gerecht wird, führte zu einer Reihe erregter Angriffe seitens der »inneren Emigration«, die von wenig Selbstkritik und Schuldbekenntnis zeugten und für die nicht stattfindende Vergangenheitsbewältigung paradigmatisch waren. Die Resonanz dieser Polemik, die Mann zum Verräter an seiner deutschen Heimat stempeln wollte, war sehr groß. (Die wichtigsten Dokumente findet man bei Schröter S. 334–343 und S. 516–518, Ausführliches bei J. F. G. Grosser, *Die große Kontroverse.* Hamburg 1963, einen Kurzüberblick bei Sontheimer S. 145–151).

301 *Offenen Brief:* Münchner Zeitung 13. 8. 1945, Abdruck bei Schröter S. 334–336.
301 *Berliner Radio:* nicht ermittelt.
301 *Organ der vereinigten demokratischen Parteien:* nicht ermittelt.
301 *Walter von Molo:* 1880–1958, nationalkonservativer Schriftsteller, der Tradition des deutschen Idealismus verpflichtet, schrieb vor allem kulturhistorische Romane. 1928–1930 Präsident der Sektion Dichtkunst der Preußischen Akademie der Künste (seitdem mit Thomas Mann persönlich bekannt), distanzierte er sich vom Nationalsozialismus und lebte von 1933–45 zurückgezogen in Oberbayern.
301 *Anno dreiunddreißig:* Vgl. dazu S. 145–153.
301 *Wagner-Aufsatz:* Siehe S. 359.
302 *René Schickele:* Siehe S. 362. Das Zitat stammt vermutlich aus Gesprächen im Jahre 1933, als beide Autoren in Sanary-sur-Mer lebten (vgl.

Schickeles Tagebücher, *Werke in drei Bänden*, Köln/Berlin 1959, Band 3, S. 1049ff).

302 *Hermann Hesse:* 1877–1962, Schriftsteller *(Demian, Der Steppenwolf, Das Glasperlenspiel)*, Pazifist, lebte seit 1919 in Montagnola bei Lugano.

302 *»Ein großes, bedeutendes Volk«:* nicht ermittelt, möglicherweise eine Gesprächsäußerung. Im Tenor Gleiches in Hesses Brief an Mann Dezember 1931 (*Briefwechsel.* Hrsg. A. Carlsson, Frankfurt 1968, S. 17–18).

302 *Boccia spielte:* Nach der durch die Machtergreifung Hitlers unmöglich gewordenen Rückkehr nach Deutschland hielt sich Thomas Mann zunächst in der Schweiz auf, wo er Ende März 1933 Hesse besuchte.

302 *in Frankreich, dann in der Schweiz:* Thomas Mann wohnte im Sommer 1933 in Bandol und Sanary-sur-Mer, von September 1933 bis 1938 in Küsnacht bei Zürich, von 1938–1941 in Princeton/N.J., von 1941–1952 in Pacific Palisades/Cf., von 1952 bis 1955 wieder in der Schweiz (Erlenbach und Kilchberg).

303 *Ruf an die amerikanische Universität:* Die Princeton University beruft Thomas Mann 1938 als »Lecturer in the Humanities«.

303 *amerikanischer Bürger:* Siehe S. 375.

303 *zwei Söhne:* Klaus Mann und Golo Mann.

303 *in Washington:* Thomas Mann war auf Vermittlung von Agnes E. Meyer zum »Consultant in Germanic Literature« der Library of Congress in Washington ernannt worden.

303 *Honorary Degrees:* Thomas Mann war Ehrendoktor der Harvard University, der Rutgers University, der Princeton University, des Hobart College, der University of California u. a. m.

304 *Briefergüsse:* Vgl. XI, 241 (von Preetorius, Reisiger, Süskind, Kirchner, Blunck u. a.).

304 *Geruch von Blut und Schande:* Die Floskel wurde von Wilhelm Hausenstein wiederaufgenommen, der Weihnachten 1945 in der Süddeutschen Zeitung unter dem Titel *Bücher – frei von Blut und Schande* eine Liste von Büchern des literarischen Widerstandes gegen Hitler veröffentlichte.

304 *Wagner-Dekorationen:* Gemeint ist der Graphiker und Bühnenbildner Emil Preetorius, ein Bekannter Thomas Manns, der von 1931–1939 die szenische Gestaltung der Wagner-Festspiele in der Hand hatte. Er wehrte sich gegen Manns Vorwurf mit einem Brief Ende 1945 (Abdruck bei Grosser S. 57–61), in dem er auch den Vorwurf, mit gescheiten Vorträgen Kulturpropaganda fürs Dritte Reich gemacht zu haben, auf sich bezog (S. 58), obgleich Mann dabei auch an andere Vertreter des deutschen Geistes gedacht haben wird.

304 *Ein Kapellmeister:* Wilhelm Furtwängler, von 1922–1954 Leiter der Berliner Philharmoniker, 1933–34 Vizepräsident der Reichsmusikkammer, spielte bevorzugt Wagner und Beethoven, jedoch auch offiziell verfemte jüdische und avantgardistische Komponisten. Er wurde trotz gelegentlicher Proteste als kulturelles Aushängeschild des Dritten Reiches mißbraucht. Zitat nicht ermittelt.

304 *Beethoven ›Fidelio‹:* Beethovens Oper von der Befreiung des edlen Florestan aus dem Gefängnis entstand während der französischen Besetzung Wiens und wurde in ihrer endgültigen Fassung 1814, nach dem Sieg über Napoleon bei Leipzig, uraufgeführt.

305 *Himmler:* Siehe S. 376.

305 *Krieck:* Ernst Krieck, 1882–1947, führender nationalsozialistischer Pädagoge (*Nationalpolitische Erziehung.* Leipzig 1932 u. ö.). *Volk im Werden* war eine halboffizielle kulturpolitische Monatsschrift.

305 *ausbürgerte:* Siehe S. 363.

306 *Der Goethe-Roman: Lotte in Weimar* (1939).
306 *»Doch schäm ich mich«:* Goethe, *Des Epimenides Erwachen*, II, 9 (Werke 6,476).
306 *Brief nach Bonn:* Siehe S. 178–184.
306 *Radiobotschaften:* Siehe S. 262–280.
306 *Vortrag:* Siehe S. 281–298.
306 *Neue Rundschau:* Die Kultur- und Literaturzeitschrift *Die Neue Rundschau* des S. Fischer Verlags war bis 1944 von Peter Suhrkamp, der den nichtemigrierten Teil des Verlags leitete, in Deutschland herausgegeben worden. Nach dem Kriege führte Bermann Fischer die *Rundschau* weiter, während Suhrkamp einen eigenen Verlag gründete.
307 *ein deutscher Roman:* Hinweis auf den gerade entstehenden Roman *Doktor Faustus*, der 1947 erschien.
307 *in unserem größten Gedicht:* Goethes *Faust*.
307 *zwei Jahrhunderte:* Thomas Mann will das 18. und das 19. Jahrhundert unter dem Gesichtpunkt der Dominanz Preußens als Epoche Friedrichs des Großen bezeichnen.
307 *Ins-Auge-Fassen des Weltstaates:* Gründungskonferenz der Vereinten Nationen (UNO) von April bis Juni 1945.

AN DAVID McCOY

Brief vom 15. 11. 1945.
Erstdruck GW XIII, 774–783.

Der Brief steht hier als ein Beispiel für Manns Enttäuschung über die Entwicklung seit Kriegsende, die statt zur sozialen Weltdemokratie zum Kalten Krieg zwischen einem wieder sozial verantwortungslosen Kapitalismus und einem im Zeichen des gemeinsamen Schlagworts »Totalitarismus« als faschistisch diffamierten Kommunismus führte.

309 *nach schwerer Krankheit:* mehrere Erkältungskrankheiten im Vorfeld einer im Frühjahr 1946 durchgeführten schweren Lungenoperation (XI, 252ff).
309 *peace rally:* eine Massenveranstaltung zum Thema Frieden, Ort und Zeit nicht ermittelt.
312 *»Will man Sklaven«:* nicht ermittelt.
312 *großen Präsidenten:* Roosevelt (Siehe S. 366).
313 *Mann, dem man Respekt schuldet:* Herbert Hoover, von 1929–1933 Präsident der USA, Gegner Roosevelts. Zitat nicht ermittelt.
313 *Ergebnis der jüngsten Wahlen:* Bei den Kongreßwahlen am 5. 11. 1945 siegte die republikanische Partei.
313 Der Demokrat Roosevelt hatte mit seinem Reformprogramm New Deal die USA nach der Weltwirtschaftskrise wieder stabilisiert.
314 *Mr. Byrnes:* James Francis Byrnes war von 1945–1947 Außenminister der USA (Demokrat).
314 *der alten Prophezeiung:* nicht ermittelt.
315 *ein Comité:* Näheres nicht bekannt.

ICH STELLE FEST…

Offener Brief vom 3. 4. 1951. Erstdruck: *Aufbau* 17, New York 1951, Heft 15. GW XI, 795–798.

Thomas Manns Bemühungen um Vermittlung zwischen rechts und links brachten ihm während der Kommunistenverfolgungen der McCarthy-Zeit den Vorwurf des Prokommunismus ein. Höhepunkt dieser Auseinandersetzungen waren die Angriffe jenes Mr. Tillinger, auf die Manns Offener Brief sich bezieht, und eine daraufhin erfolgende Adresse im Repräsentantenhaus des amerikanischen Kongresses, die für Tillingers Artikel offizielle Billigung beantragte und von Thomas Mann mehr Dankbarkeit gegenüber Amerika verlangte (Abdruck bei Schröter S. 412–413). Vorgänge dieser Art führten schließlich zum Umzug des Dichters in die Schweiz.

316 *Eugene Tillinger:* deutschfeindlicher Schriftsteller, Sekretär des antideutschen »Committee to Prevent World War III«, hatte in der rechtsradikalen Zeitschrift *The Freeman* (Heft 1, 26. 3. 1951, S. 397–398) den Artikel *Thomas Mann's Left Hand* veröffentlicht.

316 *United Press:* UP, bedeutende amerikanische Presseagentur (heute, durch Fusion mit »International News Service«, UPI).

316 *Lyle C. Wilson:* Journalist, seit 1943 UP-Chef in Washington.

316 *»Without making«:* Fundort nicht ermittelt.

316 *American Peace Crusade:* eine gegen den Kalten Krieg und das Engagement der USA in Korea operierende Bewegung, gegründet 1951 von amerikanischen Wissenschaftlern (u. a. von dem Atomphysiker Ph. Morrison und dem Chemiker Linus Pauling).

317 *Stockholmer Friedens-Deklaration:* Text nicht ermittelt.

317 *tragischen Anlaß:* Am 21. 5. 1949 war der älteste Sohn Klaus Mann durch Freitod aus dem Leben geschieden.

317 *M. Joliot-Curie:* Atomphysiker (Nobelpreis 1935), Mitglied der Kommunistischen Partei Frankreichs. Der zitierte Brief in *L'Humanité,* Paris, 15. 11. 1950, S. 2.

317 *meine Antwort:* in *The Freeman* 8. 4. 1951 unter dem Titel *Dr. Mann Objects.* Tillinger rückte dennoch von seinen Behauptungen nicht ab und erneuerte sie in *Thomas Mann and the Commissar, New Leader* 34, 1951, Nr. 25, S. 6–8.

GEGEN DIE WIEDERAUFRÜSTUNG DEUTSCHLANDS

Erstdruck in französischer Sprache unter dem Titel *Thomas Mann lance un message* in *L'Express,* Paris 23. 10. 1954.
GW XIII, 805–813.

Im Sommer 1954 waren die Bemühungen um die Gründung einer Europäischen Verteidigungsgemeinschaft am Widerstand Frankreichs gescheitert. Am 23. 10. 1954 trat die Bundesrepublik statt dessen der NATO bei. Dieser eindeutigen Parteinahme gingen jahrelange Debatten voraus, in denen Adenauer und der größere Teil der CDU/CSU von vornherein für eine enge Bindung an die USA unter Inkaufnahme einer Zementierung der Spaltung Deutschlands, die SPD in großen Teilen für eine Wiederherstellung der Einheit durch eine Neutralisierung Deutschlands, die militärisch von den Siegermächten zu garantieren wäre, eintrat. 1954 erklärt sich die SPD auf ihrem Berliner Parteitag im Gegensatz zu dem von Thomas Mann zitierten »Verzicht auf Machtpolitik« unter bestimmten Umständen zu einer Wiederbewaffnung bereit.

319 *Ihren Brief:* nicht ermittelt.
319 *»C'en est fini«:* Aus Thomas Manns Radiobotschaft vom 8. Mai 1945 (*Die Lager*, hier S. 299–300).
319 *»Neuf ans après«:* Der fragliche Brief ist bislang unveröffentlicht. Der erwähnte Nachdruck der Radiobotschaft ist in Bürgins Bibliographie nicht aufgeführt.
319 *CED:* Communauté Européenne de Défense.
319 *DBR:* Deutsche Bundesrepublik.
320 *Amerikaner:* Siehe S. 375.
321 *Wahlen in Schleswig-Holstein:* Am 12. 9. 1954 erhielt die SPD 33,2%, die CDU 32,2%. Das war allerdings auch für die CDU ein gutes Ergebnis, da sie 1950 nur 19,7% erhalten hatte.
321 *Essener Vorschlag:* Auf dem Berliner Parteitag im Juli 1954 wurde im Gegensatz zu diesem Minderheitsvorschlag (dessen Text nicht ermittelt wurde) beschlossen, unter bestimmten Bedingungen »an gemeinsamen Anstrengungen zur Sicherung des Friedens und der Verteidigung der Freiheit auch mit militärischen Maßnahmen teilzunehmen« (Aktionsprogramm der SPD, abgedruckt in W. Mommsen, *Deutsche Parteiprogramme.* München 1960, S. 631).
324 *Pierre Boulez:* Hauptvertreter der seriellen Musik. *Arnold Schönberg* als Begründer der Zwölftontechnik bildete das Gegenüber zu seinem eher traditionalistischen Zeitgenossen *Igor Strawinsky.*
324 *André Gide:* avantgardistischer französischer Romancier (z. B. *Les Faux-Monnayeurs*); *Giraudoux, Cocteau, Anouilh:* existentialistische Erfolgsdramatiker der Nachkriegszeit; *En attendant Godot:* Theaterstück von Samuel Beckett. Der Maler *Picasso* und der Philosoph *Jean Paul Sartre* waren damals auf dem Gipfel ihrer öffentlichen Wirkung.
324 *Sukzeß von 1870/71:* der deutsche Sieg gegen Frankreich.
324 *der Zeit ein kleines Loblied:* In *Eine Botschaft an die Deutschen* (1950), XII, 967–968 (leicht verändert).
325 *Pierre Mendès-France:* radikalsozialistischer Abgeordneter, 1954–55 französischer Ministerpräsident.

DER KÜNSTLER UND DIE GESELLSCHAFT

Vortrag September 1952. Erstdruck Wien 1953.
GW X, 386–399.

Der Vortrag zieht ein pessimistisches Resümee der Bemühungen des Künstlers um die Politik, in dem trotz allem Bekenntnis zu moralischer Verantwortung der ästhetizistische Grundzug des Mannschen Lebenswerks wieder ziemlich offen zutage tritt. (»Unleugbar hat ja das politische Moralisieren eines Künstlers etwas Komisches...«).

326 *»des Lebens Leben«:* Siehe S. 357.
326 *»Es ist wohl möglich«:* Goethe, *Dichtung und Wahrheit*, Werke 10,590 (wörtlich: »ein gutes Kunstwerk kann und wird zwar moralische Folgen haben, aber moralische Zwecke vom Künstler fordern, heißt ihm sein Handwerk verderben.«)

326 *»Es war nie meine Art«:* Goethe etwa 1817–1821 im Gespräch mit einem Unbekannten, nach Heinrich Laube, in: Biedermann (Hrsg.), *Goethes Gespräche.* Leipzig 1909, Band 2, S. 523.

327 *den ästhetischen Zustand:* Schopenhauer, *Die Welt als Wille und Vorstellung,* v. a. in den §§ 36–38.

327 *in Stockholm:* Verleihung des Nobelpreises am 10. 12. 1929.

327 *Bonnier:* Albert Bonnier, Inhaber des bedeutenden schwedischen Literaturverlags Bonnier.

327 *Selma Lagerlöf:* 1858–1940, schwedische Dichterin, Nobelpreis 1909. *Gösta Berlings saga* (1891) ist ein großer Heimatroman.

328 *zum Anlaß werden:* Der Nobelpreis wurde Thomas Mann ausdrücklich für *Buddenbrooks* verliehen.

330 *»Von der Vernunfthöhe«:* Goethe in einem Brief vom 19. 12. 1798 an C. G. Voigt, Werke 19, 358.

331 *psychologischen Federlesens:* z. B. *Menschliches, Allzumenschliches* (»Gute Handlungen sind sublimierte böse, böse Handlungen sind vergröberte, verdummte gute«, I, 513) oder *Zur Genealogie der Moral,* Erste Abhandlung (Differenzierung von böse und schlecht z. B. II, 797).

332 *Prosa-Szene des ›Faust‹:* die Szene *Trüber Tag. Feld* (Werke 5,280–282).

333 *die Solidarität aller Geistigen:* z. B. Kurt Hiller in seiner *Philosophie des Ziels,* siehe S. 342f, oder Heinrich Mann, siehe S. 342 und S. 360.

333 *Joseph de Maistre:* 1754–1821, einer der wirksamsten Kritiker der Französischen Revolution (*Considérations sur la France,* 1796), dessen Lehre vom theokratischen Ordnungsstaat (*Du Pape,* 1819) wesentlich zur geistigen Begründung der Restaurationsstaaten beitrug. Thomas Mann konnte Maistre sowie den nachfolgend zitierten Sainte-Beuve aus einer sekundären Quelle, deren Fomulierungen die ganze Passage verpflichtet ist: Ernst Brandes, *Hauptströmungen der Literatur des Neunzehnten Jahrhunderts,* Charlottenburg [8]1900, Bd. III, S. 104 ü. ö. (Vgl. H. J. Sandberg, *Thomas Mann und Georg Brandes,* in B. Bludau/E. Heftrich/H. Koopmann, *Thomas Mann 1875–1975,* Frankfurt 1977, S. 285–306, hier S. 284f, S. 304).

333 *Sainte-Beuve:* Charles-Augustin Sainte-Beuve, 1804–1869, französischer Literaturkritiker. Über de Maistre in *Portraits Littéraires* (1836–39).

333 *Michelet:* Jules Michelet, französischer Historiker und Geschichtsphilosoph, Kritiker der Französischen Revolution (*Les origines de la France contemporaine,* 1875–93).

333 *Edmund Burke:* 1729–1797, englischer Politiker ursprünglich liberaler Prägung, unter dem Einfluß der Französischen Revolution Wandlung zum Konservativen. Sein Buch *Reflections on the Revolution in France* (1790, deutsch von Friedrich Gentz, Berlin 1793) wurde zum Grundbuch der antirevolutionären Bewegung in Europa. Zu Gentz siehe S. 343. Burke-Zitate aus der Zeit des Ersten Weltkriegs nicht ermittelt.

334 *Baron de Nucingen:* literarische Gestalt in mehreren Romanen von Balzacs *Comédie humaine.*

334 *Knut Hamsun:* Siehe S. 365.

334 *in seinen frühesten Büchern:* z. B. *Redaktør Lynge* (1893), eine Satire auf den liberalen Journalismus.

334 *Ezra Pound:* amerikanischer Lyriker, 1885–1972, während des Zweiten Weltkriegs Leiter faschistischer Propagandasendungen über Radio Rom, 1945 inhaftiert, vor dem Hochverratsprozeß durch Einlieferung in ein Irrenhaus bewahrt, wo er erst 1958 entlassen wurde. Pound erhielt 1949 den Bollinger-Preis.

335 *Victor Hugo:* 1802–1885, französischer Romantiker, zunächst Royalist, nach 1848 entschiedener Demokrat.
335 *»Almost too good«:* Philip Toynbee, *Thomas Mann. The Isolated World Citizen*, in: *The Observer* 160, London 1951, *Foreign News Service* Nr. 5589.
336 *Lessing:* Das Zitat findet sich in einem Brief an den Bruder Karl Lessing vom 20. 10. 1778, Gesammelte Werke Band 9 (Briefe), Berlin 1957, S. 802.

DEUTSCHE LITERATUR KRITIK

Herausgegeben von Hans Mayer

4 Bände · Dünndruckausgaben

Band 1
Von Lessing bis Hegel
(2008)

Band 2
Von Heine bis Mehring
(2009)

Band 3
Vom Kaiserreich
bis zum Ende der
Weimarer Republik
(2010)

Band 4
Vom Dritten Reich
bis zur Gegenwart
(2011)

Fischer

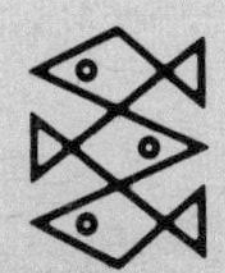